BESTSELLER

[!]

José Calvo Poyato (Cabra, Córdoba, 1951) es catedrático de Historia y ha simultaneado la docencia con la investigación. Se doctoró con una tesis sobre los señoríos en el paso del siglo XVII al siglo XVIII, período que, centrado en el reinado del último Austria, Carlos II, y el primero de los Borbones, Felipe V, constituye la mayor parcela de su labor investigadora: *La guerra de Sucesión* (1988), *Así vivían en el Siglo de Oro* (1989), *De los Austrias a los Borbones* (1990), *Carlos II el Hechizado y su época* (1992), *Felipe V, el primer Borbón* (1993) y *Juan José de Austria* (2002). Ha realizado asimismo investigaciones sobre aspectos de la segunda mitad del siglo XIX, recogidos en *Conflictividad social en Andalucía* (1981), *Los Orléans en España* (1998) y *El desastre del 98* (1998). Además ha publicado también las novelas de base histórica *Conjura en Madrid* (1999), *La Biblia negra* (2000), *El hechizo del rey* (2001), *Jaque a la reina* (2003), *El manuscrito de Calderón* (2005), *La orden negra* (2005), *El ritual de las doncellas* (2006) y *Vientos de intriga* (2008), que han cosechado un gran éxito de crítica y público.

Biblioteca

JOSÉ CALVO POYATO

La Dama del Dragón

LⅠ DeBOLSⅠLLO

Diseño de la portada: Departamento de diseño de Random
    House Mondadori / Ferran López
Ilustración de la portada: Alejandro Colucci

Primera edición en DeBOLS!LLO: noviembre, 2008

Printed in Spain – Impreso en España

ISBN: 978-84-8346-817-3 (vol.421/8)
Depósito legal: B-40789-2008

Fotocomposición: Lozano Faisano, S. L. (L'Hospitalet)

Impreso en Litografia Rosés, S. A.
Progrés, 54-60. Gavà (Barcelona)

P 868173

A la mujer de mi vida

Agradecimientos

La idea de escribir el libro que ahora ve la luz bajo el título de *La Dama del Dragón* surgió hace cinco años, al tener conocimiento de la figura de Caterina Sforza, un personaje que despertó mi interés y me sedujo con la fuerza de su apasionante vida.

A lo largo de ese tiempo me han ayudado numerosas personas aportando sugerencias, proponiendo ideas o señalando cuestiones de interés, relacionadas con el personaje y su época. A todas ellas quiero manifestarles mi agradecimiento. He de hacerlo de forma muy especial a Francisco García por su ayuda, a Javier Sánchez, quien dedicó unas vacaciones a revisar el texto, a Gloria Abad por su ánimo, su confianza y una lectura del original que aportó detalles valiosos a la redacción definitiva y a Francisco García Montoya que conoce el valor de los dragones.

Como en todas mis novelas ésta también debe mucho a Cristina. *La Dama del Dragón* cobra su dimensión definitiva gracias a su paciencia, a su reposada lectura y a sus críticas, en ocasiones vehementes, pero siempre atinadas.

EL AUTOR

Italia a fines del siglo xv

Ascendencia y descendencia de Caterina Sforza

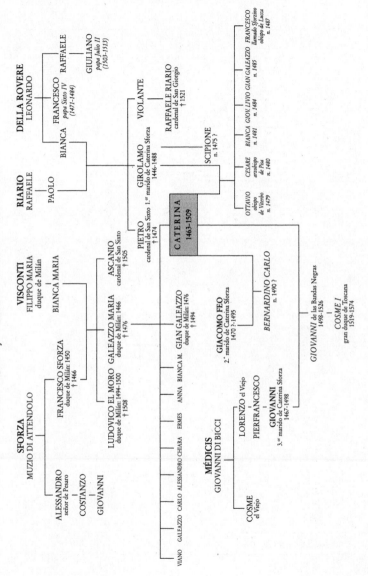

1

Milán, octubre de 1472

—¡Jamás, Galeazzo, jamás! ¡No te empeñes, porque no lo consentiré! —Gabriella Gonzaga no paraba de caminar de un lado para otro. El brillo de sus negros ojos acentuaba la determinación de sus palabras.

Galeazzo Sforza aún vestía su atuendo de cazador y permanecía sentado. La miró con dureza y arqueó sus labios hacia abajo en aquella mueca que aparecía en su rostro cada vez que se le contradecía.

—Si ese matrimonio no se celebra, todos nuestros empeños habrán resultado inútiles.

—¿Nuestros, dices? —ironizó ella.

—¡Por supuesto que son nuestros! —Golpeó con el puño el brazo del sillón—. Te guste o no, estás implicada. ¡Tu marido también era hijo de mi padre!

Gabriella se detuvo delante de la chimenea, tomó un atizador, removió las ascuas y las llamas se avivaron. Sin volverse, comentó:

—No he sido yo quien se ha apoderado de Imola, ni quien se ha aprovechado de ese pelele de Manfredi. Esas decisiones han sido tuyas y sólo tuyas.

El duque de Milán se levantó, se acercó a su cuñada y la giró tomándola por los hombros.

—¡Hay que estar a las duras y a las maduras!

Gabriella le sostuvo la mirada. Si Galeazzo era un Sforza, por sus venas corría la sangre de los Gonzaga.

—En eso he de darte la razón.

—Entonces, ¿por qué esa cerrazón?

Gabriella, con un ágil movimiento, se zafó de las manos de su cuñado.

—Lo sabes de sobra. No se resolverán los problemas de los Sforza a costa de una niña de once años.

—Sin embargo, no pusiste ningún impedimento cuando el enviado del Papa planteó el matrimonio.

—Porque nunca creí que ese patán de Girolamo Riario fuese a exigir su consumación de manera inmediata.

—¡Qué más da!

—¡No! ¡No da lo mismo! Si quiere la mano de Constanza, tendrá que esperar a que cumpla los catorce años para hacerla suya.

El duque de Milán se sentó de nuevo. Su aspecto era sombrío: había calculado mal sus movimientos al creer que dos potencias como Florencia y Venecia aceptarían la ocupación de Imola como un hecho consumado. La primera porque era su aliada; él mismo había viajado aquella primavera hasta la capital de la Toscana y su visita a Lorenzo de Médicis fue todo un éxito, a pesar de que las afiladas lenguas de los florentinos tenían un bajo concepto del lombardo, al que consideraban un ser depravado, capaz de cometer las mayores atrocidades para satisfacer sus primitivos instintos. Se contaba que obligó a un furtivo a comerse una liebre entera, incluida la piel, por haberla cazado en uno de sus bosques. Sus relaciones con la Serenísima República no eran tan buenas, pero estaba seguro de que los venecianos no se enredarían en un conflicto armado porque para ellos Imola no significaba gran cosa y menos aún los Manfredi, cuya familia estaba agotada biológicamente. El despojado Tadeo había aceptado, sin protestar, una pensión de por vida y el palacio que, para su alojamiento, le ofreció el Sforza.

Sin embargo, las cosas no habían rodado como esperaba. Florencia protestó porque Imola estaba sobre la vía Emilia, una antigua calzada romana que comunicaba la Toscana con el Adriático, en cuyos puertos los comerciantes florentinos tenían importantes intereses. A los Médicis no les convenció el argumento de que Manfredi estaba dispuesto a vender la ciudad a los venecianos, quienes también rechazaron aquella ocupación porque rompía los acuerdos de la paz de Lodi, donde se logró un precario equilibrio en el complicado rompecabezas de la política italiana del momento; amenazaron con abandonar la Liga que garantizaba aquella paz.

Cada día que pasaba, la situación para Galeazzo Sforza era más comprometida.

Vislumbró la luz el día en que recibió la visita del enviado pontificio. Su Eminencia llevaba en las alforjas un ancla de salvación. Sixto IV le proponía, como una pieza más de su calculada política para encumbrar a sus familiares, el matrimonio de su sobrino Girolamo Riario con una Sforza. Su olfato político le dijo que la propuesta encerraba un acuerdo ventajoso porque el astuto franciscano que ocupaba el solio pontificio le estaba ofreciendo, sin mencionarla, una salida airosa si aquel advenedizo entroncaba con los duques de Milán. Para endulzar el acuerdo, Su Santidad había concedido a su sobrino el título de conde de Bosco; la novia, por su parte, llevaría como dote la ciudad de Imola, cuyo gobierno los Manfredi habían ejercido como vicarios del Papa. Roma estaría de acuerdo y ni florentinos ni venecianos tendrían nada que objetar. Aquélla era la salida a sus problemas.

Ahora todo estaba a punto de naufragar porque la madre de la novia se negaba a que su hija fuese desvirgada antes de cumplir los catorce años.

—Tal vez haya una fórmula que nos permita salir del atolladero —comentó Galeazzo, acariciándose la mejilla.

—Siempre que no suponga someter a Constanza a una vejación, estoy dispuesta a discutirla.

—¿Qué tal si la pareja se acostase en el lecho ante testigos, sin hacer nada?

Gabriella meditó un momento y no encontró reparos a la propuesta.

—No veo inconveniente alguno, siempre y cuando sea solamente eso. ¿Está Girolamo de acuerdo?

—Tendré que preguntárselo.

Bona de Saboya, la esposa de Galeazzo, trataba de apaciguar a su marido. Los objetos tirados por el suelo eran la muestra de la desatada ira del duque.

—¡Ese mequetrefe! ¡Ese don nadie! ¿Qué se habrá creído?

—Cálmate, Galeazzo, nada conseguirás por ese camino.

—¡No tiene mayor mérito que ser el sobrino de ese franciscano de vil condición, hijo de un pescador!

—Sí, pero no olvides que el hijo del pescador está sentado en el trono de San Pedro.

—¡Para explotarlo en su propio beneficio y en el de sus familiares! —bramó el duque—. ¡Ya ha entregado la púrpura cardenalicia a dos de sus sobrinos y a este escribano le ha dado un título que se le ha subido a la cabeza!

—Lo ha hecho porque tiene poder para ello.

—Los cardenales piafan como caballos. El nepotismo es la norma que lo preside todo en el Vaticano.

—No sé por qué se quejan…

Galeazzo miró a su mujer, quien concluyó:

—… ellos son quienes lo han elevado al solio pontificio.

—¡Hubo un acuerdo que Sixto IV ha incumplido!

Bona de Saboya, hija del rey de Francia, no pudo evitar el esbozo de una sonrisa.

—¿Qué te hace tanta gracia?

—Los acuerdos, querido, los acuerdos. Si se firman es, precisamente, para incumplirse.

—Ese mequetrefe considera un insulto a su dignidad yacer en el lecho junto a Constanza, sin poder montarla. ¡Se empeña en rechazar el matrimonio, si no se consuma!

La duquesa miró por ventanal el blanco paisaje del jardín, cubierto por un espeso manto de nieve. Aunque el calendario marcaba el comienzo de noviembre, el frío se extendía por el Milanesado con toda su crudeza. Sería un invierno largo y duro.

—¿Sabes que hemos recibido correo de ese joven artista que conocimos cuando visitamos Florencia?

Galeazzo miró a su mujer sin comprender.

—¿A quién te refieres?

—A Leonardo da Vinci.

El duque arrugó el entrecejo. Trataba de hacer memoria.

—¿El del taller de Verrochio?

—Sí, el que te mostró algunos planos de fortificaciones y extraños artilugios para la guerra.

—He de admitir que tiene imaginación.

—… y futuro —añadió la duquesa con la mirada perdida en el solitario jardín.

—Es posible, pero ahora no estoy para fortificaciones ni

proyectos. Imola se convertirá en una trampa mortal si no encuentro una salida. Los florentinos apremian cada día más.

La duquesa abrió un pequeño frasco que colgaba de su cinturón y la estancia se llenó de una aromática y delicada esencia, se volvió hacia su marido y le preguntó:

—¿El acuerdo con el cardenal Riario está condicionado al matrimonio con Constanza?

Galeazzo levantó su poderosa cabeza.

—¿Por qué lo preguntas?

—Porque si no es así, tal vez haya otras opciones.

El rostro del Sforza se ensombreció.

—¿Alguna de nuestras hijas?

Bona lo miró alarmada.

—¡Cómo se te ocurre pensar algo así! ¡Tú mismo lo has dicho! ¡Ese Riario es un don nadie! ¡Un mequetrefe!

—¿Entonces?

—Estoy pensando en Caterina.

El duque entrecerró los ojos, que se convirtieron en poco más que dos líneas bajo sus espesas cejas. Al cabo de unos instantes negó con la cabeza.

—No servirá.

—¿Por qué?

—Caterina es aún más pequeña que Constanza.

—Es verdad que acaba de cumplir diez años, pero tiene una gran ventaja.

—Explícate.

—Se trata de tu propia hija. Es un valor que ese escribano tendrá que calibrar.

—El principal obstáculo para desposar a Constanza está en la consumación. Con Caterina estaríamos en las mismas condiciones, Girolamo tendría que esperar al menos cuatro años.

—Se trata de una Sforza —insistió la duquesa.

—No sé —vaciló el duque.

—Supongo que su madre no se opondrá. —Bona de Saboya daba por buena su propuesta, pese a las reticencias de su esposo—. No es mala propuesta para una bastarda.

El rostro de Galeazzo reflejaba todavía la duda, pero acudiría a visitar a Lucrecia Landriani, la madre de Caterina, con la que mantuvo un apasionado romance antes de contraer matrimonio. Si el fruto de aquel amor era el precio para salir del atolladero de Imola, estaba dispuesto a pagarlo. Tal vez, su esposa tuviese razón y el oscuro escribiente quedase deslumbrado ante aquella perspectiva.

Unos días más tarde Cicco Simonetta, el secretario del duque, comunicaba a Girolamo Riario la propuesta, haciéndole saber que la consumación del matrimonio no se llevaría a cabo hasta que Caterina cumpliese los catorce años.

—He de añadir —señaló el secretario— que mi señor el duque está dispuesto a mostrarse generoso.

—¿Cómo de generoso?

La pregunta había brotado de los labios del escribano cargada de ansiedad. El astuto Simonetta supo que allí estaba la clave del éxito de su misión. Midió cuidadosamente sus palabras.

—El duque podría entregar Imola a Su Santidad, con tal de que se cumplan dos condiciones.

—¿Cuáles?

—La primera que vuestro tío os entregue el gobierno de la ciudad, lo tendríais por vuestra condición de esposo de Caterina.

—¿Y la segunda?

—Mi señor el duque habría de recibir una suma por la entrega del señorío de Imola, como compensación a los gastos ocasionados por la ocupación de la plaza.

—¿Cuál es el importe de esa suma?

Simonetta lo dijo con suavidad:

—Cuarenta mil ducados.

Girolamo frunció el ceño.

—¡Eso es una fortuna!

Simonetta hizo un ligero movimiento de hombros.

—¿Acaso Imola no los merece?

El Papa se lo tomó con calma, alegando que las celebraciones de la Navidad no le dejaban respiro para otras consideraciones. En realidad necesitaba tiempo para formalizar el crédito exigido por el duque de Milán.

Sixto IV no tenía dudas: su sobrino se casaría con la hija de Galeazzo Sforza y se convertiría en señor de Imola, como vicario del Papa. Era mucho más de lo que podía haber soñado porque, aunque Caterina fuese una bastarda, su padre la había reconocido. Con Imola en sus manos se abría la posibilidad de entrar con pie firme en la Romaña, el territorio por donde deseaba extender el poder de Roma. Sin embargo, conseguir los cuarenta mil ducados estaba resultando más complicado de lo que había supuesto; los Médicis, los banqueros papales, ponían toda clase de obstáculos, alegando, con doblez florentina, falta de liquidez. Su Santidad era consciente de que los verdaderos motivos de Lorenzo el Magnífico eran que con los cuarenta mil ducados financiaba una operación contraria a los intereses de su ciudad.

Para hacer frente a aquella dificultad el astuto pontífice había ideado una estrategia con la que obtener sustanciosos dividendos. Para materializarla envió a Florencia a su sobrino Pietro Riario, cardenal de San Sixto, cuyo regreso aguardaba impaciente.

Despachaba con otro de sus sobrinos, Giuliano della Rovere, también elevado a la dignidad cardenalicia, pese a la oposición del Sacro Colegio, cuando su secretario, un franciscano enjuto de carnes y cara afilada, le dio aviso de que Su Eminencia había regresado de Florencia.

—El cardenal de San Sixto desea ser recibido por Su Santidad.

—¿Su Eminencia está ya en Roma?

—En estos momentos estará cruzando la muralla Leonina, santidad.

—¿Cómo no se me ha informado con la debida antelación?

Sixto IV golpeó con fuerza sobre la mesa, donde se amontonaban los pergaminos a los que dedicaba su atención.

—Acabamos de tener conocimiento, santidad —se excusó el franciscano, agachando la cabeza en señal de sumisión.

—¡Cuando llegue, que venga!

—Como disponga vuestra santidad.

Se retiraba el secretario cuando la voz del Papa tronó:

—¡Inmediatamente!

Poco después Pietro Riario comparecía ante su tío, sin haberse sacudido el polvo del viaje. Su aspecto era más parecido al de un *condottiero* que al de un miembro de la curia cardenalicia. Con paso decidido llegó hasta el estrado donde estaba el Papa rodeado de algunos de los cardenales que le debían fidelidad, hincó la rodilla en tierra y besó el anillo del pescador que su tío le ofreció.

—Dejadnos solos.

Un crujir de sedas, tafetanes y brocados acompañó la salida de Sus Eminencias. Una vez cerrada la puerta, el Papa se levantó y abrazó a su sobrino, sin importarle la suciedad.

—¿Qué tal en Florencia?

El cardenal sacó de su pecho una delgada cartera de fino tafilete.

—Vedlo con vuestros propios ojos.

Antes de tomar en sus manos la carta de crédito, ya sabía que su sobrino había culminado con éxito la difícil misión. Aquel papel valía por una ciudad en el corazón de la Romaña. Era un crédito por cuarenta mil ducados que abonaría el consignatario de la banca Pazzi en Roma. Aquello cambiaría algunas de las piezas en el complejo tablero que era la política italiana y sus elaborados equilibrios de poder.

—Mi querido Pietro, tendrás que ponerte otra vez en camino para cerrar el acuerdo con Galeazzo Sforza, quiero que ese lombardo sepa que consideramos este enlace una prioridad en nuestros proyectos. Tu presencia en Milán dará el realce adecuado a esos esponsales. Pero antes habrás de rendir visita a Venecia, necesitamos asegurarnos que esos comerciantes, infectados por el trato con los infieles, no pondrán objeciones a nuestra entrada en la Romaña.

Sixto IV dio a su rostro un aire de beatitud y comentó a su sobrino preferido, con aire de complicidad:

—La misa de mañana se aplicará por las intenciones de los Pazzi.

Estaba eufórico, con aquel crédito no sólo estaba en condiciones de satisfacer las demandas del duque de Milán, sino que daba una bofetada a los Médicis. La Santa Sede tenía a partir de ese momento otros banqueros para atender sus necesidades.

En Venecia, Pietro Riario desplegó toda su habilidad para convencer al dux y a sus consejeros de que nada les iba en aquel envite. Los más perjudicados eran los florentinos, sus enemigos tradicionales. El éxito coronó su misión porque, aunque los venecianos no viesen con buenos ojos un aumento de la presencia de Roma en la Romaña, efectivamente quien más perdía era Florencia.

El cardenal no se entretuvo y viajó hasta Milán, donde su estancia resultó placentera. Allí todo fueron parabienes y el 23 de enero, junto a su hermano Girolamo, abandonaba la capital del ducado de Milán para emprender el viaje de regreso a Roma.

Firmadas las capitulaciones matrimoniales de Girolamo y Caterina, sólo quedaba un asunto pendiente. Una pequeña irregularidad: el novio ya estaba casado. Pero ése era un problema que el poder del Santo Padre resolvería con suma facilidad, y así fue: una bula pontificia, fechada el 26 de febrero, declaraba nulo su matrimonio.

Mientras se decidía su futuro, Caterina Sforza, ajena a unos acontecimientos que iban a determinar su existencia, gratificaba los esfuerzos de sus preceptores. Se mostraba interesada en el latín de los clásicos, que había resucitado de sus cenizas hasta convertirse en una moda; mostraba cualidades innatas para la danza; competía con sus hermanos en el arte de la esgrima y aventajaba a todos en las clases de equitación; con el tiempo sería una gran amazona. Su devoción por los caballos la llevaba a pasar largas horas en las cuadras, junto a mozos y domadores, limpiando su caballo y disfrutando del contacto con los animales.

Más tarde, cuando superó la adolescencia, llegó a convertirse en una hermosa mujer de piel muy blanca, cabellos rubios y ojos melados de mirada soñadora, aunque ya en sus pupilas se vislumbraba una fuerza de voluntad poco común, la misma que se reflejaba en sus labios. Tenía un temperamento apasionado y un carácter recio, que se ponía de manifiesto ante las injusticias.

Antes de cumplir los diez años se enfrentó a un mulero que se divertía martirizando a un gato. Aquel malandrín había introducido las patas del animal por los agujeros de una tabla para inmovilizarlo. Simulaba interpretar una pieza musical pasando un manojo de zarzas por el lomo despellejado del felino, que profería maullidos lastimeros. Caterina, furiosa, le arrebató las zarzas y le azotó el rostro.

Era aficionada a los saberes inquietantes que bordeaban los límites de la ciencia. Se sentía fascinada por los enigmas de la alquimia y sus fórmulas, que se consideraban mágicas. A pesar de su edad, no rehuía el encuentro con las llamadas ciencias ocultas; más aún, buscaba en ellas las explicaciones que no encontraba a su alrededor.

Siempre que podía abandonaba el castillo y acudía a la rebotica de micer Romualdo. Allí buscaba alivio a su insaciable curiosidad; quería saberlo todo acerca de las propiedades de las plantas, tanto salutíferas como venenosas. Preguntaba por los poderes atribuidos a las piedras y a determinadas glándulas de ciertos animales. Pasaba horas sumida en la lectura de voluminosos herbarios, lapidarios y bestiarios, donde se contaban toda clase de historias acerca de sus propiedades. Embebida en aquellas lecturas, aprendió que la mandrágora era una planta terrible y peligrosa; que la belladona, pese a su nombre, aletargaba; que había setas inductoras de horribles sueños y otras mortalmente venenosas. Aprendió también el arte de la destilación para obtener perfumes, ungüentos y pomadas. Supo que cada astro estaba asociado a una piedra, cuyas propiedades resultaban extraordinarias especialmente en determinados días, según la posición del sol o de la luna.

Su curiosidad por las fórmulas magistrales de micer Romualdo le sugería preguntas impropias para una niña de su edad. Algunas veces le confiaba al boticario en voz muy baja, como si de un secreto se tratase, que cuando fuese mayor, tendría su propio laboratorio con alambiques, matraces y atanores.

Caterina Sforza quería ser alquimista.

2

Los bronces de San Pedro sonaban poderosos y tristes, respondiendo a los tañidos fúnebres de las campanas de la iglesia de San Sixto que, como sede pastoral del cardenal Pietro Riario, era un marco relevante de las exequias del sobrino del pontífice.

El Papa estaba abrumado. Había perdido al más querido de sus familiares y al más firme de sus apoyos en aquella Babel que era Roma, donde los desafueros del populacho únicamente eran superados por las encarnizadas luchas de las familias patricias, atizadas durante siglos por generaciones de crueles enfrentamientos, asesinatos sin tasa y terribles venganzas. Hacía años que la ciudad se veía sacudida por las luchas callejeras entre partidarios de los Colonna y de los Orsini. Roma, sin embargo, se había hecho al sobresalto y a la muerte, presentes en cada sórdido callejón o en cada oscura esquina de sus innumerables plazas. Resultaba extraño el día que no comenzaba con algunos cadáveres flotando en las pestilentes aguas del Tíber, verdadera cloaca de la ciudad, o en algún otro lugar de la urbe, cuyos barrios se extendían en medio de las gigantescas ruinas, vestigios del esplendoroso pasado de la capital del imperio antaño gobernado por los césares.

Las exequias habían sido dignas de un príncipe de la Iglesia.

Sobre un adornado catafalco, rodeado por más de un centenar de cirios cuyas limpias candelas creaban una imagen majestuosa, el cuerpo de Pietro Riario, revestido con los ornamentos propios de su dignidad cardenalicia, había reposado durante cuarenta y ocho horas en el crucero de San Pedro. Allí recibió el homenaje de amigos, conocidos y deudos. El frío reinante permitió que los restos mortales del difunto no entrasen en descomposición. El Papa, apesadumbrado por el dolor, no se había sentido con fuerzas para asistir al sepelio y despidió el cortejo fúnebre de su sobrino a las puertas de la basílica, luego se retiró a sus aposentos, por lo que el recorrido hasta la iglesia de San Sixto fue presidido por su hermano Girolamo y su primo, el cardenal Giuliano della Rovere.

La comitiva, que salió del Vaticano poco después del medio día, discurría a la altura del castillo de Sant'Angelo cuando los cañones de la fortaleza pontificia atronaron el cielo de Roma. Su comandante cumplía las instrucciones recibidas.

Al escuchar los primeros disparos, los portadores del féretro abandonaron las parihuelas en medio de la calle y huyeron despavoridos; quienes se encontraban más próximos, desconcertados, los imitaron para ponerse a salvo. Los más decididos buscaron la salvación, arrojándose a las aguas del Tíber, pero la mayor parte de la gente, temerosa de la gélida temperatura de las aguas, pugnaba por ganar el puente que cruzaba el río. Muchos fueron al agua sin desearlo, al ser arrollados.

Los gritos de quienes pedían calma quedaron ahogados por el rugido de la muchedumbre enloquecida. Muy pronto corrió el rumor de que los enemigos del Papa habían decidido aprovechar la ocasión para lanzar su ataque.

Giuliano della Rovere no se explicaba cómo había podido ocurrir una cosa así, sin que les hubiese llegado el más mínimo de los rumores. Vio a su primo inmóvil, como alelado, sin dar crédito a lo que veían sus ojos.

—¡Vamos, Girolamo, no te quedes ahí! —Lo agarró por el brazo y tiró de él, casi arrastrándolo.

Varios soldados de la escolta de honor se agruparon a su alrededor. El oficial esperaba órdenes del cardenal, sin saber muy bien si Su Eminencia dispondría la custodia del féretro o su propia protección.

—¿Se sabe qué ha ocurrido? —preguntó al soldado.

—Lo ignoro, señor. Al parecer, las baterías de Sant'Angelo han abierto fuego.

Giuliano della Rovere miró a su alrededor, la gente vociferaba, corría desquiciada de un lado para otro gritando. Había heridos en el suelo y personas aplastadas y pisoteadas por la masa enfebrecida. Dirigió su mirada hacia el río, donde muchos braceaban pugnando por ganar la orilla y no ser arrastrados por la corriente.

En el ambiente flotaba un intenso olor a pólvora y los cañones habían enmudecido. Se escuchaban los lamentos de los heridos y los gritos de auxilio resonaban por todas partes.

Fue Girolamo quien se percató de que algo extraño ocurría.

—¿Dónde están los efectos de la artillería?

Los soldados se miraron unos a otros, desconcertados.

—¡Santo cielo! ¡Todo ha sido un error! —exclamó el cardenal, llevándose a la boca sus enguantadas manos.

—¡Salvas de honor! ¡La artillería de Sant'Angelo daba su último adiós al cortejo!

Aquella noche en las tabernas y en los tugurios del Trastevere no se hablaba de otra cosa. El vino ponía vivos colores a las narraciones de los parroquianos. Nadie recordaba las tres docenas de muertos habidos en el tumulto, la mitad de ellos ahogados, y probablemente aguas abajo el Tíber entregaría algunos cadáveres más. También se sumarían los desgraciados que, malheridos, fallecerían en las horas siguientes.

Girolamo Riario y Virgilio Orsini abandonaron el garito situado a espaldas de la iglesia de Santa Maria in Trastevere. La suerte no les había sonreído porque los dados, una y otra vez, se mostraron poco propicios. Pero los veinte ducados que habían quedado sobre la tabla de juego importaban bastante poco al sobrino del Papa. La muerte de su hermano lo había convertido en uno de los hombres más ricos de Roma. La fortuna del cardenal pasaba íntegra a sus manos, salvo las cantidades reservadas para misas por el eterno descanso de su alma y otras mandas que el difunto destinaba a diferentes obras de caridad.

—¡Esos dados estaban cargados! —Virgilio repetía la misma cantinela después de cada trago a la frasca de vino, mientras avanzaba a trompicones por las callejas del más popular y peligroso de los barrios de Roma.

Las protestas de su amigo no enturbiaban el ánimo de Riario; la muerte de su hermano había sido un regalo del cielo. Cierto que no la había deseado, pero tampoco lo había entristecido. Además, él no era quién para escrutar los designios del Altísimo y mucho menos para mostrarse disconforme con ellos. Aquella muerte suponía para él una riqueza difícil de evaluar porque el cardenal de San Sixto, pese a su juventud —Dios lo había llamado a su seno cuando acababa de cumplir los veintiocho años—, había acumulado en pocos años una de las mayores fortunas de Roma.

Conforme se alejaban del corazón del Trastevere el silencio de la noche ganaba en intensidad. Se aproximaban a la ribera del Tíber cuando Girolamo propuso subir por la Farnesina y cruzar el río por el puente de Sant'Angelo. Aunque a aquellas horas Roma era una ciudad poco recomendable, era el camino más seguro.

—Ése es un rodeo inútil, además hace mucho frío —protestó Virgilio.

—Pero es el mejor camino.

Orsini se detuvo en medio del callejón. Su imagen tenía algo de cómica a la luz de la luna, que aparecía y desaparecía entre las nubes cortadas que surcaban el cielo de Roma.

—Propongo —Virgilio alzó la frasca del vino como si se tratase de un brindis— que vayamos por la Tiberina.

—¿Te has vuelto loco?

—¡No me digas que tienes miedo!

Riario miró a su amigo.

—No confundas la prudencia con el miedo. Ése es un lugar peligroso a plena luz del día. ¡Imagínate a estas horas!

Orsini ahuecó una oreja con su mano e hizo ademán de auscultar en la oscuridad.

—¿Escuchas algo? Todo está en calma. La gente ya ha tenido bastante con lo de esta mañana. ¡Vamos, sígueme! —Sin esperar respuesta, echó a andar y Girolamo lo siguió en silencio.

A un centenar de pasos estaba la orilla del Tíber. Recorrieron un pequeño trecho de ribera; tan sólo se oía el murmullo de las aguas que bajaban con fuerza hasta llegar al puente Cestio, que los conduciría a la Tiberina, una pequeña isla en medio del río, unida a las riberas por dos sólidos puentes construidos en la época imperial. En otro tiempo se alzó un hospital, abandonado años atrás. En pocos meses sus ruinas se convirtieron en refugio de varias de las bandas más peligrosas de Roma. También podían encontrarse algunos prostíbulos, donde buscaban acomodo las prostitutas más ancianas, a las que el tiempo había despojado de su belleza. Como decía Girolamo, si era un lugar poco recomendable a plena luz del día, cruzarlo de noche era una temeridad.

Con todo Virgilio tenía razón al decir que se ganaba rápidamente la otra orilla, donde se alzaban las ruinas del teatro Marcelo y, siguiendo la vía de los Giubbonari, se llegaba al Campo dei Fiori, donde Girolamo se había instalado provisionalmente en el palacio que los Orsini habían puesto a su disposición, mientras concluían las obras del suyo cerca de la piazza Navona.

A la entrada del primero de los puentes un bulto emergió de las sombras. Girolamo echó mano a su espada.

—¡Teneos, señor! Sólo os pido una caridad.

—¡Apártate de mi camino! —le ordenó Riario, sin quitar la mano de la empuñadura.

—¿Acaso pensáis que supongo un peligro para vos?

Era una voz de mujer. Aguardentosa, pero de mujer; sus palabras sonaron como una amenaza.

—¡Aparta te digo!

—¿Tenéis miedo? —Ahora la voz cobró un tono desagradable.

Girolamo miró a su amigo, algo rezagado.

—¿Qué deseas?

—Ya os lo he dicho, excelencia, una caridad.

Orsini arrojó la frasca por encima del puente y desenvainó su acero. Los vapores del alcohol habían desaparecido de repente. Escudriñó en la oscuridad, esperando el ataque de un momento a otro.

—¡Échate a un lado y deja el paso libre! —le ordenó Riario tirando también de su espada.

El ruido de unos pasos a sus espaldas les indicó su verdadera situación. Miraron hacia atrás y comprobaron que se acercaban tres individuos armados con estacas. Girolamo sintió ganas de golpear a Orsini, que de una forma tan estúpida los había llevado hasta aquella trampa. Los malhechores se habían aproximado.

—¡Maldita arpía!

Orsini paraba con su espada el primer golpe y alcanzaba al agresor en el brazo; Girolamo había desarmado a otro de los atacantes. Quedaba un tercero, que dudaba si acometer. Todo estaba resultando demasiado fácil y la pelea parecía a punto de concluir cuando la vieja, que se había refugiado junto al pretil del puente, se llevó los dedos a la boca y emitió un silbido que imitaba el ulular de un búho. Como por ensalmo, los alrededores se poblaron de sombras en movimiento. Eran por lo menos una docena.

—¡Rápido, Virgilio, crucemos el puente antes de que lleguen, son demasiados!

Echaron a correr, tratando de ganar la otra orilla con los malhechores pisándoles los talones. Su huida significaba meterse en la boca del lobo, pero no tenían otra opción; su ventaja disminuía rápidamente.

Al doblar una esquina, donde se abrían tres callejuelas, se detuvieron un instante, tratando de orientarse. Desde el postigo de una puerta, una voz los invitó a pasar. Dudaron un momento, pero no había tiempo para consideraciones. La voz los conminó otra vez:

—¡Vamos, vamos! ¡Rápido!

Entraron y la puerta se cerró justo a tiempo. Pudieron escuchar, mientras contenían la respiración, las imprecaciones de sus perseguidores que, poco a poco, se perdieron en el silencio de la noche romana.

El refugio era un lugar extraño. El techo bajo producía una sensación agobiante, a la que colaboraba la falta de ventanas. En las vigas colgaban manojos de hierbas secas y, en un rincón, sobre una mesa redonda cubierta por un tapete mugriento, había papeles desordenados en los que se adivinaban extraños signos y símbolos. En las paredes podían verse láminas; una de ellas era un mapa adornado con cuerpos celestes. La estancia daba a un patinillo, en cuyo centro se alzaba un robusto laurel de frondosas ramas que alcanzaban las paredes.

Quien los había sacado momentáneamente del atolladero era un individuo cargado de hombros, casi jorobado, y de edad difícil de determinar, aunque había cumplido sobradamente los cincuenta años. Las arrugas de su rostro parecían talladas en la piel y llamaba la atención una dentadura blanca y reluciente.

Se llevó un dedo a los labios, proponiendo silencio hasta asegurarse de que los perseguidores se habían alejado definitivamente.

—Ha sido una insensatez aventurarse en la isla a estas horas sin la protección de una escolta. —La mirada que Girolamo dirigió a Orsini confirmaba las palabras del desconocido—. ¿Teníais alguna razón para hacerlo?

Riario, que mantenía el acero en la mano, le respondió con otra pregunta:

—¿Quién eres y por qué has hecho esto?

—Mi nombre es Antonio Maragon, todo el mundo me conoce como Pitutti, y os he proporcionado resguardo por consideración a vuestro hermano.

—No te entiendo.

—Es muy simple, señor, si estoy con vida es gracias al cardenal Riario, vuestro hermano. Esta mañana os vi cuando presidíais el cortejo fúnebre de su entierro.

—¿Mi hermano te salvó la vida?

—Así es, señor.

—Cuéntame cómo fue.

—Fui delatado por un malnacido y llevado ante el tribunal de la Inquisición. Me acusaban de hacer encantamientos, practicar hechicerías y llevar a cabo actos de brujería.

—¿Eres brujo?

—Eso dicen. Aunque en realidad me he limitado al estudio de los astros y de sus influencias, y a conocer las propiedades de las hierbas.

—¿Eres astrólogo y herbolario?

—Así es, mi señor, y he conocido tiempos mejores.

—¿Cómo fue que mi hermano te salvó del Santo Oficio?

—Pura casualidad. El día que me conducían ante el tribunal para iniciar los interrogatorios, Su Eminencia estaba en el palacio de la Inquisición, nos cruzamos en el patio y me reconoció. Yo le había hecho un pronóstico hacía pocos meses.

—¿Qué le pronosticaste?

—Que culminaría con éxito la misión que el Papa le había encomendado en Florencia, Venecia y Milán.

Girolamo se puso tenso.

—¿Qué ocurrió?

—Salió fiador de mi inocencia ante los jueces.

—¿Te liberaron?

—Ya lo veis, señor, aquí estoy, con vida y los huesos en su sitio. Vuestro hermano me evitó el potro y la toca.

—¿Qué sabías tú de esa misión encomendada al cardenal?

—No pude verlo con total claridad, pero vislumbré lo suficiente.

—¿Qué vislumbraste?

—Que conseguiría una fuerte suma de dinero para convertir en realidad el sueño del Papa y que…

Riario lo interrumpió.

—¿Cuál era el sueño del Papa?

—Ésa fue una de las cuestiones que no logré determinar. Pero era algo de gran importancia porque estaban en juego intereses políticos para esas tres ciudades.

—¿Qué más le pronosticaste? —Girolamo estaba inquieto.

—Que allanaría los obstáculos que se oponían a los deseos de Su Santidad.

—¿Viste algo más?

Pitutti, que hasta aquel momento había respondido sin vacilar, dudó. Los dos amigos intercambiaron una mirada.

—¿Viste algo más? —insistió Girolamo.

—No, nada más.

La respuesta sonó falsa.

—¿Estás seguro?

—Mejor lo dejamos, señor. Creo que ya podéis marcharos, esos bellacos se alejaron hace rato. Si lo deseáis, puedo acompañaros hasta la otra orilla del río.

Girolamo negó con un movimiento de cabeza y levantó el acero hasta dejar la punta a menos de un palmo de la garganta del astrólogo.

—Quiero la verdad y la quiero ahora.

—Es mejor dejarlo, señor.

—La vida que te dio mi hermano podrías perderla en un instante. —La punta del acero rozó la garganta de Pitutti.

—Señor, la astrología es una ciencia, pero los pronósticos no son exactos.

—¿Qué decían esos pronósticos? —insistió Girolamo—. Te juro que estoy a punto de perder la paciencia.

Pitutti se encogió de hombros.

—Vi también sangre, mucha sangre.

—¿Qué quiere decir eso?

—La muerte está más cerca de lo que podéis imaginar. Vi muchas muertes y todas ellas violentas.

—¿La mía?

—No lo sé, señor.

Ahora la respuesta sonó convincente.

—¡Vámonos de aquí, Virgilio!

3

Milán, 1476

El duque lo había recibido por dar satisfacción a su esposa.

Las explicaciones de aquel joven, dotado de una imaginación prodigiosa, no despertaban su interés. Ofrecía artilugios que eran pura fantasía, entretenimiento propio de simples y niños. ¡Máquinas para volar! ¡Barcos capaces de navegar por debajo de la superficie de las aguas! ¡Ingenios para cazar ranas!

Galeazzo pensaba que era un buen pintor y como escultor resultaba pasable. Quizá lo mejor eran sus dibujos sobre la anatomía del cuerpo humano y los apuntes de rostros, gesticulando con las más extrañas expresiones. Como cocinero, en cambio, no ofrecía gran cosa; es más, a punto había estado de provocar un motín al dejar con hambre a unos clientes de la casa de comidas que, con el lamentable nombre de Los Tres Caracoles, había abierto en su ciudad. No acababa de comprender las razones por las que Bona puso tanto empeño en que viniese a Milán. Posiblemente era una de esas rarezas, rayanas en lo ridículo, que de vez en cuando afloraban en ella, provocadas por la sangre francesa que corría por sus venas. Posiblemente no, seguro.

Le dolieron los cien ducados del estipendio que su esposa se empeñó en entregarle, pero sobre todo le molestó que su hermano hubiese quedado más fascinado incluso que la propia Bona. Hablaba con entusiasmo de sus planos de fortificaciones y de los extraordinarios diseños de las máquinas de guerra. ¡Cómo alababa Ludovico las bombardas móviles y las lanzaderas mecánicas de proyectiles! ¡Algo que sólo la mente de un lunático podía concebir! La rareza de Ludovico no podía atribuirla a un origen francés, el Moro era un Sforza, como él.

Menos mal que la curiosidad de la duquesa estaba ya saciada y aquel individuo abandonaría Milán al día siguiente para regresar a Florencia. Allí encontraría acomodo, porque Lorenzo de Médicis daba cobijo a todo el que mostraba algo extravagante. En ese terreno aquel joven no tenía rival.

Leonardo da Vinci repartió su última tarde en Milán entre las cazuelas de la cocina ducal, donde ensayaba platos que el duque hubiese arrojado a la cabeza de los camareros, en caso de haber sido llevados a su mesa, y la joven Caterina, que era la persona en quien el extravagante florentino había causado mayor impacto. Buscaba toda clase de excusas para estar a su lado y escuchar las explicaciones que daba sobre las cosas. Le parecía un personaje misterioso. La gente no entendía sus explicaciones y mucho menos veía sus inventos como algo que podía convertirse en realidad. A Caterina le fascinaba la posibilidad de volar, de ver el mundo desde otra perspectiva.

En el castillo era ella quien más lamentaba que abandonase Milán. La víspera de la partida estaba nerviosa porque, antes de que se marchase, deseaba formularle algunas preguntas. Aquella mañana, después de la obligada hora de lectura de los clásicos y de sus ejercicios de retórica, buscó al artista, pero nadie le dio noticia de dónde podía encontrarlo. Descorazonada, pensando que estaría en la ciudad ultimando los preparativos de su viaje, bajó al jardín en busca de tierra para dar consistencia a un emplasto, según una fórmula proporcionada por micer Romualdo.

Tuvo un sobresalto cuando lo vio, inmóvil, en un rincón del jardín. Estaba absorto y había dejado a un lado los pliegos y los carboncillos con que dibujaba.

Caterina se acercó por detrás, sin hacer ruido; por nada del mundo querría molestarlo. Leonardo estaba concentrado, tenía la mirada clavada en un punto del suelo. La joven miró los papeles y comprobó que estaba copiando del natural plantas, con sus hojas y flores. Estaba segura de que él no se había percatado de su presencia; por eso la sorprendió cuando, sin volver el rostro y sin moverse, le dijo con voz suave, pero rotunda:

—Mañana lloverá.

—¿Por qué dices eso? —preguntó sorprendida, alzando los ojos a un cielo limpio y azul.

—Porque va a ocurrir.

Miró otra vez al cielo, estaba totalmente despejado.

—No se ve una sola nube.

Leonardo se volvió y le dedicó una sonrisa.

—No estás mirando al lugar adecuado.

Ella arrugó la frente.

—Cuando llueve el agua cae de las nubes que hay en el cielo. Hoy está limpio, no se ve ninguna.

—Está limpio porque ahora no llueve. Eso ocurrirá mañana.

—¿También eres adivino?

En los labios del toscano apuntó una sonrisa y tuvo que contenerse para no acariciar la cabeza de la jovencita. Ya no era una niña y, si alguien lo viese, podía malinterpretar su gesto.

Caterina se había convertido en una joven muy hermosa;

aquella mañana llevaba sus rubios cabellos trenzados y sujetos con una fina redecilla, según la moda imperante. Sus finos labios denotaban la firme voluntad que ponía en todo lo que hacía y ocultaban la fuerte sensualidad que ya había despertado en ella. Tenía la frente despejada y, como buena Sforza, la nariz, ligeramente aquilina.

—La naturaleza es un libro abierto. Si sabemos leerla, nos ofrece mucha más información de la que podemos imaginar.

—¿Y qué has leído en el libro de la naturaleza para saber que mañana lloverá?

—Observa el suelo y dime qué ves.

Caterina obedeció y después de un tiempo comentó:

—Hay varios rosales en flor, el suelo está cubierto por una capa de trébol y los límites del parterre están configurados por plantas de boj.

Leonardo aguardó en silencio durante unos segundos, por si la joven quería añadir alguna otra cosa, hasta que preguntó:

—¿Nada más? ¿No ves nada más?

Caterina miró otra vez.

—Bueno, también veo un hormiguero.

—¿Hay hormigas? —preguntó Leonardo.

—Muchas.

—¿Y qué hacen?

—No lo sé.

—Observa con atención.

Durante un buen rato comprobó que las hormigas, efectivamente, realizaban una tarea.

—Creo… creo —dudó un instante—, creo que están cerrando la entrada del hormiguero.

—En efecto —corroboró Leonardo.

Caterina no dejaba de mirar el hormiguero, atraída por el continuo movimiento de las hormigas. Al observar con detenimiento, comprobó que todo lo que hacían respondía a un plan. La mayoría transportaba materiales, se desplazaba formando una larga fila que iba desde una boñiga seca de la que obtenían trozos diminutos, hasta el hormiguero, que tenía varias entradas. Entonces se dio cuenta de que muchas otras estaban bloqueándolas. La curiosidad la había atrapado.

—¿Por qué están cerrando la entrada al hormiguero?

—Porque así evitarán que se inunde su hogar. Ahí se resguardarán para pasar el invierno. Durante los meses de verano han acumulado comida para sobrevivir cuando lleguen el frío y las aguas.

Caterina miraba con atención, mientras Leonardo aguardaba otra pregunta. Si no llegaba, aquella joven inquieta lo decepcionaría.

—¿Cómo saben las hormigas que va a llover? —preguntó al fin.

—No lo sé.

El rostro de Leonardo rebosaba satisfacción.

—¿Entonces…? ¿Entonces…?

Ante la duda que la atenazaba, fue el artista quien la animó a preguntar:

—¿Sí?

—Entonces, ¿cómo es que sabes que lo están haciendo por eso y no otra razón?

Leonardo aplaudió.

—¡Bravo! Ésa es la pregunta que toda persona inteligente ha de formular en esta circunstancia. A una mente inquieta no puede bastarle con que se le diga que las cosas son de una u otra forma; ha de conocer la causa que hace que sean así. ¡Bravo!

La joven lo miraba sin pestañear. Estaba esperando su respuesta.

—Yo nací en un pueblecito próximo a la ciudad de Florencia, llamado Vinci. Allí todo rezuma paz, la vida transcurre apaciblemente, muy diferente al trasiego y las prisas que marcan el ritmo en las grandes ciudades como le ocurre a Milán. Hay pocas distracciones y menos entretenimientos, si bien la tranquilidad tiene numerosas ventajas. Tantas que los ciudadanos más ricos de las ciudades, para escapar al fárrago y la tensión que preside sus vidas, buscan el sosiego perdido para sus alterados ánimos, castigados por la tensión de su actividad y el ambiente de la ciudad. Los que pueden permitírselo se han construido quintas de recreo en plena naturaleza, adonde se refugian, cuando sus actividades se lo permiten.

Caterina lo miraba sin pestañear.

—Los pastores de la Toscana —prosiguió Leonardo— no tienen necesidad de eso, su vida es muy dura pero, a falta de otros placeres, han disfrutado del paisaje y de la naturaleza. Han podido observarla hasta el aburrimiento, mientras sus ovejas pastaban en los campos. Esas observaciones les han permitido sacar conclusiones que se han transmitido de padres a hijos, acumulando un saber provechoso para su trabajo porque para ellos, como para todos, la lluvia o la sequía, el frío o el calor, marcan el ritmo de la existencia. Observaron que durante los meses de verano las hormigas trabajaban sin descanso, todo era laboriosidad, movimiento y actividad hasta que un día todo se detenía. Las hormigas habían desaparecido de la superficie de la tierra. Con el tiempo asociaron su desaparición con la llegada de las lluvias del otoño. Afinaron más: las hormigas trabajaban hasta la víspera de la llegada de las lluvias, aprovechaban el trabajo hasta el último día, por eso tienen fama de laboriosas. Para evitar que sus refugios invernales se inundasen, los cerraban. Hoy las hormigas de tu jardín están cerrando su hormiguero. Mañana lloverá en Milán. Cada año el fenómeno se repite con una precisión matemática. La víspera de las primeras lluvias, cierran sus hormigueros. Siempre ocurre la víspera.

—¡Maestro, maestro Leonardo!

Las voces llegaban desde el otro extremo del jardín. Era uno de los hombres que trabajaban con el secretario del duque.

—El hermano de Su Excelencia desea veros lo antes posible. Si no tenéis inconveniente, yo podría acompañaros a su presencia.

Leonardo miró a Caterina, consciente de que la imprevista llegada había interrumpido una conversación a la que todavía le quedaba mucho para concluir. La joven se encogió de hombros en un gesto que tenía mucho de resignación, conocía el terrible carácter de su tío. Lo que planteaba como una posibilidad era en realidad una exigencia. El nombre del Moro con que popularmente se le conocía no se debía en exclusiva al color oscuro de su piel; era una forma de señalar la crueldad con que podía comportarse si sus deseos no eran satisfechos sin demora. Y el recadero había expresado con suficiente claridad cuáles eran en aquellos momentos.

El artista, a pesar de que quien lo reclamaba era alguien que había mostrado el mayor interés por sus proyectos, no pudo evitar una sensación de fastidio al verse privado de la compañía más grata que había tenido en su visita a Milán.

Cogió el pliego donde estaban los dibujos que realizaba y estampó su nombre en uno de sus ángulos. Luego garrapateó en el reverso del papel unas líneas. Caterina miraba fascinada cómo surgían de su carboncillo unos extraños signos. Cuando terminó, le alargó el papel.

—Es para ti.

Leonardo había puesto solemnidad a sus palabras. Caterina lo cogió con devoción y, sin dudarlo, se quitó uno de los alfileres que sujetaban la redecilla de su peinado y lo entregó al artista.

—También yo deseo que tengas un recuerdo mío.

Entristecida, lo vio alejarse. Su figura irradiaba una majestuosa serenidad. En aquel momento supo que algún día sus vidas volverían a cruzarse. Miró el regalo que sostenía en sus manos, un dibujo de unos hermosos lirios, luego concentró su atención en el texto que componía aquella extraña escritura. No pudo descifrar una sola palabra.

Leonardo estaba a punto de salir del jardín cuando se volvió y regresó hasta donde ella permanecía inmóvil.

—Si logras descifrar ese texto tendrás en tus manos un poderoso elixir.

—¿Un elixir?

—Un poderoso elixir —repitió el artista.

—¿Para qué sirve?

—Eso, mi joven amiga, habrás de descubrirlo por tus propios medios.

La fortuna llevaba todo el día dándole la espalda. Girolamo no había conseguido ligar una partida ganadora. Antes de apostar los últimos diez ducados en un envite donde contaba con buenas cartas, pidió más vino.

—Lo siento, excelencia, pero hemos acabado las existencias —se excusó el sacristán.

El sobrino del Papa lo miró de soslayo.

—Si no lo traes, mi última apuesta serán tus genitales, que colgaremos en lo más alto del campanario.

—Excelencia, os he dicho la verdad.

—¿La verdad? —Girolamo dejó las cartas boca abajo sobre el tapete y desenfundó el afilado estilete que colgaba de su cinturón—. Respóndeme a una cosa, ¿quien diga la próxima misa lo hará sólo con agua?

—¡Señor!

El sacristán se había estremecido.

—¿Hay o no hay vino?

—Disculpadme, excelencia, ¿me pedís el vino de consagrar?

Girolamo soltó una risotada.

—¡O el vino o los cojones! Tú eliges.

El aterrorizado sacristán de San Juan de Letrán, en cuya sacristía tenía lugar la partida para cumplir una apuesta hecha la víspera mientras se refocilaban en casa de Flora, el más acreditado de los lupanares de Roma, salió corriendo.

Todo había comenzado con la apuesta lanzada por un joven pintor, que acababa de llegar a Roma para atender una petición de Su Santidad, a quien habían bautizado con el nombre de Pinturicchio; éste había lanzado el reto y Riario recogió el envite. Se trataba de jugar al día siguiente una partida de naipes en la basílica de San Juan de Letrán. Quien perdiese correría con los gastos de otra orgía en casa de Flora.

Pinturicchio se había ido de la lengua porque, si perdía, necesitaría algún que otro encargo para hacer frente al gasto que comportaba una fiesta como aquélla. El vino había soltado la lengua del pintor y embotado su mente, porque Riario había conseguido, sin mucho esfuerzo, que el párroco de San Juan y todo el clero adscrito a la basílica se ausentasen para no perturbar los deseos de uno de los hombres más ricos de Roma. En el templo únicamente quedó un sacristán con la misión de atender los antojos del sobrino del Papa y de sus amigos.

El sacristán decidió poner a salvo sus genitales. Si el párroco permitía que en lugar sagrado se ofendiese a Dios de forma tan indecente como lo hacían aquellos desalmados, no iba a ser él quien arriesgase tan estimadas partes de su anatomía. Al fin y al cabo, aunque le pareciese un desafuero, antes de ser consagrado, el vino solamente era zumo de uvas.

Se disponía a satisfacer la demanda, cuando un individuo, sudoroso y jadeante, irrumpió en la sacristía profiriendo gritos, sin la menor consideración al lugar.

—¿Dónde está Su Excelencia?

Los cuatro jugadores se miraron. ¿Por quién de ellos preguntaba el bellaco que había irrumpido de aquella forma?

Virgilio Orsini se había puesto de pie, desenvainando una daga.

—¿Quién eres tú? ¿Se puede saber a qué viene este escándalo?

—Disculpadme, señor, pero me han dicho que aquí puedo encontrar a Su Excelencia el conde de Bosco.

Los compañeros de partida miraron a Riario, cuyo rostro se había ensombrecido.

—¿Qué ocurre?

—¿Sois vos, señor?

—Yo soy el conde de Bosco, ¿qué ocurre?

—Excelencia, os traigo una buena noticia.

—Habla de una vez o te juro…

—Señor, vuestro hijo acaba de nacer.

Un coro de aclamaciones acogió la noticia. Sus amigos felicitaban y golpeaban la espalda del flamante padre. Virgilio Orsini pidió un instante de silencio:

—Ya conoces el dicho, amigo mío.

—¿Qué dicho?

—Desafortunado en el juego, afortunado en el amor.

—Soltó una risotada y concluyó—: ¡Hoy se ha cumplido a la perfección!

—¿Es un niño? —preguntó Girolamo.

—Sí, excelencia, un varón.

—¿Cuándo ha nacido?

—Hace poco rato. El tiempo que he tardado en venir, y puedo aseguraros que lo he hecho a toda prisa.

Riario cogió los diez ducados de su última apuesta, se los entregó y dio la partida por concluida.

—¡La próxima vez, seré yo quien pague en casa de Flora! ¡Vámonos! ¡Quiero conocer a Scipione!

—¿Scipione? —preguntó uno de los compañeros de juego.

—Sí, Scipione. Ése será su nombre, igual que el vencedor de Aníbal.

El sacristán los vio alejarse entre risotadas y parabienes. Guardó el vino y se palpó los testículos con alivio.

4

Su matrimonio con Bona de Saboya había convertido al duque de Milán en un aliado de su suegro, el poderoso rey de Francia. La alianza trajo ventajas indudables para el Milanesado, pero también compromisos importantes. Uno de ellos fue la lucha contra los principales enemigos del padre de su esposa, los poderosos duques de Borgoña. La campaña de 1476 había sido muy dura; se luchó en el Piamonte y las tropas de Carlos el Temerario se mostraron combativas y resistentes. Galeazzo tuvo que emplear a fondo a sus mejores soldados para evitar verse desbordado por la temible caballería borgoñona.

Las operaciones se dieron por concluidas con la llegada del invierno y el duque abandonó el frente pocos días antes de la Navidad; uno de sus mayores deseos era pasar las fiestas en su palacio, rodeado de su familia y sus amigos. Además, quería estar en Milán porque las últimas noticias no eran halagüeñas; en sus cartas Simonetta le hablaba de malestar, como consecuencia de las recientes subidas de impuestos. Galeazzo se había visto obligado a gravar los artículos de primera necesidad y procurarse así las sumas necesarias para mantener en campaña un ejército de doce mil hombres, entre los que había cuatro mil mercenarios suizos, otros tantos alemanes y varias compañías de napolitanos, dirigidas por *condottieri* profesionales.

El secretario señalaba que el número de los descontentos era creciente y que sus enemigos aprovechaban las circunstancias para socavar el poder de los Sforza. En la capital lombarda muchos los consideraban unos usurpadores que se habían apoderado del ducado aprovechando la debilidad de sus verdaderos señores, la familia Visconti.

A los que así pensaban no les faltaba algo de razón, si se tenía en cuenta que el abuelo de Galeazzo, Muzio Attendolo, fue en su juventud un campesino de la Romaña, que abandonó las faenas agrícolas para hacerse soldado de fortuna y ciertamente la consiguió por su empeño y esfuerzo. Ponía tal coraje en todas sus acciones que acabaron motejándole con el apelativo de Sforza. La generación siguiente, la del padre de Galeazzo, lo adoptó como apellido y cometió lo que muchos consideraron un atrevimiento inaudito: Francesco Sforza se casó con Bianca Visconti y se convirtió en duque de Milán. Las malas lenguas señalaban que sometió a la última descendiente de la estirpe ducal a toda clase de violencias para llevarla al altar, una actitud más propia de un vulgar campesino que de un noble refinado. Sus esfuerzos por convertir Milán en una de las cortes más elegantes de la época no borraron de la mente de sus súbditos ni sus toscas maneras ni la brutalidad de que hacía gala con excesiva frecuencia.

Galeazzo consolidó la posición familiar gracias a su matrimonio con una hija del rey de Francia, pero esa alianza, buena para los Sforza, se había convertido en una pesada carga para los milaneses.

La Nochebuena transcurría en un ambiente relajado. La duquesa Bona derrochaba simpatía entre el medio centenar de invitados que se sentaban a su mesa. Caterina, a punto de cumplir catorce años, estaba entre los presentes; su belleza, realzada por una elegancia que resultaba innata en la joven, llamaba la atención de todos. Su padre comentó que faltaban pocos meses para que se consumase su matrimonio, según el plazo establecido en las capitulaciones. Algunos de los invitados hicieron bromas subidas de tono que no gustaron a Caterina, quien no tuvo reparo, pese a su edad, en enfrentarse con los bromistas.

—No puede negarse que tenéis el carácter de una verdadera Sforza —comentó un poderoso mercader dedicado al lucrativo negocio de la sal.

—¿Acaso es algo que os extrañe? —lo desafió la joven.

En la zona de la mesa donde se desarrollaba la conversación se hizo un silencio cortante. El mercader notó cómo el rubor se apoderaba de sus mofletudas mejillas. Rápidamente se replegó.

—En absoluto, mi querida Caterina, en absoluto.

—Mejor así, porque, si albergaseis alguna duda, vuestro cuello no valdría el precio de una de las libras de sal que guardáis en vuestros almacenes.

Se hizo otro silencio momentáneo, que rompió Ludovico el Moro, satisfecho con la reacción de su sobrina.

—Os supongo enterados de que Caterina hará efectivo su matrimonio esta primavera y coincidiréis conmigo en que Girolamo Riario es un hombre verdaderamente afortunado.

Hubo aplausos y alabanzas. Por fin, se relajó el ambiente.

Escuchar el nombre de quien iba a ser su esposo le recordó que acababa de enterarse de que había sido padre. Le habían facilitado numerosos detalles, incluido el nombre impuesto al niño, al que habían bautizado como Scipione.

Los comensales disfrutaban la comida entre risas y cánticos, y a los postres los criados trajeron grandes bandejas de dulces, anunciando el final de la venturosa cena. Fuera, la temperatura era gélida y sobre Milán caía una fuerte nevada.

—Mañana, siguiendo la costumbre, acudiremos a la misa de San Stefano para cumplir con la obligación pascual —señaló Galeazzo.

—¿Deseáis salir del castillo con una nevada como la que está cayendo? Me parece una locura —protestó la duquesa—. Mejor será cumplir nuestras obligaciones con la iglesia en la capilla del castillo. Daré instrucciones para que el capellán lo tenga todo dispuesto.

—Querida, ¿cuándo una nevada ha sido obstáculo para que el duque de Milán cumpla con sus obligaciones?

—No propongo un incumplimiento, mi señor, sino oír la misa sin salir de casa. El tiempo no ayuda.

—La tradición es ir a San Stefano y no la romperé.

Galeazzo Sforza cruzaba el umbral de San Stefano minutos antes del mediodía. Lo acompañaban su hermano Filippo y los embajadores de Mantua y Ferrara; detrás, a pocos pasos, un nutrido séquito y una escolta de soldados.

El templo estaba abarrotado. Los milaneses habían acudido en masa a celebrar la misa de Navidad. El duque avanzaba por la nave central hacia el lugar que tenía reservado, junto al presbiterio, mientras conversaba animadamente con sus acompañantes y respondía a los cumplimientos de sus súbditos con ligeras inclinaciones de cabeza y leves movimientos de mano.

Estaba en el centro de la nave cuando se acercó hasta él Carlo Visconti, que venía con otros dos hombres. El duque le sonrió y extendió su mano para saludarle, pero uno de los individuos aprovechó el momento para asestarle una puñalada en el pecho. Todo fue tan rápido e inesperado que sus acompañantes, paralizados momentáneamente, reaccionaron demasiado tarde. Nada pudieron hacer, el golpe fue mortal. Filippo, que había sujetado a Galeazzo, pedía a gritos un médico mientras su hermano se le desangraba en los brazos.

Hasta la iglesia llegaban nítidos los gritos que en la calle coreaban los partidarios de los conjurados:

—¡*Popolo!* ¡*Popolo!*

—¡*Libertà!* ¡*Libertà!*

Era una clara invitación a acabar con el gobierno de los Sforza y a que los milaneses protagonizaran un levantamiento popular.

En el interior de San Stefano todo era confusión.

Visconti había logrado ganar la sacristía y atrincherarse en ella con algunos partidarios. Allí, tras la protección de sus gruesas puertas de madera, podía resistir el tiempo necesario para que, tras la muerte del duque, los conjurados alentasen la sublevación de la masa de descontentos.

Cicco Simonetta, que acompañaba a la duquesa, fue consciente de que aquellos momentos eran los más críticos, cuando un soplo de aire podía inclinar la balanza del destino a un lado u otro. Había que tomar decisiones sin vacilar. Ordenó a algunos de los integrantes del séquito que abandonasen el templo y pusiesen a salvo a la señora, tras la protección de los muros del castillo.

Mientras la sacaban de la iglesia, Bona de Saboya no paraba de repetir:

—¡Lo sabía! ¡Lo sabía!

Con ella iban Caterina y sus hijos pequeños Carlo y Alessandro; el mayor, Gian Galeazzo, que sólo contaba ocho años, se había quedado en el castillo aquejado de fiebre.

El destino de Milán pendía de un hilo y el futuro de Caterina estaba unido a él. La joven no apartaba los ojos del hombre que había apuñalado a su padre y al que dos de los soldados de la escolta habían logrado detener. Se llamaba Gian Andrea Lampugnani y no paraba de proferir improperios contra los Sforza y de lanzar gritos invocando libertad para el ducado.

A media tarde los intentos de promover un tumulto de grandes proporciones no iban más allá de simples conatos de descontento. Los milaneses se habían recogido en sus casas y las tropas ducales, dirigidas por Ludovico el Moro, controlaban los puntos clave de la ciudad. Carlo Visconti, Girolamo Olgiati, que era el otro de los individuos que lo acompañaban cuando abordaron al duque, y media docena de partidarios continuaban atrincherados en la sacristía de San Stefano.

Simonetta solicitó una audiencia al arzobispo para negociar la detención de los conjurados sin violar el asilo eclesiástico, al que decían acogerse porque el Moro estaba dispuesto a entrar a sangre y fuego en el templo. El astuto secretario invocaba un delito de lesa majestad, dada la calidad del asesinado, a lo que se añadía el hecho, muy grave según Simonetta, de haberse derramado sangre en suelo sagrado. Señalaba que quienes ahora pretendían acogerse al derecho de asilo eclesiástico no tuvieron reparo para cometer un horrendo crimen en el interior del templo.

El arzobispo, que se había mostrado vacilante mientras el destino de Milán estuvo en el aire, decidió autorizar la entrada de las tropas, dadas las graves circunstancias que concurrían, cuando tuvo noticia cierta de que los partidarios de los Sforza eran dueños de la situación. La suerte de los refugiados en la sacristía estaba dictada sin apelación.

Antes de que anocheciera fueron sacados a rastras por los soldados del Moro y las solitarias calles de Milán fueron testigos de su conducción a las mazmorras del castillo.

Los cabecillas de la conjura confesaron la raíz de sus hechos. Estaba en las teorías de Cola Montano, uno de los más importantes retóricos de Milán, que había abierto academia para impartir sus enseñanzas siguiendo la moda que florecía por todas las ciudades de Italia, donde el fervor por el mundo clásico estaba en plena efervescencia. El *magister*, que había sido preceptor del duque asesinado, estimulaba a sus discípulos a leer los textos de los clásicos, los instaba a familiarizarse con la poesía de Virgilio, los largos períodos de Cicerón, la fuerza del pensamiento de Séneca o el erotismo de Ovidio. Al mismo tiempo les explicaba las causas de la grandeza de Roma y les daba a conocer la vida de los hombres que la hicieron posible. También difundía los ideales de libertad que hicieron grande a la república romana.

Sus clases concluían siempre del mismo modo: lanzando un alegato contra la tiranía y realizando una exhortación para que sus discípulos imitasen la conducta de los grandes héroes de la historia de Roma, que para Cola Montano eran Bruto, Casio o Catilina. Todos ellos habían dejado su nombre en las páginas más gloriosas de Roma por haber tomado parte en conjuras y conspiraciones, cuya finalidad era acabar con la vida de tiranos que habían arrebatado el poder al pueblo, su legítimo dueño.

El *magister* buscaba, como muchos otros hombres de su tiempo, imbuidos del espíritu de la época, resucitar importantes aspectos de la vida del mundo antiguo sin reducirlo a manifestaciones artísticas, sino impregnando todos los aspectos de la vida. Consideraban al hombre el centro del universo y rechazaban las doctrinas de quienes defendían que la vida era un valle de lágrimas. El hombre había de vivir la plenitud de su existencia y eso no era posible en el Milán gobernado por los Sforza.

Fueron sus enseñanzas las que armaron el brazo de aquellos tres jóvenes esperanzados en que su acción levantase al pueblo, agobiado por onerosas imposiciones, contra la tiranía. También ellos entrarían, les había dicho su maestro, en las páginas de la historia de Milán.

Los conjurados calcularon mal sus fuerzas porque los milaneses no se movieron. La mayoría prefirieron encerrarse en sus casas y ver cómo transcurrían los acontecimientos.

En el momento más delicado Simonetta había sido el más decidido. El mismo día del crimen, mientras negociaba con el arzobispo la entrega de los refugiados en la sacristía, proclamaba duque de Milán a Gian Galeazzo, hijo del difunto. Fue una ceremonia breve, con el pequeño abrasado por la fiebre, pero que dio resultado. Los embajadores, convocados a toda prisa, acataron al nuevo señor y, sin pérdida de tiempo, salieron correos hacia todas las capitales del mosaico de estados que configuraban Italia. Anunciaban su proclamación, como consecuencia de la violenta muerte de su padre.

En los días siguientes Bona de Saboya, ayudada siempre por el fiel Simonetta, dio muestras de gran energía. Estuvo en los interrogatorios de los conjurados, que fueron condenados a morir descuartizados en público. El tormento fue ejecutado por cuatro caballos a cuyas colas se ataron las extremidades de los condenados y sus restos, ensartados en picas, quedaron colocados en las puertas de entrada a la ciudad y los lugares de mayor concurrencia pública, como recuerdo de la justicia de los Sforza. A uno de ellos, Girolamo Olgiati, que realizó las más fervientes proclamas de libertad, se le facilitó lo necesario para que escribiese, antes de ser descuartizado, la historia de la conjura.

El 9 de enero el Consejo asumió la tutela del pequeño Gian Galeazzo, que acababa de cumplir ocho años, confirmó a Simonetta como secretario y nombró a Roberto Sanseverino jefe del ejército. Días después la duquesa abolió algunos de los impuestos más impopulares, como el del pan, y escribió sendas cartas al Papa y a Girolamo Riario, confirmando la alianza con Roma y el matrimonio de la hija de su difunto esposo.

Aquellos días Caterina, a quien la unía una excelente relación con quien ya era la viuda de su padre, se mantuvo en todo momento al lado de Bona. Fue una experiencia que acentuó la fortaleza de su carácter. A la perspicacia de la joven no escapó que, pese a la energía desplegada por su madrastra, algo la atormentaba más allá del dolor.

Una tarde de finales de febrero, después de ajustar algunos de los detalles del viaje para dar cumplimiento a su acuerdo matrimonial, Caterina le preguntó:

—¿Hay algo que os desasosiegue, mi señora?

La duquesa la miró suspicaz.

—¿Por qué me lo preguntas?

—Os veo inquieta, mi señora.

—La muerte de mi esposo ha sido un golpe terrible. ¡Ah! Si me hubiese escuchado…

—Hay algo más.

Bona guardó silencio, tenía la mirada perdida a través de una ventana emplomada, que daba al jardín.

—¿Os ha incomodado la pregunta?

La duquesa negó con la cabeza.

—Me ha sorprendido.

—¿Por alguna causa?

—Mi alma está atormentada.

—¿Por alguna razón especial?

—Nadie lo sabe, pero me preocupa Galeazzo.

Caterina abrió desmesuradamente sus melados ojos.

—No os comprendo, ¿os preocupa un cadáver?

—Me preocupa la salvación de su alma.

Se acercó a la chimenea, dando la espalda a Caterina, que aguardó en silencio una explicación más detallada.

—Me atormenta la duda —comentó la duquesa, mientras atizaba la candela—. Las circunstancias de su muerte sin confesión y sin otros auxilios espirituales me llevan a pensar… —Se le quebró la voz y no pudo seguir hablando.

Caterina se dio cuenta de que la mujer fuerte, capaz de hacer frente a una situación que hubiese arredrado a muchos hombres, que se había mostrado tenaz en sus decisiones y de voluntad indomable, se había desmoronado. Acudió a su lado y Bona la abrazó con fuerza, como si se agarrase a una tabla en medio de un naufragio.

Primero fueron unos gemidos que, poco a poco, se convirtieron en un llanto desbordado.

—Llorad, llorad cuanto os plazca, si eso os consuela.

Abrazadas permanecieron largo rato, hasta que la duquesa se desahogó con el llanto.

—Por si os sirve, os diré que existe un consuelo espiritual para estos casos.

Bona, que se limpiaba las lágrimas con un pañuelo, la interrogó con la mirada. Otra vez estaba sorprendida.

—Se llama absolución apostólica —añadió Caterina.

—¿Una absolución para un cadáver?

—Así es, se trata de una potestad exclusiva del Papa. Él es quien decide si concurren las circunstancias adecuadas —afirmó la joven, sin el menor asomo de duda.

—¿Cómo sabes eso?

—Está en las disposiciones canónicas.

La duquesa no salía de su asombro. ¿Cómo era posible que supiese cosas como aquélla? Le habían dicho que tenía afición a conocer las propiedades de las plantas, que dominaba el latín, que era una excelente amazona. La había visto deslumbrar a los hombres en fiestas y celebraciones cuando danzaba o tocaba el clavicordio. Incluso le habían dicho que realizaba frecuentes escapadas a la botica de micer Romualdo para encerrarse en el laboratorio. ¡Pero que supiese cánones!

—¿Cómo sabes que está en los cánones?

La respuesta fue muy simple.

—Mi señora, todo está en los libros.

Bona entornó los ojos.

—¿Conoces el procedimiento?

—En las actuales circunstancias, permitidme que os aconseje mucha prudencia y la mayor de las discreciones. Si esto se supiese, provocaría un gran escándalo.

—Te escucho.

—Lo mejor sería utilizar un intermediario, una persona que goce de vuestra confianza y tenga acceso al sumo pontífice. Creo que sería conveniente sondear el ánimo del Papa.

—¡Sixto IV es nuestro aliado! ¡Tu matrimonio…!

—Se trata de un asunto espiritual, mi señora.

—En Roma, la línea que separa los asuntos terrenales y los pertenecientes al mundo espiritual es delgada y sutil —protestó la duquesa.

—En efecto, mi señora, y una buena suma hace que las sutilezas desaparezcan. Pero esa realidad no debe apartaros de la prudencia que el caso requiere.

—Tengo entendido que Su Santidad necesita dinero, que desde hace tiempo las finanzas papales presentan un saldo negativo. Los gastos aventajan, con mucho, a los ingresos, pese al volumen de las sumas procedentes de las indulgencias. Me han llegado noticias de que el Papa ha contratado a los mejores artistas de Italia para decorar una de las capillas del Vaticano, dicen que es algo insuperable. La gente ya la ha bautizado.

—¿Cómo le han puesto? —preguntó Caterina.

—La llaman Capilla Sixtina, en honor al Papa.

—Sin embargo, no es ése el mayor sumidero de los recursos pontificios. Por lo que sé el Santo Padre actúa con suma largueza en todo lo referente a sus familiares.

La duquesa iba de asombro en asombro. Aquella joven era una caja de sorpresas.

—Eso es algo, mi querida Caterina, que juega a nuestro favor en todos los sentidos. Se dice que tu futuro esposo, después de la muerte de su hermano, el cardenal Pietro Riario, se ha convertido en uno de los hombres más ricos de Roma y si Sixto IV necesita dinero… ¿Cómo has dicho que se llama esa absolución?

—Apostólica.

Por primera vez en dos meses Bona de Saboya dibujó en su boca algo parecido a un esbozo de sonrisa.

Un mes más tarde regresaba el intermediario enviado y traía la respuesta de Su Santidad a la petición de la duquesa regente. Cuando le anunciaron su llegada, Bona despidió a quienes la acompañaban y mandó llamar a Caterina. Quería que estuviese presente; entre las dos mujeres, a pesar de la diferencia de edad, se había establecido una complicidad que iba mucho más allá de la relación familiar que las ligaba.

Recibieron al intermediario en un pequeño gabinete, primorosamente decorado con frescos, donde se representaban escenas mitológicas.

Bona había escogido para aquella misión a un hombre experimentado, que había recorrido el mundo en su condición de comerciante. Era uno de los mayores importadores de las valiosas especias, cuya demanda no paraba de crecer en las cocinas de Europa. También traficaba con sustancias exóticas como el cinabrio, el lapislázuli o la malaquita utilizadas en la fabricación de pigmentos que pintores y decoradores necesitaban para componer sus colores. Las nuevas técnicas de pintura, importadas de Flandes, estaban reemplazando a la fórmula tradicional del temple que, hasta entonces, había permitido decorar los muros de las iglesias y palacios. Ahora, mezclaban aquellos ingredientes con aceites, por lo que la llamaban pintura al óleo, que proporcionaba vivos colores a la paleta de los artistas y se abría paso en el nuevo panorama de la pintura.

Al entrar, Giorgio Fandilo descubrió su cabeza e hizo una cortesana reverencia. La blanca pluma de su sombrero barrió el suelo de la estancia.

—Eres bienvenido, mi buen Fandilo.

—Excelencia, os traigo buenas noticias.

—Te escucho.

—Su Santidad ha mostrado la mejor disposición de cara a satisfacer vuestros deseos.

—¿Ha dicho que otorgará al duque la absolución apostólica?

—Siempre que se cumplan ciertas condiciones.

—¿A qué te refieres?

Fandilo carraspeó, aclarándose la garganta.

—Sixto IV solicitó el parecer de una junta de teólogos que, después de varios días de debates, dictaminó que dadas las circunstancias que concurrieron en la muerte del duque, mi señor, violencia y muerte en lugar sagrado, procede la concesión de vuestra petición, siempre y cuando se haga una solicitud formal...

—¿Qué quiere decir eso? —preguntó inquieta la duquesa.

—Por escrito, mi señora.

—No hay problema. Continúa.

—En esa solicitud habrá de consignarse, con el mayor detalle, los posibles pecados que pesasen sobre la conciencia del difunto y sobre los que se pretende la absolución solicitada.

—¿Los pecados del duque?

—Así es, mi señora. El parecer de los teólogos es que la absolución ha de darse sobre acciones concretas, calificadas como pecado. En mi humilde opinión, la señora duquesa es la persona más cualificada para satisfacer esa demanda.

—¿Hay algo más?

—Sí, mi señora. El dictamen de los teólogos señala que la absolución no es válida sin el cumplimiento de la correspondiente penitencia.

—¡Galeazzo Sforza lleva enterrado casi tres meses!

—El dictamen ha previsto esa contingencia, mi señora.

—¡Habla!

—La penitencia tiene carácter pecuniario.

—Debí imaginármelo. ¿Cuánto?

—Eso dependerá de los pecados que se consignen en la solicitud de absolución. Si mi señora me lo permite —Fandilo sacó un pliego de su bolsillo—, aquí tengo la tarifa que se me ha entregado. Creo que se llama *taxa cameratae.*

Bona, de un tirón, se hizo con el pliego y leyó con avidez. Su lechoso rostro se contraía cada vez más.

—¡Esto es un robo! —gritó arrojándolo al suelo.

Fandilo lo recogió, sin saber qué hacer con él, mientras que Caterina observaba en silencio.

Aquella misma noche Bona de Saboya dictaba a su fiel Simonetta un texto donde solicitaba la absolución apostólica para los pecados del difunto.

La viuda señalaba como tales la declaración de guerras, en las que distinguía las legítimas de las ilegítimas, pero considerando que todas habían traído miseria, horror y muerte a miles de inocentes porque consecuencia de toda guerra eran los saqueos indiscriminados y los robos sin medida. Añadió extorsiones continuadas y también negligencia permanente en la administración de justicia. Consideró que el duque se había excedido en la imposición de tributos y gabelas notoriamente injustos. Reconoció que había producido escándalos continuos y proferido horribles blasfemias, en las que se hacía mofa y befa de Dios, la Virgen y los santos de la corte celestial. También señaló faltas en los ayunos establecidos como obligatorios por la Santa Madre Iglesia, así como incumplimientos graves en materia de abstinencias. Era consciente de que había ejercido violencia indiscriminada y que su lujuria se desató con frecuencia, señalando que en ningún caso tenía conocimiento de que hubiese sido *contra natura*, aunque tenía conocimiento de prácticas calificadas por los confesores como viciosas…

La lista era un compendio de vilezas y maldades. Cuando terminó, Bona le indicó que hiciese el cálculo de la absolución, según la tarifa que le había sido remitida. El secretario, tras manifestar algunas dudas como consecuencia de ciertos detalles que no aparecían claramente estipulados en la *taxa cameratae*, hizo la cuenta.

—La suma, mi señora, se eleva a doce mil quinientos ducados.

—¡Qué barbaridad!

—Es una bonita suma —asintió Simonetta, que añadió—: Esa cifra no incluye diversas cantidades. Para que la absolución sea válida, los teólogos afirman que es obligatoria la restitución de los bienes robados o percibidos injustamente. Como quiera que el autor no puede señalar a los damnificados, indican que es necesario destinar diversas sumas a la defensa de la cristiandad, amenazada por el peligro otomano. Otra cantidad ha de ser destinada a la construcción de tres monasterios de monjas y una tercera, mucho menor, destinada a dotar a doncellas pobres para el matrimonio. Por último, aunque queda al libre albedrío de mi señora, habría que añadir algunas cantidades para obras piadosas y de caridad, con el fin de aliviar al ánima del difunto de las penas del purgatorio.

—¿Cuánto, Simonetta?

El secretario no pudo evitar un gesto de preocupación.

—Sin tener en cuenta las obras piadosas y de caridad —simuló hacer nuevas cuentas, aunque ya tenía calculada la suma—, estamos hablando de una cifra no inferior a los veintidós mil ducados.

—¡Por ese camino terminaremos devolviéndoles el pago que nos hicieron por entregarles Imola!

Simonetta hizo un gesto de preocupación.

—Es el precio por la salvación del alma de vuestro difunto esposo.

5

24 de abril de 1477

En el patio de la fortaleza palaciega de los Sforza se había roto la tranquilidad de un día normal.

La víspera, Caterina había acudido a decir adiós a su madre. Lucrecia Landriani la había estrechado entre sus brazos, orgullosa del futuro que aguardaba a su hija, que ya le sacaba medio palmo de estatura. Le pidió que no se olvidase de que allí quedaba su familia. Al día siguiente iniciaría un largo viaje que la conduciría hasta Roma para convertirse en esposa de Girolamo Riario y en condesa de Imola.

La duquesa Bona, que se había mostrado solícita en todo lo concerniente al ajuar de la joven, para cuyo transporte fueron necesarios tres carros y una docena de mulas, celebró un discreto banquete de despedida. En la corte de Milán se mantenía el luto por la muerte del duque.

El séquito, digno de una princesa, lo formaban cuarenta caballeros, escogidos entre las familias más ilustres de la ciudad. Con ellos iba el obispo de Cesena y también el gobernador de Imola, en señal de acatamiento a quien iba a convertirse en su señora. Viajaban con ella cinco damas de compañía y una veintena de criados para satisfacer todas sus necesidades materiales.

Pero aquel séquito se quedaba pequeño al compararlo con el que su esposo había enviado para acompañarla. Doscientos caballeros y su correspondiente servidumbre; un pequeño ejército, como correspondía a uno de los hombres más ricos de Roma.

Caterina estaba radiante. Unos delicados tirabuzones dorados enmarcaban su rostro; vestía un traje de terciopelo blanco de talle ajustado y falda acampanada, recamado de pedrería y adornado con hilo trenzado de oro; las mangas, abullonadas, dejaban ver un forro de seda roja. Antes de subir a la carroza, donde la acompañaban dos de sus damas, miró hacia la ventana desde donde Bona la despedía con un pañuelo, hizo un gesto con la mano y se arropó con una capelina ribeteada de piel, a juego con el traje.

Los hombres bromeaban, gritaban y reían. Algunos bebían cubiletes de aguardiente, que les ofrecían los criados para matar el gusanillo de la mañana. Todavía las antorchas alumbraban la escena, aunque las primeras claridades del amanecer, que ya despuntaba, anunciaban el comienzo del día. Era una mañana limpia de primavera.

Roberto Sanseverino acudió al estribo y pidió permiso para marchar.

—Si la condesa lo considera oportuno, podemos partir.

Las palabras del militar, que acompañaría a la escolta hasta una legua más allá de las murallas de la ciudad, sonaron en sus oídos como música celestial. Caterina asintió con un ligero movimiento de cabeza y una sonrisa.

¡No se lo acababa de creer! ¡Era la condesa de Imola!

—¡En marcha! —gritó Sanseverino.

La orden se repitió por todas partes, como si fuese un eco. La comitiva arrancó.

Al ruido de los cascos de los caballos golpeando el empiedro del suelo se añadía el sonido metálico de las armaduras. Muy pronto, al estrépito de los jinetes, se sumó el chirrido de los carros, y las voces y gritos de los carreros.

Caterina realizó un viaje triunfal. Cuando el 13 de mayo llegaba a Castelnuovo, a trece millas de Roma, la esperaba monseñor Sagramoro, que ejercía funciones de embajador de Milán en Roma. Poco después se produjo el encuentro con su esposo, que acudió a recibirla acompañado de un verdadero ejército de amigos, deudos y servidores.

Girolamo montaba un espléndido semental blanco y vestía una rica armadura negra, damasquinada en oro. Estaba en la plenitud de la vida: acababa de cumplir treinta años y el mundo le sonreía. Cuando vio a su joven esposa la estrechó entre sus brazos, conteniendo a duras penas la pasión. La besó en el cuello y le susurró al oído que contaba los minutos que faltaban para encontrarse a solas con ella. Caterina se ruborizó.

Las pocas millas que faltaban para llegar a las puertas de Roma se hicieron eternas. Todo el mundo quería saludarla, presentarle sus respetos y rendirle homenaje. En aquel camino conoció al prefecto de la ciudad, el cardenal Giuliano della Rovere, y a los embajadores de España y Nápoles. También acudieron a darle la bienvenida miembros de las familias más distinguidas de Roma, como los Colonna, los Doria-Pamphili, los Orsini o los Farnesio. Todos quedaron prendados de su juvenil belleza y de sus modales.

Fue acomodada en un palacio a las afueras de Roma, porque el Papa había decidido que su entrada en la ciudad debía coincidir con una de las grandes solemnidades religiosas del año litúrgico. Sería el 25 de mayo, domingo de Pentecostés.

A la cena con que fue agasajada, un ceremonioso banquete,

asistieron más de un centenar de invitados y se sirvieron doce platos, sin contar las entradas ni los postres. Se degustaron exquisiteces como lenguas de tórtola condimentadas con hierbas aromáticas, lomos de trucha aderezados con miel, faisanes a la pimienta, pasteles de finísimo hojaldre rellenos de carnes especiadas; además hubo música y una representación escénica. La joven milanesa estaba desbordada con la catarata de atenciones.

Despertó su curiosidad la disposición de las mujeres. Todas ellas lucían esplendorosas; vestían ropas mucho más livianas que las que ella conocía, brillantes sedas y gasas de llamativos colores muy diferentes a los pesados terciopelos de las tierras del norte. La ligereza de los tejidos iba acompañada por generosos escotes que mostraban los senos hasta niveles inconcebibles en Milán. Allí, ni siquiera las prostitutas enseñaban con tanto descaro partes tan íntimas de su cuerpo, con el añadido de mostrarse con una naturalidad alejada de las mórbidas insinuaciones de las mujeres que vivían del sexo. La novia recordó que durante el viaje sus damas de compañía la habían entretenido contándole multitud de historias cargadas de picantes detalles, protagonizadas por las célebres cortesanas de Roma. Se decía que algunas de ellas podían pasar por refinadas damas, que rivalizaban con las mujeres de la más rancia aristocracia de la ciudad.

Vestida con un pesado vestido de riquísimo brocado de plata y oro de fondo morado, pensó que aquellas mujeres, que la miraban con descaro, escudriñando hasta los más insignificantes detalles de su aspecto, la considerarían una rústica lombarda, alejada de las modas imperantes. ¡No le importó! Era el centro de atención y le gustaba sentirse observada.

El vino corrió generoso y la alegría flotaba en las estancias de la residencia cardenalicia. Su Eminencia, que ejercía no sólo funciones de anfitrión sino que ostentaba la representación de

Su Santidad, realizó el brindis con un vino de Palermo servido en largas y delicadas copas de fino cristal.

—¡Por la sin par y bella Caterina! ¡Por el afortunado Girolamo! ¡Felicidad y larga vida!

Los gritos de los asistentes corearon las propuestas del cardenal, quien en voz baja comentó a los novios, que lo flanqueaban a izquierda y derecha:

—No he pedido fortuna porque ya la tenéis y no es bueno tentar a la suerte.

Girolamo alzó un dedo y un criado se acercó; llevaba un estuche de piel. Con un gesto teatral, para que no pasase desapercibido, rodeó la garganta de su esposa con un maravilloso collar de perlas. Lo habían traído unos comerciantes que traficaban por tierras de Egipto y más allá, en el llamado Cuerno de África y las costas del mar Rojo, adonde llegaban barcos procedentes de la India.

Su Eminencia esbozó una sonrisa maliciosa y deslizó un comentario:

—Nuestro amigo Girolamo quiere asegurarse una noche llena de pasión.

Las palabras del purpurado llegaron a oídos de Caterina. La joven lo miró y, componiendo la mejor de sus sonrisas, le espetó:

—¿Por un collar? ¡Pensaba que vuestra eminencia tenía en consideración otra clase de atractivos para conseguir la pasión de una mujer!

El domingo de Pentecostés Caterina hizo su entrada en Roma. El cortejo lo formaban embajadores, cardenales, altos dignatarios y representantes de las familias aristocráticas de la ciudad. A la cabeza iban los Colonna y los Orsini. Por un día dejaban de lado sus diferencias, que llenaban de violencia y muerte las calles de Roma.

Vestía un traje de raso color crema y se adornaba con una mantoleta de damasco orlada con brocado de oro; en el cuello lucía el collar que su esposo le había regalado. La cabalgata entró por el puente Milvio y avanzó por la vía Flaminia. De trecho en trecho pasaba bajo los arcos triunfales que se habían confeccionado para la ocasión. Unos ofrecían escenas amatorias pintadas sobre las lonas que recubrían la estructura de madera, otros estaban decorados con guirnaldas de flores.

A lo largo del recorrido una muchedumbre aclamaba a la novia. Los romanos habían acudido en masa a ver el desfile y conocer a la mujer del sobrino del Papa. Desde los balcones, muchas mujeres arrojaban pétalos de rosas, que caían, como una lluvia de colores, sobre la carroza de Caterina. Nunca había imaginado que pudiesen recibirla de aquella manera. Percibía un rosario de sensaciones, todas agradables, pero lo más seductor era la percepción del poder. A pesar del lujo y el refinamiento que entraban en su vida como un torrente desbordado, Caterina seguía siendo una Sforza; por sus venas corría la sangre de Muzio Attendolo, el campesino que abandonó las tareas agrícolas para convertirse en el *condottiero* más célebre de Italia y hacerse con el ducado de Milán. El dragón que llenaba el escudo de los Sforza era todo un símbolo de la fuerza de su familia.

Se dio cuenta de que, en medio de aquella vorágine, era capaz de mantener su mente bajo control y situarse al margen del espectáculo que el Papa había dispuesto para recibirla. A su memoria acudieron citas de Suetonio y de Plutarco. Las entradas de los césares en Roma debían de haber sido algo parecido a lo que ella estaba viviendo aquella mañana de primavera. Tales pensamientos le produjeron un agradable cosquilleo en su cuerpo, pero también recordó que, en medio de las aclamaciones, un esclavo susurraba al oído del emperador que no olvidase su condición de mortal.

Al llegar a la piazza del Popolo, Caterina detuvo su mirada en la hermosa iglesia que se alzaba a su izquierda; era Santa Maria del Popolo, levantada según el nuevo estilo arquitectónico que había desplazado al arte gótico y recordaba, en sus arcos y en sus columnas coronadas por capiteles dóricos y jónicos, la elegancia de los edificios de la Roma pagana.

Una de las damas que la acompañaban, hermana de un cardenal, le musitó al oído:

—Me han dicho que en esa iglesia trabaja un pintor llamado Pinturicchio, creo que es amigo de vuestro esposo.

—¿No está trabajando en la decoración de una capilla en San Pedro del Vaticano?

—Así es, mi señora, en la capilla que algunos llaman Sixtina, en honor del tío de vuestro esposo. Pero Pinturicchio necesita dinero por su afición al juego, eso le obliga a trabajar aquí por las noches.

Junto a la puerta del templo, sobre un estrado recubierto con alfombras, un coro de niños, vestidos con blancas togas y las cabezas adornadas con coronas de laurel, entonó un cántico de bienvenida. Las voces de los infantes sonaron angelicales, dando un toque de pureza a la fiesta.

La comitiva continuó su recorrido. Poco más adelante una mole pétrea de forma circular sobre la que el paso del tiempo había causado estragos, llamó su atención.

—¿Qué es eso?

—Es el basamento del mausoleo de Augusto. La tumba del primero de los emperadores de la familia Julio-Claudia. Dicen que estaba cubierto por un tejado en forma de cono y en su cúspide había una estatua del emperador.

Otra vez la sombra de los emperadores se proyectaba sobre ella.

Cruzaron el Tíber y, de repente, ante su atónita mirada surgió una construcción majestuosa, una verdadera fortaleza. Sus recios muros y sus defensas sobrecogían. Sintió que la atraían, como si fuese un imán.

—¡Eso es Sant'Angelo!

Caterina se quedó paralizada. Le hubiese gustado detener el cortejo y recrearse ante el monumental castillo, que servía de refugio a los papas en los momentos de dificultad. Había escuchado contar numerosas historias, alguna casi increíble, acerca de lo acaecido allí. Uno de sus preceptores le explicó que fue levantado en el siglo II, como mausoleo del emperador Adriano, inspirado, al igual que el de Augusto, en los monumentos funerarios de los antiguos etruscos. Sirvió de tumba a otros emperadores hasta que con la llegada de las dificultades y la inseguridad, en el año 271, el emperador Aurelian lo transformó en una fortaleza que, con el paso de los años, adquirió el aspecto que ahora ofrecía ante sus ojos.

—¿Conocéis la historia de su nombre?

Caterina negó con un gesto casi imperceptible.

—Se cuenta que en el año 590 los romanos eran víctimas de la peste que asolaba la ciudad. Un día apareció un ángel sobre la torre más alta de la que ya era la fortaleza principal de Roma y anunció el final del contagio. En recuerdo del hecho se lo bautizó como Sant'Angelo.

—¿Quién nombra al comandante de esa fortaleza? —preguntó Caterina.

—El propio Papa y siempre a una persona de su absoluta confianza. ¿Sabéis que ha servido de refugio a numerosos pontífices? Algunos de ellos salvaron su vida gracias a lo inexpugnable de sus defensas.

Era cerca del mediodía cuando la novia llegó a San Pedro del Vaticano. Bajó de la carroza y su delicada figura se convirtió en un punto de claridad en medio de un revuelo de púrpuras cardenalicias. Su entrada en la basílica se produjo rodeada de príncipes de la Iglesia, algunos de los cuales se contaban entre los hombres más poderosos de la tierra. En el interior aguardaba Girolamo, rodeado de amigos. Vestía un jubón oscuro, en el que brillaban finas hileras de perlas, y en su pecho relucía una cadena de gruesos eslabones de oro de la que colgaba un medallón con la efigie de su prometida. Las calzas, muy ajustadas, le permitían lucir unas torneadas piernas.

Caterina, del brazo del cardenal Giuliano della Rovere, recorrió lentamente la nave central de la basílica, en medio de miradas, murmullos y comentarios, hasta llegar al presbiterio. Entonces, precedida por una larga fila de sacerdotes, diáconos y sacristanes, y flanqueada por dos cardenales, apareció la figura de Sixto IV envuelta en nubes de incienso. Crecieron los murmullos y los comentarios, algunos de ellos muy mordaces, acerca del comportamiento del pontífice, referidos tanto al ejercicio de sus funciones públicas como a sus costumbres privadas.

La ceremonia fue tan larga, más de tres horas, que a Caterina se le hizo tediosa. Tuvo que hacer verdaderos esfuerzos para evitar los bostezos que acudían a su boca. La agradable sensación de frescor que la había acogido a su llegada al templo, después del largo recorrido por las calles de Roma, había desaparecido. Al calor de los cirios se unió el de la muchedumbre que abarrotaba la basílica. Cuando los esponsales finalizaban, la atmósfera de San Pedro era irrespirable.

La conclusión de la ceremonia significó un respiro, convertido en alivio, cuando del brazo de su esposo entró en la capilla del Papa acompañada por el cardenal Della Rovere y el embajador de Milán.

Sixto IV aguardaba a la pareja revestido de pontifical. La novia avanzó hasta el sitial donde estaba Su Santidad y, cumpliendo con el protocolo que le habían explicado repetidamente, se agachó y besó el pie del vicario de Cristo en la tierra. El pontífice le dedicó palabras cariñosas, llamándola «mi querida sobrina» e indicando que todas las descripciones de su belleza eran injustas y no iban más allá de pobres reflejos de la realidad. Caterina agradeció la gentileza pontificia con sonrisas. No se atrevía a hablar porque le habían insistido en que nadie se dirigía a Su Santidad, si éste no le preguntaba.

Concluidos los actos que marcaba el complicado protocolo pontificio, se trasladaron hasta el Campo dei Fiori, pasando de nuevo por delante del castillo de Sant'Angelo.

—El comandante de esa fortaleza —comentó Caterina a su esposo— es el hombre más poderoso de Roma, después del Papa.

Los ojos de Girolamo brillaron de un modo especial.

—Lo tienes delante.

—¿Qué quieres decir?

—Que tu marido es el castellano de Sant'Angelo.

Caterina Sforza no daba crédito a lo que acababa de escuchar. Era la esposa del comandante de una fortaleza que había llenado su imaginación cuando en su lejana Milán le hablaban del poder de los papas y le contaban historias de guerras, asedios, conjuras y traiciones.

Embebida en sus pensamientos, apenas prestó atención a las aclamaciones. No se enteró de que habían traído flores de alejados lugares para llenar de pétalos todo el itinerario, a lo largo del cual podían verse los escudos de la familia del Papa y del dragón de los Sforza. Vistosas banderas tremolaban al viento, llenando de color el ambiente.

Al banquete asistieron cuatrocientos comensales. Fue necesaria una cuidadosa selección de invitados, lo que produjo no pocas complicaciones y numerosos enfados. Allí tomaron asiento los más importantes embajadores, la mayor parte de los miembros de la curia, eminentes obispos, representantes de la aristocracia romana y, por expreso deseo de la novia, los cuarenta caballeros que constituían el séquito que la había acompañado desde Milán. A Girolamo le pareció inadecuado porque por la misma razón se hacía necesario invitar a los doscientos que él había enviado desde Roma. Su esposa le dijo que le parecía adecuado, que simplemente había que aumentar el número de invitados.

Durante el banquete, que se prolongó hasta la madrugada, un adolescente montado en un carro triunfal entraba en el salón cada cierto tiempo y anunciaba un espectáculo. Hubo dos representaciones mitológicas, una de las cuales bordeó lo escabroso. Una danza morisca, un baile a la florentina y una escena de caza.

A la conclusión fueron presentados los regalos que habían recibido los novios. El secretario de Girolamo los valoró en doce mil ducados.

Cuando Caterina y su esposo se quedaron solos en sus aposentos dieron rienda suelta a su pasión. En la intimidad del lecho ella le preguntó:

—¿Quiénes eran las ninfas desnudas que han simulado copular durante la representación?

—Cortesanas, querida. Cortesanas de Roma.

6

Roma, primavera de 1478

Girolamo estaba tenso. Apenas probó bocado y respondía con monosílabos a las preguntas de su esposa. Acababan de servir los postres cuando un criado entró en el comedor, se inclinó ante su señor y le susurró algo al oído.

Caterina no pudo contener la ira, ante lo que consideraba un desplante intolerable. Arrojó la servilleta al suelo y gritó:

—¿Qué ocurre en esta casa que yo no puedo saber?

El criado, sorprendido, se incorporó.

—Hay cosas que no son apropiadas para los oídos de las mujeres —respondió su esposo con tranquilidad.

—¿Ah, no?

—No.

Girolamo se levantó y con un gesto ordenó al criado que lo siguiera. Apenas habían salido del comedor, cuando Caterina llamó a su mayordomo.

—Jacopo, mi marido acaba de salir, síguelo discretamente.

En realidad, Jacopo Giusti era su hombre de confianza; además de ejercer funciones de mayordomo, se encargaba de la seguridad de Caterina. La seguía, como si fuese su sombra, cada vez que la condesa salía de palacio. Roma era una ciudad peligrosa y la muerte podía acechar a la vuelta de cualquier esquina. Había llegado con ella desde Milán.

A la caída de la tarde Giusti le proporcionaba una detallada información.

—Cuando el conde dejó la casa acudió a recoger a su sobrino, el cardenal Raffaele Riario. Juntos han estado en un palacete cercano al Panteón, creo que allí tiene sus oficinas la tabla de cambio de una familia florentina, los Pazzi. Dentro han permanecido más de una hora. A la salida se les veía tensos, después han marchado al Vaticano.

—¿Al Vaticano? —La pregunta estaba llena de inquietud. Caterina recordó que, ante la negativa de los Médicis, fueron los Pazzi, sus rivales, quienes facilitaron al Papa los cuarenta mil ducados que su difunto padre había exigido como pago para entregar Imola.

—Sí, mi señora. Cuando caminaban hacia San Pedro, pude escuchar unas palabras que el cardenal decía a vuestro esposo.

—Te dije que fueses discreto.

—Os juro que lo he sido, mi señora.

—¿Qué escuchaste?

—El cardenal decía que si Su Santidad no ponía impedimentos, mañana mismo saldría hacia Florencia.

—¿Oíste algo más?

—No, señora. Pero puedo aseguraros que vuestro esposo se mostró conforme.

A media mañana las noticias eran confusas. Caterina paseaba inquieta por el pequeño gabinete, donde dedicaba largas horas a la lectura. Llevaba sin ver a su esposo cinco días y lo que menos le preocupaba en aquellos momentos era que hubiese prolongado una de sus habituales orgías con un puñado de cortesanas. Además, sus últimos informes señalaban que se encontraba en el Vaticano, junto a su tío. Como siempre, su fiel Giusti había hecho un trabajo discreto y fructífero. Decidió que la mejor forma de pasar aquellas horas de incertidumbre era enfrascarse con algún experimento en el laboratorio que había hecho instalar en uno de los sótanos del palacio, lejos de miradas indiscretas.

Se encerró y una vez más leyó el texto en clave que Leonardo da Vinci había escrito a toda prisa antes de despedirse de ella, pero al igual que en ocasiones anteriores, no sacó nada en limpio. ¿Cuál era la fórmula del elixir que dejó consignada? Contrariada, se puso a moler en el mortero unos terrones de tierra arcillosa que le habían traído de Egipto; añadió poco a poco agua pasada tres veces por el alambique, batió la pasta hasta dejarla finísima y añadió unas gotas de goma arábiga y esencia de lavanda que guardaba en un frasco. Le habían asegurado que aquella mezcla, cuya base era la tierra roja de Egipto, poseía propiedades curativas de las pústulas y los eczemas de la piel.

Aplicaría el ungüento sobre la piel ulcerosa de una de sus criadas.

Como siempre que se encerraba en el laboratorio, perdía la noción del tiempo y se olvidaba de todo. Estaba concentrada en la lectura de un texto sobre las propiedades de la mandrágora; había comprado una raíz de esa misteriosa planta a una gitana en el mercado que los viernes se celebraba en el arenal del Tíber junto a la vía Ostiense, cerca de la iglesia de San Pablo Extramuros.

Un lunes de primavera se ha de sacar la raíz de una bryonia. La extracción habrá de hacerse de noche, cuando la Luna se halle en conjunción con Júpiter y Venus. Esa raíz, que se asemeja en su forma a la figura humana, deberá ser podada como los jardineros hacen con las plantas, cuando quieren trasplantarlas. Una vez podada, la raíz habrá de ser enterrada en una fosa de enterrar, en contacto con el cadáver de un hombre, y deberá ser rociada, antes de que salga el sol...

Unos golpes en la puerta interrumpieron la lectura.

—¿Quién es?

—Soy yo, mi señora, Jacopo. Disculpadme, pero se trata de una urgencia.

—¿Qué ocurre? —preguntó, sin abrir la puerta.

—Se confirman las noticias, mi señora.

—Aguarda un momento. —Marcó el texto con una señal y lo colocó en un anaquel. Luego abrió la puerta y lo invitó a pasar. Giusti estaba empapado en sudor. Era una de las pocas personas a las que permitía el acceso a su *sancta sanctorum*—. Toma un trago, sólo uno. —Caterina le ofreció un pequeño búcaro de barro, del que bebió con moderación.

—Señora, han llegado nuevas de Florencia, los correos no paran de entrar y salir. En la piazza Navona el desorden es total. La gente se agolpa en busca de noticias.

—¿Qué se dice?

—Se confirma que en Florencia ha habido una revuelta, cuyo objetivo era asesinar a los Médicis. Todos afirman que la intentona ha fracasado, aunque ha costado la vida al menor de los Médicis. Sin embargo, el Magnífico, que era el principal objetivo de los conjurados, ha escapado con vida.

—¿Dicen algo más los rumores?

—Todos coinciden en que los conjurados se habían puesto de acuerdo en actuar durante la celebración de la misa mayor del domingo de Pascua, en Santa Maria del Fiore.

Caterina no pudo evitar un recuerdo doloroso.

—¿Se sabe quiénes estaban en el complot?

Giusti vaciló un momento.

—Se dice que los principales eran los Pazzi, sus rivales.

Caterina notó cómo la sangre golpeaba en sus sienes.

—¿Quién más, Jacopo?

—Sólo son rumores, señora.

—¿Quién más? —puso énfasis en su pregunta.

—Se habla también del Papa y de sus familiares. Entre los que han pagado ya con su vida se encuentra el obispo de Pisa. Dicen que lo han ahorcado y que su cuerpo cuelga de una de las paredes del palacio de la Señoría.

La condesa guardó silencio, rumiando sus propios pensamientos.

—Eso explica, en parte, las salidas a deshoras y muchas de las reuniones mantenidas los días de atrás por mi marido. ¿Se sabe algo del cardenal Riario?

—Nada, mi señora. Aunque los rumores confirman algo que nosotros ya sabíamos. El cardenal se encontraba en Florencia cuando han ocurrido los hechos.

—¡Su Eminencia es un imbécil!

—Lo siento, señora.

—¡No lo sientas y ordena que preparen mi caballo!

—¿Adónde vais?

Sólo Jacopo Giusti se atrevía a hacerle una pregunta como aquélla.

—¡A ver al Papa!

—El Santo Padre os recibirá inmediatamente, condesa. Pero sólo a vos.

El sacerdote miró a Jacopo Giusti, que la había acompañado hasta la antesala de los apartamentos privados del pontífice.

—Supongo que nada he de temer del tío de mi esposo —ironizó Caterina a la par que el joven sacerdote se ruborizaba.

—Condesa, por el amor de Dios, estáis hablando del vicario de Cristo en la tierra. Si tenéis la bondad...

El clérigo se hizo a un lado y cedió el paso a Caterina, quien indicó a Giusti que la aguardase allí.

En su despacho privado Sixto IV firmaba los documentos que le mostraba su secretario; cuando entró Caterina soltó la pluma e indicó a su ayudante que se retirase. Vestía una sencilla sotana blanca y cubría su cabeza con un camauro ribeteado de piel. Ella se acercó hasta la mesa y al agacharse para besarle el pie, Su Santidad, con un gesto familiar, le ofreció la mano donde lucía el anillo papal.

La voz del pontífice sonó acogedora:

—Mis familiares sólo han de cumplir el protocolo en las ceremonias públicas.

Ella le agradeció el detalle con una sonrisa.

—Y ahora, mi querida sobrina, ¿cuál es la razón de tu inesperada visita? —La voz del Papa había cambiado al hacerle la pregunta.

A Caterina no le pasó inadvertido el detalle. Tuvo un momento de vacilación, pero se impuso la sangre de los Sforza y le planteó la pregunta sin ninguna clase de preámbulos:

—¿Qué ocurre en Florencia, santidad?

Sixto IV hubo de hacer gala de toda su diplomacia para no manifestar la inquietud que le producía la pregunta. Con su larga experiencia en el complejo mundo de las relaciones vaticanas, no le resultó difícil disimular su desasosiego, pero había de reconocer que aquella jovencita había logrado sorprenderlo. Nunca lo hubiese esperado. Clavó la vista en su regazo, juntó las puntas de sus dedos y dejó que transcurriesen los segundos; era algo que hacía cada vez que deseaba poner nervioso a alguien.

Dio un respingo cuando su sobrina lo sorprendió por segunda vez, al preguntarle:

—¿Os pasa algo, santidad?

El Papa alzó la cabeza y entrecerró sus ojos miopes para verla mejor.

—¿Quién te ha traído?

—¿Traerme, santidad? No comprendo.

—¿Quién te ha escoltado hasta aquí?

—Si el Santo Padre se refiere a si me ha acompañado alguien, le diré que ha venido conmigo Jacopo Giusti, mi mayordomo.

—¿No traes escolta con tu carroza?

—He venido a caballo, santidad. Tenía prisa por veros.

Sixto IV hizo un nuevo silencio, pero ahora no respondía a ninguna estrategia. Sus calculadas maneras no servían en aquella situación. Pensó que, con su matrimonio, Girolamo había conseguido mucho más que el señorío de una ciudad y la alianza con los Sforza.

—Explícame por qué quieres saber qué ocurre en Florencia.

Caterina respondió sin vacilar:

—Por lo que me va en ello, santidad.

Sixto IV observó a Caterina, que continuaba de pie, inmóvil, pero sin dar muestras de nerviosismo. El pontífice estaba asombrado. En primer lugar, pedirle una audiencia de forma tan directa tenía algo de osadía; pero lo verdaderamente extraordinario era su actitud, su presencia de ánimo. En circunstancias similares había visto azoradas e incluso derrumbadas física y anímicamente a personas experimentadas, gentes avezadas en las complejas situaciones que se vivían en aquel palacio, donde latía el corazón de la Iglesia católica.

—¿Por qué no me explicas qué es exactamente lo que a ti te va en ello?

—Si ése es el deseo de vuestra santidad...

—Lo es.

Caterina le recordó los problemas que había tenido para conseguir los cuarenta mil ducados que su difunto padre exigía por la entrega de Imola. La negativa de los Médicis y el crédito facilitado por los Pazzi, y después hizo referencia a la rivalidad entre ambas familias por hacerse con el control del gobierno de Florencia. Sixto IV escuchaba atentamente.

—Tengo entendido que el obispo de Pisa, que se contaba entre los conjurados, cuelga del cuello, adornando una de las paredes del palacio de la Señoría. La ira de los Médicis se ha desatado y los Pazzi y sus partidarios están siendo cazados como si fuesen alimañas. Se dice que el cardenal Riario había acudido a Florencia, ignoro si también ha viajado hasta allí algún otro familiar de vuestra santidad.

El Papa torció el gesto.

—¿Qué significan esas últimas palabras?

Caterina no se mordió la lengua.

—Ignoro, santidad, dónde está mi marido. Desde hace varios días no ha aparecido por nuestra casa.

Ahora los labios del Papa apuntaron una sonrisa maliciosa. Caterina decidió no pasarlo por alto y lo que el sumo pontífice escuchó, crispó en su boca la sonrisa.

—Vuestra santidad no acertaría si pensase que en esta ocasión anda revolcándose en el lecho de alguna de las rameras que llenan los palacios de Roma. Estoy al corriente de sus aficiones y sé que no tiene reparo en visitar los prostíbulos más miserables de la ciudad y dedicarse a prácticas que, a buen seguro, el Santo Padre calificaría como abyectas. No tiene reparo ni decoro, lo hace a plena luz del día y ha protagonizado escándalos tan grandes que, sin duda, habrán llegado a los oídos de vuestra santidad. He de confesaros que no me siento contenta con tales comportamientos, pero no olvidéis que mi matrimonio fue un acuerdo en el que primaron, por encima de otras consideraciones, los intereses políticos de Milán y de Roma. No hay celos donde no hay amor y puedo aseguraros que entre vuestro sobrino y yo ese sentimiento no existe. Aquel acuerdo me convirtió en condesa de Imola y ello significa que los sucesos de Florencia me afectan muy directamente.

Sixto IV enredó entre sus manos los eslabones de la gruesa cadena de oro que caía sobre su pecho y de la que colgaba una cruz pontifical cuajada de piedras preciosas. El desparpajo de Caterina lo tenía vivamente impresionado.

—¿Quieres explicarme cómo te afectan esos sucesos?

—Los rumores apuntan a que la presencia del cardenal Riario en Florencia está relacionada con la conjura urdida contra los Médicis.

—Se trata de infames calumnias urdidas por mis enemigos que, como bien sabes, son muchos y poderosos. La presencia del cardenal de San Giorgio —nombró a Raffaele Riario por su título cardenalicio— en la capital de la Toscana se debe a asuntos estrictamente relacionados con su ministerio —dijo sin inmutarse.

—¿También sus numerosas visitas, junto a mi marido, al factor de los Pazzi en Roma están relacionadas con su ministerio?

Sixto IV entrecerró de nuevo sus ojos para ganar nitidez en su mirada.

—¿Te ha hablado Girolamo de esas reuniones?

—No, santidad, como os he dicho hace días que no he visto a mi esposo y cuando aparece por nuestra casa, apenas hablamos; salvo cuando exige el débito conyugal. Una vez desahogadas sus pasiones, abandona el lecho.

—¿Entonces…?

—Me he procurado mis propias fuentes de información, santidad. El Santo Padre sabe que la información es algo muy necesario.

—¿Cómo has dicho que se llama tu mayordomo?

Caterina sintió un escalofrío en su cuerpo.

—Jacopo Giusti.

—Ahora, dime, ¿qué sabes de esas visitas al factor de los Pazzi?

—Poco, pero no hay que ser muy despierta para establecer las relaciones correspondientes. Vuestros proyectos sobre la Romaña encontrarán muchas dificultades, quizá demasiadas, con los Médicis controlando Florencia. Por el contrario, si los Pazzi se hiciesen con el dominio de la Toscana, todo resultaría mucho más fácil para vuestros propósitos. Si el obispo de Pisa estaba entre los conjurados, el cardenal Riario estaba en Florencia y mi marido no ha aparecido por casa desde hace muchos días, está claro que vuestra santidad ha jugado sus bazas, moviendo sus peones. El problema es que las noticias que llegan de Florencia señalan que todo ha salido mal. Supongo que vuestra santidad habrá tenido en cuenta esas noticias.

Sixto IV estaba rígido, en su cuerpo no se movía un solo músculo. Así permaneció algún tiempo hasta que se levantó, se acercó hasta donde Caterina había permanecido de pie durante toda la audiencia y clavó sus aceradas pupilas grises en los ojos de la joven.

—¿Con quién más has hablado de esto?

—Aparte de vos, con nadie, santidad.

—¿Estás segura?

—Completamente.

Sixto IV ofreció a Caterina una copa de vino que la joven rechazó; él llenó la suya hasta el borde, tenía la boca seca. Bebió despacio y comentó con voz tranquila:

—Está bien, no debes albergar miedos. La conjura contra los Médicis ha sido obra de los Pazzi. Supongo que me entiendes.

Caterina lo miró a los ojos, en las pupilas del pontífice leyó una decisión inquebrantable.

—Sí, santidad.

—En ese caso has de saber que te prohíbo que hables de este asunto. ¡No lo comentarás con nadie! ¡Absolutamente con nadie! ¡Te lo prohíbo bajo pena de excomunión *latae sententiae* cuya absolución está reservada a nos! ¿Sabes lo que significa?

—Prefiero que me lo diga vuestra santidad.

Sixto IV apuró el contenido de su copa y la dejó sobre la mesa.

—Que si lo hicieses, tu alma ardería en los infiernos, salvo que yo te diese la absolución. ¿Lo has entendido?

—Perfectamente.

—Ahora, arrodíllate. —Caterina hincó una rodilla en el suelo y el sumo pontífice puso una de sus manos sobre su cabeza, con la otra trazó en el aire una cruz—. Puedes retirarte.

Abandonaba la estancia cuando la voz del Papa la detuvo.

—¿No deseas saber dónde ha pasado tu esposo estos días?

Caterina desafió al tío de su marido con la mirada.

—Como vuestra santidad ha podido comprobar, no he venido a preguntar por él, sino en busca de otra respuesta y ya la tengo. Supongo que, antes o después, aparecerá.

Cerraba la puerta cuando escuchó el limpio tintineo de una campanilla. El Papa estaba llamando a su secretario.

Nada más bajar del caballo, cuyas riendas sostuvo Giusti, Caterina le dijo que después de acomodar los caballos acudiese a su gabinete. Tenía que hacer algo que no admitía demora. Cuando el guardaespaldas pidió permiso para entrar, su señora ya escribía una carta. Una vez terminada la espolvoreó con finísima arena de la salvilla para que la tinta se secara rápidamente. Luego la cerró, echó lacre y lo selló con su anillo de condesa de Imola.

—Recoge todas tus pertenencias y prepárate para partir.

Giusti contrajo el rostro.

—¿Por qué he de recogerlas?

—Porque no volverás a Roma.

—¿Significa eso que la señora prescinde de mis servicios?

—Así es, Jacopo. No debes permanecer un minuto más en esta ciudad y en mucho tiempo no debes volver a ella.

—¿Puedo conocer la razón de esta inesperada despedida?

Por un momento Caterina dudó, pero al final pensó que era mejor que Giusti estuviese sobre aviso. Era el hombre más leal que conocía.

—En esta ciudad tu vida no vale un ardite, al menos durante algún tiempo. A estas horas, Su Santidad está dando instrucciones para que acaben con tu vida. Te quiere muerto porque es la forma más segura de garantizar que tu boca no podrá pronunciar una sola palabra.

—Señora, mi boca está cerrada.

—No tienes que decírmelo, pero Sixto IV no lo sabe y por nada del mundo correría el riesgo de que hablases. Haz lo que te ordeno sin perder un instante. Si no lo haces, antes de que amanezca… te habrán despachado para la otra vida, sin muchas contemplaciones.

Caterina sacó una bolsa de un bargueño de ricas maderas, primorosamente decorado, regalo del embajador de España.

—Esta carta es para el gobernador de Imola, te acogerá por orden mía. En esta bolsa hay cien ducados. No los consideres una recompensa por tu trabajo. Tus servicios, mi buen Jacopo, son impagables.

—Señora, yo…

Caterina le extendió la mano para que la besase.

—No pierdas un instante, el tiempo apremia. Por nada del mundo querría que aparecieses acuchillado en un callejón o flotando en las aguas del Tíber.

Estaba enfrascada en su laboratorio, buscando un ungüento que suavizase el cabello, cuando sintió un sofoco al que siguió un mareo. Cayó al suelo sin sentido y allí permaneció largo rato hasta que la encontró una de sus damas, después de dos horas de búsqueda infructuosa.

Hubo un revuelo generalizado, con gritos y carreras, al pensar que el desmayo era consecuencia de la inhalación de algún vapor venenoso. La acostaron y a toda prisa llamaron al médico porque su palidez no presagiaba nada bueno.

Cuando llegó el galeno, Caterina había recuperado el color de su rostro. El médico se limitó a observar a la enferma sin quitarse su negra hopalanda, que era como un distintivo de la profesión, hasta que recuperó la consciencia. Entonces dictaminó que lo mejor era practicarle una sangría; la primavera alteraba la sangre y era aconsejable disminuirla.

—Mi señora puede escoger el modo de hacerlo, ¿lanceta o sanguijuelas?

—¿Lanceta, decís? ¿Sanguijuelas? ¡La única sanguijuela que hay en esta alcoba sois vos! ¡Fuera! ¡Fuera de mi vista!

Buscó algo que arrojarle, pero sus damas lo impidieron. El médico salió precipitadamente y, una vez en la antesala donde se agolpaban doncellas y criados, trató de recomponer su imagen. Indicó a un lacayo que se hiciese cargo de su bolsa de instrumental, reclamó medio ducado y prometió no volver a pisar aquella casa.

Poco después se supo la causa de su malestar: Caterina Sforza estaba embarazada. En 1479 nació su primer hijo, un varón a quien su padre decidió llamar Ottavio.

Los sueños de quien en su mocedad había sido un oscuro escribano de Savona no quedaron satisfechos con Scipione.

La grandeza de la Roma imperial se había adueñado del arte y también del pensamiento. Por todas partes se buscaba revivir aquel tiempo, alentado por las ideas de los filósofos, los textos de los literatos, las investigaciones de los eruditos y las obras de los artistas. Las pinturas de los palacios recreaban escenas mitológicas rebosantes de paganismo. En las plazas se alzaban esculturas labradas en mármol o en bronce, dedicadas a los grandes hombres. Y los arquitectos se afanaban en las numerosas construcciones que estaban cambiando el aspecto de Roma y otras ciudades por toda Italia, recuperando el antiguo estilo arquitectónico.

Aquella moda también se imponía a la hora de bautizar a los recién nacidos.

7

Roma, verano de 1480

Caterina estaba en lo cierto cuando manifestó al Papa que las consecuencias de lo ocurrido en Florencia serían de suma gravedad. Lorenzo de Médicis cerró un acuerdo con Ferrante de Nápoles, lo que obligaba a mantener guarnecidas las fronteras meridionales de los Estados Pontificios. Distraer esas tropas ponía en peligro los proyectos de expansión planificados por Sixto IV, con el objetivo de extender el poder de Roma sobre las tierras del norte, sobre la Romaña, cuyo primer paso había sido, precisamente, la adquisición de Imola a los Sforza.

La respuesta del Papa fue reforzar su alianza con los venecianos, lo que suponía importantes modificaciones en el complicado tablero político italiano.

La última consecuencia era que quedaban patentes, una vez más, las profundas diferencias entre los principales estados de la península italiana, lo que suponía quedar expuestos a la intervención de las dos grandes potencias del occidente europeo: España y Francia.

A lo largo de aquellos meses Caterina llevó su segundo embarazo sin ninguna dificultad y disfrutaba de la crianza de su primogénito. Ahora su existencia cotidiana transcurría en medio de fiestas y celebraciones, a las que concurría junto a otras damas de las familias patricias romanas. Causaba la admiración de todos por su belleza y también por su madurez y conocimientos.

La sólida formación recibida en Milán se revelaba como uno de sus más valiosos atributos. En los salones se hablaba de Caterina Sforza, delicada como una flor y culta como un filósofo.

Por aquellas fechas se difundió la noticia entre los círculos aristocráticos de Roma de los profundos conocimientos que la esposa de Riario tenía en materias oscuras, las llamadas ciencias ocultas. Se decía que en su palacio de la piazza Navona se había hecho construir un laboratorio alquímico, donde experimentaba con plantas, cuyas propiedades le permitían confeccionar cremas, ungüentos y pociones que en poco tiempo forjaron en torno a su imagen una aureola de alquimista.

Caterina era una mujer fuerte y, sin mayores problemas, dio a luz su segundo hijo, otro varón. El padre decidió para esta ocasión que en la pila bautismal se le impusiese el nombre de Cesare. El recién nacido formaba parte de un triunvirato, junto a Scipione y Ottavio. Caterina era feliz con sus hijos y había adoptado a Scipione, siguiendo la costumbre de las familias de la aristocracia romana de admitir a los bastardos de sus maridos.

El jinete venía del sur; había llegado a Roma por la vía Appia y entrado por la puerta de San Sebastián. El calor del *ferragosto* era peor que el plomo fundido y el jinete exigía a su agotada cabalgadura un último esfuerzo, pero el animal no pudo superar el colapso. Cerca de los muros de San Juan de Letrán se le doblaron las patas y cayó de bruces; el jinete tuvo que saltar para no quedar atrapado. Unos espasmos agitaron sus patas, al tiempo que lanzaba los últimos estertores.

Algunos curiosos se habían acercado y el jinete, un guerrero, según denotaba su atuendo, pidió un cubo de agua, pero nadie se movió. Sacó la espada y de un tajo puso fin a la agonía del noble bruto. Era lo mínimo que podía hacer, después de haberle exigido más de lo debido.

Los curiosos, cuyo número crecía sin cesar, miraban al forastero. Había hecho un largo recorrido, según denotaba la suciedad acumulada en su indumentaria. Con unos manotazos se sacudió las vestiduras y una nube de polvo lo envolvió durante unos segundos. Todavía con la espada ensangrentada en la mano, preguntó:

—¿Por dónde se llega al Vaticano?

Un jovenzuelo, apenas cubierto por unos harapos, señaló hacia una imponente construcción de forma circular, llena de ventanas y derruida por numerosos sitios.

—¿Veis el Coliseo?

El jinete asintió.

—Cuando lleguéis allí, continuad por las ruinas del Foro, después desviaos hacia la derecha hasta que topéis con el río. Si seguís su curso aguas arriba, encontraréis el Vaticano, al otro lado.

Un individuo con la cabeza afeitada y un chirlo en la frente le preguntó:

—¿Acaso andáis a la búsqueda de cortesanas?

La pulla produjo la hilaridad entre la concurrencia.

El guerrero lo midió con la mirada, pero el pelón aguantó a pie quieto. En medio del corro surgió una voz anónima:

—¡Allí encontraréis el prostíbulo mejor provisto de Roma!

Nuevas carcajadas acogieron la chanza.

Cortó de un tajo la cincha del caballo y tiró del arnés. Con un movimiento rápido se lo echó al hombro y comenzó a caminar, sin envainar la espada. Apenas se alejó unos pasos cuando la nutrida concurrencia se abalanzó sobre el animal. Su carne constituiría aquella noche la cena para muchas de las familias del barrio.

La noticia corrió por la ciudad como pólvora encendida. En pocas horas era el tema central de todas las conversaciones. En los lujosos palacios de los miembros de la curia, en los salones de la aristocracia y en las humildes viviendas de los barrios populares y en las tabernas del Trastevere. ¡Los turcos se habían apoderado de Otranto! ¡La cristiandad estaba en peligro!

Una noticia como aquélla cambiaba el panorama político. A pesar de que los Médicis eran conscientes de que los hilos de la conjura de los Pazzi se habían movido desde el Vaticano, tendrían que rebajar la tensión.

Sixto IV convocó a los cardenales que se encontraban en Roma aquel mes de agosto para comunicarles la situación —las noticias que había llevado el mensajero eran escalofriantes— y tomar la decisión más adecuada.

Flanqueando su sitial se encontraban algunos capitanes de las tropas pontificias; con su presencia significaba por dónde iban los propósitos del Papa. Entre ellos se encontraba Girolamo Riario.

Una flota del sultán Mahomet II, a las órdenes de Ahmed Bajá, apareció de repente en la costa y, aprovechando la sorpresa, se había apoderado de la ciudad. El saqueo, el pillaje y la violencia se enseñorearon entre la población. Habían descuartizado públicamente a los que ofrecieron resistencia y la misericordia divina no les había proporcionado el consuelo de morir con las armas en la mano. Pero eso no había sido el mayor de los horrores; las gentes huían despavoridas al saber que varios centenares de personas, entre ellos algunos ancianos y numerosas mujeres, sobre las que los otomanos saciaron su lujuria, fueron empalados. Los infieles se divertían profanando los templos, convertidos en establos. Horrible era lo que se decía de la iglesia de San Pedro, una de las más hermosas de la ciudad. Utilizaban los sagrarios como letrinas y se orinaban en cálices y copones, y obligaban a beber su contenido a los atemorizados habitantes de la ciudad, blasfemando sobre el sagrado misterio de la transustanciación. Los que se resistían, lo pagaban con su vida, después de ser salvajemente torturados.

Un anciano cardenal señaló que se trataba de un aviso del cielo por las grandes y numerosas ofensas que la maldad de los hombres propiciaba cada día.

—Con la edad se chochea —susurró Ascanio Sforza al oído del purpurado que estaba a su lado—. Preparemos un buen ejército y las tropas de la Sublime Puerta tendrán que volver a nado a Estambul.

—¿Cuándo se produjo el ataque otomano, santidad? —La pregunta la había hecho un gigantesco cardenal vinculado a los Colonna.

—El mensaje de Ferrante de Nápoles señala el día 14 como la infausta fecha.

—Eso significa que desde hace nueve jornadas los turcos tienen la ciudad en su poder —sentenció el cardenal.

—¿Se sabe si su propósito es el saqueo para obtener esclavos y botín o pretenden utilizar Otranto como cabeza de puente para invadir Italia?

Sixto IV no tenía la menor idea de cuáles eran las intenciones del sultán, aunque algunos ya empezaban a señalar que, según las noticias procedentes del extremo más occidental de Europa, Mahomet II buscaba ayudar de alguna forma a sus correligionarios del reino de Granada, último bastión de lo que en otro tiempo fuera el poderoso estado musulmán de al-Andalus. Por todas partes corría la noticia de que la reina de Castilla exigía a Muley Hacen el pago de numerosos tributos atrasados y se disponían a invadir su reino. Ignorante de si se trataba del principio de una invasión porque el mensaje no decía nada, en cualquier caso ya había decidido que aquel ataque llegaba como llovido del cielo.

Elevó una plegaria mental por los sufrimientos de los vecinos de Otranto y expuso sus planes.

—Aunque en estos momentos no poseemos más información que la facilitada por el mensajero del rey de Nápoles, la ocupación de Otranto por los infieles es una ofensa que va más allá de un ataque a los dominios de un príncipe cristiano. Las blasfemias, las profanaciones y los ultrajes constituyen un desafío para toda la cristiandad. Hemos dispuesto efectuar un llamamiento general a los príncipes cristianos para que acudan en socorro de la plaza de Otranto con el fin de recuperar su posesión y restablecer el culto debido a Nuestro Señor…

—¡Está lanzando una cruzada! —susurró Ascanio Sforza, sin contener un gesto de incredulidad.

—… En consecuencia —continuaba el Papa—, vosotros, como príncipes de la Iglesia, os comprometeréis en las presentes circunstancias a colaborar y apoyar la difusión del llamamiento que, en estos momentos, realizamos en el nombre del Padre y del Hijo y del Espíritu Santo.

El amén fue un murmullo con tonalidades muy diferentes, donde se apreciaba que la decisión escuchada era acogida de forma muy distinta por los integrantes del Sacro Colegio Cardenalicio.

Cuando Sixto IV se retiró, el rumor de los murmullos elevó su intensidad. Sus partidarios y sus enemigos se enfrentaban dialécticamente, y pronto iban a resonar los gritos. El pontífice ni se tomó la molestia de escuchar, más tarde tendría cumplida información de todo lo que se dijera.

Una vez lejos de la vista de los cardenales, abandonadas las formas mayestáticas de que hacía gala cuando deseaba ofrecer la imagen de sumo pontífice, se quitó el camauro y la esclavina porque le resultaban insoportables con el sofocante calor.

—Dime, Girolamo, ¿qué te ha parecido?

Su sobrino hizo una mueca.

—Es posible que en Otranto lo estén pasado mal, pero ¿no crees que te has excedido haciendo un llamamiento a la cruzada?

—¿Excedido? ¿Por qué?

—Sólo se trata de una ciudad, tío.

El Papa caminaba por el pasillo sin mirar a su sobrino.

—Te ha faltado añadir que, además, pertenece al rey de Nápoles.

—En efecto, con ese problema sobre sus espaldas ese malnacido de Ferrante nos dejará tranquilos por un tiempo.

Sixto IV se detuvo en la penumbra de la galería para cerciorarse de que no había oídos indiscretos.

—Mi querido Girolamo, por lo que veo, estás lejos de atisbar que la llegada de esa flota turca a tierras italianas es una bendición del cielo.

El rostro de Girolamo denotaba no comprender lo que su tío acababa de decirle.

El Papa movió la cabeza con aire de resignación. Pensó que la cabeza de su querido sobrino servía poco más que para lucir hermosos sombreros adornados con largas plumas. Estaba convencido de que si sus palabras hubiesen llegado a oídos de su esposa, la joven Caterina habría interpretado correctamente su significado.

—¿No se te ha ocurrido pensar que los turcos han hecho desaparecer nuestros problemas en el sur? A los Médicis su alianza con Nápoles, cuyo principal y casi exclusivo propósito era fastidiarme, no les servirá para nada durante algún tiempo. Por el contrario, nuestro acuerdo con los venecianos nos facilitará el camino para intervenir en la Romaña. Creo que deberías ir a dar gracias a Dios porque los turcos hayan actuado de la forma que lo han hecho. Florencia se ha quedado sola, ya que en Milán no verán con malos ojos que redondeemos el patrimonio de tu esposa.

La sorpresa sustituyó a la duda en la expresión del rostro de Girolamo.

—Si por ahora dejamos tranquila a Faenza —prosiguió el pontífice—, creo que Forlì está madura para formar parte de tu estado. Con los turcos en Otranto es el momento de apoderarse de ella. He tenido noticia de que Pino Ordelaffi, su señor, acaba de morir y no creo que encontremos excesivos problemas con su descendencia. A su viuda le buscaremos un retiro dorado, con una buena renta.

En medio de la convulsión que había producido la presencia de los turcos en una ciudad napolitana, mientras cada día llegaban a Roma nuevos rumores de las atrocidades cometidas por los infieles, Sixto IV reclamó los derechos pontificios sobre el señorío de Forlì y sus tropas ocuparon la ciudad. Selló un acuerdo con Lucrecia Pico della Mirandola, la viuda de Pino Ordelaffi, quien apenas tuvo tiempo de ejercer sus funciones como regente. Se le permitió quedarse con el tesoro de la ciudad, que ascendía a la bonita suma de veintidós mil ducados, y abandonó la ciudad para aposentarse en un palacio fortificado al pie de los Apeninos.

El 9 de septiembre, el Papa celebraba una cena privada. Compartían su mesa Caterina y Girolamo.

Mientras se servían los entrantes, la joven Sforza se mostró vivamente interesada con el proyecto del Santo Padre de constituir una biblioteca con los manuscritos que había en el Vaticano.

—¿Se incluirán entre sus fondos los nuevos impresos?

Antes de responder, el pontífice le formuló una pregunta.

—¿Cuál es tu opinión sobre la imprenta?

—Revolucionará el mundo, santidad. Las posibilidades que ofrece son infinitas, el saber se difundirá con una rapidez que ni podemos imaginar en estos momentos. Serán muchos más que hasta ahora los que puedan dejar constancia de sus pensamientos e ideas.

El Papa arrugó el entrecejo.

—No te he preguntado sobre los efectos de la imprenta, sino tu opinión sobre ese invento.

—¿Quiere vuestra santidad decir si me parece provechoso?

Sixto IV asintió con un cortés movimiento de cabeza.

—Sin ninguna duda. Aunque, por su precio, los libros continúan siendo objetos al alcance de pocos bolsillos, el número de ejemplares que sale de las prensas de las imprentas se multiplica cada día. Eso permite que se difundan a una velocidad que hubiese resultado increíble hasta hace pocos años, en que la única forma de reproducir un volumen estaba en el paciente, lento y costoso trabajo de los copistas. Ahora resultará más fácil difundir las ideas.

—¿Y no calibras los peligros que pueden sobrevenir de una situación como ésa? Hay ideas tan peligrosas como dañinas, que no deben difundirse.

—Ésa no es una razón para rechazar las ventajas que ofrece la difusión de las ideas.

—Pero si no se puede ejercer un control sobre ellas, no se

podrá sujetar a las personas. En mi opinión, es ahí donde radica el principal peligro de ese invento. Cualquiera podrá conseguir que sus opiniones circulen de un extremo a otro del mundo. Sin duda estábamos más a gusto con los monjes reproduciendo manuscritos, penosamente, en los pupitres de sus *scriptoria*.

—Yo percibo una gran ventaja en esa posibilidad que parece producir temor en vuestra santidad.

Girolamo bostezó, aquel asunto de la imprenta y los libros carecía de interés para él. Era cierto que había levantado un gran revuelo y que por todas partes surgían apasionadas controversias. El mundo de las ideas se dividía entre los partidarios y los enemigos de aquel extraordinario invento. El Vaticano permanecía atento a los acontecimientos y guardaba un prudente silencio. Esa actitud se rompió cuando el aumento decretado por el Papa sobre las tasas de las indulgencias hizo que apareciesen numerosos opúsculos criticando con dureza la venta de privilegios en la vida eterna a quienes estuviesen dispuestos a pagar sumas, cada vez más elevadas, para conseguirlos. Ya se había pronunciado. En principio, la Iglesia no se manifestaba en contra de la imprenta, aunque eran muchos los clérigos que ponían grandes objeciones. En cualquier caso, el Vaticano reclamaba el control sobre los textos que salían de las prensas en cantidades cada vez mayores.

Sixto IV levantó las manos con las palmas extendidas, como si con aquel gesto pretendiese eximirse de culpa y añadió, con un tono que resultaba amenazante:

—Ya veremos adónde nos conduce ese invento, que tiene algo de diabólico.

Caterina movió la comisura de sus labios en un gesto que denotaba disconformidad.

—En fin, no ha sido para hablar de imprentas y libros por

lo que nos hemos reunido esta noche, sino para comunicaros una agradable noticia.

Girolamo abandonó su actitud indolente.

El Papa puso solemnidad en su voz, como si estuviese en una audiencia o dirigiéndose a un gran auditorio:

—Mañana se hará pública una bula pontificia.

Girolamo y Caterina se miraron. ¿Para eso los había invitado a cenar el tío Francesco?

—Por lo que veo —señaló su sobrino—, quieres que seamos los primeros en saberlo. Supongo que habrá una razón especial.

—La hay. Desde mañana serás el señor de Forlì y, en consecuencia, Caterina será la *madonna* de dicha ciudad. El poder lo ejercerás como vicario pontificio y podrás transmitirlo a tus descendientes. Hemos colocado la segunda piedra de nuestro poder en la Romaña.

Girolamo se levantó y besó la mano de su tío, deshaciéndose en manifestaciones de gratitud. Caterina, sin embargo, se mostraba impasible. Sixto IV la miró y comentó con aire desdeñoso:

—Parece que a tu esposa no le ha gustado el regalo.

Caterina forzó una sonrisa.

—No es eso, santidad, pero ¿habéis calibrado la reacción de Nápoles, de Venecia o de Florencia, incluso de Milán?

Los ojos del Papa brillaron con intensidad.

—¿Nápoles? Su rey ya tiene bastante con los turcos en Otranto. ¿Venecia? Es nuestra aliada, mi querida sobrina, se da por satisfecha con que le demos garantías sobre Pesaro. Lo mismo ocurre con Milán, si le garantizamos que no nos lanzaremos sobre Faenza.

—¿Y Florencia? —insistió Caterina.

—¡Ah! Florencia. Tendrían que enfrentarse directamente

a Roma. Si lo hacen, lanzaré un interdicto sobre los florentinos. A ver cómo sortean los Médicis ese escollo. ¿Cómo se las compondrán para hacer frente a una ciudad a la que a sus habitantes se les niegan los auxilios espirituales?

En su camino de regreso Girolamo y Caterina no cruzaron una sola palabra. Sentados uno frente al otro en la tartana que los llevaba, cada cual iba sumido en sus propios pensamientos. En el silencio de la noche únicamente se escuchaba el chirriar de las ruedas y el golpear de los cascos de los caballos.

Su nuevo palacio, donde vivían desde hacía unos meses, estaba en la piazza Navona, frente a la iglesia de San Apolinar. La gente ya lo conocía como el palacio Riario y por todas partes se hablaba del derroche de lujo que había en sus paredes. Labrados artesonados, pinturas murales, ricas yeserías... sin contar los grandes establos, capaces de albergar más de medio centenar de caballos.

Al llegar al vestíbulo Caterina se quitó la capelina con que había cubierto sus hombros; el fresco llegaba a Roma con las noches de septiembre. La arrojó sobre un diván con gesto desabrido.

—¡Ni que te hubiesen exigido el pago de una deuda! —le gritó su esposo desembarazándose de su espada, que recogió un criado.

—No me gusta el regalo de tu tío.

Girolamo se acercó hasta casi rozarla.

—Dame una razón, una sola, que justifique tu disgusto.

—¿Conoces a los forliveses?

—No.

—Tal vez, cuando los conozcas, entiendas mi actitud.

—¿Qué quieres decir?

—Son gente inquieta.

—Si es necesario, los domesticaré.

—¿Cuándo tienes pensado tomar posesión de Forlì? —El registro de la voz de Caterina había cambiado.

—¿Por qué me preguntas eso ahora?

—Porque no estaría de más hacer una consulta sobre la mejor fecha.

—¿Quieres que consultemos a un astrólogo?

—Sí, aunque quizá mejor a dos.

Girolamo recordó la noche en que Virgilio Orsini y él conocieron a Pitutti en la isla Tiberina. Algunas veces había estado tentado de visitarlo para que le explicase las enigmáticas palabras sobre las que no quiso pronunciarse. No lo había vuelto a ver desde entonces, y tampoco tenía constancia de que continuase por allí, ni siquiera de que viviese. Ahora se presentaba una buena ocasión para comprobarlo.

—Muy bien. Conozco a un astrólogo, mañana ordenaré que lo busquen.

—¿Buscarlo?

—Cuando lo conocí, hace algún tiempo, vivía en la isla Tiberina. Ignoro si todavía vive allí. Esa gente es tan escurridiza como las artes que practican.

—Eres un pozo de sorpresas. Ignoraba que mi esposo tuviese interés por esas cosas.

—Es cierto que no me interesan.

—Entonces, ¿de qué conoces a ese astrólogo?

—Pura casualidad. Una noche nos ayudó a Virgilio y a mí a escapar de una situación comprometida.

—Ya —asintió Caterina con desdén—. ¿Puedo saber cómo se llama tu astrólogo?

—Le conocen con el nombre de Pitutti. Pronosticó algunas actuaciones de mi primo Pietro, me dijo… me dijo…

—¿Qué fue lo que te dijo?

—Que la astrología es una ciencia, pero que los pronósticos no son exactos.

—He de reconocer que hay mucha sabiduría en esas palabras, pero denotan falta de seguridad en quien las ha pronunciado.

—O simplemente que no es uno de esos charlatanes que embaucan a la gente con palabras para sacarles el dinero.

—Tal vez tengas razón.

—Mañana ordenaré buscarlo.

—Yo llamaré a Ana.

—¿La judía?

—Tú buscas a Pitutti y yo llamo a Ana, es lo justo. La opinión de dos astrólogos dará más fuerza al pronóstico.

—¿Y si no coinciden? —Girolamo había dado un tono seductor a sus palabras y agarró a su mujer por la cintura. Caterina no respondió a la insinuación, tratando de zafarse sin conseguirlo.

—Nosotros decidiremos lo más…

No pudo acabar porque se encontró con la boca presionada por los sensuales labios de Girolamo.

8

Las prostitutas les hacían gestos cargados de obscenidad. Unas se levantaban las haldas de sus vestidos y otras se bajaban el escote para mostrar sus pechos, que se acariciaban con lascivia.

Los jinetes, vestidos con los colores de Riario, entraron en la isla por la ribera izquierda del Tíber, cruzando el puente Fabricio. El oficial que los mandaba se detuvo ante una mujer de formas opulentas, que los observaba desde el quicio de una puerta. Llevaba puesto un descolorido vestido rojo que había conocido tiempos mejores, tenía el corpiño desabotonado, mostrando unos blancos y voluminosos senos, en los que resaltaban unas venas azuladas.

—¿Dónde vive el astrólogo?

La mujer lo miró a los ojos, con una sonrisa burlona en los labios.

—¡No me digas que prefieres un pronóstico a disfrutar de esto! —Se agitó con descaro los pechos.

—¿Dónde vive el astrólogo? —la conminó el oficial.

La mujerona, sin pestañear, frunció la boca y le espetó antes de colarse en la casa y cerrar la puerta:

—¡Vete a preguntar a otro sitio! ¡Esto es un burdel, no una oficina!

—¡Maldita puta!

—¿Queréis ver a Pitutti?

La voz había sonado a sus espaldas. El jinete tiró de las riendas, volvió el caballo y vio a un individuo con trazas de rufián. Seguramente se lucraba con el trabajo de las rameras que se ejercitaban en los prostíbulos de la isla, los de peor consideración de toda la ciudad.

—Sí, es a Pitutti a quien busco.

—¿Queréis saber dónde encontrarlo?

—A eso he venido.

—Lo que deseáis tiene un precio.

—¿Pretendes cobrarme por decirme dónde encontrar al astrólogo?

El individuo se encogió de hombros.

—Todo en esta vida tiene un precio, señor. Hemos de pagar, según dice Su Santidad, hasta por la salvación de nuestras almas.

—¡Eso es algo que a ti no te importa!

El rufián, que vestía un mugriento peto de cuero basto, sin mangas, de los que usaban los soldados para protegerse de las cuchilladas, se encogió de hombros de nuevo y, sin decir palabra, echó a andar.

—¡Un momento! ¡Aguarda un momento!

—¿El señor se dirige a mí?

El oficial sacó la espada, lo hizo con calculada parsimonia. El proxeneta se percató de que los otros jinetes habían movido sus cabalgaduras y le cerraban el paso. Estaba atrapado, pero la escena ya había atraído a algunos curiosos que se situaban, formando varios grupos, alrededor de los caballos. En cuestión de pocos segundos el ambiente se cargó de tensión y los animales, que husmeaban el peligro, se agitaron nerviosos.

—¡Si sabes dónde puedo encontrar a Pitutti, vas a decírmelo!

—Puede ser.

El rufián mantenía una actitud desafiante; la amenaza del acero desenvainado no parecía afectarle. El oficial se percató del ambiente y alertó con la mirada a sus hombres.

—¿Cuál es el precio? —Su voz había perdido agresividad.

—Veamos. —El bellaco se acarició varias veces el mentón, donde apuntaba una barba rasposa de varios días—. Pongamos medio ducado; es un precio razonable.

—¿Medio ducado por indicarme dónde vive el astrólogo? ¡Eso es un robo!

—¿Medio ducado un robo? —Fijó su mirada en la indumentaria del jinete—. ¡Un robo es lo que Sixto IV nos cobra por las indulgencias si queremos escapar de las penas del purgatorio! ¡Nos saca los dineros para repartirlos entre sus familiares y satisfacer sus costosos caprichos! ¡Los sobrinos del Papa son peores que los turcos!

Un murmullo de asentimiento acogió sus insultos.

En aquel momento el oficial se dio cuenta de que estaban completamente rodeados. No podría decir si había caído en una trampa o la situación en la que se encontraba era fruto de la casualidad, pero estaba seguro de que, si alguien perdía los nervios, él y sus hombres tendrían dificultades para salir de allí. Había cometido un grave error al no prestar más atención a las instrucciones de su señor Girolamo, cuando le había dicho que se anduviese con cuidado porque la Tiberina era un lugar peligroso, incluso a plena luz del día. Lo más aconsejable era poner fin a aquello.

Sacó un ducado y lo lanzó al aire.

—¡Ahí llevas! ¡Con el otro medio ducado hay vino para todos tus amigos!

La situación cambió de forma radical.

Gritos de júbilo acogieron sus palabras y el rufián, tras

atrapar la moneda al vuelo, señaló un callejón que se abría a su derecha.

—¡Al final de la calle, la casa de la esquina!

Antonio Maragon, Pitutti, recogió lo más imprescindible. Los soldados tenían prisa, deseaban salir de la pequeña isla lo más rápidamente posible, y apenas le permitieron un respiro. Sólo cuando dejaron atrás el Tíber y estaban a la altura del teatro Marcelo aflojaron el paso de sus cabalgaduras. El astrólogo, que había recorrido aquel trecho a pie, jadeaba y sudaba por todos los poros de su cuerpo.

Subieron por la vía del Pórtico y continuaron por la de los Giubbonari hasta el Campo dei Fiori. Después cruzaron por uno de los costados del palacio de la Antigua Cancillería y tomaron por la piazza de San Pantaleón hasta llegar a su destino, el palacio Riario en la piazza Navona.

Girolamo lo recibió como si fuesen viejos conocidos, que llevaban tiempo sin verse.

—Me alegro de verte, Pitutti, ¿te acuerdas de mí?

El sobrino del Papa sonreía maliciosamente.

—¡Cómo no voy a recordaros! ¡Vuestra excelencia es uno de los hombres más conocidos de Roma! Y también… uno de los más poderosos —añadió el astrólogo con un tono de voz donde resultaba difícil adivinar cuánto había de adulación y cuánto de ironía—. Tengo entendido que vuestra excelencia deseaba verme.

—Necesito de tus servicios.

Pitutti recordó que cuando se conocieron, pese a haberles salvado de una situación complicada, se marchó sin darle las gracias. Pero la vida le había enseñado que para sobrevivir con los poderosos era necesario disimular.

—Estoy al servicio de vuestra excelencia.

Riario miró al oficial y al soldado que lo acompañaban.

—¡Dejadnos solos!

Los soldados abandonaron la estancia.

—Te veo sudoroso, ¿deseas tomar algo?

Girolamo no aguardó la respuesta y vertió en dos copas de plata un frío granizado de limón. Era una forma de decirle al astrólogo que nada había de temer.

—Yo te acompañaré.

El conde dio un sorbo a su copa y le explicó el motivo de haberlo sacado de la isla.

—¿Estás en condiciones de satisfacer mi deseo?

Pitutti se tomó un tiempo, antes de responder, apurando la bebida de su copa.

—Si he entendido bien, vuestra excelencia no me plantea si debe aceptar lo que esa bula papal le otorga, sino la fecha más propicia para tomar posesión efectiva de la ciudad.

Girolamo soltó una carcajada nerviosa.

—¿No pretenderás que deje a tu criterio si acepto o no la posesión de un dominio como Forlì?

—No se trata de mi criterio, excelencia, sino de lo que nos dicen los astros.

—¿Acaso debería rechazar el regalo de Su Santidad?

—Hay regalos envenenados.

Girolamo arrojó su copa contra la pared y agarró al astrólogo por el cuello, aproximando el rostro a medio palmo de su cara.

—No consiento que alguien en mi presencia ponga en duda la bondad de un acto del Santo Padre.

—Dios me libre de hacer tal cosa, excelencia. Cuando me he referido a que ciertos regalos suponen un mal para quien los recibe, no pensaba en el generoso gesto que el Santo Padre ha tenido para con vuestra excelencia.

El conde lo soltó y le formuló con voz desabrida su petición.

—¿Puedes decirme cuál es la fecha más apropiada para tomar posesión de Forlì?

—Por supuesto, excelencia, por supuesto.

—¡Pues, hazlo!

—Necesito algunos datos, excelencia.

—¿Qué datos?

—Los relativos a vuestra fecha de nacimiento y, si es posible, la hora en que ocurrió. Vuestra excelencia me ha dicho que la bula pontificia tiene fecha de hoy, ¿no es así?

—Así es.

—En ese caso, facilitadme esos datos y tendréis el pronóstico que deseáis.

—¿Algo más?

—Nada más, señor.

—¿Cuándo lo tendré en mi poder?

—En un par de días, excelencia.

—Lo quiero mañana.

—Vuestra excelencia será complacida, siempre que me facilitéis con la antelación necesaria los datos que os he pedido.

—¡Guardias! —gritó el conde.

Dos hombres entraron inmediatamente, debían estar al otro lado de la puerta.

—Conducid a micer Pitutti a los sótanos y facilitadle acomodo.

—¿Vais a detenerme, señor?

—He dicho a los sótanos, no a las mazmorras. Pero allí irás a parar, si mañana no tengo en mi poder lo que me has prometido. ¡Lleváoslo! —ordenó a los guardias.

—Señor, los datos —clamó Pitutti, escoltado por los guardias.

—Los tendrás.

Girolamo ignoraba la fecha exacta de su nacimiento, y

mucho menos sabía la hora. Conocía el año sin mucha seguridad, y, desde luego, sabía que nació en invierno. Eso era lo único seguro, porque le habían dicho que hacía mucho frío y todo estaba nevado. Pero eso no era un problema para un hombre que no creía en aquellas paparruchas. ¡Por supuesto que el astrólogo tendría los datos!

Poco después de que Pitutti fuese conducido a presencia del conde, Ana la judía llegaba al palacio, respondiendo al aviso de Caterina. La condesa mantenía frecuentes contactos con ella, una de las más famosas alquimistas de Roma que, a pesar de ser mujer, dominaba como pocos el arte de la cábala, así como los secretos de la astrología y los arcanos de las ciencias ocultas. En diferentes ocasiones le había facilitado fórmulas para fabricar potentes esencias, olorosos perfumes, delicadas pomadas y valiosos ungüentos; también le proporcionaba ciertas sustancias difíciles de obtener y cuya procedencia era uno de los secretos mejor guardados por quienes practicaban el arte de Hermes Trismegisto. Una de las damas la acompañó hasta el laboratorio, donde la condesa se había encerrado poco después de levantarse.

—¿Os interesa, pues, una fecha propicia?

—Eso es lo que deseo.

Ana encendió una vela y pronunció una oración:

—*Kyries clementissime, qui Abraham servo tuo dedisti uxorem Saram, et filio eius obedientisimo, per admirabile signum indicasti Rebecam uxorem: indica mihi ancillae tuae quem sim nuptura virum, per mysterium tuorum spirituum, Baalibeth, Assaibi, Abumalith. Amen.*

Sacó de su alforja un ajado pergamino y lo extendió sobre una mesa. Podían verse en él extraños signos que, a modo de escritura, acompañaban los dibujos de unos cuerpos celestiales. Tomó un pequeño libro y buscó unos datos.

—¿El año de vuestro nacimiento fue 1463?

—Sí.

—Si tenéis a mano vuestro pronóstico astral, dejádmelo un momento.

Caterina abrió una arqueta, sacó un pliego y se lo entregó. La judía realizó unas comprobaciones, anotó algo con un carboncillo en un papel y se lo devolvió.

—¿Cuándo lo tendrás?

—¿Os urge?

—Mi marido es un hombre poco paciente.

—Creo que podré entregároslo mañana a primera hora.

La condesa guardó su carta astral y sacó de la arqueta un papelillo lleno de anotaciones y una bolsa.

—Por tu trabajo.

—Ya sabéis que no es necesario, que me encuentro pagada con vuestra amistad. Además, todavía no he hecho mi trabajo.

—¡Tómalo y no refunfuñes! Además, necesito que me proporciones lo que va escrito en este papel. Si puedo tenerlo mañana…

Ana leyó el papel y asintió.

A la caída de la tarde una sombra cruzaba la piazza Navona y llegaba hasta la puerta de servicio del palacio Riario. Golpeó varias veces el grueso aldabón en forma de retorcida serpiente.

—¿Quién va? —preguntaron sin abrir la puerta.

—Soy Ana, la judía. Necesito ver a la señora.

Se abrió un postiguillo y apareció el rostro barbado de un criado, tenía cara de pocos amigos. Miró descaradamente y debió reconocerla, pero no mejoró su disposición.

—¿Te ha llamado la condesa?

La astróloga vaciló un momento. No era cierto, pero, si se lo decía, aquel energúmeno le daría con la puerta en las narices. Buscó una fórmula:

—Envíale recado de que estoy aquí.

—¡Déjate de monsergas! ¿Te ha dicho que vengas o no?

Ana hizo ademán de marcharse.

—Cuando la condesa tenga conocimiento de tu actitud, lo lamentarás. ¡No se me olvidará tu rostro!

El criado frunció el ceño.

—¡Maldita bruja!

Antes de cerrar el postiguillo con un portazo, le gritó:

—¡Aguarda a que vuelva!

Aquel bellaco debió de tomarse su tiempo porque la espera fue larga, pero Ana consiguió su propósito y una doncella la acompañó hasta la puerta del laboratorio.

—Aguardad aquí.

Ahora la espera fue breve, Caterina llegó enseguida. Cuando vio el semblante de Ana supo que había ocurrido algo muy grave.

—No te esperaba hasta mañana.

—No he podido esperar, mi señora, la noche se me hubiese hecho eterna. Es conveniente que sepáis cuanto antes lo que tengo que deciros.

La tensión agitaba a la judía.

—¿Qué te ocurre? ¿Algún problema que esté en mis manos resolver?

Caterina pensó que se trataba de algún asunto relacionado con su pueblo. Desde que el año anterior Sixto IV había accedido a las pretensiones de Isabel de Castilla y de Fernando de Aragón, con el fin de ganárselos como aliados, y se hizo pública la bula que instauraba la nueva Inquisición en sus reinos, Ana había acudido en un par de ocasiones buscando la ayuda de la condesa para socorrer a algún correligionario que se encontraba en dificultades.

—No se trata de mí, señora, sino de vos y de vuestro esposo.

Caterina la miró intrigada.

—¿Ya tienes el pronóstico?

—Sí, mi señora.

—¿Qué aconseja?

—Tomad y vedlo vos misma.

9

La entrada de los nuevos señores de Forlì se produjo el 15 de julio de 1481, la fecha que los pronósticos habían señalado como la más favorable.

Pese al calor imperante y un nuevo embarazo, que contaba ya seis meses, Caterina estaba espléndida. Irradiaba tal fuerza y magnetismo que, sin proponérselo, oscurecía la imagen de su marido.

Los gritos del pueblo aclamaban a la pareja en una entrada triunfal, pero eran muchos más los que gritaban:

—¡*Contessa! ¡Contessa!*

Forlì era una pequeña ciudad en el corazón de la Romaña, pero los romanos ya se habían percatado del valor estratégico de su emplazamiento: situada sobre la vía Emilia era una plaza fundamental en las comunicaciones del centro de Italia, tanto entre el norte y el sur como entre el este y el oeste; por allí tenían que pasar los cargamentos de sal de las minas del interior que salían por el puerto de Cervia a las aguas del Adriático.

Durante la Edad Media fue una codiciada presa en las guerras sostenidas entre los partidarios del Papa y los del emperador, aunque los forliveses mostraron siempre su lealtad a los güelfos, como ponía de manifiesto el hecho de que la máxima autoridad de la ciudad era el vicario apostólico. Ése era el cargo que, con carácter hereditario, había recibido Girolamo Riario.

La ciudad estaba rodeada por una fuerte muralla y tenía cuatro puertas de acceso, orientadas a los puntos cardinales. La del este era conocida como la puerta Cotogni y se abría al camino de Cesena; al oeste se encontraba la puerta Schiavonia, en dirección a Faenza; mientras que las del norte y sur, atravesadas por la vía Emilia, eran las de San Pietro, que conducía a Rávena y la más importante, la de Ravaldino hacia la cordillera de los Apeninos. Las tres últimas estaban fortificadas con torres, la de Ravaldino era una auténtica fortaleza, considerada inexpugnable. Por ella hicieron su entrada Caterina y Girolamo, en medio de una lluvia de flores, de coros infantiles que entonaban cánticos de bienvenida y de los gritos jubilosos de los vecinos, que se mezclaban con el repicar de las campanas lanzadas al vuelo en las numerosas iglesias de la ciudad.

El cortejo resultaba impresionante por su riqueza y colorido. Abría la marcha un cuerpo de trompeteros a caballo, seguidos de dos largas filas de tamborileros, ataviados con trajes de llamativos colores; el sonar de las cajas, redobladas a tambor batiente, hacía que todo se estremeciese. A continuación, formada militarmente, una compañía de piqueros alemanes tocados con grandes sombreros de largas plumas y vestidos a la tudesca. Más adelante, con vestiduras más sobrias, propias de su rango, marchaban los ancianos que integraban el llamado Consejo de los Doce y, tras ellos, el Consejo de los Cuarenta, donde diez vecinos de cada barrio, elegidos por insaculación, representaban a la ciudadanía. En el centro iban Caterina y Girolamo. Ella, pese a su embarazo, montaba un hermoso caballo blanco, que causaba admiración; vestía un traje amplio de seda verde, bordado con hilos de oro en los que había enfiladas diminutas perlas, que formaban un dibujo de rombos, en el que podía verse bordado el dragón de los Sforza. Girolamo cabalgaba sobre un corcel negro brillante, puro nervio y fogosidad. Bajo la coraza, podían verse en las mangas y en las calzas los colores de los Riario. Detrás de la pareja, en una carroza pequeña tirada por mulas enjaezadas, iban sus hijos.

Los gritos de «¡*Contessa! ¡Contessa!*» atronaban al paso de Caterina.

Detrás, un cortejo de clérigos con cruces alzadas y envueltos en nubes de incienso representaba a las parroquias y los conventos de la ciudad. Cerraban la comitiva más de doscientos caballeros.

Las casas estaban adornadas con colgaduras; los forliveses habían sacado a las ventanas y los balcones reposteros, alfombras de seda y pendones bordados. A lo largo del recorrido podían verse banderas de los Riario y los Sforza, decoradas con sus escudos de armas.

Nadie recordaba, ni había tampoco testimonio escrito de una entrada como aquélla, todo un derroche de lujo. Los vecinos, que habían acudido en masa a presenciar la entrada, estaban impresionados.

El cortejo desembocó en la plaza Grande, el centro urbano de Forlì. A sus lados se levantaban, desafiándose, la torre de la abadía de San Mercuriale, el patrón de la ciudad, un alto *campanile* del siglo XII —a Caterina le recordó las torres de las iglesias de Milán—, y la torre del Popolo, conocida también como la torre del Reloj, perteneciente al palacio del común. Trescientos pasos en dirección a la puerta Schiavonia, en el corazón medieval de la ciudad, se levantaba otra plaza más pequeña, en uno de cuyos lados estaba la catedral, bajo la advocación de la Santa Cruz. La rivalidad entre los obispos y los abades de San Mercuriale había marcado algunos de los momentos de la historia de Forlì.

En la plaza Grande, en estrados diferentes, aguardaban el obispo y el abad y allí tuvo lugar el acto simbólico de entrega de las llaves de la ciudad. Después se procedió, según marcaba la tradición, a la *correva de la piazza*. Un joven montado a caballo dio tres vueltas, gritando el nombre del señor en señal de acatamiento.

A pesar del triunfo que suponía aquel acontecimiento, Caterina no podía apartar de su mente lo que Ana la judía le había dicho, diez meses atrás, en la intimidad de su laboratorio. Ante el desatado júbilo de sus nuevos súbditos, todo apuntaba a que micer Pitutti había acertado en su pronóstico. Al fin y al cabo, como decía el astrólogo, los movimientos de los planetas, sus configuraciones y alineamientos influían en la vida de las personas.

Los nuevos señores decidieron pasar el verano en su ciudad y realizar una visita a Imola, donde las muestras de entusiasmo de los vecinos fueron signo de los mejores augurios. La mayor alegría para Caterina fue reencontrarse con su fiel Jacopo. Había pasado mucho tiempo desde que las circunstancias la obligaron a mandarlo fuera de Roma y la condesa consideró que el peligro de que lo apuñalasen en una calleja o que su cuerpo apareciese flotando en las sucias corrientes del Tíber era agua pasada. Llegó a Forlì a principios de verano y la acompañaría a Roma cuando regresase después del verano.

Girolamo, al menos por el momento, no actuaba como otros vicarios, cuyas primeras actuaciones estuvieron marcadas por subidas de impuestos. Las ubres del Vaticano parecían inagotables y su tío retribuía con largueza los numerosos cargos que desempeñaba. Riario podía permitirse ser generoso.

El tercer embarazo de Caterina transcurría sin complicaciones, a pesar de que desplegaba una intensa actividad social para ganarse el corazón de sus súbditos y sustituía a su marido en numerosas tareas, que requerían decisiones importantes. Girolamo sólo se mostraba interesado en el juego de naipes, las cacerías, las fiestas y las celebraciones.

El 14 de octubre emprendieron el viaje de retorno a Roma. Estaba a punto de dar a luz, por lo que el camino se hizo en jornadas muy cortas. Entraron en la ciudad el día 26. Al lado de su litera cabalgaba, montando un brioso caballo alazano y atento a cualquier novedad, su guardaespaldas.

Cuatro días después de aposentarse en su palacio, nacía una niña a la que bautizaron con el nombre de Bianca.

Aquellos meses fueron tiempos felices para Caterina, aunque el recuerdo de lo que la astróloga judía le dijo pesaba como una losa en su ánimo. Se sentía fascinada por los avatares de la política italiana, donde continuaban los extraños movimientos en aquel peligroso tablero de ajedrez. En ocasiones, el desplazamiento de una pieza significaba cambios profundos; algo de eso ocurrió con la llamada Guerra de la Sal, producto cuya importancia comercial y económica había determinado alianzas y conflictos en diferentes ocasiones.

Caterina recordaba que su preceptor le había dicho que, en determinadas circunstancias, los generales romanos pagaron a sus legiones con sal y que la palabra salario derivaba de ese delicado mineral, tan necesario para el organismo y tan delicioso como condimento. Le había explicado que los estados habían buscado por todos los medios ejercer el control de su comercio. Hubo ciudades que construyeron puentes en lugares estratégicos para alcanzar ese objetivo y muchos reyes y príncipes se hicieron con el monopolio de su venta, obteniendo con ello grandes beneficios. Por supuesto se desencadenaron guerras por causa de la sal.

En 1482 llevó al enfrentamiento entre Ferrara y Venecia. Al lado de la primera se alinearon los Médicis, los Sforza y Ferrante de Nápoles. Al lado de Venecia, Roma y Génova.

La guerra tuvo varios frentes y las tropas pontificias lucharon contra Nápoles. Girolamo combatió bajo las banderas de su tío, aunque la máxima responsabilidad estuvo en manos de un famoso *condottiero*, Roberto Malatesta, originario de Rímini. El ejército del Papa logró una clara victoria sobre los napolitanos, mandados por el duque de Calabria, lo que permitió a Girolamo hacer una entrada triunfal en Roma.

Sixto IV, cuya intervención en la lucha únicamente estaba determinada por un juego de alianzas, aprovechó el momento para cicatrizar viejas heridas con el rey Ferrante y decidió cerrar con él un acuerdo de paz. También los Médicis, cuyo enfrentamiento con el Papa había dañado considerablemente sus negocios, buscaba un acuerdo. Su Santidad los recibió con los brazos abiertos porque eran los banqueros más importantes de Italia y las finanzas pontificias necesitaban de sus recursos; sobre todo ahora que Sixto IV había emprendido un programa de obras en San Pedro, adonde había llamado a algunos de los más importantes artistas del momento. También firmó la paz con Milán, aunque fuese un mero formalismo. Las relaciones del Santo Padre con los milaneses eran excelentes y su enfrentamiento había sido puramente nominal y fruto de una coyuntura.

En Venecia, que se quedó sola porque Génova se limitó a seguir los pasos de Sixto IV, los insultos contra el Papa alcanzaron niveles nunca conocidos hasta entonces. Lo llamaban «ramera romana», «barragana de efebos» y otras lindezas semejantes, aunque aquello era algo que importaba poco al Papa.

—Dime, Argyropoulos, ¿es cierto el rumor de que las semanas anteriores a que las hordas otomanas entrasen en Constantinopla, la principal preocupación de filósofos y cortesanos se centraba en el discernimiento del sexo de los ángeles?

—Vuestra santidad sabe que eso es una maledicencia. Los bizantinos que no luchaban en las murallas se afanaban en ponerse a salvo y algunos buscábamos conservar para las generaciones venideras el conocimiento que nos legaron los sabios de la antigüedad.

—¿Cuál es tu opinión, Reuchlin?

El erudito germano que se había acogido, como muchos otros, al mecenazgo del Papa hizo un significativo movimiento de hombros.

—Santidad, yo no estaba en Constantinopla en tan aciagas circunstancias, pero es conocida la afición de los bizantinos a la controversia por cuestiones etéreas.

—Eso es una maldad, Reuchlin —se defendió el griego—. El debate y la disputa intelectual llenan las aulas de vuestras universidades, no es algo inherente a los bizantinos. Forma parte de la esencia del ser humano.

—No comparéis, Argyropoulos. Las disputas filosóficas que se sostienen, a veces con vehemencia, en nuestras aulas versan sobre cuestiones de interés e importancia y no, como en el caso de Bizancio, sobre materias intrascendentes. Prueba de lo que afirmo es que, cuando un debate se sitúa en términos que lo convierten en algo carente de sentido o que no conduce a ninguna parte, se le da el calificativo de discusión bizantina. ¿Lo sabíais, Argyropoulos?

El bizantino encajó la pulla sin inmutarse.

—Ciertamente todo lo que acabáis de señalar tiene su expresión más importante en el hecho de que Bizancio lograse mantenerse como capital imperial algún tiempo más que Roma. ¿Lo recordáis, Reuchlin?

El germano murmuró algo ininteligible.

—¿Habéis dicho mil años? —ironizó el griego.

Sixto IV se divertía con la polémica de los dos eruditos acogidos a su mecenazgo. Tal vez la discusión diese para algo más, pero prefirió ponerle punto final.

—¿Cuánto hace que no habéis visitado mi capilla?

La pregunta no necesitaba respuesta; el Santo Padre la planteaba como fórmula para acudir a comprobar el trabajo que allí realizaban algunos de los pintores más famosos de Italia. Después de conseguir que Sandro Botticelli dejase Florencia y se trasladase a Roma, atrajo a Domenico Ghirlandaio y a Pietro Vannucci.

—Me parece todo un acierto de vuestra santidad haber contratado los servicios de Botticelli; la pintura de Moisés es majestuosa, supongo que vuestra santidad le habrá hecho algunas insinuaciones —comentó el griego, sin avergonzarse de la adulación que rezumaban sus palabras.

—Cierto, Botticelli ha concluido ya *Las pruebas de Moisés*, responden a un programa del Antiguo Testamento, que yo mismo diseñé hace algún tiempo; ahora se afana en un tema grandioso: *La tentación de Cristo*.

Hacía meses que Reuchlin no acudía a la capilla, así que decidió no quedarse fuera de la conversación. No estaba dispuesto a ceder el campo a su rival. La pregunta del Papa estaba cargada de intención porque podría llevar la conversación hacia un territorio poco agradable para los bizantinos.

—¿Qué opinión tiene vuestra santidad de los trabajos de Pietro Vannucci?

—¡Ah! ¡Perugino! —El Papa rebosaba satisfacción—. Ya empieza a aplicar color a los dibujos. Ésa es una obra singular, dado su contenido. ¡Es todo un símbolo!

Un henchido Sixto IV reinició la marcha, pero el germano no estaba dispuesto a soltar la presa.

—¿Por qué lo califica vuestra santidad de símbolo? —preguntó el teutón.

—Porque en esa escena representa todo esto. —Hizo un gesto ampuloso con los brazos, como si pretendiese abarcar todo el Vaticano—. Su pintura recoge el momento de la primacía de Pedro, que es tanto como la primacía de Roma. El Perugino está dando forma al momento fundacional de la Iglesia. Sus pinceles se recrean en el instante en que Jesucristo entregó a Pedro las llaves de su Iglesia.

Reuchlin lanzó su última pulla.

—Me gustaría conocer la opinión del patriarca de Constantinopla.

—¡Constantinopla no existe! Los turcos la han bautizado como Estambul. Su patriarcado es una entelequia. ¡Roma es la cabeza! —exclamó el Papa.

10

Roma, febrero de 1484

El galeno salía de la alcoba con cara circunspecta. Dándose aires de suficiencia, señaló la gravedad de la enferma utilizando expresiones, salpicadas de latines, con las que pretendía ocultar su falta de conocimientos. Después de una breve perorata, garrapateó un escueto texto de dos líneas e indicó que el emplasto debería aplicarse durante media hora, dos veces al día, al amanecer y a la oración. Las pelotillas se le suministrarían después de la comida del mediodía. Ordenó que un criado fuese a la botica y encargase, sin pérdida de tiempo, los medicamentos para que la enferma recibiese el tratamiento sin demora.

Cuando pidió el pago de sus servicios, Lucrecia Landriani lo miró con cara de pocos amigos.

—¿Qué es lo que tiene mi hija?

Al médico le sorprendió la pregunta.

—Ya se lo he dicho, señora.

El rostro de Lucrecia se endureció.

—¡Pues no me he enterado!

El galeno la miró con displicencia.

—El origen de la fiebre que aqueja a la condesa puede tener varias causas, tales como haber aspirado humores putrefactos o el contacto con alguna persona enferma; incluso, podría ser la consecuencia de que la madre de su último alumbramiento no hubiese sido expulsada en las condiciones debidas. Yo me inclino por lo primero, aunque no descarto que la infección haya sido provocada por unos tabardillos maliciosos.

La madre de Caterina, que había acudido a Roma a pasar una temporada con su hija y a conocer a sus nietos, se encogió de hombros. Lo único que deseaba saber era el mal que padecía su hija y aquel ignorante peroraba sobre los posibles orígenes de la fiebre, que desde hacía cuatro días la mantenía en la cama, con el ánimo decaído, sin ganas de comer y con fuertes dolores de cabeza.

No estaba satisfecha con el diagnóstico. Cuando se marchó el médico, entró en la alcoba donde dos sirvientas no dejaban de aplicar paños húmedos en la frente de su hija. Le acarició el rostro y comprobó que estaba ardiendo. Unas horas más tarde la enferma había empeorado. La fiebre era más alta, en su rostro se apreciaban los efectos de la enfermedad y había entrado en un estado de inconsciencia que la hacía delirar. Decía cosas sin sentido.

Lucrecia decidió hablar con Girolamo, que parecía ajeno al mal que aquejaba a su esposa. Un criado le dijo que estaba ocupado.

—Me permito decirle a la señora que no debe molestarle.

—¿Por qué?

—Está practicando esgrima. El conde se enfurece cuando alguien interrumpe sus ejercicios; para Su Excelencia la hora de esgrima es sagrada.

—Las circunstancias exigen que lo vea inmediatamente. ¡Acompáñame al lugar!

—Disculpadme, señora, pero no seré yo quien entre en la sala de esgrima.

—No tienes por qué preocuparte.

El chocar de los aceros se escuchaba al otro lado de la puerta. A veces los ruidos eran rápidos y nerviosos, seguidos de silencios. Lucrecia abrió la puerta y vio dos hombres con jubones acolchados y el rostro protegido por unas ligeras mascarillas de malla. El más joven acometía con intensidad a su contrincante, un hombre de blanca melena, que se defendía con movimientos precisos.

—¡Girolamo!

El grito hizo que los dos espadachines quedasen en suspenso. Por un instante, pareció como si el tiempo se hubiese detenido. Riario se volvió lentamente, como si no creyese lo que ocurría.

—¿Por qué habéis entrado aquí?

Girolamo Riario y Lucrecia Landriani guardaban siempre las distancias, también cuando hablaban.

—Porque tengo necesidad de hablaros.

—Éste no es el momento ni el lugar.

—Sí lo es.

El conde se quitó la mascarilla protectora. La ira brillaba en sus pupilas.

—¡Salid de aquí! ¡Inmediatamente!

—No sin que antes escuchéis lo que he venido a deciros.

Girolamo alzó la mano con gesto amenazador, pero Lucrecia no se arredró, lo desafió con la mirada, mientras que la mandíbula del conde se tensaba.

—¿Qué es lo que tengo que escuchar?

—Vuestra esposa lleva cuatro días enferma y no os habéis molestado en visitarla.

—Como veis, estoy ocupado. La visitaré cuando tenga ocasión.

Lucrecia apretó los puños hasta sentir cómo sus uñas se

clavaban en la carne. Era ella la que ahora tenía que hacer un esfuerzo para no abofetear a aquel mequetrefe.

—La fiebre que aqueja a Caterina no baja, necesita la atención de un médico.

—¿Para eso me molestáis? En Roma hay un centenar. ¡Llamad al que os plazca!

—El médico ya ha venido.

—¿Entonces?

—Caterina necesita que la vea el médico de Su Santidad, no un incompetente que esconde su falta de conocimientos detrás de palabras extrañas y frases en latín. Esa llamada tenéis que hacerla vos.

Riario aflojó la tensión de sus músculos. Por su rostro se deslizaban hilillos de sudor, que habían empezado a gotear.

—¿Tan mal está?

—Pasa mucho tiempo inconsciente y delira.

—Muy bien, la verá el médico de mi tío. ¡Ahora dejadme en paz!

Lucrecia no se movió.

—¿No me habéis oído?

—La salud de vuestra esposa es más urgente que la esgrima. Caterina está muy mal y en sus circunstancias el tiempo es precioso.

—He dicho que mandaré recado al médico... cuando termine lo que estoy haciendo.

Riario le dio la espalda, se colocaba la careta para continuar sus ejercicios, cuando un portazo estremeció la sala.

—¡Maldita puta lombarda!

El médico del Papa, un hombre sencillo que distaba mucho del engolamiento que determinaba las actitudes de la mayor parte de sus colegas, examinó cuidadosamente los miembros de Caterina y realizó muchas preguntas a las personas que la habían atendido. Se interesó por su comida, por su régimen de vida y por sus costumbres. Visitó el laboratorio donde la condesa realizaba sus experimentos y husmeó en las sustancias que allí guardaba. Después de numerosas observaciones y de conocer la afición de la enferma a recolectar hierbas extrañas en las zonas pantanosas situadas al norte de Roma, y ser informado de que aquellas fiebres la aquejaban desde hacía semanas y desaparecían con la misma facilidad que aparecían, le diagnosticó fiebres intermitentes. Tal vez, tercianas o cuartanas.

—Esa enfermedad es incurable, pero posiblemente no la matará. Al menos, no la matará en mucho tiempo. Procuraremos, con un eleucterio, mitigar sus efectos. Habrá épocas en que la enfermedad simulará desaparecer y otras en las que se verá aquejada, con la intermitencia que la caracteriza.

Recetó la medicina e indicó la forma en que había de administrársele. Lucrecia Landriani le agradeció sus servicios, Girolamo estaba muy ocupado con las pruebas del traje que iba a lucir en las próximas fiestas de carnaval.

Los romanos se preparaban para cometer toda clase de excesos, antes de entrar en la penitencia del tiempo de cuaresma, que llegaría poco después.

—¡La morisca! ¡La morisca!

Una mujer tocada con un turbante cuajado de perlas y el rostro cubierto por un antifaz de seda roja agitaba un pandero e invitaba al baile.

El enorme salón del palacio de los Salviati estaba a rebosar, lleno de gentes ataviadas con estrambóticas indumentarias, que hacían ampulosas reverencias, grotescas pantomimas o gestos impúdicos. Algunos susurraban impertinencias al oído del vecino o aprovechaban la impunidad del anonimato para deslizar picantes insinuaciones a las damas.

Como por ensalmo, se abrió un pasillo en el centro del salón y los músicos acometieron los acordes de la pieza solicitada, cuya cadencia se encontraba a medio camino entre la música cortesana y las melodías populares. Se improvisaron dos largas filas de danzantes y se inició el baile. Sin embargo, ni el ambiente ni la actitud de los reunidos invitaban al formalismo y muy pronto cada cual se movía según su parecer y no pocos aprovechaban la ocasión para dar rienda suelta a sus libidinosos deseos.

Un rojo demonio de ojos rasgados, barba puntiaguda y unos cuernos que no iban más allá de dos pequeñas protuberancias frontales, se aplicaba con fruición al cuello de una dama ataviada con una ligera túnica que dejaba adivinar buena parte de sus encantos, como si fuese una protagonista de las historias salidas de la pluma de Publio Ovidio Nasón, cuya lectura pública se había convertido en una moda en los salones de la aristocracia romana.

En un rincón, alguien con el atuendo de un purpurado se afanaba en manosear los pechos de dos jovencitas ataviadas con burdas pieles.

Los músicos no se desalentaban ante el poco aprecio que la concurrencia hacía de sus acordes, pero pararon cuando un corpulento individuo, vestido de cazador rural, con un arco y una aljaba colgados a sus espaldas, agitó los numerosos cascabeles de su disfraz. Se encaramó al estrado y golpeando con un bastón, como si fuese un maestro de ceremonias, pidió, valiéndose de un embudo para aumentar la potencia de su voz, un momento de silencio.

—Nuestros anfitriones desean obsequiarnos con una representación burlesca. ¡Prestad atención!

Por una de las puertas del salón, sentado en una imitación de la silla gestatoria, sobre la que los pontífices hacían su aparición en los actos públicos, podía verse a un individuo con el rostro cubierto por una careta, como mandaba la ocasión. En ella estaban representadas, con notable acierto, las facciones de Sixto IV. Para no dejar lugar a la duda, estaba coronado con la tiara pontificia y vestía el sayal de los franciscanos, la orden a la que pertenecía Francesco della Rovere antes de acceder al solio pontificio.

El trono era portado por cuatro hercúleos individuos, que apenas cubrían su desnudez con unos taparrabos. En su poderosa musculatura brillaba el negro betún con que habían sido untados sus cuerpos. Con una enguantada mano, el entronizado impartía bendiciones a izquierda y derecha, mientras que con la otra se masajeaba los testículos, con notoria ostentación. La escena provocaba la hilaridad de los presentes. Por todas partes resonaban las carcajadas.

Bajo el antifaz, el rostro de Caterina, convaleciente todavía de sus tercianas, palideció. Había hecho un verdadero esfuerzo para acompañar a su esposo al baile de carnaval. Vestía una amplia túnica de color azul y tocaba su cabeza con un gorro cónico tachonado con planetas, satélites y estrellas; se había disfrazado de astróloga. Para dar una pista sobre su identidad, en su pecho se veía la figura del dragón rampante del escudo de los Sforza.

Hacía rato que no veía a su marido, que iba vestido a la turca, con unos grandes bombachos de seda y el torso apenas cubierto por una camisa sin mangas ni cuello; tocaba su cabeza con un turbante recamado de pedrería, adornado con plumas de pavo real, y calzaba unas babuchas de fino tafilete con la punta curvada.

Los porteadores depositaron su carga en el centro del salón, donde se había abierto un amplio círculo, y se retiraron discretamente; también se había esfumado el cazador que solicitó la atención de los presentes. El Papa descendió de su trono y con un gesto cargado de obscenidad se arremangó hasta la cintura los hábitos que le servían de vestiduras. Una parte de la concurrencia dejó escapar un grito de sorpresa:

—¡Ohhhh!

El individuo estaba completamente desnudo y no manifestaba embarazo alguno en mostrar sus partes pudendas.

La imagen de aquel bellaco en cueros, tocado con la tiara papal, era grotesca. Lanzó una moneda al aire, que pisó nada más tocar el suelo para agacharse, haciendo ademán de buscarla. Arrodillado, se movía por el pavimento, acompañado de movimientos cargados de lascivia.

En aquel momento, unos gritos desaforados distrajeron la atención de los presentes. Por una de las puertas del salón entraba un enano patizambo, con un gorro de bufón. Estalló una carcajada general cuando los presentes se percataron del enorme falo tallado en madera, ajustado a su cintura con unas correas.

Dándose aires de señor, avanzó hasta donde el falsario Papa, agachado, aparentaba buscar la moneda, ofreciendo su desnudo trasero. Los hercúleos porteadores habían desaparecido al igual que el cazador. El enano daba vueltas a su alrededor, frotaba el falo y hacía insinuantes aspavientos, que causaban cada vez mayor hilaridad. En un momento determinado hizo como que penetraba al remedo de Su Santidad, que emitía placenteros gemidos, como si estuviese gozando.

Hubo vítores, aplausos, carcajadas y mucho regodeo.

Caterina sintió cómo su pulso se aceleraba. Los desafueros del carnaval eran moneda corriente en Roma, pero nunca había sido testigo de algo tan ignominioso como aquella pantomima. Angustiada, buscaba con la mirada a Girolamo, pero no lo encontró por ninguna parte. No podía verlo porque su esposo, desde hacía un buen rato, se había escabullido, llevándose consigo a una cortesana con la que en aquellos momentos fornicaba tras unos cortinajes.

Hizo un gesto a un hombre vestido completamente de negro y que se mantenía pendiente de la condesa. Se acercó hasta ella y escuchó con atención lo que susurró a su oído. En aquel momento vio cómo Andrea Salviati, el anfitrión, gritaba órdenes a unos criados para que sacasen de allí a los protagonistas de la escabrosa escena.

Hubo protestas y gritos de abucheo porque los dos bellacos, que habían recogido algunas monedas lanzadas por los espectadores, se mostraban dispuestos a repetir la pantomima que reclamaban algunos.

Caterina se acercó hasta Salviati.

—¿Cómo habéis consentido en vuestra casa tal villanía?

—¡No sé cómo ha podido ocurrir! —se excusaba el patricio—. Ignoro quién ha sido el autor de esta desmesura.

—¡Ésta es vuestra casa, Salviati!

—Pero ignoro quién ha organizado esto.

—¿Queréis decir que no estabais al tanto?

—Os lo juro por la *Madonna*.

—¿Acaso no sabéis quién era ese cazador que ha gritado desde el estrado?

—Tampoco. Cuando un criado me ha advertido de lo que ocurría, he dado órdenes para que lo condujesen a mi presencia. Lo están buscando, pero con este desorden no han podido localizarlo. Es posible que se marchase después de reclamar la atención de mis invitados.

—¡Sígueme! —ordenó Caterina al hombre vestido de negro.

Salviati los vio abrirse paso a empellones. La condesa y su acompañante alcanzaron a los criados que arrastraban a los dos artífices de la escena, cuando estaban a punto de ponerlos en la calle.

—¡Un momento! ¡Aguardad!

Los criados se detuvieron, pero los dos hombres aprovecharon el descuido para salir corriendo.

La calle era un río humano. Gentes que cantaban y bailaban, que gritaban, bebían o hacían pantomimas. Caterina y su acompañante trataron de seguirles los pasos entre la muchedumbre, pero la persecución se volvió complicada porque las máscaras les estorbaban el paso. Unos los invitaban a beber, otros a cantar y a participar en la fiesta. Muy pronto perdieron de vista al que había representado al Papa, pero el enano, cuya velocidad era menor, no se les despistaba.

—Señora, seguidme como podáis, voy a alcanzar a ese malandrín.

Jacopo Giusti tardó poco en darle alcance. Nadie prestó atención a los gritos de socorro del enano: para la gente formaban parte del espectáculo. Al cabo de unos minutos, lo tenía arrinconado en un oscuro callejón, adonde poco después llegó una sofocada Caterina.

El hombrecillo gritó otra vez pidiendo socorro, pero si en una ciudad como Roma era un grito inútil en una noche cualquiera, todavía lo era más durante el carnaval.

Giusti lo alzó, agarrándolo por el cuello. El enano pataleó en el aire y, cuando se dio cuenta de lo inútil de su gesto, empezó a gemir. Hubo un momento en que sólo se escuchaba el tintineo de los cascabeles de su gorro de bufón, que ofrecía una penosa imagen porque el correaje que sujetaba el descomunal falo se había aflojado y colgaba flácido de su cintura. El callejón estaba desierto.

Caterina, con la respiración todavía agitada por la carrera, sacó de su vaina una daga que colgaba de la cintura de su guardaespaldas; con gesto calculado, pasó el dedo por el filo y miró al enano.

—Por aquí corta.

El enano se estremeció.

La condesa lo miró a los ojos y presionó en la punta del acero con la yema del dedo.

—Por aquí pincha. ¿Prefieres que te corte o que te pinche?

Se agitó una vez más con un pataleo tan inútil como nervioso. La mano de Jacopo sobre su cuello era una tenaza.

—¡Señora, tened piedad!

—¿Quién os ha pagado para que representéis esa bochornosa pantomima?

Por toda respuesta obtuvo un llanto desconsolado. Sin inmutarse, Caterina cortó la correa que sujetaba el falo y después, uno a uno, sin prisas, los botones que abrochaban sus pequeñas calzas, que quedaron colgando. Le bastó un tirón para dejarlo desnudo de cintura para abajo.

El enano había dejado de llorar. Estaba inmóvil y en sus ojos podía leerse reflejado el terror.

La condesa le pinchó con suavidad en la ingle y brotó una gota de sangre. El enano dejó escapar un grito.

—Voy a repetirte la pregunta, pero sólo una vez. ¿Quién te ha pagado para que injuries a Su Santidad de la forma en que lo habéis hecho en casa de Andrea Salviati?

Una sombra emergió a la entrada del callejón y en el silencio sonó un chasquido. Caterina lo había escuchado muchas veces y apenas tuvo resquicio para arrojarse al suelo, maldiciendo el tiempo que se había tomado para sacar la información que deseaba. Giusti se protegió del disparo, utilizando al enano a modo de escudo. El virote que salió de la ballesta atravesó al bufón. Un ligero estertor de sus piernas agitándose fue la señal de que acababan de matarlo.

Esperaban un segundo disparo, pero no llegó. Con cuidado, por si se trataba de una añagaza para tener un blanco más fácil, se incorporaron y se acercaron hasta la esquina para escuchar el rumor de unos pasos que se perdían en la noche. Regresaron adonde yacía el enano y comprobaron que, efectivamente, el disparo había sido mortal. El hombrecillo había quedado como un muñeco de títeres, al que se le cortan las cuerdas que le proporcionan la vida.

—¡Regístralo! Quizá encontremos algo.

Giusti buscó entre las calzas y el jubón, pero sólo encontró algunas monedas, posiblemente las que le arrojaron por su representación.

—No hay nada, mi señora.

—¡El gorro, regístralo!

Los cascabeles que adornaban las puntas de los cuernos dejaron escapar un leve tintineo. Giusti encontró un papel escondido entre los pliegues.

—¡Mirad, señora!

El papel tenía escritas unas líneas y también aparecía un nombre. No necesitaba más, ya sabía quién era el promotor del bochornoso espectáculo.

A lo lejos retumbaba el sonido de la fiesta. Roma celebraba, con el mayor de los desenfrenos, aquel carnaval de 1484.

Cuando llegó al palacio de los Salviati la fiesta continuaba. Girolamo conversaba con su anfitrión y por sus ademanes estaba de un humor de perros. Caterina se acercó hasta ellos.

—Ya he dado explicaciones a tu esposa. Trataré de descubrir al autor, te lo prometo.

—¿Has presenciado la mascarada? —preguntó Girolamo.

Caterina asintió.

—¿Ha sido tan cruel como me han dicho?

—Más.

—¡Salviati, hay que desenmascarar al autor!

—Haré lo que esté en mi mano.

Alguien reclamó la presencia del anfitrión, quien presentó una excusa y se despidió.

—¿Dónde estabas? —preguntó Caterina a su esposo.

—Atendiendo una necesidad.

—¡Una lástima!

—¿Qué quieres decir?

Lo miró con dureza, a través del antifaz. Había sido ella la que tuvo que hacer frente a la injuria lanzada contra el Papa y toda su familia.

—Si hubieses estado aquí, posiblemente sabrías ya quién ha promovido ese bochornoso espectáculo.

—¿Acaso tú lo sabes?

Al tiempo que le entregaba el trozo de papel que llevaba en la mano, le comentó:

—Ahí está escrito su nombre.

Girolamo leyó las líneas de un texto donde le indicaban al enano que acudiese al filo de la medianoche al palacio Salviati. Lo firmaba Lorenzo Colonna.

—¡Los Colonna!

Se quedó inmóvil viendo cómo su mujer se alejaba.

Hasta sus oídos llegaban algunos comentarios sobre lo que, sin duda, había sido el espectáculo de la noche y durante los días siguientes se convertiría en el centro de animadas conversaciones por toda la ciudad.

Nunca, entre los numerosos excesos de que había memoria en la celebración del carnaval en Roma, se había llegado tan lejos.

11

Era noche de plenilunio y los hombres, ocho en total, llevaban las caras embadurnadas para no ser reconocidos. Cada cual mataba el tiempo de la mejor forma posible. Cuatro de ellos jugaban a las cartas, otros dos dormitaban, tendidos en unos jergones sobre el suelo, mientras que otro afilaba su daga, pasándola pacientemente, una y otra vez, por una piedra de amolar. El octavo, apartado en un rincón cerca de una candelilla, estaba sumido en la lectura de un pasquín, uno de esos papeles que cada vez proliferaban más, salidos de las prensas de los talleres de imprenta, que conseguían imprimir varios centenares en una jornada.

Desde media tarde, la hora convenida, aguardaban en aquella casona, a espaldas del descampado que se extendía entre el Tíber y la vía Salaria. Un lugar poco frecuentado.

El tiempo transcurría lentamente, para algunos de ellos demasiado lentamente. Era cierto que la paga ajustada era más que buena, pero no acababan de entender por qué los tenían convocados con tanta anticipación. A ratos, los nervios de alguno de ellos se crispaban.

El sonido de unos golpes en la puerta los puso en alerta. Los jugadores detuvieron la partida, los que dormitaban se incorporaron, la daga quedó quieta sobre la piedra y la lectura interrumpida. Hubo cruces de miradas, aunque por el tiempo transcurrido debía ser la persona que aguardaban.

El que afilaba la daga hizo una leve indicación; dos de los jugadores y el que leía se levantaron sigilosamente y tomaron posiciones. El ruido indicó que eran dos los hombres que llegaban y lo hacían sin tomar ningún tipo de precaución. Entraban charlando.

—¿Sois vos?

—¿Quién si no? —fue la respuesta.

La silueta de dos embozados se recortó en el umbral de la puerta. Los hombres se relajaron: las horas de encierro habían disparado la tensión.

—¿Todo dispuesto?

—Como os había prometido.

El individuo sacó una bolsa de cuero y la lanzó en dirección al que había respondido, que la cazó al aire.

—Ahí está la mitad de lo acordado, la otra mitad cuando hayamos concluido el trabajo. Si quieres puedes contarlo.

—Vuestra palabra me es suficiente, señor.

—Entonces, escuchadme con atención.

Una hora después, diez hombres envueltos en largas capas avanzaban por la vía Salaria. El metálico resplandor de la luna les permitía caminar sin necesidad de alumbrarse. Dejaron a su derecha los jardines Borghese y se dirigieron hacia la zona del Quirinal. Al llegar a una calleja, en la que abundaban restos de columnas y algunas piedras labradas que recordaban la época del imperio, surgió un bulto de las sombras. Hubo un breve cruce de palabras con uno de los embozados; después la sombra se esfumó tan silenciosamente como había aparecido.

—Hace rato que llegó, señor.

—En ese caso, que cada cual cumpla con su cometido.

Poco después los dos individuos, que montaban guardia

en la puerta de la casa de Flora, se desplomaron muertos. Apenas se enteraron de que los degollaban. Otros dos, que vigilaban el interior, ofrecieron alguna resistencia, sorprendidos por un número de atacantes muy superior. También entregaron la vida, antes de que pudiesen huir.

—Señor, creo que el camino está expedito.

El ruido, sin embargo, había alertado a dos de las sirvientas de la casa, que prorrumpieron en gritos de socorro. Sus chillidos llegaron hasta el dormitorio de Flora, donde la cortesana atendía a un cliente muy especial.

Riario y otros dos hombres entraron en tromba en la alcoba, donde el vástago de una de las más nobles familias romanas se solazaba. Flora cubrió su desnudez con una sábana, mientras su amante de aquella noche saltaba, espada en mano y a medio vestir, por la ventana al jardín trasero. Los gritos para alertar a sus hombres resonaron en la noche. Era una llamada inútil porque quienes aguardaban en el jardín eran tres de los hombres que habían ido a por él. No tuvo ninguna opción, tres aceros lo amenazaban de muerte.

Desde la ventana, Riario asistió a la escena. Los sicarios se mofaban de la desnudez de su presa, profiriendo groserías. Había tenido que esperar casi tres meses para comenzar la venganza por la afrenta del carnaval. Protegiendo su identidad con el embozo de la capa, se acercó hasta la cama; Flora se agarraba a la sábana de seda como un náufrago a un madero.

—Si mantienes la boca cerrada no te ocurrirá nada, ¿me has entendido?

La cortesana afirmó con la cabeza, pero a Riario no le pareció suficiente.

—¿Me has entendido? —reiteró.

Hasta sus oídos llegó la voz temblorosa de Flora, respondiendo afirmativamente.

—¡Vámonos!

Los atacantes abandonaron la estancia; arrojaron, sin miramiento alguno, los cuatro cadáveres en un vehículo cerrado de aspecto siniestro, tirado por dos parejas de mulas. En su interior estaba el frustrado amante, amarrado y amordazado; mientras dos parejas de matones hacían de postillones, los demás montaban en unos caballos. Poco después enfilaban la calle en dirección al castillo de Sant'Angelo. Lorenzo Colonna era prisionero del Papa.

En el ambiente flotaba un sabor a venganza. Hacía varios días que nadie se sentía seguro por las calles de Roma y todo el mundo miraba hacia atrás al escuchar a su espalda el menor de los ruidos.

Los Orsini se pusieron al lado de Riario, no sólo por la amistad de Virgilio con Girolamo, sino también por su enconada pugna con los Colonna. La rivalidad entre las dos familias se remontaba tanto en el tiempo, que no se guardaba memoria de las causas que la provocaron. Cuando la tensión se agitaba, las calles de Roma se convertían en verdaderos campos de batalla, donde los partidarios de unos y otros se mataban sin darse cuartel. Los sangrientos enfrentamientos no eran, sin embargo, obstáculo para buscar acuerdos concretos que en ningún caso significaban olvidarse de las diferencias.

El miedo creció mucho en los últimos días, corría el rumor de que Lorenzo Colonna estaba siendo sometido a brutales torturas en las mazmorras de Sant'Angelo.

—Deberías ser más razonable, todo el mundo conoce ya la causa por la que Lorenzo está detenido. En mi opinión, el honor de vuestra familia ha sido lavado.

Girolamo, nervioso, paseaba de un lado para otro, mientras Luca Borghese, el emisario enviado por los Colonna para conseguir la libertad de Lorenzo, lo seguía atentamente con la mirada.

—Una afrenta como la promovida por ese canalla sólo puede ser lavada con sangre —explotó Riario—. ¡Durante semanas el Santo Padre ha sido el hazmerreír de toda Italia! Me han llegado noticias de que la pantomima carnavalesca ha sido representada en muchos lugares. ¡En tabernas y burdeles se han burlado del Papa, sin pudor alguno!

—Ahora, todos saben que no se puede injuriar impunemente a Sixto IV y lo que ofrecen por la libertad de tu prisionero no es poca cosa. Quien sea dueño de esas fortalezas controlará las comunicaciones del centro de Italia; además, las tierras que llevan añadidas son muy productivas. Insisto en que no debes rechazar, sin meditarlo más despacio, una propuesta como ésa.

—¿Cuál es la renta de esas propiedades?

La pregunta hizo que Luca Borghese vislumbrase un rayo de esperanza para la difícil misión que le habían encomendado.

—Más de tres mil ducados, una bonita cantidad que será tuya por una simple decisión.

—No es algo tan simple como crees, pero dame un plazo. Digamos cuarenta y ocho horas.

Borghese vaciló un momento.

—Con una condición.

Girolamo lo miró extrañado, era él quien imponía las condiciones en aquellas circunstancias.

—¿Qué condición?

—Durante ese plazo cesarán las torturas.

—¡Es mi prisionero!

—Cierto, pero estás negociando. Para los Colonna, su sufrimiento es algo de suma importancia.

—Lo único que te garantizo es que respetaré su vida durante ese plazo, pero nada más.

—Girolamo, no se trata de obtener una confesión. El tormento a que lo someten los verdugos es para satisfacer tu orgullo. Circulan rumores sobre los castigos que le infliges, eso es algo que en nada te beneficia. Sirven para alimentar un odio que ya se ha cobrado demasiadas víctimas.

—¿Qué es lo que se dice?

Borghese encogió los hombros.

—Lo sabes de sobra.

—¡No, no lo sé! ¡Dímelo!

—Te tachan de monstruo, cuya crueldad no conoce límites. La gente no entiende cómo a un cristiano se le pueden aplicar tales suplicios, por haber hecho una pantomima en el carnaval, aunque con ella se injuriase al Papa. Ya se sabe… el carnaval es tiempo de…

—¿Qué suplicios? —A Girolamo se le había ensombrecido aún más el semblante.

—Se rumorea que es sodomizado con grandes falos de madera, que se le suspende en el aire y se le cuelgan de los testículos grandes pesos atados a una cuerda que le producen tal dolor que pide la muerte a gritos. También que se le obliga a ingerir grandes cantidades de agua y se le ata el pene de forma que no pueda orinar. Son muchos los que opinan que es demasiado castigo por algo que, dadas las circunstancias, no pasa de ser una broma de mal gusto, pero una broma al fin y al cabo en un momento en que la crítica se adueña de la calle.

Borghese no hizo ninguna alusión a que muchas de esas críticas carnavalescas estaban provocadas por actitudes o actuaciones protagonizadas por los criticados. Hacía muchos años que se afirmaba que Sixto IV se acostaba con efebos.

A Girolamo no le importó demasiado que alguien se hubiese ido de la lengua porque, en el fondo, deseaba que toda Roma supiese que no se injuriaba al Papa gratuitamente. Todo lo que acababa de escuchar era cierto, pero lo negó con un gesto de desprecio.

—¡Bah! ¡Rumores de mentes calenturientas!

Borghese lo taladró con la mirada.

—Me tranquiliza escuchar que todo eso que se cuenta es falso.

Girolamo se limitó a asentir con un movimiento de cabeza y a despedir a su visitante.

—Nos veremos dentro de dos días.

—Aquí estaré.

Poco después de que se marchase Luca Borghese, Riario abandonó el castillo de Sant'Angelo, montó en su caballo y, protegido por una fuerte escolta, galopó sin consideración a quienes iban por las calles, que se veían obligados a arrimarse a las paredes y, los más afortunados, a refugiarse en los portales de las casas para evitar ser arrollados por el tropel de jinetes. Cruzaron el Tíber y llegaron a la piazza Navona, que parecía el patio de armas de una fortaleza.

Las puertas y ventanas del palacio Riario estaban cerradas. Delante de la fachada se alzaban parapetos con sacos terreros y por unas aspilleras podían verse las bocas de varios cañones. No menos de un centenar de hombres armados deambulaba por el lugar, en una exhibición de fuerza capaz de disuadir cualquier intento de ataque. Hubo cierta agitación producida por la irrupción de los jinetes en la plaza, pero todo se tranquilizó cuando fueron identificados.

Aquellos días Caterina los pasaba entre la cocina, donde recogía el caudal de información de la servidumbre, la atención a sus pequeños, a los que contaba fantásticas historias de caballeros, y su laboratorio, donde realizaba experimentos, confeccionaba pomadas y ungüentos, y estudiaba gruesos manuscritos sobre las propiedades de las hierbas y las piedras. Había empezado a escribir un texto cuyo título era: *Experimenti de la Ecc.ma Signora Caterina de Furlii*. Quería dejar constancia de las fórmulas y recetas que experimentaba. Aquellos días estaba interesada en conseguir una fórmula adecuada para teñir el cabello de color rubio, como imponía la moda de la época. Experimentaba con sus doncellas y criadas con semillas de ortiga hervidas, de las cuales obtenía una ceniza que les aplicaba al lavar los cabellos. También buscaba un ungüento que eliminase la aparición de vello en el cuerpo de la mujer.

De vez en cuando, dedicaba cierto tiempo al texto de Leonardo. Era como un desafío que no lograba vencer, porque se mostraba incapaz de descifrar el enrevesado texto escrito por el maestro toscano para confeccionar aquel extraño elixir.

Un día, cuando pasaba por el tamiz el agua de un matraz que, después de añadirle diferentes sustancias minerales y harinas, había hervido y puesto a reposar durante ocho días, su marido irrumpió en el laboratorio.

—¡Tenemos que hablar!

Caterina estaba de espaldas y no se molestó en volverse.

—¿Puedes aguardar a que termine de pasar el agua por el tamiz?

—¡Tengo prisa!

—Es un momento; si interrumpo el proceso, perdería semanas de trabajo.

Girolamo no respondió. Se distrajo paseando la mirada por el panorama que se ofrecía a sus ojos: frascos de cristal, botes de loza, probetas, matraces, redomas, alambiques, atanores, manojos de hierbas, casi todas secas, patas de animales disecadas… Frunció los labios con desprecio. Siempre había considerado aquellas actividades de su mujer una pérdida de tiempo, pero no se opuso a ellas, consciente de que se habría encontrado con una fiera resistencia y, posiblemente, no habría conseguido su propósito.

Una vez que concluyó la tarea, se limpió las manos e interrogó a su esposo con la mirada.

—Me ofrecen un rescate por el Colonna —soltó sin más preámbulos.

—¿Su familia?

—Sí.

—¿Qué piensas hacer?

Girolamo la miró extrañado.

—¿No te interesa saber qué ofrecen?

—Me interesa saber qué piensas hacer.

—Ofrecen dos castillos en lugares estratégicos con sus tierras y rentas, que superan los tres mil ducados.

—¿Qué piensas hacer? —preguntó de nuevo.

—Luca Borghese…

—¿Es el intermediario?

—Sí, afirma que circulan toda clase de rumores acerca de la crueldad de los castigos infligidos al prisionero.

—Alguien ha hablado más de la cuenta. Ya te dije que lo mejor era acabar con la vida de ese Colonna. Ahora todo será mucho más complicado.

—No te entiendo. Han venido a ofrecernos un acuerdo por su libertad.

Quien no entendía a su marido era Caterina. Si dejaba libre al prisionero, éste confirmaría todas las torturas a que lo habían sometido y un trato tan ignominioso enfurecería a sus familiares más que la propia muerte. La única actuación inteligente era acabar con su vida; así las vejaciones quedarían en el terreno de los rumores.

—Es muy sencillo. Si dejas en libertad a Colonna, los rumores se convertirán en verdades y la reacción de los agraviados será terrible.

Girolamo recordó unas palabras del Borghese: «Me tranquiliza escuchar que todo eso que se cuenta es falso».

—Además —Caterina no vacilaba—, todo el mundo sabrá que el honor de Su Santidad tiene un precio muy alto. ¡Esa oferta encierra una trampa!

—Si lo ejecuto será peor.

—¡No! —gritó Caterina—, aunque hubiese sido mejor dejarlo sin vida en la cama de esa Flora. Una parte de los romanos hubiese entendido la venganza, pero se debió hacer entonces. Ahora la mayoría muestra su rechazo a todo lo ocurrido, porque la gente entiende que el carnaval es una fiesta para criticar y divertirse, donde todo puede ser ridiculizado, incluso lo más sagrado. Los partidarios de los Colonna se han encargado de difundirlo a los cuatro vientos y han convertido la detención de Lorenzo en un ataque contra las libertades.

—¡Eso no es cierto!

—Para la plebe, lo importante es lo que se dice, no que sea verdad.

—¿Cómo lo sabes?

—Porque pongo atención a lo que ocurre a mi alrededor.

Girolamo abandonó el laboratorio, dando un portazo.

Aquella misma noche escribió a Luca Borghese indicándole que podía ahorrarse el plazo establecido y rechazaba la oferta de los Colonna. Riario no le dio tiempo a mejorar la oferta porque, al amanecer, mandó que decapitasen al prisionero.

Giulia Colonna acudió a las puertas de Sant'Angelo para reclamar el cuerpo de su hermano y poder darle adecuada sepultura. Girolamo se negó y la noticia llegó hasta los más apartados lugares de Roma.

Entonces ocurrió algo con lo que Riario no había contado. La misma mañana que la hermosa Giulia Colonna se encontró con un rechazo a su petición, una comisión de cuatro cardenales, en representación del Sacro Colegio, acudió a la fortaleza papal y solicitó una entrevista con el sobrino del Papa. Entre ellos se encontraba su primo Giuliano della Rovere.

—La salud de Su Santidad está muy quebrantada y se avecinan tiempos difíciles —señalaba el cardenal Aldobrandini, el de mayor edad de los cuatro—, porque inevitablemente habrá un vacío de poder. Conviene no excitar los ánimos porque la plebe, si ve una ocasión propicia, tiende a cometer toda clase de desmanes, aun en tiempos de bonanza. La situación será mucho más complicada si las aguas bajan agitadas.

—¿A qué viene todo esto?

—Mi querido Girolamo —el cardenal daba un tono de tranquilidad a sus palabras—, ya has satisfecho tu sed de venganza y la de tu familia. —Lanzó una significativa mirada hacia el cardenal Della Rovere—. Carece de sentido negarse a entregar el cadáver a los deudos, se trata de un gesto de caridad cristiana.

—¿Olvida vuestra eminencia que se ofendió de forma grave al Santo Padre, al vicario de Cristo en la tierra?

Aldobrandini guardó unos segundos de silencio, los dedos de su mano derecha jugueteaban con la cruz que colgaba sobre su pecho.

—No lo he olvidado, hijo mío, pero todo acto está rodeado de ciertas circunstancias. Creo que no son necesarias más palabras.

—¿Se refiere vuestra eminencia a que la humillación se produjo en una celebración carnavalesca?

—Efectivamente, las cosas han de ajustar su medida, según las circunstancias, y lo que en otro momento hubiese sido una ofensa intolerable, quedaba enmarcado en una representación ciertamente indecorosa del carnaval.

Girolamo iba a protestar por una calificación tan suave, pero Aldobrandini alzó la mano con autoridad.

—El pueblo romano —prosiguió el purpurado— es proclive a liberar las frustraciones de todo el año en esos días de desenfreno. Me temo que las cosas han ido demasiado lejos.

—La pantomima no fue cosa del pueblo, eminencia, sino que estuvo orquestada por un miembro destacado de la familia que mayores problemas ha creado a Su Santidad. Todo estaba previsto. Estamos ante un acto de maldad premeditada.

—En cualquier caso tus deseos de venganza se han consumado. El inductor de todo este lamentable asunto ya ha pagado con su vida. Te suplico que no vayas más allá.

—¿Esa petición la hacen vuestras eminencias en nombre del Sacro Colegio?

—Sí.

La voz de Giuliano della Rovere sonó cortante. Los dos sobrinos de Sixto IV intercambiaron una dura mirada y tras un largo silencio, que se hizo más tenso conforme pasaban los segundos, Girolamo concedió:

—Muy bien, si es el Sacro Colegio quien me pide el cadáver de Lorenzo Colonna, se lo entregaremos al Sacro Colegio.

Aldobrandini no necesitó mirar a sus acompañantes para aceptar el ofrecimiento. Ayudándose de su bastón se puso de pie, al tiempo que dirigía a Girolamo palabras de agradecimiento.

El cardenal Della Rovere dejó que sus compañeros de la curia abandonasen la llamada Cámara de Perseo, la estancia donde se había celebrado el encuentro. Una vez a solas con su primo, dio rienda suelta a su ira contenida.

—¡En todo este asunto has actuado como un perfecto estúpido!

—¿Me llamas estúpido por defender el honor de la familia frente a los Colonna?

—¡El honor de la familia! —Giuliano escupió las palabras—. ¡El honor de la familia lo has arrastrado por el fango! ¡Todo el mundo sabe ahora que nuestro tío es un libertino con extrañas apetencias sexuales! ¡Has logrado que una chanza de carnaval se haya convertido en poco menos que un asunto de Estado, precisamente cuando los días del viejo están contados! ¡Desde hace unos días apenas puede sostenerse en pie!

Girolamo clavó sus pupilas en los ojos del cardenal. Estaba furioso por la forma en que se había desarrollado el encuentro.

—¡Ése es tu verdadero dolor, mi querido Giuliano! ¡Tus posibilidades en el cónclave que se avecina se las ha llevado una *vendetta*! O ¿acaso crees que no me he percatado de la forma como te miraba Aldobrandini, al hablar de la venganza familiar?

El cardenal de San Giorgio recogió con gesto altivo los pliegues de su roja capa, distintivo de su dignidad, pero antes de abandonar la estancia le espetó a Girolamo:

—Las únicas posibilidades de mantener tus prebendas cuando muera Su Santidad es que uno de los enemigos de nuestra familia no acceda al solio pontificio. ¡No lo olvides, Riario! ¡No lo olvides!

12

Negros nubarrones enturbiaban el cielo de Roma aquel verano de 1484. A todos llamó la atención que los Colonna no respondiesen a la muerte de Lorenzo, pero nadie en su sano juicio hubiese afirmado que renunciaban a la venganza. Simplemente, aguardaban el momento más favorable porque sabían que no tardaría en llegar.

Por todas partes corría el mismo rumor: la vida de Sixto IV se apagaba. Hacía ya dos semanas que el Papa no aparecía en público cuando llegó a la ciudad la noticia de que Venecia, a pesar de que sus aliados la abandonaron a su suerte, había ganado la Guerra de la Sal.

Ferrara se plegaba a las exigencias de la Serenísima República y renunciaba a sus pretensiones sobre las salinas de la Romaña, que quedaban en manos de los venecianos. La noticia de la paz de Bagnolo, firmada el 7 de agosto, causó un profundo pesar al pontífice.

Cinco días después una noticia se difundía por Roma como una mancha de aceite: Sixto IV había muerto.

En las tabernas del Trastevere la noticia fue acogida con júbilo y bandas de hombres armados empezaron a recorrer las calles de la ciudad. En cada esquina se sumaban nuevos efectivos, su número crecía sin cesar.

A media tarde, mientras el cuerpo el Papa difunto quedaba expuesto en San Pedro para recibir el homenaje de los romanos, los correos salían en todas direcciones para llevar la noticia al mundo.

Desde la torre de la casa fuerte, el centinela dio aviso al comprobar que alguien se acercaba. Por la senda, que discurría entre el verdor de los viñedos, un hilo de polvo anunciaba la presencia de uno o varios jinetes. Quien quiera que fuese tenía mucha prisa, según podía deducirse de la velocidad a que avanzaba la nubecilla. Varios hombres tomaron las armas, dos de ellos tensaron sus ballestas y colocaron los virotes, listos para ser disparados.

Cuando tuvieron la certeza de que se trataba de un solo jinete, se relajó la tensión que la polvareda había provocado. Los soldados miraban desde las almenas, pendientes de cualquier novedad. Desde la muerte de Lorenzo Colonna, Caterina vivía rodeada de una guardia que no abandonaba sus tareas de vigilancia ni de noche ni de día. Temía, en cualquier momento, un ataque de los enemigos de su esposo.

El jinete descabalgó de un salto y, sin detenerse, golpeó las gruesas puertas de la casa. Desde un matacán, una voz dio respuesta a su llamada.

—¿Qué quieres?

—Soy Giusti. ¡Abre, rápido!

—Aguarda un momento.

Minutos después, la condesa asomó su esbelta figura por las almenas de la torre. Embarazada de siete meses, estaba retirada en el campo para hacer frente a los rigores del verano romano y disfrutar de la pequeña Bianca y de las travesuras de Scipione, Ottavio y Cesare. Pensó que la presencia de Giusti no anunciaba nada bueno.

—¡Jacopo! ¿Qué ocurre?

—Hay graves noticias, mi señora.

—Aguarda un momento, ya te abren.

Lo recibió en un pequeño gabinete, adonde lo acompañaron dos hombres, sin dejarle tiempo para sacudirse el polvo. Caterina despidió a los soldados y le ofreció una copa de vino, que vació de dos tragos.

—¿Qué dicen esas noticias?

—¡Mi señora, el Papa ha muerto!

—¿Cuándo ha ocurrido?

—Ayer a mediodía se difundió la noticia por la ciudad.

Caterina permaneció unos segundos en silencio.

—¡Qué bien hice dejándote en Roma!

—¿Lo decís por alguna razón especial?

—Porque si no hubieses estado allí, estaría ignorante de un suceso de tanta gravedad.

—La noticia os habría llegado por otro conducto.

—No estés tan seguro. Ahora cuéntamelo todo.

—La ciudad es un caos, mi señora. La muerte del pontífice ha sido como una señal, un aviso para que las masas desaten su furia. Ni siquiera han respetado que su cadáver esté insepulto. Supongo que todavía seguirá de cuerpo presente en San Pedro.

—¿Supones?

—Así es, mi señora, las turbas lo atacan todo, no respetan nada.

Una ligera contracción del rostro denotó que Caterina trataba de controlar su agitación.

—¿Qué ha ocurrido, Jacopo?

—Los partidarios de los Colonna, nada más conocerse la noticia, se echaron a la calle para calentar los ánimos. Muy pronto fueron asaltados unos almacenes, propiedad de unos comerciantes genoveses, y poco después, el objetivo de la furia popular fueron unas gabarras, ancladas en el Tíber, cargadas con barricas y pellejos de vino. Después le llegó el turno a los almacenes de cera, alumbre y mercurio, que han sido saqueados e incendiados.

—Sírvete otra copa de vino. ¿Qué más?

Mientras llenaba su copa, Caterina observó el rostro de Giusti y comprobó que tenía un corte en la frente, encima de su ceja derecha. El polvo casi ocultaba el cuajarón de sangre.

—¿Qué es esa herida?

Antes de contestar, Giusti bebió con ansiedad. Había tragado tanto polvo que apenas notaba el paso del vino por su reseca garganta.

—Lamento comunicaros que una muchedumbre enfurecida ha asaltado el palacio.

—¿Mi casa?

—Lo siento, señora.

—¡Cuéntamelo todo!

—Hay poco que contar. Ayer, a la caída de la tarde, una turba armada con palos, hachas, lanzas y espadas, procedente del Trastevere, se concentró en la piazza Navona. La servidumbre estaba aterrorizada, por lo que indiqué a las doncellas y las criadas que abandonasen el palacio por la puerta de caballos. Nada se podía hacer para defenderlo porque, sin que nadie pudiese impedirlo, prendieron fuego a la puerta, arrimando fajinas de leña que llevaban dispuestas. Las puertas aguantaron dos horas; cuando se desplomaron, una marea humana, agitada por una furia destructiva, invadió el palacio. Robaban y destrozaban al mismo tiempo. Han destruido los frescos, los estucos, los artesonados. Muchos desataron su ira contra las estatuas del jardín, que han quedado hechas añicos.

—¿Y mi laboratorio?

—Ya no existe. Lo lamento, mi señora. Mientras las puertas resistieron, con la ayuda de algunos criados logramos poner a salvo algunos objetos de valor, que están escondidos y puestos a buen recaudo, entre ellos el libro de vuestras recetas y vuestros papeles. Pero el palacio es una ruina.

—¿Y la herida?

—Me enfrenté a uno de los asaltantes porque, confundido entre las turbas, hice lo posible por facilitar la salida de los últimos criados para que no los matasen. Uno de aquellos facinerosos me reconoció y me atacó. Antes de que hablase, logré clavarle un estilete y en medio de la confusión nadie se percató de lo ocurrido. Fue una suerte porque si me hubiesen descubierto, ahora no estaría aquí contándolo.

La condesa agitó una campanilla y, al instante, entró una de las doncellas.

—Trae agua hervida, vendas, paños limpios y mi caja de ungüentos. ¡Rápido!

La doncella miró a Giusti, hizo una atropellada reverencia y voló para cumplir el encargo de su señora.

—Durante toda la noche no han cesado los saqueos de palacios y de casas de personas acaudaladas, principalmente si son genoveses. Su delito mayor es ser oriundos de la misma región que el difunto Papa. También han sido asaltados los depósitos de grano, donde se guardaban las reservas para hacer frente a los momentos de escasez. La última noticia que alcancé a conocer, antes de salir de Roma, fue que varios cardenales trataban de organizar algunas tropas, en un intento desesperado por controlar la situación y poner fin a los desmanes, pero la respuesta del populacho del Trastevere ha sido levantar barricadas en las calles y bloquear el puente de San Sixto con un muro de tapial. Hay grupos que se enfrentan a las decisiones de la curia y amenazan sin embozo a los cardenales.

De repente los ojos de Caterina brillaron.

—¿Y Sant'Angelo, Jacopo? ¿Qué ha ocurrido con el castillo de Sant'Angelo?

Giusti se encogió de hombros.

—Lo ignoro, mi señora. Lo único que puedo deciros es que al amanecer, cuando dejé la ciudad, en sus torres ondeaban las enseñas pontificias.

—¿Estás seguro?

—Completamente.

Unos golpecitos en la puerta anunciaron la presencia de la doncella con lo que la condesa había pedido.

—Limpia esa herida, úntala con crema y véndala —le ordenó y dirigiéndose a Giusti le preguntó—: ¿Estás en condiciones de montar a caballo para volver a Roma?

—¿Volver a Roma, mi señora?

—Sí.

—¿Alguna misión?

—Acompañarme.

—¿Pensáis ir a Roma?

—Inmediatamente.

—Pero, señora, en vuestras condiciones…

—¿Cuánto has tardado?

—Cuatro horas, pero…

—¿Me acompañarás?

Giusti apuró el vino de su copa. Jamás había conocido a nadie con una voluntad como la de la mujer que estaba frente a él. A sus veintiún años era capaz de cualquier cosa; incluso de ponerse al frente del mayor ejército del mundo y mandarlo.

—Hasta las puertas del mismísimo infierno, si fuese menester, mi señora.

El sol se levantaba apenas dos palmos sobre la línea del horizonte, cuando un grupo de media docena de jinetes entraba en Roma por la puerta Flaminia. Les llamó la atención que no hubiese controles: los guardias que vigilaban las entradas y salidas de la ciudad habían desaparecido. Los jinetes, todos ellos armados como si fuesen a la guerra, se detuvieron junto a la garita donde hubieran debido estar los soldados.

—¿Y la guardia? —preguntó una sudorosa Caterina, revestida con una cota de malla que se abombaba en el vientre, dado su avanzado estado de gestación.

Jacopo, que cabalgaba a su lado, le respondió:

—No lo sé, mi señora. Esta mañana tampoco estaban.

—Mucho mejor. —La condesa apretó con los talones de sus finas botas de cuero los ijares del caballo, que respondió reanudando el paso con las pocas energías que le quedaban, después de cuatro horas de camino al límite de sus fuerzas.

En las calles eran visibles los efectos del desorden. Casas saqueadas, columnas de humo negro que señalaban incendios, grupos de gente armados de forma heterogénea haciendo gala de actitudes hostiles. Avanzaron algo más de media milla hasta que, a su derecha, apareció el primero de los puentes sobre el Tíber. Caterina lo cruzó, seguida por sus hombres, y avanzó por los arenales de la ribera derecha hasta que a lo lejos apareció la imponente silueta de la fortaleza pontificia, cuyo redondo cuerpo central destacaba sobre el azul del cielo. En sus almenas aún ondeaba la enseña pontificia.

—¡Despliega el estandarte!

Uno de los jinetes quitó la funda del asta que llevaba como si fuese una lanza. Al ver cómo la brisa agitaba la bandera con el negro dragón de los Sforza, a Caterina se le formó un nudo en la garganta. Le apretaba tanto que tuvo dificultades para impartir la siguiente orden:

—¡Al galope!

Los seis jinetes exigieron el último esfuerzo a sus cabalgaduras y en pocos minutos se plantaron ante la puerta principal de la fortaleza.

—¡Abrid en nombre de Riario! —gritó Caterina a los centinelas que, sorprendidos, asomaban sus cabezas entre las almenas.

—¿Quién sois? —gritaron desde la muralla.

—¡Soy la condesa Caterina! ¡Caterina Sforza!

Poco después un oficial, que había acudido a las almenas, impartía órdenes a toda prisa.

—¡Bajad el puente! ¡Levantad el rastrillo! ¡Abrid las puertas!

Caterina y sus jinetes entraron en el patio de la fortaleza; el militar la saludó con una cortés reverencia, le sostuvo la brida del caballo y se presentó como el capitán Orlando Vitelli.

—Mi señora, no os hacíamos en Roma. Creíamos que estabais con vuestro esposo.

—El conde está en el asedio de Paliano, cumpliendo con la misión que Su Santidad le ha encomendado. Ayudadme a bajar.

Vitelli miró a Giusti, que ya había descabalgado.

—La condesa está embarazada…

El capitán dirigió su mirada hacia el vientre de Caterina y no pudo evitar una expresión de admiración.

—¡Por la santa *Madonna*!

—Embarazada de siete meses —concluyó Giusti.

Caterina se sentía rígida después de una cabalgada tan dura, pero no había tiempo que perder.

—¿Cuántos hombres integran la guarnición?

—Doscientos cuarenta, mi señora.

La condesa midió al soldado que tenía delante. Era un hombre joven y tenía la mirada limpia. Los golpes de la vida todavía no se la habían enturbiado.

—¿Contaríamos con ellos?

Vitelli miró a Jacopo, que agachó la cabeza con una sonrisa en los labios, mientras se rascaba el lóbulo de la oreja.

—No os entiendo, mi señora.

—¿Defenderían el castillo en nombre de su comandante, mi esposo?

—¿Quién dirigiría la defensa? —preguntó inquieto, mientras miraba otra vez a Giusti.

—Yo.

—¿Vos?

—¿No os parece bien?

Vitelli meditaba perplejo, mientras que Caterina lo desafiaba con la mirada.

—Estoy a vuestras órdenes.

—En ese caso, reunid a los hombres. Quiero hablarles. ¡Ah, ordenad que izen la enseña de los Sforza junto a la del Papa!

—¿Cuándo convoco a los hombres, mi señora?

—Ahora, sólo necesito unos minutos. A propósito, ¿hay algunas mujeres en el castillo?

Orlando Vitelli, cada vez más desconcertado, miró de nuevo a Giusti.

—No es lo que estáis pensando, Vitelli.

Caterina soltó una carcajada.

—Os he preguntado por las esposas o las hijas de los soldados, pues necesitaré los servicios de algunas de ellas. Las prostitutas podrán quedarse o abandonar el castillo, aunque yo les recomendaré lo segundo. Ahora, reunid a los hombres en el patio.

Con la ayuda de dos mujeres, la condesa se había lavado, perfumado y cambiado su atuendo militar por un vestido. Su embarazo resaltaba mucho más que cuando llegó a Sant'Angelo. Se miró en un espejo y le satisfizo lo que vio. El abombamiento de su vientre tensaba el tejido de la falda.

Los comentarios de los soldados se fueron apagando, poco a poco, cuando apareció en el patio, donde ya estaba formada la guarnición. Espontáneamente se impuso un silencio lleno de respeto. Sólo se escuchaba el ruido de los pájaros que sobrevolaban la fortaleza, buscando el resguardo para pasar la noche que ya se echaba encima.

Fijó su mirada en un grupo de unos veinte hombres que estaban apartados del resto. Vitelli se acercó hasta ella.

—Mi señora, he de comunicaros algo.

Caterina seguía mirando a aquel grupo de hombres. Había algo en su actitud que no le gustaba.

—¿Qué ocurre?

—Algunos hombres prefieren marcharse.

—Son aquéllos, ¿verdad? —Los señaló con un movimiento de su mandíbula.

—Sí, mi señora.

La condesa se acercó hasta el grupo.

—El capitán me dice que deseáis abandonar el castillo. Quien quiera puede hacerlo, pero ha de ser ahora. Así que tomad vuestras cosas y salid.

—Señora, va a caer la noche y Roma es una ciudad peligrosa, saldremos mañana cuando...

Caterina, que ya les había dado la espalda, se volvió y no lo dejó concluir.

—¿Qué clase de soldado eres tú, que teme a la noche? ¡Me alegro de que os marchéis! ¡Ahora! ¡Capitán, que los conduzcan hasta el puente!

Impasible, aguardó a que abandonasen la fortaleza y después se subió en una mesa que Giusti, siguiendo sus instrucciones, había conseguido. Dejó que transcurriese un tiempo paseando su mirada sobre los hombres; quería que saciasen su curiosidad. Luego su voz tronó en aquel espacio cerrado, donde la luz de las antorchas proporcionaba claridad a las sombras del crepúsculo.

—El Santo Padre ha muerto y en Roma se han desatado todas las furias. Es como si alguien hubiese aguardado este momento para abrir las puertas del infierno. En pocas horas, el mayor de los desórdenes se ha apoderado de la ciudad, por todas partes hay robos, saqueos, incendios y muerte. Muchos de vosotros sabéis que eso no es nuevo, ya ha ocurrido en otras ocasiones y siempre nuestra ciudad logró restañar las heridas. Pero eso fue posible porque en los momentos de mayor dificultad, momentos como el que padecemos ahora, siempre hubo una luz que permitió disipar las sombras que amenazaban con destruir Roma. ¡La historia ha querido que en esta ocasión vosotros seáis esa luz!

Un murmullo de asentimiento acogió sus últimas palabras.

—¡Vosotros, soldados de Roma, sois los legítimos herederos de las legiones que un día dominaron el mundo! —Sin apenas darse cuenta la condesa estaba elevando el tono de su voz—. ¡Vosotros sois los herederos de otros soldados que, desde esta misma fortaleza, entregada hoy a vuestra custodia, salvaron a Roma en los momentos de dificultad y peligro!

—Otra vez se escucharon murmullos de asentimiento—. Este castillo fue, en numerosas ocasiones, el lugar desde el que se escribieron algunas de las más hermosas páginas de la historia de Roma y esas páginas fueron escritas por hombres como vosotros. Ha sido bastión y refugio ante los invasores y puerto seguro contra quienes han buscado únicamente su propio beneficio. En las circunstancias presentes, el futuro de esta ciudad está en vuestras manos. Una vez más, Roma depende de Sant'Angelo. ¿Seréis dignos herederos de esa historia?

Un grito de afirmación brotó de dos centenares de gargantas, rompiendo el silencio de la noche romana.

—¿Queréis ser fieles a vuestra palabra de defender estos muros, contra los enemigos del Santo Padre?

—¡Síiii!

—¿Queréis ser quienes escriban una página más en el libro de la gloriosa historia de Sant'Angelo?

—¡Sí! ¡Sí! ¡Sí!

Los gritos de los soldados retumbaban contra los muros de la fortaleza, algunos hombres sacaron sus espadas y golpeaban con ellas en el suelo. Saltaban chispas.

A la luz oscilante de las antorchas los ojos de los soldados brillaban enfebrecidos. Giusti observaba a su señora y recordó que hacía pocas horas le dijo que la acompañaría, si fuese necesario, hasta las puertas del infierno. En aquel instante, no albergaba dudas de que los hombres que llenaban aquel patio harían lo mismo que él.

Caterina alzó la mano para acallar los gritos de los soldados.

—¡Roma depende de Sant'Angelo y Sant'Angelo depende de vosotros! ¿Juráis manteneros firmes en la fidelidad debida a vuestro comandante, Girolamo Riario, hasta que un nuevo cónclave elija al sucesor del difunto Papa?

—¡Sí, juramos!

Fue un grito cerrado, sin vacilaciones.

En aquel momento, Caterina supo que la muerte de Sixto IV no significaba el fin. Si ella controlaba Sant'Angelo, Girolamo podría imponer condiciones para asegurar su futuro.

—¡Sabed que me siento orgullosa de asumir el mando de esta fortaleza! ¡Ahora, que cada cual cumpla con su deber!

Jacopo la ayudó a bajar en medio de las aclamaciones de los soldados, que golpeaban el suelo con sus armas y coreaban al unísono, como si fuese un grito de guerra:

—¡*Contessa*! ¡*Contessa*! ¡*Contessa*!

El fiel guardaespaldas le susurró al oído:

—Cuando estabais arriba he pensado que, si se lo pidieseis, todos estos hombres también os acompañarían hasta las puertas del infierno. Estaba equivocado.

—¿Por qué dices eso?

—Porque estoy seguro de que, si se lo pidieseis, entrarían junto a vos en el mismísimo infierno.

13

El cardenal camarlengo, cargo que desempeñaba Raffaele Riario, pese a ser un jovenzuelo de veinticuatro años, había convocado a los miembros del Sacro Colegio con carácter de urgencia. Necesitaba darles cuenta del mensaje que le había hecho llegar Caterina Sforza.

Cuando los cardenales se reunieron hacía ya tres días que la condesa se había atrincherado en Sant'Angelo.

Apenas concluyó la lectura del escueto texto, los príncipes de la Iglesia prorrumpieron en exclamaciones de rechazo y denuestos contra aquella lombarda que se atrevía a desafiarles.

—¿Cómo se permite una cosa así? Esa loba —la ira era patente al llamarla de esa forma— ignora que en el tiempo de *sede vacante* es el consistorio quien asume los poderes del Santo Padre —bramaba Aldobrandini.

—¿Tiene vuestra eminencia inconveniente en leer de nuevo el texto? —requirió el cardenal Filardi.

La voz del camarlengo acalló los comentarios.

Al Sacro Colegio Cardenalicio.

Caterina Sforza, esposa ante Dios y los hombres de Girolamo Riario, condesa de Imola, señora de Forlì, postrada a los pies de vuestras eminencias y en nombre de su esposo, castellano de Sant'Angelo por nombramiento del Santo Padre Sixto IV, que ha sido llamado para acudir a la morada del Padre, y ante los tristes acontecimientos que afligen a la ciudad, tiene a bien poner de manifiesto que la guarnición de la fortaleza ha jurado fidelidad a su comandante hasta tanto no se produzca el relevo de dicho cargo, como consecuencia de un nuevo nombramiento por parte del sumo pontífice, que suceda al fallecido papa Sixto en la silla de San Pedro.

En el castillo de Sant'Angelo, a 14 días del mes de agosto del año del nacimiento de Nuestro Señor Jesucristo de mil cuatrocientos ochenta y cuatro.

Caterina Sforza, condesa de Imola

—Verdaderamente la osadía de esa joven es inaudita —proclamó Filardi.

—¿Dónde está Girolamo? —preguntó otro de los cardenales.

—Según mis noticias, cumpliendo una misión del difunto Papa, asedia Paliano al frente de las tropas pontificias.

—Su tío —susurró otro de los curiales para que se oyese alrededor— lo sacó de Roma para resguardarlo de la ira de los Colonna, quienes se han empleado a fondo en su palacio de la piazza Navona. Tengo entendido que no ha quedado cosa aprovechable.

—¡Hay que hacerle venir a Roma, inmediatamente! ¡Tiene que poner punto final al desafío que nos lanza su esposa!

Otro de los cardenales comentó, lo suficientemente alto como para que las dos docenas de purpurados que había reunidos pudiesen oírlo:

—Sobre todo porque quien controle Sant'Angelo puede imponer al cónclave las condiciones que desee. Los cañones de esa fortaleza pueden reducir a escombros San Pedro con tal de que se lo propongan.

El murmullo fue de asentimiento.

—¿Cuánto puede tardar Girolamo en estar en Roma?

—Cuatro o cinco días, tal vez seis. Tiene que recibir el mensaje y ponerse en camino. Dependerá del papel que tenga en este asunto.

—Demasiados días para que esa Sforza que ha izado su propio estandarte desafíe nuestra autoridad —protestó Aldobrandini—. Propongo que se le dé adecuada respuesta a su escrito, conminándola a entregar el castillo de forma inmediata, que deberá pasar a control de este Colegio.

El camarlengo pidió el asentimiento para la propuesta y la obtuvo.

—En ese caso daremos cumplimiento a los dos acuerdos que acabamos de adoptar. ¿Tiene alguna de vuestras eminencias algún otro asunto que plantear?

—¡Sí!

Todos miraron hacia el cardenal Cibo.

—Entre vuestras obligaciones entra la de convocar el cónclave…

—Así es, eminencia —lo interrumpió el camarlengo con una burlona sonrisa en los labios.

—No me interrumpáis, Riario, no he acabado.

—Disculpadme, podéis proseguir.

—El desorden reinante en la ciudad, donde los robos, los saqueos y el pillaje están causando graves problemas, es una consecuencia del vacío de poder que hay en este momento. Acabamos de tener una muestra de ello en la carta que se nos ha dado a conocer. En mi opinión, hay que poner fin cuanto antes a este estado de cosas y, como bien saben vuestras eminencias, eso solamente será posible con la elección del nuevo Papa. Se hace necesario, pues, no dilatar la convocatoria del cónclave.

La propuesta de Cibo fue acogida con muestras de asentimiento, aunque el mordaz Aldobrandini comentó en voz baja al purpurado que se sentaba a su derecha:

—Cibo está muy excitado; son sus paisanos quienes se han llevado la peor parte en todo este caos.

—Sin embargo, tiene razón. En Roma no habrá orden hasta que tengamos un nuevo Papa.

—Señora, Giusti desea veros.

La mujer que atendía a la condesa alzó los ojos y miró a la joven con cara de pocos amigos.

—¿En estas condiciones? ¡Ni hablar! Lo que quiera que sea tendrá que esperar. La condesa no ha descansado en toda la noche, está abrasada por la fiebre.

A la mujer no le faltaba razón. Caterina tenía el rostro macilento y sus rubios cabellos estaban pegados a la frente por causa del sudor y de la humedad de los paños, que le colocaban para tratar de bajarle la calentura. Las tercianas, que la aquejaban periódicamente, habían aparecido la misma noche que se hizo cargo de la fortaleza. Soportó como pudo las primeras veinticuatro horas; tenía que alentar a sus hombres, pero las calenturas acabaron por rendirla.

—¿Qué quiere Jacopo? —preguntó con voz débil.

—No lo sé, mi señora, pero ha insistido en veros.

—¡Dile que vuelva más tarde! —indicó con tono autoritario la mujer que la atendía.

—No, aguarda un momento —ordenó la condesa—. Ayúdame a incorporarme y trae un almohadón para colocarlo en la espalda.

Le acomodó el almohadón a regañadientes.

—Señora, no estáis para recibir visitas.

—¿Tan fea me ves?

—No sé cómo os quedan ganas para bromear.

—Anda, dile a Jacopo que pase.

Giusti se descubrió al entrar e hizo una ligera reverencia.

—Lamento molestaros, *madonna*, pero creo que no me hubieseis perdonado no entregaros este mensaje. Es del cardenal Riario.

Caterina rompió el lacre y leyó el texto sin inmutarse, luego dejó caer la mano sobre la colcha, sin soltar el pliego. Conforme pasaban los segundos el silencio se hacía más espeso.

—¿Malas noticias? —preguntó Giusti temiendo molestar.

—Nada que no esperásemos. Los cardenales exigen la entrega de la fortaleza, se consideran a sí mismos los depositarios de la autoridad del sumo pontífice.

Después de un prolongado silencio Giusti preguntó:

—¿Hemos de tomar alguna disposición especial?

—Sí, dile al mensajero que Sant'Angelo continuará en manos de su castellano hasta que haya un nuevo pontífice.

—¿Necesitáis recado de escribir?

—No es necesario, díselo de palabra.

—Como ordenéis.

—Indícale al capitán que redoble la guardia, aunque no creo que esa pandilla se atreva a nada. Bastantes problemas tienen con lo que está ocurriendo en Roma.

Una vez que Giusti se retiró, Caterina indicó a la mujer que la atendía que le ayudase a levantarse. Necesitaba, a pesar de que las malditas tercianas volvían a mortificarla, escribir una carta.

—Señora, deberíais descansar, os encontráis muy débil.

—Deja de protestar y ayúdame. Tengo que escribir y el tiempo apremia. Después descansaré.

Con el cuerpo sacudido por la calentura escribió un corto mensaje, lo cerró y lacró, marcándolo con el dragón de los Sforza de su anillo. Reclamó la presencia de Giusti.

—¿Me habéis mandado llamar?

—Sí, ¿se ha ido ya el mensajero?

—Sí, mi señora.

—¿Estás en condiciones de cabalgar esta noche?

—¿Cabalgar?

—Hay que llevarle un mensaje al conde.

—¿A Paliano?

—No, poco antes de tu llegada, me comunicó que abandonaba el asedio. Sabía que su tío estaba muy mal y no se sentía seguro. Ahora está en Isola, en una villa de los Orsini. Supongo que los cardenales lo buscarán en Paliano, contamos con esa ventaja. ¿Podrás hacerlo?

—Al menos lo intentaré. Tenemos la ventaja de que el castillo no está asediado. Saldré después de la medianoche y mañana el conde tendrá vuestro mensaje.

Aquella noche la calentura perdió intensidad y Caterina durmió doce horas seguidas. La despertó el griterío de los soldados. En su alcoba no había nadie; sobresaltada, se tiró de la cama y se cubrió con lo que encontró a mano; llegaron hasta ella unos gritos.

—*¡Madonna! ¡Madonna!*

Venían de la galería. Algo había ocurrido mientras dormía y le dio mala espina encontrarse sola en la alcoba. Pensó que era el final y desenvainó su espada dispuesta a morir. La puerta se abrió de un empujón.

—*¡Madonna! ¡Madonna!* ¡Ha ocurrido algo…! —A la doncella se le atragantaron las palabras al ver a la condesa, sujetando la espada con las dos manos, dispuesta a defenderse.

—¿Qué ha ocurrido? ¿Qué son esos gritos?

—¡Señora, han llegado refuerzos!

—¿Refuerzos?

—¡Sí, mi señora! En Roma no se habla de otra cosa que de vuestra negativa a entregar el castillo a los cardenales. ¡La gente os aclama! ¡Os llaman la Dama del Dragón! Un capitán al frente de ciento cincuenta hombres ha entrado en Sant'Angelo para reforzar la guarnición. ¡Los gritos son de júbilo!

—¡Vamos a verlos!

—Pero estáis… estáis enferma.

—¡Estoy bien!

La doncella la ayudó a vestirse, luego bajó al patio y al verla aparecer con una espada en la mano, los gritos de los soldados se convirtieron en un clamor.

Su actitud, a pesar de estar casada con un sobrino del difunto Papa, había llegado al corazón de los romanos. Lo que ocurría en el patio de Sant'Angelo era un pálido reflejo de lo que sucedía en las calles de Roma, donde la aclamaban como una heroína. Todo el mundo aplaudía su gesto de enfrentarse a los cardenales.

Sin saber cómo, por todas partes circulaba la noticia de que Sus Eminencias la habían llamado loba. Sin proponérselo, el insulto de Aldobrandini tuvo un efecto mágico entre la plebe romana que consideraba a Caterina como un símbolo de su lucha contra la opresión pontificia. Para los romanos se convirtió en la Dama del Dragón. Su respuesta llenó de zozobra a los cardenales: ni siquiera se molestaba en dar explicaciones, había despachado al mensajero con un escueto no.

El camarlengo convocó de nuevo a Sus Eminencias para analizar la situación, mucho peor en las últimas horas. Ante su impotencia para afrontar el desorden callejero, Caterina era vitoreada por cada rincón de la ciudad.

—Aunque la actitud de la condesa hace que abriguemos

pocas posibilidades, creo que debemos insistir en que traspase el mando de Sant'Angelo —apuntó Raffaele Riario cuando consiguió un relativo silencio entre los cardenales.

—Eso es malgastar nuestro tiempo. Si antes rechazó nuestro requerimiento, ahora, reforzada y aclamada, ni se molestará en contestarnos. La clave está en lo que podamos lograr de su esposo —señaló Aldobrandini, que se cuidó mucho de motejarla nuevamente de loba.

—¿Se tienen noticias de Girolamo? —preguntó Rodrigo Borgia.

—Todavía no.

El cardenal español hizo un ademán significativo.

—Hace demasiados días que le enviamos el mensaje ¿Ha ocurrido algo que no sepamos?

—Cuando el emisario llegó a Paliano, Girolamo había abandonado el cerco. Ayer supimos que se encuentra en una propiedad de los Orsini, en las afueras de Isola. Hacia allí se encaminó un nuevo mensajero, esperamos respuesta de un momento a otro.

—Eso significa que nada podremos decidir en tanto no sepamos qué actitud adoptará.

—Siempre se puede negociar —señaló Giuliano della Rovere.

—¿A qué se refiere el cardenal de San Giorgio con la palabra negociar? —preguntó Rodrigo Borgia.

Della Rovere hizo un gesto displicente. Le caía mal aquel español engreído, dueño de una apariencia física que causaba impresión y cuyas aventuras amorosas provocaban escándalo en una ciudad como Roma, que no se escandalizaba por casi nada.

—Conozco a Girolamo, es persona propicia al acuerdo. Será cuestión de ofrecerle algo interesante.

La viperina lengua de Aldobrandini no se privó de efectuar un comentario:

—Los sobrinos del difunto cierran filas para no perder los beneficios que su tío les concedió.

—En tal caso —sentenció Borgia, aludiendo a las palabras de Della Rovere—, nada se puede hacer hasta que tengamos noticia de tu pariente, aunque he de manifestar mi admiración por su esposa. Si Girolamo obtiene algún beneficio de esta situación, tendrá que agradecerlo al coraje de su mujer.

Los dos purpurados se desafiaron con un cruce de sus miradas. Los presentes se percataron de que el odio que reflejaban sus pupilas no auguraba nada bueno.

Antes de que el camarlengo diese por concluida la reunión, Giovanni Battista Cibo insistió en la necesidad de acelerar el cónclave y poner fin a una situación cada vez más insostenible.

—Vuestra eminencia está en lo cierto —apuntó Aldobrandini—, pero coincidiréis conmigo en que el cónclave no puede reunirse con Sant'Angelo en las presentes circunstancias. Su artillería podría dictar condiciones, eso no sería adecuado en un asunto de tanta trascendencia. —Y añadió, bajando el tono de su voz—: Lo cual tampoco sería del agrado del Espíritu Santo.

La mayor parte de los cardenales no supo la causa que provocaba la risa de algunos de sus compañeros.

14

Las negociaciones se presentaron mucho más complicadas de lo que el cardenal Della Rovere había pensado.

Girolamo Riario, sabedor de que la actuación de su esposa fortalecía su posición, no mostró prisa por cerrar un acuerdo. El tiempo corría a su favor y cada día que pasaba, aumentaba la popularidad de Caterina.

En Roma empezaba a convertirse en una costumbre que grupos de hombres acudiesen a las inmediaciones de Sant'Angelo y aclamasen a la mujer que había desafiado el poder de los cardenales.

Aquella mañana, sin embargo, la heroína popular de Roma, muy recuperada de su último ataque de tercianas, estaba de un humor de perros. Hacía cinco días que Giusti había regresado de Isola y no tenía noticias de su esposo. En la carta escrita, con la calentura devorando sus entrañas, le pedía que acudiese a Roma, tomase el mando de Sant'Angelo e impusiese sus condiciones a la curia. Tal y como estaban las cosas podía obtener todo lo que pidiese.

Caterina pensaba que la diosa Fortuna era voluble y en cualquier momento los vientos, que soplaban favorables, podían cambiar de dirección. Era necesario aprovechar el momento para asegurar una posición que la muerte de Sixto IV había debilitado. Le hacía repetir a Jacopo una y otra vez el encuentro con su marido. El guardaespaldas le contaba que, después de leer el mensaje, se limitó a decirle que resistiesen y aguardasen sus noticias.

El tiempo, que alteraba los nervios de todos los involucrados en el conflicto de Sant'Angelo, parecía correr para Girolamo a un ritmo diferente.

Raffaele Riario decidió acudir personalmente a la villa de los Orsini, donde su tío dejaba pasar los días, mientras Roma se desangraba ante el desgobierno instalado en la ciudad.

El viaje resultó fatigoso en exceso. El calor de agosto era abrasador y las altas temperaturas convertían la atmósfera en irrespirable. Desde hacía dos horas el camarlengo aguardaba en una sala de la villa de los Orsini a que su tío apareciese. La larga espera había crispado sus nervios hasta el punto de que apenas podía contener la ira por lo que consideraba un desplante.

El cardenal ignoraba que todos sus movimientos y cada uno de sus gestos eran seguidos atentamente. Girolamo lo espiaba desde los ojos de una bella ninfa, que formaba parte de la escena mitológica que cubría una de las paredes. Agotada su paciencia pidió su capa y su sombrero, dispuesto a marcharse; sólo entonces su pariente hizo acto de presencia.

—¡Mi querido Raffaele, he de presentarte excusas por mi tardanza, pero un imprevisto ha requerido mi atención más tiempo del que yo hubiese deseado!

El bribón daba a su rostro un aire compungido, como si realmente lamentase la tardanza; el camarlengo no tardó en aceptar las excusas.

—Vayamos al grano y recuperemos el tiempo perdido —propuso el cardenal.

—Por supuesto, por supuesto.

—Como sabes, mi presencia aquí está relacionada con la

propuesta que te he hecho llegar. El Sacro Colegio, en cuyo nombre vengo, exige una respuesta inaplazable. La situación en Roma es mucho más complicada de lo que imaginas y el Colegio Cardenalicio exige que el conflicto del castillo de Sant'Angelo quede resuelto antes de comenzar el cónclave.

Aunque Girolamo sabía las razones de los príncipes de la Iglesia para proceder de aquel modo, preguntó, adoptando un aire de inocencia:

—¿Cuál es la razón de esa exigencia?

El cardenal lo miró con dureza.

—¡Vamos, Girolamo, no trates de tomarme el pelo! Eres el castellano de esa fortaleza. Sabes que su artillería podría destruir la basílica de San Pedro en pocas horas e imponer sus condiciones al cónclave. Los cardenales no quieren actuar bajo presión.

—En ese trance vuestras eminencias están asistidas por el Espíritu Santo.

—¡No estoy para bromas! Hace dos meses que te marchaste de Roma. La ciudad es un hervidero, y es imprescindible restablecer la autoridad; sabes de sobra que tal cosa no será posible hasta que haya un nuevo Papa.

—Para elegir al nuevo pontífice, sólo tienes que convocar el cónclave y eso está en tus manos. ¡Tú eres el camarlengo!

—Ya te he dicho que el Sacro Colegio se niega, mientras se sienta amenazado. Te hemos hecho una oferta generosa; si la hubieses recibido antes de que muriese nuestro tío, la habrías aceptado sin pensarlo.

—Tienes razón, Raffaele, pero las circunstancias han cambiado.

—Por eso, precisamente, se te han ofrecido ocho mil ducados y la promesa de resarcirte por las pérdidas sufridas en el saqueo de tu palacio.

—Promesas, promesas… Quiero hechos, no palabras que se puede llevar el viento.

El cardenal fijó su mirada en la pintura de las ninfas. Unos sátiros libidinosos las perseguían para poseerlas. Le pareció que el artista se había mostrado demasiado prudente: los desnudos apenas estaban insinuados. Debería haber sido más explícito.

—¿Cuánto quieres por tu palacio?

—Gasté veinte mil ducados.

Hubo un breve silencio. Su Eminencia seguía mirando la pintura; pensó que si las ninfas estuviesen desnudas, la escena ganaría mucha fuerza.

—Muy bien. Si esos veinte mil ducados son el problema, los tendrás.

—Quiero el compromiso por escrito de que el próximo Papa me confirmará en el gobierno de Imola y Forlì. ¡En los mismos términos en que disfruto su posesión!

—Lo que pides está incluido en la propuesta de acuerdo que te hemos hecho llegar.

—No es suficiente. Quiero un documento en toda regla, firmado por los responsables del Sacro Colegio.

El camarlengo asintió.

—Lo tendrás. ¿Cerrado el acuerdo?

—No.

El cardenal, que había dado por concluida la negociación y se acercaba para sellarla con un abrazo, se detuvo en seco.

—Girolamo, estás tentando a Dios.

—Quiero el nombramiento de capitán general de las tropas pontificias.

Raffaele Riario golpeó con el puño una mesa que tenía al lado. Los delicados objetos que había en ella bailaron.

—Sabes que no es posible. Ése es un nombramiento pontificio y no hay Papa.

—En este caso, me conformo con un nombramiento sin poder.

El rostro del camarlengo se transformó; a la tensión de la ira le sucedió una amplia sonrisa, aunque en sus ojos se adivinaba un fondo de duda.

—¿Una simple promesa?

—No exactamente. Cuando digo sin poder, me refiero a no tener el mando directo sobre las tropas.

—Ese nombramiento es papel mojado.

—Pero me confiere una dignidad superior a la que voy a perder al entregar Sant'Angelo.

Otra vez el cardenal dejó vagar su mirada por los frescos, como si buscase en ellos la trampa que escondía la propuesta de Girolamo. Analizó a toda velocidad las ventajas e inconvenientes de la petición.

—Teniendo en cuenta esas limitaciones, creo que puedo dar satisfacción a tus deseos, pero habrás de cumplir dos condiciones.

—¿Cuáles?

—La primera, tras la entrega de Sant'Angelo, tú y tu esposa abandonaréis Roma y os mantendréis alejados de la ciudad; al menos mientras duren las sesiones del cónclave.

El camarlengo sabía que esa condición carecía de importancia para su pariente; posiblemente hasta la deseaba habida cuenta del riesgo que corría estando en la ciudad, con los Colonna deseosos de venganza. La clave estaba en su esposa, en que Caterina Sforza aceptase salir de Roma. El peligro radicaba en la popularidad de la condesa, ella era la verdadera amenaza. Si, en nombre de su marido, había asumido el mando de Sant'Angelo, podía hacerlo con las tropas pontificias.

—No veo inconveniente. ¿Y la segunda?

El camarlengo sabía que allí estaba la clave para cerrar el

acuerdo, porque tenía carácter económico y en ese terreno su pariente siempre se mostraba menos dispuesto a hacer concesiones.

—Como comprenderás, en las circunstancias que propones, el cargo no tendrá remuneración.

Ahora fue Girolamo quien golpeó en la mesa y otra vez bailaron los objetos de cristal y delicada porcelana traída de Oriente.

—¿Pretendes que ejerza el cargo sin cobrar?

El cardenal, que tenía prevista una salida, nunca pensó que se lo fuese a poner tan fácil. Esbozó una suave sonrisa.

—¿Has dicho ejercer?

A pesar de que el cargo que ocupaba era una de las muchas consecuencias del nepotismo ejercido por el difunto Papa, Raffaele Riario poseía notables cualidades. Era un consumado maestro en el arte de la dialéctica, que era una de sus armas preferidas.

—¡Jamás, entiéndelo bien, jamás aceptaré esa condición!

—Se podría buscar una compensación para…

—¿Una compensación? —Girolamo no lo dejó concluir.

—¿Qué tal una cantidad más elevada por el saqueo del palacio?

—¿Cuánto?

—Podemos subir hasta los veinticinco mil ducados. Eso supondría varios años de soldada.

La resistencia que Girolamo ofreció fue pura palabrería. A la hora del almuerzo, el acuerdo estaba cerrado. Entregaría Sant'Angelo al Sacro Colegio.

Poco después del amanecer la noticia llegó al castillo: el comandante haría su entrada en la fortaleza a la hora del *angelus*.

Caterina aparentó una alegría que no sentía en su interior. Habían pasado siete días sin que su mensaje obtuviese respuesta y, en realidad, seguía sin tenerla. A pesar de todo, preparó una recepción acorde con la llegada. Hubo zafarrancho general: se limpiaron los cañones hasta que los bronces quedaron relucientes, los hombres bruñeron sus armas y vistieron sus mejores uniformes, se izaron los estandartes en todas las torres y, en la más alta, la enseña del comandante, la bandera con los colores de Riario y el dragón de los Sforza.

La guarnición con todos sus efectivos, salvo los hombres que estaban de servicio, formaba en el patio una hora antes del *angelus*. Para completar el recibimiento, la condesa ordenó que cuando el comandante cruzase por el puente tendido sobre el foso, se le saludase con una salva de artillería. Ella vistió el mejor de sus dos trajes y cubrió su torso con una ligera cota de malla que hacía resaltar su abombado vientre.

Poco antes del mediodía subió a las almenas para contemplar la entrada triunfal de su marido. Se sentía orgullosa de haber resistido y entregarle el mando de una fortaleza que le permitiría ejercer el papel de árbitro en un momento tan delicado. La muerte de Sixto IV no significaría su caída.

La imagen de Girolamo, flanqueado por las rojas vestiduras de dos cardenales, fue como una bofetada. El séquito que lo acompañaba, donde abundaban las gentes de hábito, avanzaba en medio de la indiferencia de la gente. Se escucharon algunos silbidos.

Giusti, inseparable al lado de Caterina, miró a su señora y comprendió lo que en aquellos momentos pasaba por su cabeza. Fue testigo de cómo tomaba la decisión que había mantenido en vilo a los cardenales, galopó a su lado sin descanso, pese a las molestias de un avanzado embarazo, para hacerse con el control de la fortaleza, la había visto arengar a los soldados, sostenerse en la enfermedad y hasta, sin proponérselo, alentar una ilusión entre las masas populares de Roma.

Supo que a una mujer como la que estaba a su lado, echando fuego por los ojos, su marido le acababa de hacer lo peor que podía hacerle: humillarla ante todo el mundo.

—Ordena que no se baje el puente, ni se abran las puertas.

—¿Que no se baje el…?

—¡Tampoco se dispararán salvas!

—Pero, mi señora.

—Haz lo que te digo.

—Sí, mi señora.

Caterina bajó al patio, donde aguardaban los hombres. Al verla, el capitán supo que algo no iba bien.

—¿Os ocurre algo, condesa?

—Nos han traicionado. Mi marido ha entregado Sant'Angelo a los cardenales.

Vitelli apretó los dientes.

—No me lo puedo creer.

—Asómate a la muralla y compruébalo tú mismo.

—Podemos resistir, condesa, los hombres os obedecerán hasta la muerte.

—Lo sé, mi buen Orlando, lo sé. Pero no tiene sentido.

El militar agachó la cabeza.

—¿Qué pensáis hacer?

—Decírselo a los hombres.

Caterina hizo un verdadero esfuerzo para hablar, las palabras salían de su boca con dificultad.

—En este momento, en que vamos a entregar esta fortaleza en cuyos muros late el peso de la historia, quiero mostraros mi agradecimiento a todos y cada uno. Con soldados como vosotros cualquier capitán podría emprender las mayores hazañas. Me siento orgullosa de vuestra lealtad y de vuestra valentía. Habéis dado muestra de gallardía a Roma y al mundo entero. Sé que, llegado el caso, hubieseis resistido hasta la victoria o hasta la muerte, si hubiese sido preciso.

Los hombres escuchaban en silencio. Podía percibirse el drapear de las banderas y de los estandartes agitados por el viento. No entendían muy bien por qué la condesa pronunciaba aquellas palabras.

—Sin embargo —prosiguió Caterina—, hay ocasiones en que las guerras no las pierden los soldados, porque hay batallas que no se libran en el campo. Nosotros, que hemos sido el orgullo de Roma, hemos... —Se le quebró la voz y tenía dificultades para seguir—. Nosotros hemos sido vencidos sin librar la batalla, pero sabed que cada uno de vosotros ha cumplido con su deber porque...

Ya no pudo seguir, le apretaba la garganta y las lágrimas habían asomado a los ojos. Caterina agachó la cabeza, en un intento inútil de que no la viesen llorar. Entonces brotó un ronco sonido que creció sin cesar, hasta convertirse en un ruido ensordecedor. Los soldados golpeaban sus escudos con las espadas, al modo en que lo hacían las legiones romanas cuando exaltaban a sus emperadores. Al rugir de las armas se unió el grito de trescientas gargantas, que la aclamaban:

—¡*Contessa*! ¡*Contessa*! ¡*Contessa*!

Giusti se acercó a ella, le dio un pañuelo y le susurró al oído:

—El conde está ante el foso. Reclama que se le abran las puertas.

Hubo de hacer un verdadero esfuerzo para dar la última orden:

—Ábridle, es el castellano de Sant'Angelo.

Caterina no pudo soportar la tensión del momento, eran demasiadas emociones. Despacio, sin perder la dignidad, abandonó el patio camino de sus aposentos. Mientras subía los escalones de piedra, ayudada por las dos mujeres que la habían atendido aquellos días, no dejaba de gemir. Hasta sus oídos seguían llegando los gritos de los soldados que continuaban aclamándola.

El capitán Vitelli ordenó a sus hombres que rompiesen la formación y cada cual acometiese sus tareas cotidianas.

—Aquí no hay nada que celebrar —lo escucharon murmurar.

Una vez que se encerró en su alcoba, Caterina dio rienda suelta a las lágrimas que había tratado de contener. Era un llanto de vergüenza por la actitud de un marido que la había traicionado. Pero con aquellas lágrimas derramaba también toda su ira.

15

Encerrada en sus aposentos se negó a recibir a su marido, con el que se comunicaba a través de la esposa del capitán Vitelli y de Giusti. Girolamo no comprendía la actitud de su esposa; estaba convencido de que el acuerdo negociado era sumamente ventajoso. Sin duda, haber sido hasta los veinticinco años un oscuro escribano de Savona había dejado una profunda huella en su personalidad.

La entrega formal de la fortaleza se realizó al día siguiente, 26 de agosto. Girolamo, que ya tenía en su poder el dinero pactado y los documentos que acreditaban su dominio sobre Imola y Forlì —el nombramiento de capitán general de las tropas pontificias sólo podía hacerlo el nuevo Papa—, firmó la entrega de Sant'Angelo, traspasando sus poderes de castellano. El relevo del mando se hizo en presencia de toda la guarnición del castillo, como correspondía a las grandes solemnidades. Pero en el rostro de los soldados se percibía un fondo de tristeza.

La aparición de Caterina en el patio resultó impresionante. Llevaba puesto un vestido de raso en tonos oscuros, que le había proporcionado la esposa de Vitelli, y cubría su cabeza con un sombrero ribeteado de piel, adornado con dos largas plumas. La acompañaban las mujeres que la habían ayudado durante aquellos agitados y tensos días. La palidez de su rostro señalaba el agotamiento, pero la espada que ceñía en la cintura manifestaba su verdadera voluntad.

Giusti, que sostenía por la brida su caballo, la ayudó a montar. Paseó la vista sobre la formación de soldados, como un general que revisa a sus tropas, y luego lanzó a su marido una mirada que Girolamo fue incapaz de sostener.

El silencio en el patio era tan impresionante que Raffaele Riario se sintió inquieto. Pensó que era lo más parecido a la calma que suele preceder a las grandes tormentas. Elevó una plegaria al cielo, implorando que todo acabase rápidamente.

Girolamo espoleó su caballo, lo seguían cuatro carretas cargadas con sus pertenencias y una docena de lanceros a caballo, la escolta que protegería el viaje hasta sus feudos en la Romaña.

Caterina lo vio alejarse, pero dejó que transcurriese un tiempo prudencial. Dificultada por el embarazo, se inclinó hacia delante y susurró algo al oído de su caballo, luego se incorporó y el corcel inició la marcha. Entre aquellos muros había hecho lo que tenía que hacer, lástima que su marido no hubiese estado a la altura de las circunstancias. Con gesto altivo y mirada desafiante pasó por delante de las filas de soldados, sólo se escuchaba el golpear de los cascos del caballo sobre las piedras del pavimento. Dejaba atrás la formación cuando un hombre gritó:

—¡Viva la *contessa*! ¡Viva la *contessa* Caterina!

Los soldados prorrumpieron en vítores.

En medio de aclamaciones abandonó el castillo de Sant'Angelo. Por fin, el cardenal camarlengo Raffaele Riario podía respirar tranquilo.

Girolamo había dispuesto que el viaje se realizase a pequeñas jornadas, no tanto por el estado en que se encontraba su esposa cuanto porque estaba pendiente de lo que ocurriese en Roma. Los cónclaves solían deparar grandes sorpresas y entre los papables había dos familiares —el propio camarlengo, quien, desde su cargo, podía manejar importantes hilos en la elección, y su primo Giuliano della Rovere—, además de varios cardenales con los que mantenía excelentes relaciones. Aunque era mucho mayor el número de sus enemigos.

Estaban ya cerca de Forlì cuando les llegó la noticia de que el cónclave había elegido un nuevo Papa. Era Giovanni Battista Cibo y había tomado, para ejercer su pontificado, el nombre de Inocencio VIII. Era una pésima noticia, porque se trataba de uno de sus peores enemigos. Las posibilidades de regresar a Roma se habían esfumado. Para Caterina había otro factor añadido que convertía en detestable a la persona elegida por el cónclave: el nuevo Papa se había mostrado como uno de los mayores enemigos de cualquier práctica que pudiese levantar la menor sospecha de estar relacionada con las llamadas ciencias ocultas, entre las que estaba incluida la alquimia.

El 4 de septiembre entraban en Forlì y, para sorpresa de Girolamo, pocos días después llegaba a sus manos la bula pontificia que lo ratificaba en el señorío de la ciudad y en el de Imola. Su sorpresa fue aún mayor cuando recibió el nombramiento de capitán general de las tropas pontificias, pero se le hacía saber que en Roma no sería bien recibido y que el cargo no llevaba consignación económica.

No podía quejarse. Raffaele Riario había cumplido todos y cada uno de los puntos del acuerdo firmado en Isola.

Las relaciones con su esposa eran frías y el distanciamiento de la pareja cada vez mayor. Ni siquiera el nacimiento del cuarto hijo del matrimonio, ocurrido a finales de octubre, trajo una mejoría.

Después del esfuerzo realizado, Caterina se sintió tan mal con la entrega de una fortaleza que les hubiese permitido imponer condiciones al cónclave, que consideraba a su marido un hombre incapaz de asumir retos importantes. Si su tío no hubiese sido elevado al solio pontificio, continuaría emborronando papeles en un cuchitril de Savona.

Las últimas semanas de 1484 fueron muy duras para ella, no sólo porque coincidieron con la cuarentena del alumbramiento, sino porque afloraron todas las tensiones de los meses anteriores. Las calenturas la torturaron de nuevo y hubo un momento en que se sintió tan mal, que creyó morir. Desde Milán su familia le envió un médico para que la cuidase. Su tío el Moro, que había desplazado de la regencia a su cuñada Bona y se había convertido en el verdadero dueño del ducado, se sentía orgulloso de ella.

Mientras que Girolamo se mostraba ajeno a los problemas de sus súbditos y se dedicaba a la caza, Caterina montó su laboratorio alquímico y con la ayuda de Alberti, un boticario de Forlì, dedicaba la mayor parte de su tiempo a realizar experimentos, destilaciones, buscar fórmulas para mejorar la belleza del cuerpo, combatir enfermedades y otras prácticas que rozaban el ocultismo y que el nuevo pontífice perseguía con saña creciente; algunas veces dedicaba tiempo a la fórmula del elixir que le entregara Leonardo, sin conseguir avances en su desciframiento.

Inocencio VIII consideraba las llamadas ciencias ocultas como prácticas demoníacas, los laboratorios de los alquimistas como las antesalas del infierno y a los propios alquimistas como brujos peligrosos, discípulos de Satanás. Había publicado una bula, la *Summis desiderantes*, para reprimir la brujería.

A veces, el recuerdo del pronóstico hecho por Ana la judía acerca de los problemas que le acarrearía Forlì laceraban su mente. La tranquilizaba comprobar que el tiempo transcurría sin que el terrible pronóstico se convirtiese en realidad. La inquietud y la zozobra no desaparecían porque la astróloga le indicó que no veía el desenlace como inminente. Los mejores momentos eran los que vivía compartiendo juegos con sus hijos; Caterina no tenía inconveniente en adoptar actitudes infantiles que hacían las delicias de los niños.

La atmósfera de Forlì, una ciudad provinciana con doce mil habitantes, le resultaba sofocante. En Roma causaba admiración, mientras que en la pequeña ciudad de la Romaña era la *madonna*, la señora. La limitación de medios materiales no le permitía organizar una corte como las de Urbino o Ferrara, donde sus señores ejercían un importante mecenazgo y atraían a los grandes artistas del momento, dando tono a la vida de esas ciudades. Al contrario, a comienzos de 1485, pese a la fuerte suma que la entrega de Sant'Angelo le había reportado, Girolamo se vio en la necesidad de anular las rebajas de impuestos que decretó cuando fue investido con el señorío de la ciudad. Las reuniones con los órganos de gobierno —el Consejo de los Cuarenta y el Consejo de Ancianos— fueron muy tensas.

Un malestar creciente se extendió entre los forliveses, a lo que se sumó un nuevo problema con la llegada del calor.

—La situación es mucho más grave de lo que vuestra excelencia pueda imaginar —indicaba a Girolamo su secretario.

—Creo que tus alarmas son infundadas. Los casos conocidos no alcanzan la docena. No es para tanto.

—Vuestra excelencia lo ha expresado muy bien, al referirse a los casos conocidos. El temor de la gente a que se tomen medidas es tal que prefieren enterrar a los muertos en los patios de las casas, sin que se sepa que estaban contagiados. Lo hacen para evitar las consecuencias.

—¡Eso es una locura!

—Vuestra excelencia ha de saber que es la práctica habitual. Ya ha ocurrido en otras ocasiones. En estos momentos lo más preocupante no está en la cantidad de muertos, sino en los síntomas que éstos presentan.

—¿Qué dicen los médicos?

—Ése es otro problema, excelencia, porque de los tres que ejercen en la ciudad, dos han huido y el tercero está enfermo.

—¿Los médicos han huido?

—Sí, excelencia. Se han aplicado a sí mismos una de sus máximas preferidas para luchar contra la peste: alejarse del contagio lo más aprisa que se pueda, lo más lejos posible y regresar cuanto más tarde mejor.

—¡Desvergonzados! ¿Qué medidas propones?

—Hay que establecer un control estricto en las entradas y salidas de la ciudad y también contratar algún galeno que sea persona experimentada en combatir la peste. También es necesario habilitar un lugar para que los enfermos y quienes han tenido contacto con ellos queden sometidos a una cuarentena. Es imprescindible que se lleven a cabo tareas de limpieza en las calles, todos los sabios apuntan a que el contagio pestilente se desarrolla mucho mejor en ambientes malsanos y putrefactos. Y también… —El hombre dudó por un instante.

Mientras escuchaba los medios para hacer frente a la epidemia, Girolamo había tomado una decisión. Si los médicos se marchaban, ¿por qué razón iba él a permanecer en la ciudad? Se limitaría a seguir su ejemplo.

—¿También qué?

—Aunque resulte impopular hay que entregar al fuego los

ajuares, los vestidos y todos los objetos que hayan estado en contacto con los contagiados. Ésa es la razón por la que la gente oculta a los enfermos y entierra a los muertos de forma clandestina.

—Todo lo que me has propuesto me parece razonable. Procede a ponerlo en marcha.

El secretario hizo un elocuente movimiento con los dedos y precisó:

—Necesito recursos, excelencia.

Girolamo arrugó el entrecejo. Como siempre que se tocaba un asunto económico, su semblante reflejaba malestar.

—¿Cuánto será necesario?

—Establecer un lazareto llevará no menos de trescientos ducados para acondicionar el lugar, pagar a los sirvientes y los alimentos de los que estén internados. Para la vigilancia de las puertas y del perímetro de las murallas, así como para las tareas de limpieza, se podrá contar con la colaboración de los gremios, pero habrá que aportar al menos otros doscientos ducados. Por lo que respecta al médico y algunos enfermeros, ignoro cuánto puede suponer su salario.

—¿Dónde podemos conseguir ese médico?

—El mejor lugar es Padua. Su escuela de medicina goza del mayor prestigio.

—Manda a buscarlo y que lo contraten. Mañana tendrás trescientos ducados para acometer las actuaciones que has planteado.

—Creo que esa cantidad no será suficiente, excelencia.

—Tendrá que serlo, tú eres un buen administrador. Ahora dile a Giusti que localice a la condesa. Estará en ese maldito sótano ofendiendo a Dios. Necesito hablar con ella.

Mientras aguardaba a que su esposa acudiese, llamó a su ayuda de cámara.

—Disponlo todo para salir de viaje. Nos marchamos.

—¿Cuándo, señor?

—Mañana al alba.

—¿Estaremos fuera muchos días?

—Mientras haya peste en Forlì.

Abandonaba el salón para cumplir el encargo de su amo cuando entró una de las doncellas de Caterina.

—¿Dónde está la condesa? —preguntó malhumorado.

—Perdonad, excelencia, pero la señora no está en palacio. Salió esta mañana, a primera hora.

—¿Adónde ha ido?

—No lo sé, excelencia, supongo que estará en la botica de micer Alberti.

—¿Qué hace la condesa con ese boticario?

La respuesta le llegó a Girolamo de forma inesperada.

—Ayudo, como mejor puedo, a luchar contra la epidemia.

—¡Caterina!

—Me han dicho que deseabas verme.

El conde ordenó a la doncella que los dejase solos. Cuando la joven se hubo retirado, comentó a su esposa:

—Salimos de viaje mañana al amanecer.

—¿Qué ha ocurrido?

—El mejor remedio contra la peste es alejarse de ella.

La sorpresa se reflejó en el semblante de Caterina.

—¿Vas a abandonar Forlì en una situación tan grave?

—Ordena que preparen tu equipaje, salimos al amanecer —insistió.

Girolamo, dando por terminado el encuentro, cogió un cálamo, lo mojó en el tintero y se dispuso a escribir.

—Yo no me marcho.

La fuerza de las palabras hizo que restallasen en sus oídos, como si fueran trallazos. Levantó la cabeza y miró a su mujer.

—¿Cómo has dicho?

—Que yo no me marcho. Si tú quieres, puedes hacerlo, pero yo me quedo.

Girolamo se puso de pie.

—¡Vendrás conmigo!

—No.

El contagio se manifestaba con una fiebre muy alta; al tercer día los enfermos empezaban a vomitar y en el cuello, las ingles y las axilas aparecían unas inflamaciones que, rápidamente, se convertían en negros bultos, a los que llamaban bubones. Cuando reventaban, era el anuncio de la muerte del enfermo.

El laboratorio de Caterina se convirtió en la botica donde se compusieron toda clase de remedios para combatir el contagio. La condesa, siguiendo los consejos de Alberti, produjo ungüentos, pelotillas y pócimas. Utilizando vinagre, sal, hierbas aromáticas y destilados, produjo grandes cantidades de desinfectante para limpiar y lavar las casas, donde la enfermedad alcanzaba a alguno de sus moradores.

La condesa acudió al lazareto para ayudar a los que estaban sometidos a cuarentena, llevar consuelo y animar a los enfermeros que allí prestaban servicios. Coordinó el trabajo de los gremios para hacer eficaces las funciones de vigilancia del perímetro de la ciudad y controlar las cuatro puertas de la muralla. Dio dinero a las familias necesitadas cuando se quedaban sin ajuar doméstico, reducido a cenizas por el fuego purificador con que se quemaban todos los objetos que habían estado en contacto con los contagiados.

Giusti estuvo a su lado en todo momento. La presencia del guardaespaldas hacía más llamativa la ausencia de su esposo.

La mujer a quien los romanos habían bautizado «la Dama

del Dragón» por su coraje al enfrentarse al poder de los cardenales, despertaba ahora la admiración de sus súbditos por la energía que desplegaba y la ayuda que prestaba a todo el que la necesitaba en medio de la calamidad.

Por Forlì corría el rumor de que la *madonna*, para hacer frente a los grandes gastos que requería luchar contra la enfermedad, había vendido parte de sus joyas. Unos decían que el comprador era un judío de Faenza y otros que estaban empeñadas en el Monte de Piedad de Florencia.

Poco a poco, la epidemia perdió fuerza. El número de defunciones bajó, en el momento más duro de la enfermedad las muertes fueron veinticinco diarias. En los tres meses que duró el contagio, hubo cerca de mil muertos. El mayor castigo lo soportaron los barrios más populares.

Cuando las defunciones cesaron y el médico paduano que había asistido a los enfermos certificó el final del azote, Caterina ordenó que fuesen echadas al vuelo las campanas de todas las iglesias de la ciudad. Las de la catedral de la Santa Cruz y las de la abadía de San Mercuriale compitieron, una vez más, como símbolo de la rivalidad que enfrentaba a sus cabildos. La gente se echó a la calle y hubo una numerosa concentración en la plaza Grande, aunque también eran muchos los que, temerosos, permanecían al resguardo de sus casas. La ciudad tardaría en recuperarse del duro golpe recibido.

Durante varias semanas se mantuvo abierto el lazareto, donde cumplían cuarentena los sospechosos de contagio. Estaba instalado extramuros, a unos quinientos pasos de la puerta Schiavonia, en uno de los molinos de la ribera del río, acondicionado para tal fin.

Una semana después de haber sido declarado el fin de la epidemia, se celebró un solemne tedeum en la abadía de San Mercuriale para dar gracias al santo patrón de Forlì, por estar libres del contagio y haber recuperado la salud. El obispo elevó una ruidosa protesta, por considerar que el lugar adecuado para la celebración del acontecimiento religioso no era la abadía, sino la catedral.

Girolamo llegó la víspera, avisado por su esposa a través de un escueto mensaje por conducto de Giusti. Disfrutó los tres meses de la epidemia dedicado a la cacería, el juego y otras diversiones en la finca que sus amigos los Orsini poseían en Isola; el mismo lugar donde se encontraba cuando cerró el acuerdo para entregar el castillo de Sant'Angelo.

Entraron juntos en la iglesia abacial, como correspondía al protocolo, pero la distancia que los separaba era ya un abismo; su matrimonio, cerrado como un acuerdo político, había vivido algunos momentos de pasión, pero tiempo atrás se habían enfriado. El templo estaba abarrotado de gente que los miraba con curiosidad. Su recorrido hasta llegar al estrado que tenían reservado al lado del presbiterio levantaba murmullos. Unos de admiración, otros de reproche.

16

—¿Crees que puedo presentarme en Milán de cualquier forma? Si no es posible hacerlo dignamente, no acudiré. No estoy dispuesta a ser el hazmerreír de todo el mundo.

—Caterina, me duele la cabeza, no tengo ganas de oír sermones. ¡Bastante tengo con los de la misa!

—Cada vez que hay un problema te duele la cabeza, pero se te ha pasado cuando te acercas a mi lecho para exigir el débito conyugal.

Girolamo hizo un gesto de hastío.

—¡Déjame en paz!

Arrugó la carta que llevaba en la mano; apretó tanto que se hizo daño al clavarse las uñas, pero no pudo contener su boca.

—¿Qué has hecho con el dinero que recibiste por vender Sant'Angelo?

Su marido levantó la cabeza y la miró con odio.

—¡No empecemos otra vez con la historia de Sant'Angelo!

—Yo te diré lo que has hecho. ¡Te lo has gastado en la mesa de juego con los Orsini! ¡Te lo has gastado con tus amigos en cacerías! ¡Te lo has gastado con prostitutas en infames prostíbulos!

—¡Basta ya!

Salió dando un portazo. Como siempre que tenía una trifulca con su marido se encerraba en el laboratorio, donde trataba de serenarse.

Aquel sótano, con escasa ventilación y gruesos muros de piedra apenas desbastada, se había convertido, además de en un lugar de esparcimiento, en un refugio ante las desavenencias de su vida conyugal que, sin embargo, no habían sido obstáculo para que hubiese dado a luz ya en cinco ocasiones, porque en diciembre del año anterior parió a su quinto hijo. En esta ocasión, Caterina se opuso a las pretensiones de su marido de dar rienda suelta a sus sueños de grandeza a través de los nombres de sus hijos. Impuso su criterio: aquel niño se llamaría Gian Galeazzo, como su padre.

El nepotismo, que había sido una descarada costumbre bajo el pontificado de Sixto IV, permitió a Girolamo durante muchos años disponer de grandes cantidades de dinero, que despilfarraba a manos llenas. Satisfacía todos sus deseos y gastaba sin medida ni tasa. Cuando su tío murió, las generosas ubres que habían alimentado sus caprichos y excentricidades se secaron. Como no sabía lo que era administrar, siguió gastando sin control y la fuerte suma que Raffaele Riario había puesto en sus manos fue dilapidada en poco tiempo. Por otro lado, las rentas de sus señoríos no le permitían mantener la lujosa vida a la que se había acostumbrado.

Girolamo tiró de la cuerda que tenía más a mano: exprimir a sus súbditos subiendo los impuestos, incluso los que gravaban artículos de primera necesidad como el pan o la sal. Pero en ese terreno las posibilidades eran limitadas y la resistencia popular se mostraba cada vez con mayor fuerza.

Caterina, encerrada en su laboratorio, desarrugó el papel que todavía tenía en la mano. Era la invitación que le enviaba su hermano Gian Galeazzo, duque de Milán bajo la tutela de su tío Ludovico, para asistir a la boda de su hermana Bianca María. Se trataba de un gran acontecimiento, que desbordaba el plano familiar porque contraía matrimonio con el hijo de Matías Corvino, rey de Hungría. El problema estaba en que no podía acudir a Milán de cualquier manera, tenía que hacerlo acompañada de un séquito adecuado a su dignidad y para eso no había dinero.

Miró con añoranza el papel y se imaginó lo que pensaría su bisabuelo, Muzio Attendolo, el campesino romañolo, si viera a su bisnieta emparentando con la realeza. Hacía mucho tiempo que deseaba viajar a Milán y aquélla era una magnífica ocasión para hacerlo, y reencontrarse con su familia y los recuerdos de su infancia.

Cogió un puñado de granos de una semilla negra, los echó en el mortero y desahogó su malhumor con el mazo. Mientras golpeaba con fuerza, pensó que no podría resistir mucho tiempo en aquellas circunstancias. Antes o después, tendría que pedir ayuda a su familia, pero su orgullo le impedía hacerlo para pagar un séquito con el que acudir a la boda. Girolamo lo habría hecho sin vacilar, pero ella era una Sforza.

El invierno de 1487 fue muy duro en todos los aspectos. La escasez de medios materiales sumió a Girolamo en un estado de melancolía que lo llevó a desentenderse de todo. Fue Caterina la que tuvo, como en otras ocasiones, que hacerse cargo de las tareas de gobierno.

El ambiente en Forlì estaba cada vez más enrarecido. Una rama lateral de los antiguos señores de la ciudad, los Ordelaffi, que vivían en Venecia acogidos a la protección que les dispensaba la Serenísima República, tenía sus partidarios. Informados de la situación, maniobraban para sumar voluntades a su causa. Explotaban el malestar reinante, sabedores de que la confirmación del señorío a Riario por el nuevo Papa había sido una concesión forzada. Los antiguos señores de Forlì eran conscientes de que Girolamo no contaba con su apoyo; al contrario, el pontífice estaría encantado con su caída e incluso se mostraría, *sotto vocce*, dispuesto a colaborar.

Ante la montaña de dificultades que tenía por delante Caterina se sentía agobiada. Aprovechando una ligera mejoría del estado de ánimo de su esposo, le planteó hacer un viaje a Milán. Ahora, fuera del marco de una celebración, podría hacerlo de forma más discreta, sin menoscabo de su posición. Deseaba ver a su familia y salir durante algún tiempo de la opresiva atmósfera que se respiraba en su pequeño feudo. Su espíritu necesitaba una bocanada de aire fresco que no podía encontrar ni en Imola ni en Forlì. Recordaba, como un sueño de su infancia, su encuentro con el maestro Leonardo, conservaba como uno de sus mayores tesoros el dibujo que le regaló y la fórmula allí escondida que tanto se le resistía. ¡Le gustaría tanto volver a verlo para sostener con él una plácida conversación y sobre todo para que le aclarase aquel enredo!

Su esposo vislumbró el viaje en términos muy diferentes. Perdido el apoyo de Roma, el mayor puntal con que podía contar era la familia de su esposa; no en balde, el ducado de Milán era uno de los más poderosos estados de Italia.

Caterina realizó el viaje en cuatro jornadas. A la caída de la tarde de la última de ellas divisó la alta torre, llena de columnas y arquerías, de la abadía cisterciense de Chiaravalle, adonde llegó con las primeras sombras de la noche. Estaba a cuatro millas del final de su viaje y decidió pernoctar en la hospedería de los monjes, porque deseaba entrar en Milán a plena luz del día. También porque el monasterio, al que acudía de pequeña con su madre, le traía gratos recuerdos: en su infancia fue a él en excursiones que se le antojaban largos y peligrosos viajes; primero, en un carro y más tarde sobre su propio caballo.

Por aquellos caminos se había convertido en una consumada amazona. Envió a Giusti a comunicar a su familia que pasaría la noche en Chiaravalle.

Cuando los monjes encargados de la hospedería supieron quién era su huésped, avisaron al prior, que acudió presuroso a presentarle sus respetos.

—Será un honor para este siervo de Dios, compartir esta noche su cena con la condesa.

Cansada tras unas jornadas tan duras, rechazó gentilmente el ofrecimiento.

—Me siento muy honrada, pero deseo retirarme temprano. Las jornadas del viaje han sido agotadoras.

—Aseguro a la condesa que se trata de una frugal colación —insistió el abad.

Sabía de sobra lo que significaba una frugal colación en algunos monasterios. Por no parecer grosera buscó una salida que resultara gratificante.

—Si vuestra paternidad no tiene inconveniente, desearía elevar una plegaria a Nuestra Señora y luego retirarme a descansar.

El abad no podía negarse a un deseo como aquél, por lo que aceptó la propuesta, que llevaba implícita el rechazo a su cena.

En la iglesia se sintió transportada a otro tiempo cuando se arrodilló ante las pinturas al fresco que contaban historias de la Virgen María. Allí había rezado, junto a su madre, docenas de veces, allí se distraía ante cualquier cosa que llamase su atención, desde el vuelo de una mosca hasta el leve ruido de un sacristán cuando apagaba cirios y velas, algunos de ellos muy altos, valiéndose de una larga pértiga, rematada en un pequeño capuchón metálico.

¡Cuánto había cambiado su vida!

Permaneció durante más de una hora tan envuelta en recuerdos y sensaciones, que apenas si rezó a la Madre de Dios con la que siempre había mantenido una relación muy especial.

A las afueras de Milán la esperaba su tío Ludovico, acompañado por Giusti y un grupo de jinetes. Sus ojos se llenaron de lágrimas al ver ondear al viento los estandartes con el dragón rampante. Se dejó caer en los brazos del Moro, que acarició con su mano la rubia cabellera de su sobrina. Caterina sintió el calor de la familia.

Cruzaron la muralla por la puerta Romana y notó un suave cosquilleo en el vientre cuando vio a los soldados que custodiaban la entrada vistiendo los colores de su familia. Hacía diez años que había salido de aquella ciudad para convertirse en la esposa del sobrino del Papa. Era poco más que una niña a la que su padre había utilizado como moneda de cambio para salir de una situación embarazosa, sin pensar en sus sentimientos. Ahora regresaba hecha una mujer que a lo largo de aquella década había tenido que asumir retos difíciles, tomar decisiones arriesgadas y afrontar situaciones comprometidas.

A lo lejos divisó el esqueleto, algo más relleno en los diez años transcurridos, del Duomo.* En su camino hacia la fortaleza que servía de palacio a su familia y desde la que gobernaban el ducado de Milán, dejó a la derecha el Hospital Mayor, conocido por los milaneses como *Ca'Grande* y mandado construir por su abuelo hacía más de tres décadas. También en su infancia correteó por sus patios y galerías.

Milán era una gran ciudad, que nada tenía que ver con Forlì. Era, junto a Venecia, la mayor ciudad del norte de Ita-

---

* La cúpula se acabó en 1500 aproximadamente, pero la fachada y las agujas son de los siglos XVIII-XIX.

lia, con sus sesenta o setenta mil habitantes, aunque eso era muy difícil de precisar porque mucha gente iba y venía, acudía a hacer negocios, resolver asuntos o elevar peticiones a los duques. No había más que fijarse en el número de los que entraban y salían por las puertas de la ciudad. Los Sforza habían convertido la corte en un lugar donde los artistas encontraban protección y mecenazgo, aunque en modo alguno su papel era comparable al que desempeñaban en ese terreno los Médicis en Florencia o los papas en Roma.

Las semanas anteriores al viaje había soñado con ilusión en su viaje, alejada de la presión de los asuntos de gobierno o la falta de recursos. Se había recreado, pensando en el encuentro con su familia y con los lugares donde había disfrutado de una infancia feliz.

Sin embargo, sus sueños se vieron frustrados.

Apenas llevaba una semana en Milán cuando un correo, procedente de Imola, le trajo una noticia preocupante: Girolamo estaba gravemente enfermo.

Se puso en camino inmediatamente porque las noticias eran alarmantes. Hasta sus oídos llegó el rumor de que, en realidad, se había quedado viuda. Gian Galeazzo dispuso que la acompañasen dos de sus tías, Bianca y Stella, y también su madre natural. Al grupo se incorporó Sofronisa, una mujerona que adoraba a Caterina, pero a quien el paso del tiempo no había dulcificado el carácter. Era una mujer dispuesta que, sin duda, le resultaría de gran utilidad. Emplearon tres días en hacer el viaje de retorno y cuando llegaron a Imola, Girolamo había mejorado considerablemente, pero era incapaz de asumir las tareas de gobierno. Durante la ausencia de la *madonna*, los problemas crecieron como la hierba en primavera.

Unos meses después de su regreso, cuando acababa de despachar los asuntos de gobierno, tras una larga jornada de trabajo que ya daba por terminada, llegó un correo procedente de Forlì.

El secretario le presentó sus excusas por entrar de nuevo en el gabinete de trabajo que, hacía unos minutos, acababa de abandonar.

—Señora, dispensadme, pero es muy importante. Una urgencia.

—¿Qué ocurre? —Caterina alzó la vista del libro de asiento que estaba revisando.

—Mi señora, ha llegado un correo de Forlì, el mensajero dice que se trata de un asunto muy urgente. He pensado que...

—¡Dámelo!

Caterina miró el sello y comprobó que lo enviaba Tolentino, su hombre de confianza en el gobierno de la ciudad; rasgó el lacre y leyó la carta:

Excelentísimo señor:

Deseo fervientemente que vuestro estado de salud sea bueno y que os hayáis recuperado definitivamente de la enfermedad que os aquejó la pasada primavera. Hacemos votos por ello.

Cumpliendo con mi obligación, me veo en el penoso deber de informar a vuestra excelencia que de un tiempo a esta parte, el castellano de Ravaldino, Melchiorre Zoccheo, actúa con gran insolencia y sin atenerse a las disposiciones establecidas por vuestra excelencia. En su inadmisible proceder ha llegado a proferir palabras injuriosas contra vuestra excelencia, atreviéndose incluso a decir que él es el único señor del castillo, en una provocadora actitud de rebeldía. Su insidiosa actitud ha dado lugar a todo tipo de comentarios muy perniciosos para el adecuado gobierno de la ciudad.

Lamento profundamente tener que comunicar a vuestra excelencia tan lamentables nuevas, pero si no lo hiciese faltaría a la confianza que vuestra excelencia ha depositado en mí.

En la ciudad de Forlì a 23 días del mes de julio del año de Nuestro Señor de mil cuatrocientos y ochenta y siete.

Vuestro más humilde servidor, Tolentino

La ira hizo que el rostro de Caterina enrojeciese paulatinamente.

—Dile a Giusti que venga. Tengo que hablar con él.

Minutos después sonaron unos suaves golpes en la puerta.

—Entra.

Jacopo estaba sudoroso, vestía ropa de faena.

—Disculpad mi aspecto, señora, pero me han dicho que era urgente.

Sin decir palabra, le entregó el pliego por encima de la mesa.

—Léelo y dime qué opinas.

El rostro del guardaespaldas era una máscara inescrutable. Cuando concluyó la lectura, se lo devolvió a la condesa.

—¿Qué pensáis hacer?

—¿Qué opinas?

Giusti se pasó la mano por el mentón, en el brillo de sus ojos se apreciaba cierta preocupación.

—Ignoro, mi señora, si Zoccheo actúa por su cuenta o forma parte de una trama. Si se tratase de lo primero es un imbécil, si fuese lo segundo es un peligro. En todo caso, opino que es un desafío que no podéis consentir. En Forlì no soplan buenos vientos.

—Soy de la misma opinión.

—¿Qué pensáis hacer? —reiteró Giusti.

Caterina se puso de pie y miró por la ventana.

—Hay luna llena. Ordena que preparen los caballos. Dentro de una hora salimos para Forlì.

—¿En vuestro estado, *madonna*?

La condesa palpó su voluminoso vientre con las manos, ya no podía abarcarlo. Estaba embarazada de ocho meses, a las puertas de un nuevo parto.

Los labios de la condesa apuntaron una sonrisa.

—No sería la primera vez.

En los ojos de Giusti brilló el recuerdo de aquel viaje que los condujo hasta el castillo de Sant'Angelo.

—¿En qué piensas?

—En Sant'Angelo, mi señora. Fueron buenos tiempos.

—Nos faltó culminar; si lo hubiésemos conseguido, hoy no estaríamos así.

—¿Cabalgaremos solos?

Caterina dudó un momento.

—Nos acompañarán dos hombres de confianza, que conozcan bien los caminos. Hemos de ser discretos, no podemos ir por la vía Emilia.

Cabalgaron durante toda la noche por caminos perdidos y sendas de cabras. La condesa no quería pasar por Faenza. Las relaciones con los señores del territorio que se interponía entre sus dominios de Imola y Forlì pasaban por un mal momento. Con una escolta tan reducida, prefería el esfuerzo de viajar por una ruta difícil a tener una sorpresa desagradable, aunque en las condiciones en que se encontraba supusiese un verdadero sacrificio.

Avistaron los muros de Forlì con las primeras luces del alba y se aproximaron con los caballos al paso. Los animales estaban agotados por el esfuerzo y dieron un rodeo por la muralla hasta llegar al castillo de Ravaldino. Los guardias acababan de abrir la puerta que permitía el acceso a la ciudad.

—¡Eh, vosotros! —gritó Giusti.

Los soldados que, bajo sus petos, no vestían los colores de su señor, miraron hacia donde les llamaban. Uno de ellos le preguntó:

—¿Qué tripa se te ha roto?

—¡Avisa a Zoccheo!

Los soldados prorrumpieron en carcajadas.

—¿A estas horas? ¡Tú debes estar loco! —El soldado se llevó un dedo a la sien.

Los cuatro jinetes se acercaron hasta la puerta y los soldados se pusieron en guardia.

—He dicho que aviséis a Zoccheo. *Madonna* Caterina está aquí y quiere verlo. ¡Vamos! ¡Rápido!

Los soldados repararon entonces en la presencia de la condesa, intercambiaron miradas de asombro y uno de ellos entró en la fortaleza.

La espera se prolongó durante más de veinte minutos. Aguardaron montados sobre los caballos, que agradecieron el descanso mordisqueando la hierba. Los soldados que custodiaban la puerta estaban nerviosos; en el interior del castillo la noticia de la presencia de la *madonna* debía de haber corrido como la pólvora porque, de vez en cuando, se veía asomar, furtivamente, la cabeza de algún soldado que buscaba con la mirada la figura de la condesa.

Por fin la corpulenta presencia de Zoccheo apareció entre las almenas.

—¿Quién me perturba tan a deshoras? —El castellano tenía una voz desagradable.

Caterina miró intencionadamente hacia su derecha; el sol levantaba ya varios palmos sobre la línea del horizonte.

—¡Soy *madonna* Caterina, ordena que abran la puerta!

La boca de Zoccheo apuntó un gesto de desprecio.

—¿Abrir la puerta? ¿Por qué he de hacerlo?

—¡Porque yo te lo ordeno!

El castellano soltó una risotada más desagradable que el timbre de su voz.

—Muy bien, *madonna*. La normativa señala que sólo accederán al castillo quienes conozcan el santo y seña. ¿Podéis decírmelo?

—¡Déjate de tonterías y ordena que abran a la condesa! —gritó Giusti.

—¡No, si no se me da el santo y seña!

El forcejeo continuó durante un buen rato, el suficiente para que, poco a poco, fuese concentrándose un número cada vez mayor de personas. Campesinos de los alrededores, que acudían a la ciudad, o trabajadores de camino a las huertas de la ribera o a los molinos, que se contaban a lo largo del cauce del río.

La situación de Caterina era difícil. Si no lograba forzar a Zoccheo y accedía a la fortaleza, su autoridad quedaría en entredicho.

—¡Tu insolencia ha llegado demasiado lejos! ¡Ordena que abran o consideraré tu actitud como un desacato a mi persona! ¡Un acto de rebeldía, cuyo castigo es la muerte!

La amenaza no pareció afectarle.

—Ya me habéis oído. Nadie entrará si no da el santo y seña.

—¡La *madonna* no lo necesita para entrar en su casa! —gritó Giusti.

—Si no hay santo y seña, no se entra.

Zoccheo se regodeaba desde la muralla. Impartió instrucciones a los soldados y a continuación se marchó. Caterina estaba atónita ante su actitud. Gritó tan fuerte que su amenaza tuvo que llegar hasta sus oídos.

—¡Juro ante estas murallas que acabaré con tu vida, aunque tenga que remover todas sus piedras, una a una!

Iracunda, tiró de las bridas del caballo y, sin tomarse mayor descanso, después de la humillante espera, inició el camino de regreso a Imola por los mismos andurriales que la habían traído la noche anterior.

Forlì se convirtió en un hervidero de rumores; cada día que pasaba, se añadían nuevos elementos al desafío que Zoccheo había lanzado a la *madonna*. Todo hacía presagiar que la revuelta estallaría de un momento a otro. El descontento por las subidas de impuestos había propiciado la impopularidad de Girolamo y ello había dado alas a Zoccheo para cuestionar la autoridad de su señor. Los partidarios de los Ordelaffi ya no se recataban en manifestar públicamente sus opiniones y alentaban a los indecisos a un levantamiento.

La situación era aún más delicada porque los enemigos de Riario sabían que podían actuar con impunidad. Inocencio VIII no movería un dedo, incluso estaría dispuesto a bendecir una insurrección. Las relaciones con Faenza, el vecino más próximo, eran malas y lo mismo ocurría con Florencia, donde los Médicis no olvidaban el papel de Sixto IV y sus familiares en la conjura de los Pazzi. Venecia, que apostaba por los Ordelaffi, había dado cobijo de hecho a los supervivientes de la familia durante aquellos años, amén de que la República no olvidaba que Sixto IV la abandonó en el conflicto de la Sal.

En realidad, los únicos aliados con que Riario podía contar eran los Sforza. Pero, posiblemente, los consejeros del duque de Milán se inclinarían por no intervenir de nuevo en la Romaña. La experiencia del duque Galeazzo los metió en un callejón sin salida, del que se libraron por el malsano deseo del anterior Papa de beneficiar a sus familiares.

Los días pasaban y si Zoccheo se preocupó en algún momento por la amenaza de Caterina, ya se había olvidado. Paseaba por las calles de Forlì alardeando y contando su desafío a todos los que querían escucharlo.

En los primeros días de agosto llegaron a Forlì varias partidas de soldados, atraídos por la noticia de que el castellano de Ravaldino ofrecía buena paga a hombres experimentados en la defensa de castillos. Uno de los que llegaron era un viejo conocido de Zoccheo con el que, tiempo atrás, participó en algunas campañas, bajo las banderas del Papa. Se llamaba Vincenzo Codronchi y hablaba pestes de Caterina Sforza.

Zoccheo invitó a su viejo camarada a compartir la mesa. Estaban en los postres cuando, ayudado por uno de sus hombres y un esclavo turco que lo acompañaba como guardaespaldas, asesinó a su anfitrión y con parte de los soldados llegados a Forlì recientemente, se apoderó de la fortaleza.

Dos días después pasaba a manos de Caterina, quien al frente de varias docenas de soldados entraba en Ravaldino. Zoccheo nunca supo que su compañero de armas estuvo en Sant'Angelo cuando la condesa retó a la curia.

Abandonó la fortaleza con todos los honores. Mientras sus soldados cruzaban el puente levadizo Caterina lo despedía desde lo alto de la muralla y en la torre más alta de Ravaldino ondeaba la bandera de Riario. Luego se escuchó el tronar de los cañones, que saludaban a las tropas que se marchaban. Vincenzo Codronchi y sus soldados se perdieron por la vía Emilia, el camino que conducía hacia el sur, hacia la Toscana. En Forlì nunca más se volvió a saber de él.

Caterina Sforza era otra vez la dueña de Ravaldino.

17

Se sentía al borde del agotamiento y su organismo le avisaba de un parto que estaba en puertas. Notaba su vientre desprendido y que la criatura había encontrado acomodo, preparando su salida. Los riñones protestaban, provocándole un fuerte dolor en la cintura, y sentía las primeras contracciones.

Deseaba regresar a Imola porque no quería parir en Forlì, pero había decisiones que no admitían espera y era ella quien tenía que tomarlas.

Se había instalado provisionalmente en su palacio, frente a la plaza Grande. Estaba en un sillón rodeada de almohadones que le recogían la cintura y le aliviaban el dolor; las piernas hinchadas reposaban sobre un escabel.

—¿Conoces algún remedio para darme fuerzas?

Alberti, el boticario, era ya un hombre maduro: había cumplido los cincuenta años y en su rostro enjuto se apreciaban numerosas arrugas, pero sus grandes ojos negros mantenían una vivacidad juvenil. La condesa tenía más confianza en él que en cualquiera de los charlatanes que practicaban la medicina a base de parrafadas en latín, muchas sanguijuelas para las sangrías y el deseo de aligerar el bolsillo de los enfermos.

—No es el embarazo la causa de vuestro agotamiento, mi señora, sino la tensión en que os encontráis.

—Necesito aguantar, al menos una semana más.

El boticario fijó su mirada en el abultado vientre.

—Olvidaos de todo y aguardad a que nazca vuestro hijo.

Caterina lo miró con un extraño brillo en sus ojos, donde apareció una expresión de dulzura.

—No deseo permanecer en Forlì, necesito algo que me ayude a soportar el viaje, ¿me crees si te digo que estoy apenada y triste?

—¿Por qué no iba a creeros? Os conozco desde hace tiempo y sé que tenéis un corazón sensible, aunque lo escondéis bajo una apariencia de dureza a la que, tal vez, os haya obligado la vida. Recuerdo vuestro comportamiento durante los meses de la epidemia.

—¿Te acuerdas?

—¡Cómo iba a olvidarlo, mi señora! ¿Por qué decís una cosa así?

Los ojos de Caterina se humedecieron y tuvo que hacer un esfuerzo para que las lágrimas no se desbordasen.

—Porque todo el mundo parece haberlo olvidado. ¿No observaste a la gente estos días de atrás? Iban a Ravaldino, a divertirse. A ver cómo me las componía frente a ese bastardo de Zoccheo. ¡Acudían allí como si aquello fuese un espectáculo!

Alberti agachó la cabeza.

—¿Acaso no fuiste a Ravaldino?

—No, mi señora.

—¿Por alguna razón especial?

—No deseaba veros en ese trance. Todo apuntaba a que no saldríais bien parada del empeño.

Caterina entrecerró los ojos y musitó:

—Gracias.

—No las merece, mi señora, habéis hecho por esta ciudad más que ningún otro de sus gobernantes. Durante generaciones el enfrentamiento entre güelfos y gibelinos trajo muerte y destrucción; después los Ordelaffi nos exprimieron sin piedad.

—¿Hay mucho malestar con la subida de los impuestos?

El boticario guardó silencio.

—¿No dices nada?

—Mi señora, vuestro esposo cometió un grave error cuando los bajó al hacerse cargo del gobierno.

—¿Por qué dices eso?

—Porque la memoria es frágil, como muy bien habéis señalado, y ya nadie recuerda aquello. Ahora, lo que todo el mundo tiene en cuenta es la última subida. En realidad, no pagamos más que cuando gobernaban los Ordelaffi.

Estaba sorprendida; nunca habían surgido aquellas cosas en sus largas conversaciones con el boticario. Siempre giraban en torno a las hierbas y sus propiedades, a los efectos curativos que tenían ciertas plantas y a la astrología, ciencia en la que Alberti era un experto; con todo, ella nunca le había hablado del elixir de Leonardo. Era como un reto personal, íntimo, que debía afrontar sola. Sin la ayuda de nadie.

Después de un breve silencio le preguntó:

—¿Qué hay de ese remedio?

—Veo que no estáis dispuesta a seguir mi consejo.

—No puedo, Alberti. No puedo.

—Si se quiere, se puede, mi señora.

—No en mi caso, créeme.

—Está bien, os prepararé una pócima, pero no podré aliviar vuestras molestias.

Soportó lo mejor que pudo el trabajo durante los dos días siguientes, en que recibió el homenaje del Consejo de Ancianos y del de los Cuarenta. Se mostró distante porque había tenido puntual conocimiento de su actitud durante la crisis de Ravaldino.

También recibió a una representación del capítulo de canónigos de la Santa Cruz. Tuvo que contenerse, por lo delicado de su estado, cuando el deán afirmó, sin el menor asomo de vergüenza, que habían elevado sus plegarias al Altísimo para que quienes osaban despreciar la autoridad legítima no lograsen sus propósitos. Caterina sabía que el obispo, que no había acudido a la audiencia por temor a las iras de la *madonna*, y algunos canónigos confraternizaron con Zoccheo durante el tiempo en que éste hizo pública ostentación de su insolencia.

Con el único que se mostró amable fue con el abad de San Mercuriale, que censuró públicamente en sus sermones la actitud del castellano de Ravaldino.

Mantuvo a Tolentino al frente del gobierno, pero hizo importantes cambios en el gobierno de la ciudad, sustituyendo a todos los que habían faltado a la fidelidad que le debían a su esposo. Por último, nombró un nuevo comandante para Ravaldino. Eligió para el cargo a Tommaso Feo, un joven de Savona, paisano de su esposo y hermano del gobernador de Imola. Eran gente fiel a los Riario.

Con aquellos cambios, pensó que su trabajo en Forlì estaba concluido. Todos los indicios apuntaban a que la actuación de Melchiorre Zoccheo no tenía ramificaciones que hiciesen pensar en una conjura. Había sido más la insolencia de un personaje con pocos escrúpulos y deseoso de asumir un protagonismo que no le correspondía.

Sin embargo, el malestar en Forlì era una realidad creciente y los partidarios de los Ordelaffi, que eran conscientes de ello, estaban al acecho y aguardaban su oportunidad. Girolamo no estaba a la altura de las circunstancias y lo que la crisis de Ravaldino puso de manifiesto era que bastaba muy poco para poner en cuestión la autoridad del señor. Cualquiera, con un mínimo de sentido común, podía extraer valiosas consecuencias de aquellos acontecimientos. La más importante era que, en caso de dificultad, los ciudadanos de Forlì no moverían un dedo en defensa de su señor.

Cuando el 16 de agosto Caterina abandonaba Forlì, la ciudad quedaba tranquila en apariencia. Emprendió el regreso a Imola aquejada de dolores de parto. Para atenderla en caso de necesidad, la acompañaban dos comadronas en el enorme carretón, tirado por cuatro mansas mulas, donde viajaba, tendida entre colchones y almohadones.

Giusti temió que diese a luz en algún descampado y todo se complicase, pero lograron culminar el viaje. A su llegada el sudor la empapaba, tenía fiebre y estaba a punto de parir. Su aspecto era lamentable.

Dio a luz al día siguiente. Un niño al que decidió ponerle Francesco, como el primero de los Sforza que asumió el título de duque de Milán. A su esposo le hubiese gustado llamarlo Rómulo, pero el tiempo en que Girolamo tomaba las decisiones pertenecía al pasado.

18

—¡Ya te he dicho que no! ¡En este momento no se puede molestar a la condesa! —La corpulenta Sofronisa reforzó sus palabras con un gesto amenazador.

Giusti alzó las manos y le mostró las palmas abiertas a la par que se encogía de hombros.

—Muy bien, tú asumes la responsabilidad.

—¡Por supuesto! —gritó la mujerona, que había tomado como algo personal que no se importunase a la madre cuando amamantaba al pequeño Francesco.

Caterina había decidido darle pecho, cosa que no había hecho con ninguno de los anteriores, amamantados por amas de cría, que era lo habitual. En palacio se murmuraba que era una más de las excentricidades de la condesa.

Hora y media después del primer intento, Giusti consiguió su propósito.

—Mi señora, como podéis comprobar, las noticias son muy graves.

—¿Cuándo llegó el mensajero?

—Hace más de dos horas.

Caterina rugió:

—¿Cómo no se me ha avisado antes?

—No ha sido posible, mi señora; estabais dando de mamar al pequeño.

No pudo evitar que a sus labios asomase un amago de sonrisa.

—¿Sofronisa?

—Sí, mi señora. Creo que podríais ahorraros mi sueldo; ella se basta y se sobra.

Caterina volvió a leer el mensaje.

—Aquí dice que Tommaso Feo ha logrado detenerles.

—Sí, mi señora, los seis están detenidos, pero…

—Pero crees que es necesario que acuda a Forlì.

Giusti guardó silencio.

—Es eso lo que crees, ¿no?

—El asunto es muy grave y vuestro esposo…

Los delicados dedos de la *madonna* tamborilearon sobre la mesa. Se levantó y se acercó hasta la emplomada ventana que daba al jardín, la abrió y una ráfaga de viento metió la lluvia en la estancia, mojándole la cara. Con el recién estrenado otoño llegaban las lluvias y con ellas un intenso olor a tierra mojada.

—Estoy de acuerdo en que es necesario ejercer la autoridad y administrar la justicia que el caso requiere, pero, por lo que dice Tommaso en su carta, la situación está bajo control.

—Eso parece.

—Saldremos mañana, pero viajaremos en el carretón que me trajo de Forlì hace unas semanas.

—Tardaremos mucho más tiempo en hacer el viaje.

—No hay tanta prisa como para que me deje atrás a Francesco. Lo llevaré conmigo para seguir amamantándolo. Doblaremos la escolta; en esas condiciones somos mucho más vulnerables a los peligros del camino.

Giusti hizo una reverencia.

—Lo dispondré todo para mañana.

Antes de partir tuvo que enfrentarse a Sofronisa. El ama

de llaves gritaba, llevándose las manos a la cabeza, que la condesa se había vuelto completamente loca.

—¡Viajar sin haber salido de la cuarentena y con un niño que tiene pocas semanas!

Caterina, que desde el gabinete escuchaba sus protestas, pensó que habría gritado igual si hubiese decidido dejarse atrás al pequeño Francesco, a los pechos de un ama de cría buscada a toda prisa. En todo caso, aunque no se lo dijera, Sofronisa llevaba razón al aludir a la cuarentena. Tenía decaído el ánimo, pero eso no era problema para una mujer de su temple.

—Aprovecharon que era domingo para llevar a cabo su criminal acción. El sargento de la torre Cotogni escuchaba misa en San Mercuriale y el retén de guardia estaba reducido a cuatro hombres porque, siendo fiesta, tampoco la vigilancia de la puerta requería mayores controles.

Tommaso Feo llevaba más de una hora explicando lo que había expuesto de forma breve en el mensaje enviado. La *madonna* lo interrumpía a cada momento, preguntándole por pequeños detalles sobre lo ocurrido.

—¿Los soldados ofrecieron resistencia?

—Sí, mi señora, pero se vieron sorprendidos. Trataron de defenderse y dos de ellos resultaron heridos.

Pensó que, si estaban heridos, no formaron parte de la conjura.

—¿Cuál era la consigna que gritaban?

Feo ya la había dicho en dos ocasiones, la repitió una vez más.

—¡Iglesia! ¡Ordelaffi! ¡San Marcos!

Se levantó y se puso a pasear por la habitación, con las manos a la espalda. Al cabo del rato, preguntó:

—¿No hay ninguna duda?

—Ninguna, mi señora.

Caterina suspiró. Aparte de las graves carencias materiales que la aquejaban, aquellas tres palabras resumían sus principales problemas.

—Cuéntame otra vez cómo estaba planificada la acción.

—Sus planes contemplaban que, inmediatamente después de apoderarse de la torre, docenas de conjurados recorrerían las calles repitiendo los gritos que ya conocéis. Los partidarios de los Ordelaffi se sumarían a la algarada y, según sus planes, muchos forliveses mostrarían su apoyo. Pero las cosas no ocurrieron así. Las docenas de conjurados que alentarían a rebelarse a la población quedaron reducidos a unos cuantos individuos que gritaron la consigna en la plaza Grande y nada más.

—Ahora, explícame cómo lograsteis reducirlos.

—Como os he dicho, apresamos a dos de los que gritaban en la plaza y después, conminamos a los que estaban en la torre Cotogni a que depusiesen su actitud, indicándoles que la conjura había fracasado. El desánimo hizo presa en ellos, que acabaron enfrentándose entre sí, porque dos eran partidarios de resistir y cuatro de entregarse con condiciones. Aprovechamos un descuido para escalar la torre y reducirlos. Los dos que no querían entregarse se enfrentaron a mis hombres y murieron.

—¿Tenemos, pues, seis prisioneros?

—Así es, condesa.

—Y por lo que me has contado, ninguna clase de compromiso.

—Ninguna, porque no se llevó a efecto la negociación.

—¿Dónde están encerrados?

—En las mazmorras de Ravaldino, *madonna*.

—Muy bien, prepara todo lo necesario para llevar a cabo los interrogatorios.

—Lo dispondré todo para mañana.

—Para dentro de una hora.

—Disculpadme, *madonna*, pero…

Caterina no le permitió terminar la frase.

—Dentro de una hora… y seré yo quien los interrogue.

Los interrogó durante largas horas, sólo interrumpidas para darle de mamar al pequeño Francesco, que estaba al cuidado de las doncellas.

Sobre los cuatro detenidos en la torre Cotogni no albergaba dudas acerca de su culpabilidad, las pruebas eran abrumadoras. Sus preguntas buscaban información de la verdadera dimensión de la conjura. Apenas la obtuvo.

Más complicado fue el interrogatorio de los dos prisioneros, acusados de lanzar consignas para agitar a la población. El primero confesó su participación en los hechos, cuando el verdugo dio la primera vuelta al potro. Pero el segundo, un joven que no habría cumplido los dieciocho años, después de dos tratos de cuerda, seguía proclamando su inocencia, a pesar de que había gemido de forma lastimera cuando el verdugo le aplicó el tormento y la cuerda mordió su piel.

—Si eres inocente, ¿por qué te han detenido? —le preguntó Caterina.

—Porque estaba en la plaza Grande cuando unos hombres gritaron «¡Iglesia! ¡Ordelaffi! ¡San Marcos!».

—¿Sabes qué significado tienen esas tres palabras?

—No puedo precisarlo, pero sé que van en contra del gobierno de vuestro esposo y a favor de la familia de los antiguos señores.

—¿Y qué piensas de eso?

El joven, que apenas cubría su cuerpo con un taparrabos, estaba empapado en sudor.

—Señora, yo no sé de política, soy un aprendiz de curtidor, que desea convertirse en oficial para poder casarse con la mujer que ama.

—Pero tendrás tus preferencias entre los Ordelaffi y los Riario.

El muchacho entornó los ojos, estaba asustado.

—Me da igual, con cualquiera de los dos tendré que pagar impuestos. Los señores son todos iguales.

—¿Sabes quién soy?

—Claro.

—¿Quién soy?

—Sois *madonna* Caterina, la esposa del señor. Os vi hace algunas semanas enfrentaros al castellano de Ravaldino.

A Caterina le llamó la atención la sinceridad del muchacho. En sus circunstancias, la mayoría de la gente habría elegido a Riario, por pura conveniencia.

—Entonces, ¿por qué has dicho que te da igual Riario que Ordelaffi?

—Porque es la verdad, tan verdad como que no tengo que ver con nada de lo que se me acusa.

En aquel momento, supo que el muchacho era inocente.

—¡Suéltalo! —ordenó al verdugo.

—Mi señora, aún queda el tercer trato.

—¡Te he dicho que lo sueltes!

Desató las cuerdas que lo sujetaban por el pecho, los brazos y los muslos; por algunos sitios tenía la piel desgarrada y por otros la sangre saltada.

Mientras se ponía la ropa, le preguntó su nombre.

—Antonio Brighetto, pero todos me conocen como Antonello, el de Pandulfo.

—Ve a casa de Alberti, el boticario, ¿sabes dónde vive?

—Sí, mi señora, detrás de San Mercuriale.

—Dile que vas de mi parte, que te cure y te dé friegas con alcohol de romero.

Sacó un ducado de la faltriquera y lo lanzó al aire. Antonello lo cogió al vuelo.

—¡Un ducado de oro!

—¿Te parece poco?

—¡No, mi señora, qué va! ¡Jamás había tenido una moneda de éstas!

Al día siguiente, poco después del alba, un jinete partió para Imola. Llevaba las sentencias que Caterina había dictado: cinco penas capitales. La ejecución sería en la plaza pública, por descuartizamiento. Girolamo, como señor de Forlì, tenía que firmarlas.

Mientras aguardaba, dedicó su atención al pequeño Francesco al que dispensaba un cariño especial porque, decía Caterina, cuando lo llevaba en el vientre lo sometió a mayores peligros que a sus hermanos. Compartió el tiempo con Alberti, hablando de las plantas y sus propiedades, y también de política. Se enteró de que por Forlì empezaba a correr un extraño rumor.

—¿Qué es exactamente lo que se dice?

—Que sois viuda.

—¿Cómo es posible que digan eso?

No podía dar crédito a lo que acababa de escuchar.

—Muy sencillo: hace tiempo que vuestro esposo no da señales de vida. No se tienen noticias suyas desde que se marchó hace casi siete meses. Se afirma que por Imola tampoco se le ve y, sobre todo, que sois vos quien ha acudido a Forlì en las comprometidas situaciones, vividas últimamente. Se dice que le habéis dado sepultura a escondidas con el propósito de ocultar su muerte.

Caterina se quedó pensativa y Alberti remató:

—No negaréis que su actitud resulta, cuando menos, extraña.

Tres días después regresó el mensajero que partió para Imola.

Girolamo se negaba a firmar las sentencias, una gota más para alimentar los rumores sobre su muerte. Con su actitud daba argumentos a sus enemigos. Tendría que convencerlo para que regresara a Forlì y la gente lo viese, sólo su presencia acabaría con los rumores, aunque sabía por experiencia que los rumores cobran vida, pero casi nunca tienen paternidad.

Firmó las sentencias y poco después del amanecer se marchó para Imola.

19

Caterina volvió a su tarea de golpear en el mortero para convertir las piedras en un fino polvo rojizo, al que luego trataría con azufre. Pasaba largas horas concentrada en sus alambiques y en el fuego del hornillo para mantenerlo a una temperatura constante, con el propósito de conseguir un emplasto para mitigar el picor de los sabañones. Pensó que permanecía demasiado tiempo encerrada en su laboratorio. En la soledad de aquel sótano daba vueltas a su cabeza, buscando la forma de plantearle a Girolamo la necesidad de viajar a Forlì. Apenas salía más que para comer, dormir y amamantar al pequeño Francesco, porque descartó la posibilidad de que se lo bajasen. Los efluvios de los destilados y los vapores de los cocimientos podían ser perjudiciales para el pequeño. Allí guardaba venenos y sustancias muy peligrosas.

La condesa se quitó el mandil y los manguitos de cuero con que se protegía los brazos, estiró el vestido de terciopelo morado, pasado de moda, para eliminar unas inexistentes arrugas y sacudió la cabeza; los rizos dorados de su cabellera se agitaron. A sus veinticuatro años era una mujer hermosa, que se encontraba en el esplendor de su belleza, pese a haber parido en seis ocasiones. Por todas las cortes de Italia se ponderaban sus encantos y se hablaba de sus aficiones y de su coraje.

Si su proceder en Sant'Angelo la había convertido en una heroína para los romanos, sus actuaciones en Forlì, difundidas por todas partes, no hicieron sino acrecentar la fama de su nombre.

Se encaminó hacia el salón grande, la pieza más importante del palacio, y allí planteó a su esposo la necesidad de abandonar Imola para instalarse en Forlì. Encontró a Girolamo en una disposición que no esperaba. Cuando le contó el rumor que corría entre las gentes, su respuesta fue una sonora carcajada.

—¿Así que esos miserables afirman que estoy muerto?

—Muerto y enterrado.

—Pues, como tú dices, lo mejor será sacarlos de su error.

—En tal caso, lo dispondré todo para ponernos en camino.

La celebración de la Navidad en familia le proporcionó unos días de felicidad como no los recordaba desde hacía tiempo. Los siete hijos, porque había acogido a Scipione como a un miembro más de la familia —al fin y al cabo los hijos ilegítimos eran frecuentes y el joven representaba el mismo papel que ella entre los Sforza—, alegraban con sus gritos, sus carreras y diabluras el palacio de Forlì, adonde habían llegado a mediados de diciembre.

La mañana del 22 recibieron unas cajas con un regalo extraordinario del monasterio de los franciscanos. En ellas, enterradas en paja, había numerosas figuras modeladas en barro, que representaban personajes de la Natividad de Nuestro Señor. Los niños estaban embelesados.

Desde que, en 1223, el santo de Asís pidiese al papa Honorio III licencia para escenificar en la gruta de Greccio una representación del nacimiento de Jesús, los franciscanos habían impulsado esa piadosa práctica, que algunos años después se hacía en muchas iglesias, pero sustituyendo a los actores por figuras. Caterina había leído que en Florencia, Arnolfo di Cambio presentó en 1289, hacía dos siglos, un conjunto de figuras para recrear con ellas el ambiente y las circunstancias en que se produjo la venida del Salvador al mundo. Hacía algunos años que se había popularizado en iglesias, monasterios y oratorios la instalación de pesebres para que los fieles, en su mayoría analfabetos, pudiesen ver una representación de tan extraordinario acontecimiento. Algunas familias encargaban pequeñas imágenes, de poco más de una cuarta, con los personajes que, según los evangelios, habían tomado parte en el nacimiento de Jesucristo. Un pequeño recién nacido en un pesebre, representaba al Salvador; la Virgen, joven y cubierta con su manto y agachada sobre su Hijo; san José, con aspecto de anciano, de pie, vigilante, con su cayado en la mano. Una mula y un buey, y un ángel que anunciaba la buena nueva a un grupo de pastores que cuidaban sus rebaños. Y los Reyes Magos, que, vestidos con lujo, llevaban los presentes a Jesús.

Caterina, ayudada por su madre, Sofronisa, Giusti y un par de criadas, dedicó toda la tarde a preparar el escenario, en un rincón del salón de las Ninfas. Colocaron unos tablones sobre unos caballetes y dispusieron una especie de estrado, que revistieron con una pieza de terciopelo verde. Sobre aquel espacio, utilizando serrín, pequeños trozos de madera, piedras y plantas, construyeron una gruta y un paisaje sobre el que colocaron las figuras que los franciscanos les habían regalado. Los niños gritaban, aplaudían, discutían o se enfadaban, pero fueron unas horas deliciosas. Caterina se sentía madre y se alegraba de estar en Forlì.

Aunque Girolamo no participó en la fiesta que supuso instalar en su propia casa la representación del nacimiento del

Niño Jesús, que por aquellas fechas podía verse en las iglesias y en los conventos, estaba más animado. Se dejó ver por las calles, poniendo punto final a los rumores sobre su muerte, recibió visitas protocolarias y acudió a algunas celebraciones religiosas. Estaba menos taciturno e incluso, para sorpresa de Caterina, se interesaba por algunos asuntos de gobierno.

Las navidades transcurrieron en un ambiente de sosiego, incluso de alegría y felicidad. Caterina estaba más pendiente de los asuntos del hogar que de su laboratorio. Participó en las celebraciones religiosas y organizó un banquete familiar para celebrar la Navidad. Deseaba fervientemente que fuese su marido quien asumiera las labores de gobierno. Conforme pasaban los días pensaba que no era una ilusión, sino algo posible.

Girolamo, cuyas finanzas estaban al borde de la bancarrota, decidió con la llegada del nuevo año imponer unos gravámenes sobre las actividades artesanales y sobre las propiedades. Parecía recuperado del miedo que lo impulsó a abandonar precipitadamente Forlì el año anterior. Había vuelto a las partidas de caza y a las costosas diversiones que esquilmaron su hacienda. Buscaba dinero por todas partes.

Una mañana llamó al arrendador de las carnicerías públicas para exigirle el pago de doscientos ducados, que adeudaba a las arcas señoriales. Era una bonita suma.

Checo Orsi, el arrendador, compareció dando muestras de humildad.

—Ha sido un mal año, excelencia, pero mi voluntad es cumplir con mis obligaciones.

—¿Cuándo? Porque he perdido la cuenta de los años que llevas sin pagar.

—Lo antes posible, excelencia.

—¿Cuándo? —insistió el conde.

—Quizá después de verano.

—¿Después de verano? —Girolamo golpeó en la mesa—. ¡Eso es demasiado tiempo!

—Las carnicerías necesitan ciertos arreglos que no pueden esperar. —El hombre mantenía la cabeza agachada.

—Busca la forma de pagar la deuda o acabarás con tus huesos en una mazmorra. ¡Retírate!

El tiempo pasaba y el arrendador de las carnicerías no saldaba su deuda; al contrario, cada semana ésta se incrementaba. Girolamo pensaba cumplir su amenaza de encarcelarlo, pero dudaba. Era consciente de que el ambiente no le era propicio, el malestar crecía entre los poderosos gremios de artesanos con la nueva tasa que gravaba las actividades y entre los rentistas, que vieron cómo aumentaba el impuesto sobre sus propiedades. Llevar a la cárcel por deudas a un ciudadano, aunque era legal, levantaría protestas.

Un domingo salía de la misa mayor de San Mercuriale, rodeado de servidores y lacayos. Había mucha gente en la plaza, cuando vio a Checo Orsi.

Girolamo no midió sus palabras.

—¡Eh! ¡Orsi! ¡A ver cuándo pagas! ¡No comprendo cómo andas entrampado, cuando todo el mundo se queja de que sisas en el peso! ¿En qué gastas el dinero? ¡Me han dicho que no sales del burdel!

El carnicero se marchó abochornado. Hasta sus oídos llegaban las carcajadas y las chanzas de los acompañantes de Riario.

Dos de los hombres, que contemplaban la escena, se mostraron desafiantes con la mirada. En sus ojos podía leerse el rechazo a lo que acababan de ver.

—¡Eh, vosotros! ¿Os ocurre algo? —les gritó Riario.

Uno de ellos se encaró con el conde.

—¡Sí, ocurre! ¡Vuestra excelencia no tiene derecho a insultar y humillar públicamente a un honrado ciudadano!

El que lo acompañaba lo agarró del brazo y tiró de él para alejarse, pero sus palabras habían levantado murmullos de aprobación. Los acompañantes de Girolamo rodearon a su señor, temiendo que ocurriese algo. Tommaso Feo, que estaba a su lado, se llevó la mano a la espada, pensando por un momento que todo aquello respondía a un plan.

No era así. Había sido el propio Riario quien, con su actitud hacia Orsi, había provocado una situación comprometida. Ciertamente el carnicero era un truhán, pero Girolamo no había actuado adecuadamente.

Los habitantes de las comunas y ciudades italianas eran fieros defensores de los derechos que a golpe de rebeliones, sangre y luchas habían arrancado a los señores. A diferencia de lo que ocurría en otros lugares de Europa, no se podía insultar a un ciudadano sin provocar una reacción de rechazo.

Unos golpes secos sonaron en la puerta. Al poco rato volvió a escucharse su sonido en medio del silencio de la noche, alterado únicamente por el llanto de un pequeño.

Los dos hombres, nerviosos, se arrebujaron en sus capas porque, aunque fuese primavera, después de ponerse el sol refrescaba mucho.

—¿Quién va? —escucharon, al fin, preguntar desde el otro lado de la puerta.

—¿Vive aquí Checo Orsi?

Pasaron los segundos y no obtuvieron respuesta. Uno de los individuos insistió otra vez, ahora con más suerte.

—¿Quién pregunta?

—Amigos.

—¿Amigos? ¿Cómo os llamáis?

—¿Eres Checo Orsi?

—Sí, ¿quiénes sois vosotros?

—Jacomo da Ronco y Ludovico Pansecco.

—¿Qué queréis?

—Hablar contigo.

—¿A estas horas? ¡Estáis locos!

—Queremos hablar contigo de tu deuda con Riario.

—Ya os podéis marchar y decirle a Su Excelencia que to-davía no tengo el dinero. ¡Que no me moleste a estas horas!

—Cree que venimos por cuenta de Riario —susurró uno de los individuos.

—Escucha, Orsi, ¿piensas que si nos mandase ese cabrón, estaríamos llamando a tu puerta? ¡Ya le habríamos pegado fuego a tu casa! Venimos a hablar contigo para que ese malna-cido no vuelva a injuriarte como lo hizo esta mañana.

—¿Sois los que os habéis enfrentado a él en San Mercuriale?

—Sí, somos nosotros.

—Aguardad un momento.

Orsi desatrancó la puerta y la abrió lleno de desconfian-za. Había colgado el candil en un clavo y sostenía en su mano la tranca. No se fiaba. Los miró de arriba abajo, estudiándo-los como si fuesen ganaderos que quisieran venderle unas reses para la carnicería.

—Adelante. ¡Pasad!

Checo atrancó la puerta y cogió el candil.

—¿Por qué habéis escogido estas horas para venir?

—Porque cuantos menos sepan que hemos estado juntos, mejor.

Llegaron a una sala, donde los rescoldos de una chimenea señalaban que el fuego había estado encendido hasta hacía poco.

—Sentaos. ¿Queréis un poco de vino? Tengo un pellejo casi lleno.

Los visitantes asintieron. Checo llenó unos cuencos de barro hasta el borde.

—Ahora explicadme qué es eso que deseáis contarme de mi deuda con Riario.

—¿Estáis seguros de que no es una trampa?

—Completamente.

—Lo ha vejado de tal modo, que no ha aceptado el dinero que le ofrecimos.

—En ese caso, ha llegado la hora.

Un grupo de hombres salió de la casa. Eran ocho en total; tres de ellos aceleraron el paso y se adelantaron, dejando atrás las callejuelas que se extendían tras la puerta Schiavonia, la zona oeste de la ciudad. Era el barrio donde se concentraba la actividad artesanal más molesta. Allí estaban los curtidores de pieles, que impregnaban las callejas de un hedor nauseabundo, que los vecinos habían asumido como algo habitual; también trabajaban los tintoreros, con sus grandes tinajas para teñir tejidos y cueros, o los papeleros, cuya materia prima, principalmente trapos viejos, resultaba repugnante.

Pasaron por delante de la catedral de la Santa Cruz, llegaron a la plaza Grande y miraron la hora que marcaba el reloj de la torre del Popolo, la del Palacio Comunal. Todavía faltaban unos minutos para la hora convenida.

Para disimular los nervios y no levantar sospechas, se pusieron a pasear, fingiendo conversar distraídamente. Sin poder remediarlo, Orsi miró hacia la esquina donde estaba el cepo, la *zòca* lo llamaban los forliveses, y tuvo un mal presentimiento. Lo tranquilizó algo ver que por una de las esquinas llegaban los cinco hombres que habían salido con ellos.

Pasaban ya algunos minutos de la hora convenida y Orsi, que era el que estaba más nervioso, no pudo contenerse.

—¡Te dije que no me fiaba! ¡Ese hijo de puta se ha rajado!

Si hubiese aguardado sólo unos segundos, podría haberse ahorrado el insulto porque en la puerta del palacio apareció el individuo que esperaban. Era el ayuda de cámara de Riario.

Tal y como habían acordado, los tres hombres se acercaron hasta él y, tras un cruce de palabras, entraron en el palacio. Los dos guardias, que sostenían una animada charla con unas criadas, apenas les prestaron atención. Los acompañaba el ayuda de cámara del señor.

—Seguidme y hacedlo con toda naturalidad.

Subieron la escalera y recorrieron la parte alta de la galería hasta la misma puerta del salón de las Ninfas. Allí estaba Girolamo revisando unos papeles y haciendo anotaciones. Estaba solo.

—Discúlpenos, vuestra excelencia, pero está aquí el arrendador de las carnicerías; desea veros.

Orsi irrumpió en el salón, sin esperar autorización, y se acercó hasta la mesa. Girolamo se dio cuenta de que estaba muy excitado.

—Excelencia, os traigo una letra que podréis hacer efectiva en un mes.

El carnicero metió la mano en su jubón, sacó una daga y sin mediar más palabras se la clavó en el pecho. El golpe fue mortal porque Girolamo, sorprendido, no había tenido tiempo de protegerse. Instantes después los otros dos conjurados entraron en el salón y se sumaron al apuñalamiento. El ayuda de cámara se escabulló escaleras abajo, mientras a su amo se le escapaba la vida a borbotones.

Una criada, que pasaba por allí, notó algo raro y al ver abierta la puerta, se asomó. Al contemplar la terrible escena, huyó despavorida, gritando:

—¡Han asesinado al señor! ¡Han asesinado al señor!

En pocos instantes el palacio se había convertido en un caos.

20

Ludovico Orsi aguardaba en la plaza junto a otros cuatro hombres. Todos ellos lanzaban furtivas miradas hacia las ventanas de palacio hasta que, por fin, vieron aparecer a su hermano con un brazo en alto. No había dudas, acababan de lograr su propósito. Ordenó a los mercenarios contratados que redujesen a los guardias, que no eran más de media docena porque la guarnición de la ciudad estaba en la fortaleza de Ravaldino.

Sorprendidos, los soldados apenas ofrecieron resistencia. Ludovico supo que había llegado su momento.

—¡Viva el pueblo y la libertad! —comenzó a gritar, animando a sus compinches, que corearon las consignas.

La gente en medio de la plaza los miraba desconcertada, pero algunos más se sumaron a los gritos.

—¡Viva el pueblo y la libertad!

—¡El tirano ha muerto!

Nadie sabía lo que ocurría. Miraban hacia palacio y, efectivamente, se veía agitación y se escuchaban voces. Los más decididos se sumaron al griterío.

Dos partidarios de Girolamo se enfrentaron a los alborotadores y, burlándose de ellos, pusieron en duda sus palabras.

—¡Mentís como villanos! ¡Lo mismo que mentíais cuando afirmabais que estaba enterrado! ¡Bellacos!

—¡El bellaco eres tú por defender a un tirano!

El cruce de insultos culminó con las espadas en la mano. La lucha fue breve porque los dos hombres, acosados por un número superior, no pudieron resistir mucho.

Ludovico Orsi susurró a uno de sus hombres en medio de la confusión:

—Algunos se han sumado, pero la gente duda. Hay que mostrarles el cadáver de Riario.

Mientras dos de los hombres corrían hacia el palacio, el hermano del carnicero alzó su espada ensangrentada y gritó una vez más:

—¡Viva el pueblo y la libertad!

La muchedumbre estaba conmocionada. Por todas las entradas a la plaza llegaba cada vez más gente. El rumor se extendía por la ciudad como un reguero de pólvora. Todo eran gritos, agitación y dudas; sobre todo, muchas dudas. En tan poco tiempo corrían ya rumores muy dispares. Algunos cuestionaban la muerte de Riario, los forliveses estaban escarmentados. Además, eran muchos los que preguntaban dónde estaba la condesa.

—¡Allí! ¡Mirad allí!

El grito se elevó por encima de la multitud. Los que miraron hacia el individuo, vieron que señalaba con el brazo extendido en dirección a una de las ventanas del palacio, allí un par de hombres asomaban el ensangrentado cadáver de Girolamo Riario.

Ludovico Orsi corría de un lado para otro, animando a la gente. Algunos se sumaron a los conjurados y los gritos arreciaron, pero eran muchos los que se mantenían como espectadores. Fue entonces cuando los que mostraban el cadáver lo dejaron caer. Se estrelló contra el suelo con un golpe seco. Por un momento los gritos cesaron. El difunto estaba cosido a puñaladas.

—¡Viva el pueblo y la libertad! —gritó un hombre, que se acercó hasta el cadáver y le escupió.

Fue como una señal, muchos otros se abalanzaron sobre el cuerpo sin vida para golpearlo con palos o arrojarle piedras.

Los gritos arreciaban, en la plaza se había desatado el tumulto.

Ataron el cadáver con unas cuerdas y lo arrastraron por la plaza.

Caterina supo que la siguiente víctima sería ella, pero la situación en palacio le impedía huir para ponerse a salvo. Se refugió con sus hijos, su madre, Sofronisa, algunas doncellas y varios criados en unas dependencias de la planta alta. Allí, trató de ganar tiempo y tomar las únicas disposiciones que estaban a su alcance. Consciente de que, con los soldados de la guardia reducidos, su única posibilidad estaba en Ravaldino, ordenó a Giusti que se marchase rápidamente para dar instrucciones muy concretas al responsable de la fortaleza. Acalló con energía las protestas del guardaespaldas:

—No pierdas un instante en palabras. A ti te será más fácil salir y allí se encuentra nuestra única posibilidad de salvación.

El mensaje para Tommaso Feo era que, bajo ninguna condición, entregase la fortaleza a los conjurados, ni aunque ella se lo pidiese.

En medio del desconcierto, tuvo tiempo de escribir dos breves cartas, que entregó a dos fieles en los que podía confiar, con instrucciones muy precisas.

—Lo importante es que lleguen a su destino, no respondáis a provocaciones.

Una era para el duque de Milán y la otra para Giovanni

Bentivoglio, señor de Bolonia. Eran los únicos gobernantes a los que podía pedir ayuda.

Una vez que los dos se hubieron marchado, se permitió dar rienda suelta a sus sentimientos. Cuando Checo Orsi y sus secuaces irrumpieron en las dependencias donde estaba refugiada, se enjugó las lágrimas y adoptó una actitud de dignidad que los paralizó momentáneamente.

—¿Qué hacemos con ella? —preguntó a Orsi un individuo de aspecto siniestro, que tenía los dientes picados.

El carnicero dudó, la mujer de Riario era otra cosa. La había visto enfrentarse a Melchiorre Zoccheo y acabar con él. Hasta allí llegaban los ruidos de otras dependencias del palacio, donde algunos partidarios de Girolamo ofrecían resistencia a los conjurados, y también los gritos de la plaza.

—¡Nos la llevaremos prisionera! —sentenció Orsi.

—¿Qué hacemos con los demás? —preguntó Pansecco, que sostenía en sus manos la daga ensangrentada con que había asestado las puñaladas.

El cabecilla lo pensó un momento.

—También nos los llevamos.

—¿Adónde?

—A mi casa.

Pansecco lo interrogó con la mirada.

—Es un lugar seguro y los mantendremos como rehenes.

Conducida por individuos armados, que se habían decantado definitivamente por ponerse al lado del ganador, salió a la plaza, donde pudo ver cómo ultrajaban el cadáver de su marido. Los chiquillos, asustados por la muchedumbre y la terrible escena, rompieron a llorar.

El semblante de Caterina era impenetrable, como si llevase puesta una máscara. No dejaba traslucir sentimiento alguno. Cuando la multitud se percató de su presencia, los gritos se fueron apagando, hasta que se hizo un silencio tan intenso que parecía irreal.

Por un momento Checo Orsi tuvo miedo ante el respeto que producía la presencia de la condesa. En el infortunio, su imagen desprendía una dignidad que provocaba admiración y, en algunos, temor.

—¡Vamos, andando!

Caterina echó a andar rodeada de los pequeños, con la vista al frente, sin mirar a ninguna parte; detrás iban su madre, Sofronisa y las doncellas. La gente se apartaba en silencio, abriendo camino.

Apenas abandonó la plaza los gritos volvieron a arreciar, las turbas se lanzaron sobre el palacio y comenzó un terrible saqueo. Eran muchos los que estaban dispuestos a hacer leña del árbol caído y aprovechar la oportunidad que ofrecía el momento.

Caía la tarde y continuaba el pillaje que se había extendido a algunas casas de reconocidos partidarios de Riario. Lo que los saqueadores no podían llevarse lo destrozaban. Muchos vecinos, sobrecogidos por los sucesos, optaron por encerrarse en sus hogares.

Después del toque de oración comenzó la reunión del Consejo de Ancianos, convocado por Checo Orsi con carácter de urgencia. Mientras los consejeros llegaban, en la antesala de la cámara de sesiones podían escucharse comentarios de muy diversa índole.

Algunos afirmaban que aquello era una locura que no traería nada bueno, mientras que otros opinaban que se había puesto fin a una situación contraria a los intereses de Forlì. La cuestión más interesante la planteó un anciano de especto venerable, cuando preguntó:

—¿Quién está detrás de esto?

Aguardó una respuesta, pero nadie abrió la boca.

—Si todo es el producto de la cólera de unos hombres resentidos, lamentaremos lo ocurrido. ¿Qué pueden aportar el arrendador de las carnicerías y sus cuatro secuaces, vecinos todos del barrio de Schiavonia?

Hubo gestos de preocupación que no hicieron sino aumentar cuando Checo y Ludovico Orsi, quienes aparecían ya como los máximos responsables de la conjura, indicaron que el impulso que los había llevado a actuar era su rechazo a la insoportable tiranía de Riario y la falta de libertad para el pueblo.

Algunos pensaron que detrás se encontraban los Ordelaffi, apoyados por Venecia; o incluso los Médicis, que devolvían a Riario su participación en la conjura de los Pazzi. Pero todo apuntaba a que no había nada de eso.

—¿Con qué apoyos contáis para completar lo que habéis iniciado? —les preguntó Maso Maldenti, presidente del Consejo, una vez declarada abierta la sesión.

—¿A qué os referís? —preguntó Checo visiblemente nervioso.

—Muy sencillo, ¿con qué fuerzas contáis para tener la ciudad bajo control y apoderaros de Ravaldino?

—Con los ciudadanos de Forlì.

El anciano alzó sus picudas cejas y, a duras penas, contuvo la expresión de sorna que espontáneamente se había dibujado en sus labios.

—¿Quieres repetir lo que acabas de decir?

—Los forliveses han clamado esta tarde en la plaza Grande por la libertad.

Hubo agitación en los asientos de los ancianos.

—¿Nada más?

—¡También tenemos en nuestro poder a la condesa y a sus hijos! —exclamó Ludovico.

Maso Maldenti asintió con ligeros movimientos de cabeza.

—¿Y qué pensáis hacer?

—Mañana Tommaso Feo nos entregará Ravaldino, si no quiere ver cómo ejecutamos a *madonna* Caterina.

—Será un acto digno de verse.

—¿Acaso lo dudáis?

El anciano se encogió de hombros.

—¿Habéis tomado alguna otra disposición de cara al exterior?

—Buscaremos la alianza con Venecia o con Florencia.

En la sala se escucharon murmullos de protesta, que se cortaron cuando el presidente dio un fuerte golpe sobre la mesa.

—¡Ni hablar, Orsi! ¡No consentiremos que se entregue la ciudad a esos mercaderes; nos considerarán como sus siervos y tratarán de exprimirnos como si fuésemos naranjas! ¡Jamás!

Se repitieron los murmullos, ahora eran de asentimiento.

Los dos hermanos intercambiaron nerviosas miradas. Fue Ludovico quien preguntó:

—¿Tenéis alguna propuesta?

—No, sois vosotros quienes habéis solicitado la reunión de este Consejo. Me temo que os habéis metido en un callejón con pocas salidas. La situación es mucho más difícil de lo que el calor de los hechos puede haceros creer. En mi opinión, la única posibilidad para que lo emprendido, sin encomendaros ni a Dios ni al diablo, no acabe en un completo desastre es que busquéis la protección del Papa y os acojáis al gobierno de la Iglesia.

—Ya te dije que este Consejo está en manos de los güelfos —murmuró Ludovico al oído de su hermano.

—¿Decías algo? —preguntó el presidente.

—Nada, simplemente que con vuestra propuesta muy pronto volveremos a tener otro vicario de Roma.

—Hay otra opción. —La voz del presidente sonó crispada.

—¿Cuál?

—Que Roma ejerza el poder de forma directa.

—¡Jamás!

Un instante después, Ludovico estaba arrepentido de haber gritado. El silencio se había vuelto tan espeso que podía cortarse.

—Si despreciáis nuestro consejo, ¿para qué habéis solicitado que se hiciese esta convocatoria?

—Disculpad a mi hermano —señaló Checo—, la jornada ha sido muy tensa.

—Se acepta la disculpa y ahora escuchadme atentamente. Este Consejo no os reconoce ninguna autoridad porque el poder que en este momento pudieseis tener, deriva de un acto violento. No nos inmiscuiremos en vuestras actuaciones, cuya responsabilidad es exclusivamente vuestra. La muerte de Girolamo Riario, señor de Forlì por nombramiento del sumo pontífice, crea un vacío de poder, que solamente puede ser cubierto por la autoridad de Roma. En consecuencia, someto al Consejo la propuesta de enviar inmediatamente al obispo de Cesena, como gobernador pontificio de ese territorio, un escrito en el que solicitamos, hasta tanto Su Santidad se pronuncie, acogernos al gobierno de la Santa Madre Iglesia. ¿Alguno de los consejeros solicita que el voto sea mediante bolas?

Todos permanecieron en silencio.

—En tal caso, los que estén de acuerdo con la propuesta que acabo de plantear, que alcen su mano derecha —propuso Maldenti.

Todos alzaron la mano.

—Por unanimidad. El escribano redactará el mensaje que enviaremos a Su Ilustrísima, monseñor Savelli, comunicándole la decisión de este Consejo. Se levanta la sesión.

El presidente ni se había tomado la molestia de consultar el parecer de los cabecillas de la conjura.

21

El mensajero salvó en menos de dos horas las diez millas que separaban Forlì de Cesena. Salió antes del amanecer para llegar a la ciudad episcopal con las primeras luces del alba. Avistó las murallas cuando algunos campesinos de los alrededores aguardaban ya a que los soldados abrieran las puertas.

El humor del obispo, agriado por un brusco despertar, cambió cuando conoció el contenido del mensaje. Ordenó a su mayordomo que avisase a fray Domenico, mientras se lavaba el torso y la cara en una jofaina. Se vistió a toda prisa porque el fraile, su coadjutor, se presentaría en pocos minutos.

El obispo daba ligeros sorbos a un tazón —lo primero que hacía cada mañana era beber su infusión de hierbas—, cuando el fraile pidió permiso para entrar en la alcoba. En pocas palabras lo puso al corriente de la situación.

—Acepta, pues, en nombre de Su Santidad. Después, sin pérdida de tiempo, debes llevar a cabo la *correva de la piazza*. Es muy importante para que la toma de posesión sea efectiva. ¡No puedes imaginar lo quisquillosos que son esos ancianos! Recuerda que son tres vueltas completas.

—Sí, ilustrísima.

—¿Alguna duda?

—Ninguna, ilustrísima.

—En ese caso, ponte en camino. En circunstancias como éstas no es conveniente perder un instante. Anuncia que yo llegaré más tarde, una vez que deje resueltos los asuntos más urgentes.

En Forlì, después de los robos y saqueos de la víspera, el ambiente estaba enrarecido. Había una tensa calma y mucha expectación. La mayoría de las casas mantenían cerradas sus puertas y ventanas, con sus moradores refugiados en el interior. Nadie sabía el derrotero que podían tomar los acontecimientos.

Los conjurados apenas habían logrado sumar a su causa un centenar de vecinos en condiciones de empuñar las armas. Era una cifra ridícula para intentar apoderarse de Ravaldino, donde se encontraba la clave para controlar la ciudad. En aquellas circunstancias, la mejor baza con que contaban los asesinos de Girolamo era tener en su poder a la condesa y sus hijos.

La falta de un plan hizo que surgieran diversas alternativas, convertidas pronto en disputas. Unos eran partidarios de ofrecer el señorío de la ciudad a los Ordelaffi, lo que supondría el apoyo de la poderosa Venecia. Otros preferían la ayuda de Florencia, por cuanto significaba una alianza con los Médicis. Algunos se inclinaban por la propuesta del Consejo de Ancianos.

A pesar de que el tiempo corría en su contra, no tomaron ninguna decisión, ni lograron alcanzar acuerdos. Las dudas y la polémica hicieron que decayese el ánimo de algunos de sus partidarios.

La llegada del representante del obispo Savelli dio un nuevo giro a la situación. Fray Domenico no perdió un instante: después de ser recibido por los ancianos, realizó el acto popular de toma de posesión. Montado a caballo dio tres vueltas a la plaza, en medio de una concurrencia ansiosa por ver un desenlace. Cumplido el trámite, indicó que lo más conveniente era aguardar la llegada de Su Ilustrísima, cosa que ocurrió poco después del mediodía. Savelli, una vez informado de la situación, ordenó que lo condujesen hasta la casa de los Orsi para entrevistarse con la condesa. Al astuto eclesiástico no se le escapaba el hecho de que Caterina era una Sforza, emparentada con el poderoso duque de Milán, quien además tenía lazos familiares con tres cardenales que representaban un poderoso frente: Ascanio Sforza, Giuliano della Rovere y Raffaele Riario. Demasiado poder para dejarlo de lado.

El obispo se mostró obsequioso.

—Señora, lamento la muerte de vuestro esposo, ha sido un suceso deplorable.

Caterina, que estaba de pie rodeada de sus pequeños, no le manifestó su agradecimiento por la condolencia. Sólo deseaba conocer el motivo de su presencia en la ciudad.

—¿Ha viajado vuestra ilustrísima hasta Forlì para manifestarme vuestro pesar?

—La muerte del conde nos ha causado una profunda impresión.

—Eso no explica vuestra presencia.

—He acudido a la llamada del Consejo de Ancianos. Ellos representan la autoridad, después de... después de... la muerte de vuestro esposo.

Pensó que no merecía la pena precisar que la muerte de su esposo tenía un nombre. Era un crimen horrible. Le interesaba mucho más no pasar por alto algo que el obispo había dado por sentado.

—La autoridad en Forlì la represento yo, como madre de los hijos de Riario. No reside en el Consejo de Ancianos.

Savelli sabía que la batalla con Caterina Sforza no sería fácil, pero nunca pensó que comenzaría tan pronto.

—Señora, el Consejo…

—¡El Consejo de Ancianos, como todos los demás consejos, es, simplemente, un órgano de consulta, de asesoramiento! Vuestra ilustrísima lo sabe de sobra, lo mismo que sabe que carece de poder ejecutivo. ¡No olvidéis que, aunque prisionera, estoy viva! —Caterina había alzado la voz.

—¿Se os guarda la consideración debida a vuestra dignidad? —El obispo creyó que podría apaciguar la situación.

—¡Vedlo vos mismo! ¡Diez personas en una habitación, con problemas para hacer las necesidades! ¡Un niño que todavía no ha cumplido un año! —Señaló al pequeño Francesco, que estaba dormido en los brazos de su abuela—. ¡Acerca de la comida, ni os hablo!

—Os aseguro, señora, que inmediatamente ordenaré poner remedio a esta situación.

—¿Con qué autoridad, Savelli?

La pregunta era todo un desafío.

—Con la que me da mi dignidad eclesiástica.

El obispo abandonó la casa de Orsi con una obsesión; tenía que sacar a la condesa de la casa del carnicero. En primer lugar, porque si quería consolidar su posición, tenía que privar a los cabecillas de la conjura de la única carta valiosa que tenían en sus manos. Los ancianos ya lo habían puesto al corriente del rechazo que tenían al dominio de la Iglesia. El presidente lo había expresado de forma muy clara: «Por las venas de esos carniceros corre sangre gibelina».

En segundo lugar, porque al considerarse en posesión de la ciudad, había de asumir las responsabilidades que ello implicaba. Podría incurrir en grave responsabilidad si, conociendo la situación en que se encontraba la condesa, no hacía nada por remediarlo.

Los conjurados también decidieron jugar sus bazas. Checo Orsi entró en la habitación que hacía las veces de prisión. Era la primera vez que veía a la condesa, después de haberla sacado de su palacio.

—Señora, disponeos a acompañarnos.

Caterina se puso de pie, se acercó al carnicero y le escupió en la cara.

—¡Asesino! ¡Pagarás por tu crimen!

Orsi se limpió la saliva y con la misma mano dio una bofetada a la condesa, que rodó por el suelo. Sus doncellas la ayudaron a levantarse; tenía marcados los dedos del carnicero en su mejilla.

—¡Vamos! —le ordenó Orsi.

—¡Tendrás que llevarme a rastras!

—¡Tú lo has querido! —El carnicero, muy alterado, había prescindido de las formas.

Ordenó a dos de sus hombres que trajesen cuerdas, él mismo le ató las manos, dejando un largo cabo para tirar. Apretó el esparto con el propósito de hacerle daño, pero Caterina no se quejó. Luego, a empujones, la sacó de la sala. Lo peor de todo fue el llanto de sus hijos, que no dejaban de gritar desde que vieron a su madre rodando por el suelo.

A tirones, la llevaron por las calles, pero a quienes la conducían como si fuese una vulgar ladrona les sobrecogía el silencio sepulcral que se producía a su paso. La condesa, con la frente altiva y la mirada perdida, no descompuso la figura en ningún momento; dos ancianas, al verla pasar, se santiguaron. Cuando llegaron al pie de Ravaldino, Orsi gritó, exigiendo la presencia de Tommaso Feo.

El castellano apareció en lo alto de la muralla acompañado de Jacopo Giusti y, desde el primer momento, se mostró desafiante.

—¿Qué es lo que quieres?

—¡Aquí está tu señora! ¡Hazle entrega de la *rocca*! —gritó Orsi.

Tommaso miró a la condesa, que guardaba silencio.

El militar no se inmutó, estaba cumpliendo las órdenes recibidas. Orsi agarró a la condesa por el brazo y le apretó con fuerza. Otra vez trataba de inferirle daño.

—¡Grítale que te entregue la fortaleza!

—¡Haz lo que te dicen! ¡Tienen presos a mis hijos!

Feo permaneció impasible.

—Parece que no te ha oído. ¡Grita!

— ¡Haz lo que dicen!

—¡Ya lo has oído! ¡Entrega la fortaleza!

—¡No, mientras la condesa esté en vuestro poder! ¡Ignoro cuál es su verdadera voluntad!

—¿Te niegas a obedecerla?

—¡Siempre estaré a sus órdenes, pero en las condiciones en que está no puedo conocer cuáles son sus verdaderos deseos!

Orsi levantó el puño en actitud amenazante. Jacomo da Ronco logró, con mucho esfuerzo, que la condesa se hincase de rodillas, sacó una daga y se la puso en el cuello.

—¡Abrid las puertas o la degüello como a un cerdo!

Caterina alzó los ojos y clavó su mirada en el individuo que apretaba su cuello con el filo de la daga.

—Si pretendes asustarme, pierdes el tiempo. Los Sforza no sabemos lo que es el miedo.

Retiró la daga y la abofeteó. Caterina, con las manos atadas, rodó por el suelo. Desde la muralla, Giusti echaba fuego por los ojos y maldiciones por la boca.

—¡Maldito bastardo, te mataré con mis propias manos! ¡Lo juro por Dios! ¡No habrá un lugar en la tierra donde yo no te encuentre! ¡Canalla!

La llegada del obispo Savelli puso fin a una situación que empezaba a quedar fuera de control.

—¡En el nombre de Dios, desatad a la condesa!

Nadie se movió.

—¡Inmediatamente! —gritó el obispo desde el caballo que montaba.

Orsi ordenó a uno de sus hombres que cortase las ligaduras. Ya tenían demasiados problemas para enfrentarse al obispo. Pero no olvidaba el salivazo.

Caterina se incorporó y rechazó la ayuda del individuo que había cortado sus ataduras. Se frotó con las manos sus muñecas doloridas.

A lo largo de la tarde se vivió un tenso forcejeo entre los cabecillas y el obispo. Savelli, después de comprobar que el palacio señorial estaba destrozado y no era posible aposentar allí a la condesa, logró imponer su criterio acudiendo a las amenazas y las coacciones, porque en aquella pugna podía estar en juego su cabeza.

Consiguió, después de una larga discusión, que Orsi accediese a llevarla a la torre de la puerta de San Pietro. A Su Ilustrísima le molestaba tener que rebajarse a discutir con aquellos patanes, pero, después de lo visto al pie de Ravaldino, no estaba tranquilo. Aquellos brutos habían humillado y maltratado a la condesa, incluso Da Ronco la amenazó con un puñal en la garganta y la abofeteó, arrojándola al suelo sin ninguna consideración. Si quería consolidar su posición de gobierno en la ciudad, tenía que asumir la responsabilidad que suponía la prisión de la condesa y no quería pensar que pudiese ocurrirle algo. Si así fuera, tendría que responder ante los Sforza.

La torre de San Pietro era un lugar oscuro, húmedo e incómodo. El obispo ordenó que la limpiasen y adecentasen, y aunque no era el lugar más adecuado para instalar a una familia, era mucho mejor que el hacinamiento de la sala donde la tenían recluida.

El carnicero consintió con la condición de que la vigilasen hombres de su confianza. No se fiaba de casi nadie y mucho menos de aquel obispo, que se daba aires de grandeza y quería asumir las riendas de algo por lo que él se había jugado la vida.

Cuando Caterina pudo, al fin, estar con su familia, dejó que aflorase la tensión vivida durante aquellas largas horas. Tomó en sus brazos al pequeño Francesco y lo acunó, después se desabrochó el corpiño y lo amamantó. Como en otras ocasiones, en lugar de cantarle, le contaba historias donde los Sforza, sus antepasados, protagonizaban actos heroicos que pasarían a la historia. Entonces los demás niños se acurrucaban a su alrededor y escuchaban fascinados las duras cabalgadas en medio de nevadas o bajo un sol abrasador, los peligros que afrontaban para conseguir sus propósitos, las luchas contra enemigos muy superiores en número y el heroísmo con que actuaban sus mayores en los momentos decisivos. Caterina disfrutaba cuando daba por concluido el relato y Ottavio o Cesare le decían:

—¡Mamá, mamá! Cuéntanos cuando el abuelo Francesco puso en fuga, blandiendo su espada, a catorce enemigos que lo acosaban.

Era una excelente narradora. Ponía en sus palabras la misma pasión que en su vida. Había momentos en que los niños aplaudían a los Sforza y silbaban a sus enemigos, porque las historias de Caterina eran historias de buenos y malos.

Aquella tarde decidió contarles una historia muy extraña con el fin de aliviarlos de las angustias y los momentos vividos en las últimas horas. La protagonista era una baraja de cartas que se guardaba en el palacio de los Sforza.

—Se trata de unas enigmáticas cartas que tienen dibujadas numerosas figuras. Hay reyes, príncipes, caminantes, ermitaños, caballeros, hasta el mismísimo Papa. También aparecen algunos personajes inquietantes como un ahorcado, la muerte o el diablo. El autor de la baraja se esmeró en su trabajo, hizo los fondos de oro y las pinturas de colores brillantes. Se decía que, con ellas, ciertas personas podían adivinar el futuro.

—¿Tú has visto esas cartas, mamá? —preguntó Ottavio.

—Sí, las he visto y las he tenido en mis manos. Puedo aseguraros que son espléndidas. El artista que las hizo tardó más de treinta años en pintarlas.

—¿Tanto?

—En cierta ocasión le oí decir a mi padre que las primeras cartas se pintaron hacia 1432, el año en que vuestro abuelo Francesco contrajo matrimonio con la abuela Bianca Maria, y que no concluyó su tarea hasta 1466, año en que murió el abuelo.

—Entonces, ¿no pudieron adivinarle el futuro?

—Efectivamente, no fue posible. Pero sobre una de las cartas se cuenta una historia muy extraña.

—¡Cuéntanosla! ¡Cuéntanosla! —pidió un coro de vocecillas.

—Una de las cartas recibe el nombre de la papisa…

—¿Hubo un Papa que fue mujer? —preguntó Scipione.

—Se cuenta que hubo una mujer, llamada Juana, que se hizo pasar por hombre y que llegó a ser elegida Papa. Los engañó a todos, porque ocultaba su verdadero sexo con vestiduras de varón.

Los niños se removieron y en sus bocas se dibujaron pícaras sonrisas.

—¿Cómo averiguaron que era una mujer?

—Lo descubrieron después de morir y fue entonces cuando empezó a hablarse de la papisa Juana. Tal vez se trate de una leyenda, pero hay mucha gente que piensa que ocurrió verdaderamente. De todas formas, lo importante de nuestra historia es que, entre esas maravillosas cartas, hay una que tiene pintada una papisa.

—¿Cuál es la historia de la carta, mamá?

—Mi padre me contó un día, mientras me enseñaba la baraja, que para pintarla el artista se inspiró en una antepasada de los Visconti; se llamaba Manfreda Visconti, de la que se cuenta que fue papisa.

—¡La papisa Juana! —exclamó Cesare.

—No, ella no se llamaba Juana, se llamaba Manfreda y debió de ser una mujer muy guapa.

—¿Tan guapa como tú?

Caterina acarició la cabeza de Ottavio y se dio cuenta de que Francesco estaba dormido. Se recogió el pecho, entregó el pequeño a una de las doncellas y se abrochó el corpiño.

—Y ahora, a dormir.

—¡Otra historia, mamá! ¡Cuéntanos otra historia!

—No, Cesare. Es muy tarde y tenemos que acomodarnos. Hoy tenemos una nueva vivienda.

—¿Cuándo volveremos a casa, mamá? —preguntó Ottavio.

Caterina dejó escapar un suspiro.

—Pronto, hijo, pronto.

En ocasiones, Caterina había contado a sus hijos alguna historia donde, en la lucha por el poder, los Sforza habían tenido que sacrificar sus sentimientos y contener sus emociones para alcanzar sus objetivos. Recordaba haber oído a su padre decir que en el corazón de un gobernante no había lugar para los sentimientos.

La noticia del asesinato de Riario empezaba a difundirse por Italia y las consecuencias no se hicieron esperar, aunque en el complejo mundo de la política italiana las palabras eran más frecuentes que las acciones.

La política era un arte complicado donde los gestos tenían tanta importancia como los hechos. Eran muy raras las ocasiones en que se actuaba de forma directa. No obstante, se produjeron los primeros movimientos de cara a la nueva situación en que quedaba un lugar tan estratégico como Forlì, dada su posición sobre la vía Emilia y las comunicaciones de la mitad norte de Italia. Estaba en juego el equilibrio político de una zona estratégica como era la Romaña.

A los rumores de que la condesa había enviado un mensajero a Milán se sumaron otros. Se decía que agentes de Lorenzo de Médicis estaban en la ciudad para informar a su señor, con todo detalle, de lo que estaba ocurriendo y de cuál era la situación. También se afirmaba que Giovanni Bentivoglio, señor de Bolonia, con quien Riario mantuvo buenas relaciones, preparaba un contingente de tropas; algunos daban la cifra: ochenta jinetes y trescientos infantes. Más inquietantes eran las noticias que llegaban del norte. Se decía que en Milán, los Sforza habían movilizado una parte importante de sus tropas; se hablaba de doce mil hombres, un verdadero ejército que podía arrasar Forlì. También se decía que los Ordelaffi realizaban movimientos con el apoyo de Venecia, pero otros rumores lo contradecían, señalando que se trataba de comentarios sin fundamento, propagados por sus partidarios.

Con todo, lo más llamativo era la actitud de Roma. Los

intentos de Savelli para que el Papa enviase tropas y consolidase su posición no encontraban respuesta. El Santo Padre mostró su conformidad a la iniciativa del obispo de Cesena, pero no hizo nada más. Los forliveses partidarios del dominio directo de la Iglesia quedaron decepcionados cuando vieron que todos los pertrechos que llegaron fueron unos cuantos cañones y seis carretas con municiones. La única explicación para tal abandono era la guerra en que estaba empeñado Inocencio VIII contra el rey Ferrante de Nápoles. Abrir otro frente en el norte contra los poderosos duques de Milán podría significar un desastre de proporciones incalculables, dado que Venecia, la única aliada con la que podía contar, no intervendría después de verse abandonada en la Guerra de la Sal y porque su candidato era un Ordelaffi, con el cual, si lo imponían, extenderían su influencia por la Romaña.

22

Unos gritos la despertaron muy temprano, próxima ya la madrugada. Caterina tenía el cuerpo dolorido y apenas había dormido un par de horas, ya que pasó buena parte de la noche pensando en la respuesta de su familia y de Giovanni Bentivoglio. Sobre todo de su familia. A sus veinticuatro años estaba viuda, presa, cargada de deudas y con siete hijos colgados a sus espaldas. Pero en aquellos momentos, sumida en la oscuridad de su encierro, lo que más le atormentaba era ver a los asesinos de su marido tomando decisiones y disponiendo de su persona. La humillación de la víspera, paseada por las calles con las manos atadas, amenazada, golpeada y tirada por el suelo, había sido peor que la propia muerte.

—¡Levántate! —le gritó Orsi, que entró sin ninguna consideración.

Se incorporó lentamente del catre. La doncella que dormitaba a su lado también se despertó, y con el miedo en la mirada, buscó la protección de su señora.

—¿Adónde vamos?

—¡Levántate y no preguntes!

Se puso de pie, estiró la falda de su vestido y se ajustó el corpiño.

—¡Vamos! ¡Ya hemos perdido demasiado tiempo!

Desafió al carnicero con la mirada.

—Todavía no he terminado.

Checo Orsi se quedó sin habla. Desconcertado, la vio echar agua de una jofaina y después hacer unas rápidas abluciones. Tranquilamente, se secó la cara y las manos con un paño que le ofreció su doncella, y luego se colocó sobre los hombros una capelina para protegerse del fresco de la mañana.

Antes de salir intentó atarle las manos, pero ella se resistió:

—Tendrás que matarme.

Forcejearon y Orsi no consiguió su propósito. Irritado, ordenó a varios de sus secuaces que la custodiasen con las espadas desenvainadas.

—¡Si hace un movimiento extraño, ensartadla!

Cruzaron toda la ciudad, de norte a sur, para llegar a Ravaldino. Al pasar por la plaza Grande se hizo una idea de cómo estaba su palacio. Los efectos del saqueo eran visibles en la fachada. Conforme avanzaban, mucha gente se sumaba al grupo de los conjurados hasta el punto de que cuando llegaron a las puertas de la fortaleza eran una multitud.

Checo Orsi requirió la presencia del castellano y le instó de nuevo a que entregase la fortaleza, pero se encontró de nuevo con una negativa. Tommaso Feo le indicó que perdía el tiempo.

—¡Jamás entregaré Ravaldino, sin una orden expresa de mi señora! ¡Incluso, si me lo mandase estando prisionera, rechazaría sus órdenes porque no tendría manera de conocer cuál es su voluntad!

—¿La desobedecerías?

—¡Nunca! ¡Pero antes de tomar una decisión tan grave, habría de tener certeza de que la condesa no ha sido obligada a actuar en contra de su voluntad!

Hubo un cruce de amenazas e injurias, que pusieron nervioso al carnicero. Sus llamamientos a los forliveses no encontraban el eco esperado y su situación era cada vez más comprometida. Sólo la ocupación de Ravaldino podía cambiar las cosas, porque quien poseía la fortaleza, controlaba la ciudad.

—¡Sólo hay una forma para conocer cuáles son las verdaderas intenciones de *madonna*! —gritó Giusti desde lo alto de la muralla.

Orsi aguzó la mirada para ver quién hablaba. No era el castellano.

—¿A qué te refieres?

—Permite que la condesa entre en la fortaleza y podamos hablar con ella sin coacción. Así sabremos cuáles son sus verdaderos deseos.

Orsi hizo un gesto obsceno.

—¡Estás loco!

Giusti no se dio por aludido.

—Si nos confirma que su deseo es entregar Ravaldino, te prometo que lo haremos.

El carnicero, desconcertado, vislumbró una posibilidad y pidió tiempo.

—¡Todo el que quieras! —gritó Giusti—. ¡Nosotros no tenemos prisa!

La muchedumbre que se agolpaba en los alrededores concentraba sus miradas en la *madonna*, rodeada de hombres armados. Permanecía inmóvil y su rostro no expresaba ninguna emoción. Nadie podía adivinar los pensamientos que pasaban por su cabeza.

Los cabecillas de la conjura se apartaron para discutir la propuesta.

En una situación tan desesperada era una posibilidad, pero también un riesgo. Ludovico, el hermano de Checo, sostenía que permitir a la condesa entrar en la fortaleza era tanto como dejarla en libertad, Pansecco era de la misma opinión. El carnicero dudaba.

—Tenemos otros rehenes —indicó Da Ronco.

—¡Es cierto! Si dejamos que la condesa entre en Ravaldino, siempre podremos amenazar con sus hijos. Creo que nuestra posición no empeora y tenemos una posibilidad. ¡Ese cabrón no entregará la fortaleza en las condiciones en que nos encontramos! —apostilló Checo.

—Creo que tienes razón. Me han dicho que amamanta al más pequeño y que a los otros les cuenta historias para distraerlos.

—¿Cómo sabes eso? —preguntó Pansecco.

—Me lo han contado los guardias esta mañana.

—En ese caso, estoy de acuerdo en que no perdemos nada intentándolo. Nuestra posición es fuerte.

Ludovico Orsi acabó dando su conformidad, a regañadientes. Regresaron al pie de la fortaleza, junto al foso.

—¡Está bien, aceptamos vuestra propuesta, pero con tres condiciones! —gritó el carnicero.

—¿Qué condiciones? —preguntó Giusti.

—Primera, únicamente entrará la condesa.

—¡Se trata de una dama, debe acompañarla una doncella!

Orsi miró a sus compinches e intercambiaron unos comentarios en voz baja.

—Está bien, la acompañará una doncella. Pero la segunda de las condiciones es innegociable.

—¡Habla!

—Quiero oír por boca de Tommaso Feo que acepta la propuesta. ¿Quién eres tú para hacernos una oferta?

—¡Asumo la propuesta! —gritó el castellano—. ¿Cuál es tu tercera condición?

—La condesa saldrá de la fortaleza en un plazo máximo de dos horas.

—Es un plazo razonable —asintió Feo.

Unos minutos después, el chirriar de las cadenas señaló la bajada del puente levadizo. En las almenas asomó un grupo de arqueros dispuestos a disparar contra cualquiera que intentase un movimiento extraño.

Caterina y una doncella cruzaron el puente y entraron en Ravaldino, después las puertas se cerraron.

Comenzaba una tensa espera.

El rumor de que la *madonna* había entrado en Ravaldino para, sin coacciones, hablar con Tommaso Feo se difundió por todos los rincones de Forlì. Al enterarse, el obispo Savelli acudió presuroso para comprobar la veracidad del rumor. A viva fuerza, los soldados de su guardia le abrieron paso hasta la primera fila.

En medio del desorden, no localizaba a ninguno de los cabecillas de la conjura. Preguntó a un grupo que charlaba animadamente:

—¿Es cierto que la condesa está dentro?

—Tan cierto como que nosotros estamos aquí.

—¿Cómo ha sido?

—Han llegado a un acuerdo para que pueda hablar sin coacciones con el capitán de Ravaldino.

Por fin, el obispo encontró a los conjurados. Estaban en un mesón próximo a la muralla, aguardando a que transcurriesen las dos horas. Savelli exigió explicaciones, pero Orsi y sus compinches se limitaron a señalarle que aguardaban a que expirase el plazo.

Faltaba poco para la hora convenida, pero en las murallas no se veía movimiento alguno. Ludovico Orsi, el que más se había opuesto a su entrada, fue el primero en ponerse nervioso.

—¡No se necesita tanto tiempo para convencerles de que abran las puertas! ¡Esa arpía nos ha engañado!

—Todavía no ha transcurrido el plazo —intentó tranquilizarlo su hermano.

—¡Esto no me gusta!

—Tenemos a sus hijos...

En las murallas nada indicaba que la condesa fuese a salir. Sólo se apreciaban los soldados que montaban guardia, paseando entre las almenas.

—Hay que hacer algo —propuso Pansecco.

—Aguardar a que termine el plazo —señaló Orsi.

A la hora convenida el hermano del carnicero se acercó al pie de los muros.

—¡Eh! ¡Tú! —gritó al soldado—. ¿Dónde está la condesa?

Aguardó, sin obtener respuesta. Repitió la pregunta otras dos veces con el mismo resultado. Cada vez más alterado, Ludovico se puso a amenazar a los soldados, que permanecían ajenos a sus gritos. Recorrían el adarve de la muralla como si todo aquello no fuese con ellos. Ludovico, entonces, se volvió buscando a su hermano.

—¿Dónde está Checo?

Uno de los hombres se encogió de hombros.

—Hace un rato que se ha marchado.

Cada minuto que pasaba la situación se hacía más tensa. Ludovico añadió a sus gritos amenazas a la condesa, pero desde Ravaldino nadie respondía. Savelli estaba cada vez más nervioso.

De repente, entre la muchedumbre se levantó un murmullo y se produjo cierta agitación. Poco a poco, se abrió un pasillo y apareció el carnicero. Traía, a empellones, a Ottavio y a Cesare; obligó a los dos chiquillos a arrodillarse e inclinar la cerviz.

—¡Eh! —gritó hacia las almenas—. ¡Dile a tu ama que si no sale al instante, rodarán las cabezas de sus hijos!

La amenaza surtió efecto; por primera vez, se percibieron movimientos y carreras en lo alto de la muralla. Poco después apareció Tommaso Feo.

—¿Qué quieres con tanto cacareo?

Orsi se secó la frente con la mano.

—¡Que tu ama cumpla con su compromiso! ¡Hace rato que han concluido las dos horas!

—¡Deja de molestar! ¡La condesa está descansando!

El cabecilla se volvió hacia la gente.

—¿Descansando? ¿Habéis oído? —Hizo un gesto histriónico—. ¡Ese malnacido dice que la dama está descansando!

El castellano cogió el arcabuz de uno de sus soldados e hizo un disparo de advertencia. El estampido hizo volverse al carnicero que agarró por el pescuezo a Ottavio y tiró de él, obligándole a levantarse. El niño, que acababa de cumplir los nueve años, estaba pálido y hacía verdaderos esfuerzos por contener las lágrimas. Cuando Checo desenvainó su espada, el más pequeño empezó a llorar.

—¡Te juro que si esa puta lombarda no sale, en menos de un padrenuestro rodarán las cabezas de sus hijos!

En aquel momento la imagen de Caterina Sforza apareció sobre las almenas. A sus espaldas el sol recortaba su negra silueta, que resaltaba por encima de las murallas como si fuese un espectro del más allá.

Su presencia provocó un murmullo entre la muchedumbre pero, en pocos segundos, los comentarios se apagaron y las conversaciones cesaron. Se hizo un silencio absoluto.

Checo Orsi se pasó otra vez el dorso de la mano por su empapada frente. Disimuló su agitación e hizo acopio de todas sus fuerzas para gritar:

—¡Cumple tu compromiso!

Su grito rasgó el aire, pero la respuesta fue el silencio. Nada se movía y muchos de los presentes contenían la respiración.

—¡Cumple tu compromiso! —repitió Orsi—. ¡Entréganos la fortaleza y cumple tu palabra!

—¿Mi compromiso? ¿Mi promesa? ¿Qué compromiso? ¿Qué promesa?

El carnicero saltó como la cuerda de una ballesta cuando lanza el virote.

—La promesa que hiciste… —Se detuvo un instante—. ¡La promesa que hiciste al entrar en Ravaldino!

—Yo no hice ninguna promesa y tampoco adquirí ningún compromiso. Mi boca se mantuvo cerrada.

Las palabras de Caterina levantaron una oleada de comentarios. Era verdad, la condesa no había pronunciado palabra alguna. Orsi miró desconcertado hacia sus compinches y vio al obispo Savelli, que estaba inmóvil. Su Ilustrísima tenía la cara desencajada.

—¡Si no entregas la fortaleza, serán tus hijos quienes lo paguen!

Quien ahora gritaba era Ludovico Orsi. Acompañó su amenaza desenvainando la espada y acercándose hasta donde el pequeño Cesare, con la cerviz inclinada, lloraba desconsoladamente.

El silencio era sobrecogedor. La atención de todos estaba de nuevo en la desafiante figura que se alzaba por encima de las almenas.

Caterina se llevó las manos a los muslos y tiró con decisión de la falda de su vestido hacia arriba. Con aire desafiante se palpó sus genitales y gritó:

—¡Mirad! ¡Puedo tener más hijos! ¡Ravaldino no se rinde!

23

El tronar de los cañones no cesó hasta mucho después de que la noche cayese sobre Forlì. Los resplandores que iluminaban el cielo llevaron el terror a los vecinos encerrados en sus casas. La artillería de la fortaleza castigaba con sus disparos la ciudad. La torre de San Mercuriale, alcanzada por un proyectil, sufrió algunos daños, aunque de poca consideración.

El anciano apuró el vino que quedaba en su copa y chasqueó la lengua.

—Habéis actuado sin sentido, con poca cabeza. Una acción como ésa se plantea con el cerebro, no con las entrañas.

—¡Padre, hemos librado a esta tierra de la tiranía!

Andrea Orsi, con muchos años a sus espaldas, acababa de regresar a Forlì. Venía de una casita que poseía en el campo. Llegó a la ciudad ignorante de los sucesos que sus hijos habían protagonizado.

—Es posible, pero habéis cometido dos graves errores.

—¡Decídnoslos! —lo apremió Ludovico.

—Cuando matasteis a Riario, teníais que haber acabado con toda su familia. Las cosas que se empiezan hay que rematarlas. No se pueden dejar cabos sueltos, porque puedes acabar enredado en ellos.

El viejo cogió la copa y con un gesto indicó que se la llenasen.

—¿No os parece que ya habéis bebido demasiado?

—¡Llénala, Checo! —le ordenó.

—¿Cuál ha sido el segundo error? —preguntó Ludovico.

Antes de contestar, Andrea dio un sorbo a su vino.

—Nunca debisteis permitir que la condesa entrase en Ravaldino, al hacerlo habéis perdido la única baza que teníais.

El carnicero se puso de pie.

—¡Nadie podía imaginar lo que iba a ocurrir! ¿Quién podía pensar que una madre actuase de esa forma? ¡Todo el mundo esta conmocionado! El propio obispo de Cesena no daba crédito a lo que presenciaba.

—Yo le oí decir: «¡Esa mujer es el diablo!» —comentó Ludovico, corroborando lo que su hermano decía.

—Palabras, palabras, palabras... lo que cuentan son los hechos. Esa Sforza ha ganado la partida y ahora os tiene acogotados. Nada podéis hacer frente a su artillería; desde Ravaldino puede reducir a escombros esta ciudad. Si no conseguís cerrar las bocas de esos cañones, le gente se os echará encima.

Con otro trago, el viejo Orsi vació la copa. Ahora no le pidió a Checo que se la llenase, se había mostrado cicatero. Cogió el panzudo búcaro y se sirvió con generosidad, ante la mirada preocupada de sus hijos.

—¿Crees que hay alguna salida? —le preguntó Ludovico.

El anciano meditó la respuesta.

—Lo más aconsejable, tal y como están las cosas, es que pongáis tierra de por medio. Coged los caballos y marchaos lo más lejos posible. Pero eso os convertiría en unos parias para el resto de vuestras vidas.

—¡Vaya un consejo! —protestó Checo.

—Todavía no he terminado. —Andrea dio otro trago al vino como si quisiese que el alcohol lo sacase de la realidad—. La otra posibilidad de no acabar mal está en que consigáis un aliado.

—En ello estamos.

El viejo hizo como que no escuchaba las palabras de su hijo.

—La mejor opción está en Florencia. Me temo que es la última carta que podéis jugar.

—Ya hemos mandado un mensaje a Lorenzo de Médicis.

El viejo alzó las cejas y las arrugas de su frente se agrandaron.

—¿Qué ha dicho el Magnífico?

—Aún no hemos tenido respuesta.

Andrea apuró la copa, se levantó con mucho esfuerzo y trastabillando llegó hasta la puerta. Se volvió con dificultad; le costaba tenerse en pie y tuvo que agarrarse al marco para sostenerse. Agitó la mano con un dedo admonitorio.

—Si yo fuese vosotros, ya estaría ensillando el caballo.

El obispo de Cesena estaba cada vez más nervioso. Inocencio VIII no dejaba de mandarle mensajes de apoyo para que mantuviese firme su posición. Forlì debería volver al poder del papado, pero todo se quedaba en palabras. Ni un soldado, ni una moneda para contratar los servicios de algunas partidas de mercenarios que había en Rímini. A oídos de Savelli llegaron las noticias que circulaban por Roma: el Papa deseaba hacerse con el señorío de Forlì para entregarle el vicariato a su propio hijo, Francesco Cibo, y a su prometida Maddalena de Médicis.

Por otro lado, los Médicis no querían un enfrentamiento con Roma, después de que el Papa les devolviese su confianza; y tampoco querían importunar a los Sforza, con quienes tenían un frágil acuerdo.

La astuta Venecia guardaba silencio, esperando poner sobre la mesa de juego una importante baza: los Ordelaffi.

Todo el mundo miraba de reojo al vecino hasta que desde el norte llegó el golpe definitivo.

Un ejército milanés de más de doce mil hombres marchaba hacia el sur. Lo mandaba Galeazzo Sanseverino. Los Sforza habían lanzado a los cuatro vientos que Caterina, muerto su esposo, era la condesa y ellos estaban dispuestos a que nadie lo discutiera. Sus tropas avanzaban hacia el sur como una plaga de langosta.

En Forlì, sin embargo, la noticia del avance de los milaneses no había apagado los comentarios acerca del desafío lanzado por la condesa desde las almenas de Ravaldino. Todo el mundo se sentía con derecho a opinar, valorando sentimientos y actuaciones, pero ninguno se preguntaba sobre el paradero de los pequeños, salvados por la intervención del obispo Savelli.

En las disputas a que daban lugar los comentarios, unos hacían hincapié en la falta de palabra de la condesa al no cumplir su compromiso, otros ponderaban su astucia, indicando que no se comprometió a nada porque no abrió la boca cuando discutieron los términos de su entrada en la fortaleza.

Los rumores se intensificaron en los días siguientes. Se decía que las tropas pontificias marchaban hacia Forlì para sostener los derechos de la Iglesia y que el propio Papa les había impartido su bendición; había dado alas al rumor el mismo Savelli. Sabía que el único movimiento de Inocencio VIII iba a ser un breve apostólico aceptando la vuelta de Forlì al dominio eclesiástico, pero la plaza no iba a ganarse con papeles, sino en otro terreno, porque en un par de días el ejército de los Sforza estaría a las puertas de la ciudad.

A pesar de los comentarios, la posición de Caterina se había fortalecido, mientras que los conjurados se encontraban cada vez más aislados.

Forlì era ya un hervidero de rumores. Uno de ellos indicaba que los partidarios de los Ordelaffi habían recibido desde Venecia vía libre para ofrecer a *madonna* Caterina una propuesta de matrimonio con Antonio Ordelaffi. Se decía, incluso, que se la habían hecho llegar, lanzando un mensaje en una bolsa de cuero al interior de Ravaldino.

Por increíble que pareciese, era cierto. Se trataba de la única tabla de salvación a la que podían aferrarse los conjurados, tras haber mantenido conversaciones con dos patricios de la ciudad, partidarios de la antigua familia señorial. Con una pequeña catapulta habían enviado el mensaje en dos ocasiones. Caterina no se dignaba responder.

Por la tarde entraba en Forlì el representante del duque de Milán. Iba acompañado por un embajador de Bolonia, cuyo señor había sumado un contingente de tropas al ejército milanés. El obispo Savelli los recibió en la plaza Grande. Muchos forliveses, asustados, estaban encerrados en sus casas, aunque la artillería de Ravaldino llevaba más de veinticuatro horas sin abrir fuego. También se encontraban allí los Orsi y sus compañeros de conjura, pero se les veía en un segundo plano. Desde su fiasco ante los muros de Ravaldino, estaban claramente a la defensiva.

Después de los saludos que imponía el protocolo, el prelado condujo al representante del duque de Milán al Palacio Comunal. Una vez allí, el milanés planteó la primera de las cuestiones y lo hizo sin muchos preámbulos. Los Orsi estaban presentes.

—Su Excelencia el duque, nuestro señor, está vivamente preocupado por la seguridad de sus familiares. Exigimos verlos para comprobar su estado.

—¡Están presos, tomados como rehenes! —saltó el impulsivo Checo, pese a que lo acordado era que fuese el obispo quien llevara el peso de la conversación.

El enviado de los Sforza miró con displicencia al individuo que hablaba. Luego se dirigió al obispo:

—¿Quién es?

Savelli dirigió a Orsi una mirada de reprobación.

—Es... es... —el obispo vacilaba— es uno de los protagonistas de los últimos acontecimientos vividos en la ciudad.

El milanés lo miró nuevamente, como si no hubiese quedado satisfecho con la inspección anterior.

—¿Quiere decir vuestra ilustrísima que es uno de los asesinos del conde?

El silencio que se produjo fue más elocuente que las palabras. El obispo se agitaba inquieto.

A partir de aquel momento, el encuentro estuvo lleno de dificultades. Los intentos de ver a los pequeños se estrellaron contra la cerrazón de los conjurados, mientras que el obispo intentaba mantenerse al margen de una polémica en la que nada podía ganar. Se limitó a abogar, con poca convicción y menos éxito, para que los enviados del duque pudiesen efectuar la visita. Sabía que, en ese asunto, lo mejor para sus intereses era que los conjurados llevasen la voz cantante. Ellos eran quienes, con su actitud, no paraban de darle vueltas al dogal que les apretaba el cuello.

Él habría de vérselas con el individuo que tenía enfrente, cuando llegase la hora de discutir acerca de los derechos sobre el señorío de la ciudad. Ése era el verdadero meollo de la cuestión y un debate que no se realizaría ante testigos.

—Compruebo que nuestros esfuerzos ante algo tan simple como realizar una visita resultan baldíos —señaló el enviado del duque de Milán—. Entendemos que esa negativa encaja en una acción tan innoble como es el secuestro de criaturas inocentes.

—¡Son rehenes! —gritó Ludovico Orsi.

El milanés, un avezado diplomático, no se inmutó con la interrupción y prosiguió:

—… Ese secuestro es un acto criminal, que viene a sumarse a los numerosos delitos ya cometidos por quienes acabaron de forma vil y alevosa con la vida de su señor. Delitos execrables, por los que pagarán a su debido tiempo. Y ahora, ilustrísima, disculpadnos. La jornada ha sido larga y agotadora. Hemos de retirarnos; nuestro cuerpo y también nuestro ánimo necesitan de un reparador descanso.

Aquella noche los enviados de Milán y Bolonia, acompañados de su séquito y su escolta, se alojaron en un establecimiento de nombre poco atractivo, la hostería de la Gata Muerta.

La noche para los asesinos de Riario y sus seguidores fue larga. Necesitaban un golpe de efecto que les permitiese cambiar el rumbo de los acontecimientos.

—Tengo noticias de que el capitán de la torre de la puerta Schiavonia podría entregárnosla —comentó Pansecco.

—¿Cómo sabes eso? —preguntó Ludovico Orsi.

—Me lo ha dicho uno de los soldados de la guarnición, que está con nosotros.

—¿Qué quiere a cambio?

—Dinero.

—¿Cuánto?

—Dos mil ducados.

Los otros tres hombres se miraron en silencio. La falta de dinero para pagar el alquiler de las carnicerías públicas reclamado por Riario, que fue el detonante de los acontecimientos, ahora no era un problema. El saqueo les había reportado importantes beneficios.

—Es mucho dinero —dijo el carnicero.

—Depende de lo que puedas obtener a cambio. Hay mucha gente que duda y el apoyo que recibimos es cada vez más escaso. Podríamos presentarlo como un éxito importante —indicó Pansecco.

—La torre Schiavonia no es Ravaldino, allí ni siquiera hay artillería.

—Pero si cayese en nuestras manos, sería un símbolo. Podríamos presentarlo como una señal. Tal vez alentaría a algunos a prestar su colaboración. Tenemos la artillería que ha venido de Cesena.

—¡Eso son juguetes en comparación con los cañones que defienden Ravaldino!

—A veces el efecto sobre el ánimo es más importante que la fuerza —argumentó Pansecco.

—En eso he de darte la razón. En realidad, nuestra posición no es más débil que hace unos días, pero nuestros ánimos están decaídos.

—Cierto, Checo, nada perderemos con esa operación.

—El capitán tendrá que rebajar sus exigencias.

—Creo que será posible.

—El argumento de vuestra ilustrísima no tiene en cuenta la totalidad de los hechos acaecidos —protestó el enviado de Milán.

—Está claro como el agua. La muerte de Riario, que Su Santidad es el primero en lamentar, hace que los derechos reviertan a la Iglesia.

—¡No! Esa circunstancia únicamente se produciría en caso de que el conde no hubiese dejado descendencia.

—El señorío de Forlì fue concedido a Girolamo Riario.

—Así es, ilustrísima. Pero olvidáis un pequeño detalle. La bula de Sixto IV señalaba, sin ningún género de dudas, que ese nombramiento llevaba aparejados derechos hereditarios. En Milán lo sabemos bien; allí se concretaron las capitulaciones del acuerdo que se selló con el matrimonio de *madonna* Caterina y el sobrino del pontífice.

—Inocencio VIII modificó esas condiciones.

—Os equivocáis una vez más.

Savelli dio un sonoro puñetazo y alzó la voz más de lo debido.

—¡El equivocado sois vos, señor mío!

—Que vuestra ilustrísima se sosiegue. Los gritos no son argumentos. Por lo general, suelen aparecer cuando ya no se tienen razones que esgrimir.

El obispo tuvo que morderse la lengua. Tenía enfrente un hueso duro de roer. Los milaneses se habían tomado aquel asunto muy en serio, tanto en el frente militar como en el diplomático.

—La muerte de Riario hace que el señorío de esta ciudad revierta a la Iglesia —insistió una vez más el obispo de Cesena, empleando ahora un tono más moderado.

El embajador de Milán dio un sorbo al agua de su copa. Apenas se mojó los labios.

—Vuestra ilustrísima conoce tan bien como yo los acontecimientos.

Savelli entrecerró los ojos. No sabía a qué se refería aquel maldito milanés que estaba sentado al otro lado de la mesa.

—¿Qué acontecimientos?

—Los sucesos del castillo de Sant'Angelo.

—Ya lo recuerdo. Conmovieron a toda Italia.

—En ese caso, vuestra ilustrísima ha de saber que la entrega de la fortaleza papal se hizo con una serie de condiciones que negociaron el difunto Riario y quien entonces ejercía las funciones de camarlengo del Sacro Colegio, el cardenal Raffaele Riario.

—*Madonna* Caterina se opuso a ese acuerdo.

—Pero ésa no es la cuestión que ahora nos ocupa, mi querido Savelli, sino el contenido de dicho acuerdo. El Sacro Colegio se comprometió a renovar en todos sus términos la bula de Sixto IV. Esa renovación que, en estricto derecho no era necesaria, pues los acuerdos alcanzados en Milán en 1474 eran de extremada claridad en todos sus términos, ratificó el carácter hereditario de Forlì.

Savelli estaba acorralado. La posición jurídica defendida por el embajador milanés era tan sólida como el granito y por si fuera poco, para corroborar sus argumentos, tenía doce mil soldados que se acercaban a marchas forzadas. Por el contrario, las tropas pontificias no habían hecho acto de presencia ni había esperanzas de que lo hiciesen.

—También supongo a vuestra ilustrísima informado de que fuimos los milaneses quienes aportamos esta ciudad al matrimonio de una dama de la familia Sforza.

—A cambio de cuarenta mil ducados —terció Savelli.

El milanés se retrepó en el sillón.

—Los franceses llaman a eso una *bagatelle*, ilustrísima, una *bagatelle*.

—¡Una fortuna! —protestó el obispo.

—Veo que la cifra es cuestión de criterios. En todo caso, no vamos a renunciar a algo que consideramos la dote aportada por una Sforza a su matrimonio.

Savelli se quedó con la palabra en la boca porque su coadjutor, fray Domenico, irrumpió en el salón.

—¡Disculpadme, ilustrísima, disculpadme!

—¿Qué ocurre para que se nos interrumpa de este modo?

El coadjutor se acercó hasta el obispo y susurró a su oído durante un buen rato. El embajador miraba, sin ocultar cierto aire de desprecio. Interrumpir la conversación de aquel modo y susurrarle a la oreja era una falta que contravenía las más elementales normas de la diplomacia.

—Puedes retirarte.

Cuando el clérigo hubo cerrado la puerta, el obispo presentó sus excusas.

—Disculpadme, pero debéis saber lo que acaba de ocurrir.

—Os escucho.

—Los conjurados se han apoderado de una de las torres de defensa de la ciudad. La torre Schiavonia está en sus manos.

—¿Eso es muy grave? —preguntó sin alterarse.

—No es Ravaldino, pero significa que cuentan con más apoyos de los que parecía. Sin duda, un hecho como ése tendrá sus efectos.

—Nuestro ejército trae cuatrocientos zapadores. Supongo que será cuestión de horas reducirla a escombros. No creo que eso deba preocuparnos demasiado.

Un ruido, como el trotar de caballos, retumbó en la estancia. Algo estaba ocurriendo en la calle. Los dos hombres se miraron y, como si respondiesen a una orden, se levantaron y acercaron a la ventana. Antes de ver lo que pasaba, los gritos de la gente se escucharon potentes.

—¡Iglesia! ¡Iglesia!

La cara de Savelli se iluminó. ¡Por fin el Papa había respondido a sus peticiones! Aquellos jinetes pertenecían a las tropas pontificias. Ahora se enteraría aquel engreído milanés, que lo había arrinconado con su retórica y que tan ufano se sentía del poderoso ejército de su señor. Abrió el ventanal y pudo comprobar que la gente aclamaba a los jinetes. Escuchó un grito que decía:

—¡Viva el conde de Pitigliano!

—¿Quién es Pitigliano?

Savelli miró al embajador a los ojos. Estaba disfrutando el momento.

—¿Acaso no le conocéis?

—No tengo el gusto, ilustrísima. —El milanés no mostraba agitación.

—Es uno de los más famosos *condottieri*, que presta servicios a Su Santidad. Según parece es quien manda las tropas pontificias que están entrando en Forlì. Ahora disculpadme, pero he de acudir a recibirlo. Nuestro debate habrá de aguardar porque las cosas han tomado un nuevo derrotero, ¿no os parece?

El embajador se hizo a un lado para dejarle pasar e insinuó una leve reverencia.

—Las cosas, bien lo sabe vuestra ilustrísima, son como son.

El crujir de la seda de sus vestiduras acompañó al prelado, mientras el embajador lo miraba marcharse sin pestañear. Recogió su bonete y abandonó el salón del Palacio Comunal, donde habían mantenido la reunión. Al bajar las escaleras escuchó sonar una campana. Savelli pensó que las tropas, mandadas por Sanseverino, tendrían que hacer valer por la fuerza los derechos de los hijos de *madonna* Caterina.

24

El obispo de Cesena estaba en la cama, tenía fiebre y el médico había dispuesto sangrarlo, para rebajarle los malos humores que se habían concentrado en su cuerpo.

Cuando vio al quirúrgico con la lanceta y la bacinilla protestó, aunque lo hizo sin mucha convicción.

—¿Por qué la lanceta? Puede ser mucho más peligrosa que las sanguijuelas, si bien he de reconocer que si la mano es hábil resulta menos dolorosa.

—Lo lamento, ilustrísima —señaló el médico—, pero no tenemos sanguijuelas, las que había traído de Cesena han muerto. No debéis preocuparos, las manos de Serafino son angelicales, como podréis comprobar.

Aquel exceso de malos humores era la consecuencia de uno de los mayores disgustos sufridos por Savelli en su dilatada carrera. Los gritos aclamando a la Iglesia habían sido el fruto de una lamentable confusión, provocada por la presencia del conde de Pitigliano, quien, efectivamente, era un reputado *condottiero* que prestaba sus servicios a la Santa Sede. El conde había acudido a Forlì al frente de un centenar de escogidos jinetes y al verlo, la gente pensó que se trataba de tropas pontificias, la avanzadilla del ejército del Papa. En la plaza Grande preguntaron por la fortaleza de Ravaldino, y todos creyeron que se dirigían allí para lanzar un asalto. El estupor se apoderó de la gente cuando vieron cómo les franqueaban las puertas y entraban en su interior. Se trataba de tropas contratadas por el cardenal Raffaele Riario, quien enterado de que Caterina Sforza estaba encerrada entre sus muros, se los enviaba para reforzar sus defensas. Pagó generosamente a Pitigliano y provocó el furor del Papa. El antiguo camarlengo no sólo ayudaba a la viuda de su tío, sino que se cobraba cumplida venganza del pontífice, quien, nada más subir al solio pontificio, lo había relevado del importante cargo que ocupaba.

También los conjurados, que con la ocupación de la torre Schiavonia alentaron los ánimos de algunos forliveses, fueron presa de la angustia. Aquella noche pusieron en práctica el consejo que el viejo Orsi les diera. Ensillaron sus caballos y, aprovechando la oscuridad, abandonaron Forlì.

Nunca más se supo de ellos y Jacopo Giusti no pudo hacer efectivas sus amenazas contra Da Ronco.

La huida de los asesinos de Girolamo se produjo justo a tiempo, porque al día siguiente el poderoso ejército milanés llegaba a las puertas de la ciudad. Eran, efectivamente, doce mil hombres, a los que había que añadir la masa de gente que se sumaba a todas las concentraciones de tropas.

Era una muchedumbre variopinta, que daba un cierto aire festivo al ejército y organizaba su vida en los alrededores del campamento. Cuadrillas de prostitutas; jugadores profesionales; falsos frailes que vendían indulgencias y jaculatorias, y tahúres disfrazados de ermitaños, dispuestos a vender desde plumas de las alas del Espíritu Santo, hasta ampollas con gotas de leche de los senos de la Santísima Virgen María; saltimbanquis y titiriteros; taberneros cargados de barriles y pellejos, buhoneros en cuyos carromatos podía encontrarse casi de todo, comerciantes, tratantes, vividores, toda una fauna humana, sabedora de que donde había soldados había robos, saqueos y rapiñas; en definitiva, dinero abundante para gastar.

En el interior de la ciudad la gente estaba aterrorizada. Sabían que los soldados actuaban sin piedad y sólo les interesaba el botín que pudiesen conseguir.

Los cañones de Ravaldino tronaron una vez más. Disparaban salvas de bienvenida al ejército milanés.

Al caer la noche la gente se encerró en sus casas, atrancó puertas y ventanas y se dispuso a esperar.

Muchos de los que vitorearon y alentaron a los Orsi, corearon gritos contra Riario o participaron en los saqueos, los maldecían ahora, considerándoles culpables de la situación en que se encontraban. Los sentimientos de las gentes cambiaban con la misma facilidad que la dirección del viento. Ahora aclamarían a la *madonna*, a quien poco antes abandonaron a su suerte.

Al alba, el rugir de los cañones de Ravaldino, que lanzaba salvas de victoria, despertó a los que pudieron dormir y llevó al corazón de las gentes los peores presagios.

Empezaba un largo día. Por patios interiores, terrazas y azoteas comenzó a circular el rumor de que a la hora del *angelus* la *madonna* asistiría en San Mercuriale a un tedeum de acción de gracias. La gente se apostó en el recorrido para aclamarla. Eran muchos los que temían su venganza, pero muchos otros veían en ella una tabla de salvación. Si alguien podía evitar el horror de un saqueo, era ella.

A la hora del *angelus* apareció la condesa montando un brioso corcel negro, un verdadero caballo de batalla. Vestía una armadura, encima de la cota de malla. Su imagen era la de un guerrero.

Un grito unánime salió de las gargantas de quienes la esperaban.

—¡*Contessa! ¡Contessa!*

Mientras cruzaba las calles hacia la abadía, la muchedumbre no cesaba de aclamarla, como si de aquella forma se librasen del miedo que encogía sus corazones. El rostro de Caterina no manifestaba emociones, pero su mirada era dura. De pronto, un esbozo de sonrisa apareció en sus labios cuando, poco antes de llegar al templo, un soldado le comunicó algo, que apenas escucharon los que estaban más próximos: su madre, sus hijos y Sofronisa estaban a salvo en la torre de San Pietro.

A la puerta del templo la recibió el abad rodeado de clérigos. Caterina le besó la mano y recibió su bendición. Los gritos arreciaron en el momento de su entrada al templo, que rebosaba de gente.

A cada paso la asaltaban un cúmulo de sensaciones. La gente le sonreía, inclinaba la cabeza, hacía respetuosas reverencias e incluso hubo conatos de aclamación bajo las bóvedas abaciales. Eran los mismos que jalearon a los asesinos de su marido, saquearon su casa y la abandonaron a su suerte. Le hubiese gustado salir corriendo, pero era consciente de sus obligaciones; por encima de todo era la *madonna* de Forlì.

Asistiría al oficio religioso y luego se entrevistaría con los jefes del ejército que acampaba a las afueras de la ciudad, para evitar que el mayor temor de los forliveses se hiciese realidad.

Concluida la ceremonia susurró unas palabras al oído de Giusti, quien asintió con ligeros movimientos de cabeza. El guardaespaldas dio unas breves instrucciones y salió de la iglesia.

Caterina montó en su caballo y se dirigió, rodeada por los soldados que la escoltaban, hacia la puerta de San Pietro, donde tenía previsto encontrarse con Sanseverino y Bentivoglio. En una de las entradas a la plaza la gente se agitó. Caterina, instintivamente, tiró de la brida del caballo. Una ciudad como Forlì era una caja llena de sorpresas y las conjuras formaban parte del paisaje cotidiano. Los soldados se arremolinaron en torno a la condesa, nadie sabía qué pasaba.

La gente gritaba algo, pero era imposible entenderlo en medio del gentío. Vio algo que la hizo estremecerse: por encima de las cabezas apareció el cuerpo de Ottavio, lo zarandeaban como a un muñeco de un lado para otro. Se temió lo peor, ni ella ni los soldados podían hacer nada.

Trató de abrirse paso, aprovechando la fuerza de su caballo, pero la gente apenas podía apartarse. Fue entonces cuando comenzaron los gritos.

—*¡Duca! ¡Duca! ¡Duca!*

Estaban aclamando al pequeño Ottavio. Lo paseaban a hombros y lo vitoreaban como señor de la ciudad. En un movimiento espontáneo la gente se apretó dejando un espacio libre para que el niño, a hombros de varios hombres, diese las tres vueltas a la plaza con que se señalaba la toma del poder en Forlì.

Caterina respiró suavemente, soltando la tensión acumulada. Un sudoroso soldado se acercó hasta ella. Con la mirada baja, se excusó:

—Lo siento, *madonna*, no hemos podido evitarlo. Una muchedumbre asaltó la torre y lo tomó sobre sus hombros, querían aclamarlo en la plaza.

—¿Dónde están los demás?

—No debéis preocuparos, están a salvo.

Los exaltados ciudadanos llevaron a Ottavio hasta la puerta de San Mercuriale y los soldados lo condujeron hasta su madre. El niño estaba asustado y era incapaz de contener los temblores que sacudían su cuerpo. Caterina lo tomó en brazos y le susurró unas palabras al oído, que nadie escuchó en medio del estruendo de los gritos y las aclamaciones. Un joven soldado,

Giacomo, hermano de Tommaso Feo, el castellano de Ravaldino, que en ningún momento se había apartado de la condesa, se hizo cargo del pequeño.

Sanseverino, desplegando sus modales cortesanos, se acercó para ayudarla a bajar, pero se vio sorprendido. Caterina saltó del caballo y se plantó delante de él. Éste dio un paso hacia atrás, dejando espacio para la reverencia.

—Condesa, a vuestros pies; viéndoos así —el milanés miró a Bentivoglio—, nadie en su sano juicio se atrevería a decir que necesitáis nuestra ayuda. —Extendió su brazo derecho en dirección a las tiendas donde acampaban sus tropas, en medio del verdor de la campiña.

—Me alegra veros y también a vos. —Alargó la mano y el boloñés, menos sorprendido, fue el primero en besársela.

La negociación fue ardua. Caterina se negaba a que los soldados entrasen en la ciudad, pero los comandantes exigían compensaciones. Las de Milán le parecían desorbitadas, proporcionalmente muy superiores a las del señor de Bolonia, que entraban dentro de lo razonable.

Muy pronto Caterina comprendió cuál era el juego. El deseo del Moro, en cuyo nombre hablaba Sanseverino, que para nada mencionó al duque Gian Galeazzo, era establecer un protectorado sobre los dominios del difunto Riario. Milán podría rebajar sus exigencias, si ella aceptaba ceder una parte de su poder, aunque formalmente sería la *madonna*. Su tío Ludovico deseaba poner un pie en la Romaña, como lo había intentado su padre. La diferencia radicaba en que ahora todo era mucho más sibilino. Se dio cuenta de que allí estaba la oportunidad de acabar con un problema y contar con un poderoso aliado, y quién mejor que su propia familia. Sabía, además, porque lo había visto con frecuencia, que los acuerdos se rompían con la misma facilidad con que se concertaban;

no había valores fijos y mucho menos en la complicada elaboración de la política.

Ante las apetencias de Roma y de los Ordelaffi, lo más importante era aparecer respaldada. Habría tutela, pero ella tendría la última palabra.

25

El astuto abad de San Mercuriale, que había sido de los primeros en conocer la noticia de que *madonna* Caterina había conseguido cerrar un acuerdo para que las tropas no entraran en la ciudad, ordenó que todas las campanas de la abadía repicasen. En medio de la convulsión muy pocos repararon en que era 30 de abril, día de San Mercuriale. ¡El santo patrón había salvado a la ciudad!

Los acólitos del abad lo pregonaban por todas las esquinas. En pocas horas la iglesia estaba abarrotada de vecinos que, postrados, daban gracias al santo por cuya intercesión se habían librado de los horrores del saqueo. Los cepillos rebosaban de monedas porque las limosnas fueron abundantes y sustanciosas, en medio de un vigoroso fervor que asentaba la fe de los forliveses en su patrón.

Menos optimismo había en las casas de quienes se habían mostrado partidarios de los desaparecidos Orsi y sus compinches. La condesa había ordenado que fuesen incautados sus bienes, para hacer frente a las necesidades del acuerdo que había cerrado con Sanseverino y Bentivoglio, y para afrontar el pago de los arreglos de su palacio, aunque la propia Caterina había promulgado órdenes muy severas sobre la restitución de los bienes robados. Exigió las reparaciones no tanto por recuperar el palacio, cuanto por dejar sentados principios que consideraba fundamentales para cimentar su poder.

No se sentía a gusto en el lugar donde habían asesinado a su esposo y, además, no se fiaba de los forliveses. Ordenó a Tommaso Feo que se habilitasen en Ravaldino unas dependencias para ella y su familia, porque era allí, tras los gruesos muros de aquella fortaleza, donde se sentía segura.

Durante los difíciles días de la crisis desencadenada por el asesinato de Girolamo dispuso de mucho tiempo para sacar sus propias conclusiones. No quería el amor de unos súbditos que no le inspiraban confianza, y de los que sintió en su propia carne la dureza del abandono y del silencio cuando más los necesitaba. Para nada sirvieron, en aquellos trágicos momentos, sus desvelos durante la epidemia de peste, ni sus esfuerzos porque el gobierno de la ciudad no les resultase gravoso.

—Señora, disculpad —una doncella asomó la cabeza por la puerta entreabierta de la estancia—, Giusti ha llegado; también aguarda Giacomo, el hermano del castellano.

Caterina alzó la cabeza y dijo:

—Primero Jacopo.

Giusti vestía como un guerrero. Estaba sucio y tenía el pelo revuelto y apelmazado por el sudor, pero el fibroso cuerpo que se adivinaba bajo el peto de cuero de búfalo no daba señales de cansancio; tampoco en su enjuto rostro se manifestaba el esfuerzo realizado.

—¿Lo has traído?

—Sí, mi señora.

—¿Dónde está?

—Aquí, en la fortaleza.

Caterina asintió con un ligero movimiento de cabeza.

—¿Es tan horrible como dicen?

El guardaespaldas encogió los hombros.

—Su aspecto hace honor a su fama. Es enorme y su presencia infunde pavor, no parece cristiano.

—¿Ha resultado complicado?

—Cuestión de dinero.

La condesa depositó con cuidado el cálamo que sostenía en su mano y guardó silencio unos instantes.

—Que te den algo de comer y descansa. Me acompañarás cuando vaya a verlo. Pero antes tengo que resolver otro asunto que ya no admite más demora.

Giacomo Feo era un joven atractivo. Sus grandes ojos negros, algo soñadores, eran lo más llamativo de sus facciones. Había llegado a Forlì, procedente de Savona, acompañando a su hermano Tommaso, a quien el difunto Girolamo llamó para que lo sirviese. Cuando la condesa salió de Ravaldino para ir al tedeum, su hermano mayor le ordenó no apartarse de su lado: los ánimos estaban excitados y cualquier exaltado podía intentar una locura. Había cumplido la orden a rajatabla y su proximidad a la condesa hizo que ésta le encomendase algunos trabajos, que cumplía con devoción.

Cuando a Caterina le anunciaron que solicitaba verla para dar cuenta de ciertas gestiones que le había encomendado, lo recibió con una sonrisa seductora y lo invitó a levantarse al verlo hincar la rodilla en el suelo.

—¿Has reunido toda la información?

—Sí, mi señora.

Se acercó hasta él y le agradó comprobar que el joven se estremecía ante su proximidad.

—Cuéntame.

—El cuerpo de Su Excelencia —casi tartamudeaba porque estaba azorado— fue recogido en unas parihuelas por la cofradía de los Flagelantes.

—¿Los *battuti neri*?

—Sí, mi señora, ellos fueron quienes se hicieron cargo de sus restos y los trasladaron a la catedral. Según me han contado, los cofrades aprovecharon la noche y que las calles estaban casi desiertas para llevar a cabo su caritativo acto. El cadáver estaba muy mal, no sólo por las puñaladas, sino por el maltrato recibido.

Caterina se había puesto tensa.

—¿Qué ocurrió?

—Como os digo, lo llevaron hasta la catedral con el propósito de darle sepultura, pero… —Giacomo bajó la mirada.

—Pero ¿qué?

—Los canónigos se negaron, mi señora. Estaban convencidos que la conjura triunfaba y consideraron comprometido autorizar la sepultura.

—¡Gentuza!

—Los *battuti neri* decidieron enterrarlo en el campo que hay detrás de San Mercuriale.

Caterina se acercó a la mesa y buscó un pliego entre la maraña de papeles.

—¡Toma! ¡Léelo!

Después de leerlo, Giacomo lo dobló con aire despectivo.

—Como dice *madonna*, son gentuza. ¡Qué desfachatez!

—Ahora, cuando ha cambiado la dirección del viento, quieren congraciarse. ¡No los recibiré! ¡Ni aunque viniesen de rodillas! Disponlo todo para que el cadáver tenga unas exequias acordes con su dignidad.

—¿Desea *madonna* desenterrarlo? Lleva dos semanas sepultado y sus restos estaban muy castigados.

—¡Por supuesto que habrá que desenterrarlo!

Giacomo se limitó a preguntar:

—¿Dónde quiere *madonna* que se celebre el funeral? ¿En San Mercuriale?

—No, el abad ya ha sacado suficiente provecho. Se hará en la iglesia de San Francisco, pero sólo el funeral. Luego, trasladaremos sus restos a Imola para enterrarlos allí. No quiero que descansen en el mismo lugar donde lo asesinaron.

—Como dispongáis.

Caterina se acercó al joven hasta casi rozarlo y en voz baja le susurró al oído:

—No sé cómo podré pagarte todo lo que estás haciendo por mí.

—Estoy pagado con serviros, mi señora.

Giusti no había exagerado. El aspecto de Babone causaba pavor. Más que corpulento, era un gigante que sacaba una vara a la mayor parte de los hombres. Su cabeza era voluminosa, el pelo hirsuto y las pobladas cejas, que no se interrumpían, marcaban una gruesa línea negra bajo su estrecha frente. Tenía el aspecto de una fiera salvaje.

Cuando Caterina entró en la mazmorra, donde el gigante se familiarizaba con los que iban a ser sus dominios en los próximos días, estaba de espaldas. Vestía unos calzones de estameña que le llegaban hasta las rodillas, dejando al descubierto unas pantorrillas peludas, y un mandil de cuero que apenas le cubría el torso y la barriga. Unas muñequeras acentuaban la sensación de brutalidad de sus musculosos brazos.

—¡Eh! Babone —le gritó Giusti.

El verdugo se volvió lentamente, como si le pesase la corpulencia, y fijó su mirada en la condesa, que vestía un traje de terciopelo morado, muy ajustado al talle que, pese a los múltiples embarazos, conservaba estrecho. Su rubia melena estaba recogida con una redecilla en la que podían verse pequeñas perlas adornando los nudos.

—Acércate, la condesa quiere verte.

Los pasos del gigantón resonaron en el suelo pavimentado con grandes losas de piedra, apenas desbastada. Hizo una torpe inclinación y, con dificultad, balbuceó unas palabras de saludo. Caterina pensó que el hecho de soportar su presencia era ya un tormento. Quien le habló de Babone no exageró.

—¿Estás en condiciones de empezar tu trabajo?

—En el momento que vuestra excelencia lo disponga.

—¿Tienes el instrumental necesario?

Babone hizo una mueca, enseñando sus dientes podridos. Era su forma de sonreír.

—Incluso para casos especiales.

—Entonces comenzarás mañana.

—¿Quién será el afortunado? —Un destello de sadismo brilló en los ojos del verdugo. Tampoco le mintieron cuando le dijeron que Babone disfrutaba torturando.

—Serán tres y harás tu trabajo a plena luz del día para que todos puedan verlo y saquen conclusiones.

El gentío que llenaba la plaza enmudeció cuando vio cruzar a Babone. El verdugo llevaba al hombro un saco de esparto, donde guardaba sus instrumentos de tortura. Su sola presencia intimidaba. Con la otra mano tiraba del cabo de una cuerda donde iban amarrados tres individuos, cabizbajos y con el rostro descompuesto. Superado el silencio inicial, la gente comenzó a insultarles y a mofarse, haciéndoles burlas.

Llegaron a la puerta del palacio, donde unos esbirros desataron al primero. Se hincó de rodillas en el suelo y pidió clemencia a gritos. Se llamaba Scociacarro y era el individuo que había mostrado el cadáver de Girolamo por la ventana del palacio, para disipar las dudas acerca de su muerte. Babone lo agarró por el cuello y lo arrastró sin contemplaciones al interior del palacio, hasta el salón de las Ninfas, el lugar donde se cometió el crimen.

Al cabo de algunos minutos, en la plaza resonaron unos alaridos. Babone lo torturaba con unas tenazas, arrancándole trozos de su cuerpo hasta que murió. Lo arrastró hasta la ventana, como si fuese un fardo, mostrándolo a la multitud antes de arrojarlo. En medio de un clamor de improperios, apenas se escuchó el sordo golpe que produjo al chocar contra el suelo.

El segundo era un sobrino de Jacomo da Ronco. Se le acusaba de arrastrar el cadáver de Girolamo por la plaza Grande. Babone lo amarró a una tabla con unas correas, mientras el joven pedía clemencia. El verdugo se aplicó con malicia a su trabajo, descuartizándolo como si fuese una res sacrificada.

El delito del tercero, Pietro Albanese, era haber insultado a la *madonna* de forma desvergonzada, cuando rechazó desde las almenas de Ravaldino la exigencia de entregar la fortaleza. La llamó *puttana* y *stregata*, esto último en alusión a su afición a confeccionar pócimas, mixturas y ungüentos, que la mayoría de la gente relacionaba con prácticas ocultas propias de brujas y hechiceras.

Babone lo subió a rastras, mientras pedía piedad a gritos, hasta el piso de arriba del Palacio Comunal, lo ató con unas sogas por las axilas y lo descolgó por la ventana hasta una vara del suelo, invitando a los esbirros a que lo tajasen con sus dagas hasta desangrarlo.

Alguna gente participaba con sus gritos en el macabro espectáculo, pero la mayoría, horrorizados, elevaban plegarias al cielo pidiendo que todo aquello acabase cuanto antes.

Al día siguiente Babone protagonizó otro episodio. Un grupo de soldados encontró al anciano padre de los Orsi, cuyos hijos no le habían advertido que abandonaban Forlì, en el convento de los dominicos, donde buscó refugio. Las protestas del prior, amenazando con la excomunión a los profanadores del monasterio y violadores del asilo eclesiástico, no sirvieron de nada. Lo sacaron a rastras del sagrado recinto y lo llevaron a la plazuela donde estaba su casa para que asistiese al triste espectáculo de ver cómo bandas de desalmados la saqueaban y destruían. La imagen del viejo, que no podía contener las lágrimas, movía a compasión. Allí lo tuvieron hasta que no quedaron ni los cimientos de lo que había sido su hogar y también el lugar donde sus hijos y compinches habían maquinado el asesinato de Riario.

Cuando todo hubo concluido, Babone lo ató a la cola de un caballo y lo arrastró hasta la plaza Grande, dándole tres vueltas como hacían los señores de Forlì en señal de posesión de la ciudad. Cuando el verdugo dio por concluido el espectáculo, Andrea Orsi estaba magullado, y lleno de heridas y contusiones. Entonces el verdugo desenvainó un enorme alfanje y lo descuartizó como si fuese un animal.

Aquella tarde los pregoneros anunciaron por toda la ciudad, a golpe de timbal y trompeta, un bando promulgado por la condesa, del que también se fijaron pasquines en las puertas y en los lugares de mayor concurrencia. *Madonna* Caterina ofrecía por la entrega de los Orsi, de Da Ronco y de Pansecco una recompensa de mil ducados por cada uno de ellos, si se los entregaban con vida y la mitad de esa suma, si estaban muertos.

El obispo Savelli fue expulsado de la ciudad y no se le permitió llevarse la artillería. La condesa consideró que era botín de guerra.

Suspendió temporalmente al Consejo de Ancianos por mostrarse proclive a ponerse bajo el gobierno directo de la Santa Sede y postergó al Consejo de los Cuarenta en sus funciones, hasta el punto de que estuvo varios años sin reunirse.

26

La explosión se escuchó en todo el barrio. Los artesanos abandonaron sus talleres y los comerciantes sus tiendas. En medio del desconcierto, nadie daba una explicación hasta que unos rapaces vieron alzarse sobre el cielo una densa columna de humo negro.

—¡Allí! ¡Allí! —gritaban, señalando hacia una de las torres de Ravaldino.

Giusti, a quien la explosión sorprendió en las cuadras, corría, con la espada desenvainada, hacia el torreón noroeste, porque sabía que allí era donde estaba la condesa. Apartó a manotazos y a empellones a los que se cruzaban en su camino. Al vislumbrar, entre el humo y el polvo, la puerta descolgada y la madera astillada se temió lo peor. Entró en la sala donde Caterina había instalado su nuevo laboratorio y entre la humareda apareció la figura de Alberti, cubierto de polvo y caminar inseguro. El aire asfixiaba.

—¡La condesa! ¿Dónde está la condesa?

El boticario no le hizo caso, deambulaba como si estuviese perdido y farfullaba palabras sin sentido.

—¡El azufre! ¡La culpa ha sido del azufre!

La humareda impedía ver. Giusti escuchó una voz a sus espaldas.

—¡La *madonna*! ¿Dónde está la *madonna*? ¿Qué ha ocurrido? —Era Giacomo Feo.

Giusti negó con la cabeza, le costaba trabajo respirar y le escocían los ojos cuando, bajo uno de los poyos de piedra, vio un bulto en el suelo, inmóvil.

—¡Aquí, Giacomo! ¡Rápido!

Entre los dos sacaron el cuerpo inanimado, tropezando con restos de cerámica, cristal y piedra que estaban esparcidos por el suelo.

Al otro lado de la puerta, donde la atmósfera era más respirable, a pesar del humo que salía por el boquete, había más gente y reinaba la confusión; dos soldados ayudaban al boticario.

—¡Abrid paso! ¡Abrid paso! —gritaba Giusti con dificultad.

Las vestiduras de la condesa estaban desgarradas por algunas partes y toda ella cubierta de un polvo negro, que parecía hollín. Por su rostro ennegrecido manaba un hilillo de sangre. Estaba exánime, parecía muerta.

—¡Abrid paso! ¡Necesita aire!

Subieron las escaleras a trompicones y salieron al adarve. Lucía un sol espléndido y la atmósfera estaba limpia, salvo por la humareda de la explosión. Trajeron una manta y la tendieron.

—¡El físico! ¿Dónde está el físico? —gritó Giacomo.

El boticario, que parecía salir del entontecimiento, comentó:

—Que no vaya a venir; si la condesa aún vive, podría rematarla.

—¿Qué ha ocurrido? —preguntó Giusti.

El boticario se encogió de hombros.

—La combinación ha resultado demasiado fuerte. Se lo advertí, pero no me hizo caso.

Una de las mujeres que lavaba el rostro de Caterina comentó, con el semblante descompuesto:

—No para de salirle sangre por la sien.

—Eso es buena señal —indicó el boticario.

—¿Buena señal?

—Mientras una herida sangra, hay vida.

El boticario bebió agua a pequeños sorbos y poco a poco se serenó. Una vez recuperado, se inclinó sobre Caterina y comprobó que su respiración se acompasaba, aunque su pulso latía con poca intensidad. Solamente se apreciaba la herida de la sien. Empapó un paño con alcohol de romero y lo pasó varias veces por la herida.

—Creo que lo mejor es llevarla a sus aposentos y que sus doncellas comprueben si tiene alguna herida en lugar oculto.

Utilizando la manta sobre la que reposaba, la trasladaron a su alcoba. La calma volvía, poco a poco, al interior y al exterior de la fortaleza.

—¿Qué es lo que ha ocurrido, Alberti? Antes te escuché culpar al azufre.

El boticario miró a Giusti.

—En realidad, la culpa no es del azufre, sino de haber calentado una mezcla en la que uno de sus componentes era azufre. La condesa quería obtener una pasta para curar pupas, eczemas y vejigas, pero la combinación ha resultado explosiva. Yo estaba trabajando con el mortero cuando vi un fogonazo seguido de un fuerte estruendo. Por suerte, la condesa se encontraba en la otra punta del laboratorio, donde consultaba uno de los recetarios. Si hubiese estado junto al hornillo, habría salido malparada. Creo que la herida de la frente se la hizo algo que voló.

Giusti miró fijamente al boticario. Sabía de su devoción por la condesa: fue Alberti quien, arriesgando su vida, salvó los preciosos manuscritos de la condesa cuando el palacio fue saqueado. Jacopo los acompañaba para proteger a la condesa cuando salían al campo para recoger hierbas, porque nunca se sabía qué peligro podía acechar. Junto a los dos aprendió que la verbena tenía propiedades extraordinarias, que la amapola poseía poderes para adormecer o que la vulgar y denostada ortiga guardaba jugos maravillosos. Sabía que podía hacerle una pregunta como aquélla:

—¿Estás seguro de que nadie ha provocado el accidente?

Alberti meditó antes de hablar.

—¿Por qué preguntas una cosa así?

—Porque no me fío ni de mi propia sombra.

El semblante del boticario se ensombreció y en sus ojos apareció un fondo de tristeza.

—¿Piensas que yo...?

Sólo entonces se dio cuenta de su error. Puso una mano en el hombro de Alberti, una de las pocas personas a las que podía considerar como su amigo, y le pidió excusas.

—Me refiero a si alguien ha tenido la posibilidad de manipular los ingredientes para provocar la explosión.

El boticario se sintió aliviado.

—No lo creo, la mezcla con que trabajaba la condesa era muy inestable. Yo mismo le advertí de los riesgos, pero ya la conoces. Sabes lo tozuda que es y cómo ama el riesgo.

—Me tranquiliza oírtelo decir.

Alberti, sin embargo, se quedó inquieto.

—Si has preguntado eso, es por alguna razón.

Giusti miró a su alrededor para cerciorarse de que no había oídos indiscretos.

—No me fío del castellano.

—¿De Tommaso? —se extrañó el boticario.

Giusti asintió.

—Tommaso Feo fue fiel a la condesa en los momentos de dificultad. Fue una pieza clave para enderezar la situación. No comprendo cómo puedes decir una cosa así.

El guardaespaldas se aseguró de que nadie escuchaba sus palabras.

—*Madonna* se ha enamorado de su hermano.

Alberti arrugó el entrecejo y frunció los labios, dando a entender que esa cuestión no tenía por qué levantar suspicacias en el mayor de los hermanos.

Giusti consideró necesario explicarse.

—Las tensiones entre ellos son muy fuertes porque Giacomo desplaza a su hermano.

—¡Pero si Tommaso se ha casado con Bianca Landriani, la hermana de la condesa!

—Eso nada tiene que ver, mi querido amigo. Su posición es más débil cada día que pasa.

La llegada de una doncella interrumpió la conversación.

—Disculpadme, pero la condesa desea hablar con los dos.

—¿Cómo está?

—Ha recuperado la conciencia, dice que tiene hambre y que le molesta la herida de la frente.

Nada más aparecer en la alcoba la condesa gritó a Alberti:

—¡Por lo que veo hace falta bastante más azufre para acabar con un cascarrabias como tú!

El boticario se acercó al lecho y le besó la mano con devoción.

—Os advertí que la mezcla era muy inestable, pero no me hicisteis caso. Además, la cantidad era excesiva para realizar una simple prueba. Espero que la próxima vez tengáis más consideración a mis consejos.

El boticario observó que Giacomo Feo estaba sentado en una esquina de la cama, lo cual denotaba una confianza acorde con la historia que acababa de conocer.

Pocos meses después la relación de Caterina con el joven Feo había cobrado una dimensión increíble en tan poco tiempo.

—Mi señora, el padre Bonifacio ya está aquí. —El rostro de Giusti, empapado por la lluvia, no dejaba lugar para la duda. Estaba a disgusto.

—¿Está Giacomo en la capilla?

Un relámpago llenó la estancia con un fogonazo de luz.

—Sí, mi señora.

Sus palabras apenas se escucharon por el estruendo del trueno. La tormenta estaba encima de Forlì. Los relámpagos y los truenos se sucedían sin intervalo.

—Estás empapado.

—Llueve mucho, mi señora. Es como si los cielos quisieran advertirnos de algo.

Caterina, que se había vuelto hacia un gran espejo y retocaba con las manos los rubios tirabuzones de su peinado, se volvió agitada.

—¿Qué quieres decir?

—Que este matrimonio es una locura, mi señora.

—¡Es mi vida, Jacopo! ¡Con ella puedo hacer lo que me plazca! —Tenía los ojos brillantes, como si tuviese fiebre.

—No, mi señora. Uno no puede hacer ciertas cosas cuando se tienen determinadas responsabilidades.

Caterina respiró hondo e intentó poner dulzura a sus palabras.

—No le hables al corazón de responsabilidades.

—*Madonna*, vuestro corazón es libre para amar. Sabéis que yo sólo deseo vuestra felicidad, pero este matrimonio únicamente puede traer complicaciones. Sabéis mejor que yo que, cuando se enteren en Milán, los gritos se escucharán al otro lado de los Alpes. La situación es muy complicada y cualquier movimiento puede tener consecuencias incalculables.

—Milán nada tiene que ver en esto. Además, mi matrimonio con Giacomo no alberga intención política.

—Pero puede tener consecuencias políticas, mi señora. En una situación de conflicto, podríais encontraros aislada. Pensad por un momento qué hubiese ocurrido si vuestra familia no acude a socorrernos, cuando fue asesinado vuestro esposo.

—¡Teníamos Ravaldino!

Giusti movió la cabeza dubitativo.

—Dios quiera que, algún día, no tengamos que vernos con estas paredes como nuestra única defensa.

—¡Nadie tiene derecho a imponer condiciones a mi amor! ¡Ya fue bastante con una vez!

—Perdonadme, pero vuestro amor no será mayor, ni más hermoso porque un cura le eche unas bendiciones. Yo no hablo de amor, mi señora, sino de matrimonio.

—Nadie tiene por qué saber que lo he contraído.

—Esas cosas siempre terminan sabiéndose.

Jacopo Giusti era, tal vez, el único hombre del mundo capaz de hablarle a la *madonna* de Forlì en aquellos términos.

Caterina Sforza contrajo matrimonio con Giacomo Feo una lluviosa noche de tormenta, en la que los truenos apenas permitieron que el padre Bonifacio pudiese escuchar las palabras de aceptación de los contrayentes. El único testigo fue Jacopo Giusti.

En las semanas siguientes dos hechos alertaron a Ludovico el Moro. El primero, que su sobrina había obligado a Tommaso Feo a abandonar Forlì. Se mostró generosa, pero tuvo que marchar a Savona, su tierra natal, con la promesa de no volver nunca más. El segundo, la rápida ascensión de Giacomo, que fue nombrado comandante de Ravaldino y que poco después asumió funciones de gobierno en Forlì y en Imola. Caterina no realizó consulta alguna.

27

Forlì, 9 de abril de 1492

El jinete llegó a la ciudad poco antes de que las puertas se cerrasen. Venía de Florencia y traía noticias importantes.

Lorenzo de Médicis, el Magnífico, acababa de morir. Había sobrevivido catorce años a la conjura de los Pazzi. Su muerte cerraba una de las etapas más importantes de la historia de Florencia y agitó, una vez más, el complicado panorama de la política italiana, donde la Toscana, por su importancia económica y estratégica posición, tenía un papel de gran importancia.

Pero la muerte del Magnífico significaba mucho más. Su amor al arte, a las letras y a la cultura había dado alas a un mundo para el que configuró una nueva forma de verlo. Abrió horizontes más amplios para la ciencia, buscando el conocimiento perdido atesorado por los antiguos, e impulsó el estudio del mundo clásico. Estimuló con su mecenazgo a artistas que revolucionaron el arte. Bajo su gobierno, Florencia, una pequeña ciudad de no más de cuarenta mil habitantes, se convirtió en un faro cuyos resplandores iluminaron primero Italia y después toda Europa.

Con su muerte se cerraba un tiempo en que el propio

Lorenzo de Médicis, Policiano o Pulci cambiaron para siempre el curso de la literatura. Brunelleschi construyó, desafiando las leyes del equilibrio, la cúpula de Santa Maria del Fiore y llenó la ciudad de palacios. Leone Battista Alberti estableció los nuevos cánones de la arquitectura. Donatello, Verrocchio o Della Robbia sacaron el noble arte de la escultura del cerrado mundo eclesiástico para convertirlo en un arte humano. Mientras que Ghirlandaio, Uccello o Lippi daban vida a sus pinturas, conseguían perspectivas imposibles hasta entonces y se enamoraban de la luz que brotaba de sus cuadros. Todo ello en un ambiente propicio, donde se discutía de arte y literatura hasta en las tabernas de la ciudad, e incluso los mercaderes protegían a los artistas, destinando sumas fabulosas a la creación. Sin ese ambiente, hubiera resultado imposible que apareciesen en un espacio de pocos años Leonardo da Vinci y Michelangelo Buonarroti.

Caterina hubiese querido ir a Florencia a darle su último adiós a un hombre que, siendo su enemigo, admiraba. Pero ya había desafiado bastante a su tío el Moro, que gobernaba Milán en nombre de su hermano, como para asistir a su entierro. Un gesto como aquél no se entendería, como no se entendía su matrimonio con Giacomo. Se limitó a enviar una carta de condolencia.

Ahora dedicaba la mayor parte de su tiempo a experimentar y buscar fórmulas para combatir la enfermedad, lejos de las sangrías de los médicos, y a elaborar recetas, como un jarabe elaborado a partir de una destilación con hojas de menta que aliviaba la tos y mejoraba la respiración.

Dedicaba tiempo a la fórmula del elixir, convertida en un reto alquímico para el que no encontraba respuesta. El desafío lanzado por Leonardo era como una obsesión.

Aprendió mucho con una anciana, llamada Argila, a la que

visitaba con frecuencia y que vivía en una cabaña, en el corazón de un bosque que se extendía al pie de los Apeninos, en el límite de sus dominios. Tenía fama de bruja y hechicera, algo que infundía pavor en las gentes de los contornos, pero que a ella no le importaba. Para Argila su relación con la *madonna* fue una suerte porque las molestias, las amenazas e incluso los ataques de los fanáticos, espoleados por las prédicas intransigentes de algunos clérigos, desaparecieron cuando soldados de la condesa dejaron claro que la anciana gozaba de su protección.

Argila la asombraba con algunos de sus conocimientos, como la tarde en que le contó que las verbenas con que los fieles cristianos celebraban ciertas festividades tenían un origen muy diferente. Cuando contaba aquellas historias Argila cerraba los ojos y parecía como si las arrugas de su rostro se acentuasen.

—Ciertas noches del año que señalan momentos especiales en el firmamento, las gentes salían al campo a recolectar plantas. Había que hacerlo en esas fechas, si se deseaba que tuviesen las propiedades que se les asignaban; la más importante de esas plantas era la verbena. Ir de verbena era ir a recoger plantas determinadas noches del año. Terminada la tarea, la gente lo celebraba con comida, vino y canciones, que algunos no dudarían en calificar de obscenas. Después daban rienda suelta a sus apetitos carnales. Eso era algo que los clérigos no podían consentir y acabaron transformándolo en una celebración religiosa. En lugar de salir al campo a recoger la hierba, se rendía culto a la imagen de un santo, las canciones se sustituyeron por himnos religiosos y los clérigos vigilaban para que nadie se extralimitase.

El semblante de Caterina reflejaba las encontradas sensaciones que la noticia le había producido, a medio camino entre la incredulidad y la alegría.

—¿Estás seguro? —preguntó al hombre que tenía delante, empapado en sudor por el fuerte calor de aquel 26 de julio y el esfuerzo realizado.

—Completamente, mi señora.

Como confirmación de sus palabras hasta ella llegó el doblar de las campanas, primero unas y después otras; en cuestión de minutos todas las iglesias de Forlì tocaban a muerto. Era algo que durante días, conforme la noticia se extendiese, ocurriría en toda la cristiandad. En Roma, Inocencio VIII había muerto.

Recordó, con cierta nostalgia, los duros días vividos a la muerte del anterior Papa, cuando se hizo fuerte en Sant'Angelo y, si su esposo hubiese tenido el pulso de un guerrero y no la sangre de un escribano, habría podido imponer sus condiciones al cónclave.

¡Cuántas cosas habían sucedido a lo largo de aquellos ocho años de pontificado!

La muerte de Inocencio VIII se sumó a la del Magnífico para complicar aún más un complejo panorama, donde las noticias que llegaban del norte de los Alpes no hacían sino aumentar la tensión. Los rumores apuntaban a que Carlos VIII, rey de Francia, deseaba incorporar a sus dominios el reino de Nápoles, alegando que los territorios del sur de Italia pertenecieron a los duques de Anjou. Si el monarca francés decidía intervenir, los españoles no permanecerían cruzados de brazos. Eso significaba que a las tensiones originadas por los propios italianos se sumarían las apetencias territoriales de las potencias extranjeras. Italia sería un campo de batalla.

La primera consecuencia de la muerte del Papa fue el alejamiento de Nápoles y Milán. Ludovico el Moro cerró un acuerdo con el rey de Francia, en virtud del cual sus ejércitos tendrían paso libre por el Milanesado. Si Milán se inclinaba por Francia, Florencia consolidaba una alianza con Nápoles. Venecia quedaba a la expectativa, pero no olvidaba su tradicional alianza con Francia, mientras que en Roma todo estaba pendiente del cónclave que elegiría al nuevo pontífice.

Las espadas estaban en alto y la tensión se palpaba en las calles de Roma, donde eran continuos los enfrentamientos entre los partidarios del sobrino de Sixto IV, Giuliano della Rovere, y los del cardenal español Rodrigo Borgia, que contaba con el apoyo de sus compatriotas, cuya influencia en la ciudad era cada vez mayor.

El cónclave se inició el 6 de agosto. Quien quisiera ser Papa tendría que conseguir al menos quince de los veintidós votos de los miembros del Colegio Cardenalicio. Todo apuntaba a un cónclave rápido, porque la arrolladora personalidad del cardenal Caraffa señalaba que lograría el solio pontificio sin muchas dificultades. Sus mayores oponentes eran Giuliano della Rovere y Ascanio Sforza, pero las dos primeras votaciones no resolvieron nada, si bien pusieron de manifiesto que las posibilidades del hermano de Ludovico el Moro se habían volatilizado.

El 9 de agosto se celebró una tercera votación. En Roma la tensión era mucha, y a cuenta de los enfrentamientos callejeros había un centenar de muertos, sin contar los cadáveres que aparecían flotando en las aguas del Tíber. Cuando la chimenea arrojó una densa y negra humareda, los que aguardaban el resultado quedaron decepcionados. La lucha en el interior de los muros de San Pedro era tan intensa como en las calles de la ciudad, aunque no se derramara sangre.

Sus Eminencias se habían retirado a descansar y los candiles de los pasillos hacía rato que estaban reducidos a unas imprescindibles luminarias, que permitían al Vaticano no quedar sumido en tinieblas.

Ascanio Sforza había rezado sus oraciones, hecho unas breves abluciones y se disponía a apagar la candelilla de su palmatoria, cuando escuchó unos discretos golpes en la puerta de su ascética celda. Fueron tan suaves que dudó si los había escuchado o era una ilusión de su mente. Aguardó hasta que volvieron a repetirse.

—¿Quién llama?

—Ascanio, soy Rodrigo Borgia, ¿podemos hablar?

El milanés hizo un gesto de disgusto. ¿Qué querría aquel español, que después de veinte años en Roma todavía era un hombre rudo en sus formas? Se levantó y abrió la puerta.

Una hora después tenía la promesa de ocupar el cargo de vicecanciller, que en aquel momento ostentaba el español, quien, además, le ofrecía su propio palacio de Roma, el castillo de Nepi y las rentas, diez mil ducados anuales, del obispado de Erlau. Todo aquello sería suyo, claro está, si Borgia se convertía en Papa.

La siguiente visita del valenciano fue a Orsini, a quien prometió el gobierno de varias ciudades, la legación pontificia de la región de las Marcas y el obispado de Cartagena. Aún le quedó tiempo para visitar a Colonna, quien le pidió para darle su apoyo la riquísima abadía de Subiaco y los lugares de su entorno. Rodrigo Borgia no vio problema en satisfacer su demanda.

Cuando se retiró a su celda, cuya austeridad era una de las cosas que más le molestaban del cónclave, hizo las cuentas de su larga incursión nocturna. Tenía catorce votos, incluyendo el suyo. Aún le faltaba el esfuerzo final para conseguir el voto número quince, que significaba la mayoría de los dos tercios necesarios para convertirse en el vicario de Cristo en la tierra.

Desayunó el tazón de leche endulzada con miel y una rebanada de pan, que era el frugal desayuno de Sus Eminencias mientras durase el encierro que significaba el cónclave. Estaba sumido en profundos pensamientos, repasando mentalmente las posibilidades que tenía de conseguir el ansiado voto que le faltaba. Desechó a Caraffa, a Cibo y a Costa porque eran incorruptibles. Tampoco el cardenal Piccolomini se dejaba seducir por las riquezas. En el caso de Zeno y Basso, ya lo había intentado, pero infructuosamente. El joven Giovanni de Médicis le profesaba tal animadversión que, ni poniendo Roma a sus pies, conseguiría convencerlo. Peor aún lo tenía con Giuliano della Rovere, probablemente su mayor enemigo y, en aquel momento, su principal competidor.

Hechos los descartes, sólo quedaba una posibilidad.

Mordisqueó el trozo de pan y dio unos sorbos a la leche, que ya estaba fría, se limpió los labios y abandonó la celda, más apropiada para un penitente que para un príncipe de la Iglesia.

El camarlengo había dispuesto que Sus Eminencias dedicasen la mañana a la oración y solicitasen iluminación al Espíritu Santo. Salió al pasillo y comprobó que todo estaba en silencio. La penumbra era agradable, porque los sirvientes habían echado las cortinas para evitar que entrase el calor y la intensa luz del verano. Caminó sin hacer ruido hasta la última de las celdas, al fondo de la galería, y tocó en la puerta sin obtener respuesta. Repitió dos veces más, con el mismo resultado. Giró el picaporte y escuchó cómo la aldabilla se alzaba y con un suave toque la puerta se abrió.

La imagen del cardenal era lamentable. Gherardo estaba sentado en un sillón, dormitando. Tenía puesto un camisón manchado por las deposiciones. El anciano, a sus noventa y cinco años, tenía momentos de lucidez, pero cada vez eran más breves. Estaba en tales condiciones que algunos cardenales barajaron la posibilidad de que no participase en el cónclave, pero los cánones eran estrictos. Todos los miembros del Colegio Cardenalicio tenían derecho a voto, sin excepción alguna.

Rodrigo Borgia se acercó, sus vestiduras rozaron una palmatoria con un cabo de vela apagada y ésta cayó del borde de la mesa. Al anciano lo despertó el ruido, entreabrió los ojos y preguntó:

—¿Quién anda ahí?

—Eminencia, soy Borgia, Rodrigo Borgia.

—¡Ah!

Gherardo se despabiló y percibió el bulto que tenía delante; su vista estaba ya muy limitada.

—¿Cómo os encontráis esta mañana?

—¡Mal! —gruñó—. ¿Cómo quieres que me encuentre cuando me faltan poco más de cuatro años para alcanzar el siglo? ¡Estoy deseando que el cónclave acabe de una maldita vez!

Borgia pensó en la Divina Providencia.

—Eso es algo que, en estos momentos, está en vuestras manos, eminencia.

—¿Qué quieres decir?

—Si contase con vuestro apoyo, yo resultaría elegido en la próxima votación.

Gherardo quedó inmóvil, las arrugas que surcaban su rostro parecían talladas en mármol. El silencio se prolongaba y el cardenal Borgia pensaba que era una buena señal. El decrépito anciano elucubraba. No había rechazado su petición.

—¿Qué garantías tengo de que eso que dices sea verdad?

—Si en la votación de esta tarde no alcanzase los dos tercios, quedaría al descubierto la patraña. Vuestra eminencia no perdería nada, pero si es cierto lo que os digo, el cónclave habría concluido.

Un hálito de vida apareció en el rostro del viejo cardenal,

tres décadas mayor que su compañero de consistorio, quien acaba de cumplir sesenta y un años.

—¿Qué me ofreces por hacer la prueba?

Rodrigo Borgia no daba crédito a lo que sus oídos acababan de escuchar. Hizo un esfuerzo por contener su alegría. Tocaba con los dedos el éxito. Su cabeza buscaba algo que resultase atractivo a un hombre que tenía ya un pie puesto en la tumba.

¡La tumba! ¡Eso era lo que podía ofrecerle, una tumba digna de un Papa! Decidió explorar el terreno porque una oferta como aquélla podía volverse en su contra.

—¿Hay alguna cosa que vuestra eminencia desee?

Gherardo meditó.

—Con la edad que he alcanzado hay pocas cosas que tienten mi ánimo. Pasó el tiempo de la lujuria y de la gula, también el deseo de poder. Ahora uno piensa en lo que deja atrás, después de una vida tan dilatada. No sé, Borgia, no sé. ¿Qué pedirías tú si estuvieses en mi lugar?

El valenciano no dudó.

—Una tumba, eminencia. Una tumba que diese testimonio de mi vida a la posteridad. Más que una tumba, un mausoleo.

El viejo dio un respingo y Borgia se temió lo peor. Había mentado la soga en casa del ahorcado. Gherardo guardaba silencio y su rostro no expresaba emoción alguna, era como una máscara sin vida. Rodrigo Borgia escuchaba cómo se aceleraban los latidos de su corazón.

—Jamás se me hubiese ocurrido pedir una cosa así. Pero he de reconocer que tu oferta es tentadora y he de admitir que tu ingenio está muy por encima de la media.

—¿Significa eso que aceptáis?

—Sí. Mi voto a cambio de una tumba digna de mi rango.

—Contad con ella.

En la tarde del 11 de agosto, se había congregado una muchedumbre ante San Pedro; por Roma corría el rumor de que la próxima *fumata* sería blanca.

Efectivamente, a eso de las seis de la tarde por la chimenea que concentraba las miradas de la gente salió un hilillo, tan delgado, que durante unos segundos fue difícil identificar el color del humo, pero enseguida las dudas se despejaron. La *fumata* era *bianca*. A quienes aguardaban para conocer el nombre del nuevo pontífice, la hora que transcurrió hasta que el protodiácono se asomó al balcón se les hizo eterna. En medio del silencio de la muchedumbre proclamó:

—*Annuntio vobis gaudium magnum; habemus papam: Eminentissimum ac Reverendissimum Dominum Rodericum cardinalem Borgiam qui sibi nomem imposuit Alexander VI. Vivat, vivat Alexander VI.*

El gentío aclamó al nuevo Papa, pero también se escucharon voces de protesta.

—¡Fuera!

—¡Fuera los españoles!

La primera consecuencia del ascenso al trono de Alejandro VI se saldó con una sangrienta pelea a las puertas de la basílica de San Pedro, entre los partidarios del nuevo pontífice y los que habían apoyado las pretensiones de Giuliano della Rovere, que había entrado al cónclave como el principal candidato, si Caraffa no era el elegido.

Una vez más, se hacía realidad una vieja sentencia según la cual quien entraba pontífice salía cardenal. La acción del Espíritu Santo, ciertamente con la ayuda del dinero y las promesas del poderoso Rodrigo Borgia, decantó la elección del Sacro Colegio a favor del cardenal de Valencia.

Muy pronto, la lucha a las puertas de San Pedro se extendió a las calles de Roma. Mientras tanto, tenía lugar la ceremonia de investidura papal. Previamente, según se decía, el cardenal camarlengo comprobaba la virilidad del elegido, palpando sus testículos. Era una ceremonia engorrosa, pero necesaria para evitar que una mujer, encarnación del mal, volviese a sentarse en la cátedra de San Pedro, como ocurrió en tiempos de la papisa Juana. El elegido, que vestía una amplia túnica, asentaba sus posaderas en una silla, diseñada ex profeso para realizar los correspondientes tocamientos. Hecha la comprobación, el camarlengo proclamaba solemnemente:

—*Habet duos testiculos et bene pendentes*.

—*Laus Deo* —contestaron a coro el resto de los cardenales.

El nuevo Papa era un hombretón de aspecto impresionante, a pesar de haber cumplido ya más de sesenta años. Su porte era majestuoso y su vitalidad hacía honor al toro que destacaba en su emblema heráldico. Sus aventuras amorosas rozaban lo legendario y de su relación más estable, con Vanozza Catanei, tenía cuatro hijos, tres varones, Juan, César y Jofre, y una hija, Lucrecia, considerada una de las mayores bellezas de Roma. Su padre le buscaba ya un matrimonio de conveniencia.

Caterina acogió la noticia de la elección del Papa español con grandes muestras de júbilo. Recordaba con alegría sus relaciones con el cardenal Borgia cuando estuvo en Roma. Fue el padrino de Ottavio.

La condesa ordenó que se pusiesen luminarias en Forlì y también en Imola. Asistió a las ceremonias litúrgicas que se celebraron con motivo de la elección de Alejandro VI, a pesar de que por aquellos días sufría un nuevo ataque de tercianas. Recordaba la condesa que Raffaele Riario le contó en varias ocasiones que Rodrigo Borgia siempre hablaba de ella en términos elogiosos y que, cuando se encerró en Sant'Angelo, las afirmaciones del cardenal español escandalizaron a algunos miembros del Sacro Colegio, por las alabanzas que dispensó a su coraje y decisión.

Caterina le escribió felicitándole y recordando los tiempos vividos en Roma.

Como devota hija de la Iglesia, postrada ante vuestra santidad, beso vuestros pies y sumo mis oraciones a las de toda la cristiandad para que Dios Nuestro Señor guíe vuestros pasos.

La alegría de mi corazón únicamente es comparable a la satisfacción con que viví en esa ciudad de Roma momentos de felicidad compartidos con vuestra santidad, como el bautizo del pequeño Ottavio, oficiado por quien hoy, por designio de la Divina Providencia, rige, desde la cátedra de San Pedro, nuestros destinos espirituales.

A los pies de vuestra santidad, su fidelísima hija, Caterina Sforza, condesa de Imola, señora de Forlì

En su respuesta, el pontífice se mostró generoso y concedió un jubileo de tres años a la abadía de San Mercuriale. No hacía ninguna referencia a los derechos eclesiásticos sobre las dos ciudades gobernadas por Caterina.

Italia vivió unos meses de tranquilidad, pero la caja de los truenos se abrió a comienzos de 1494, al morir el rey Ferrante de Nápoles. Era el momento que Carlos VIII había esperado para hacer efectivos los derechos que reclamaba para Francia. Sus embajadores, desplegados como un abanico, pidieron paso franco por los estados italianos para atacar Nápoles. Ludovico el Moro le abrió las puertas del ducado de Milán, mientras que los florentinos, que habían reforzado sus lazos con Nápoles, se aprestaron a cerrarles el paso por la Toscana. El monarca francés, que no deseaba malgastar esfuerzos, no tenía otro camino que la vía Emilia y cruzar la Romaña. Para ello necesitaba la colaboración de Caterina. El Moro prometió a su aliado francés que no habría problemas.

La *madonna* paseaba por el adarve con aire meditabundo. Acababa de despachar con los arquitectos que trabajaban en las obras del Paraíso, nombre con que empezaba a conocerse la ampliación de Ravaldino, donde se construía un palacio, ampliando el perímetro de la fortaleza y mejorando sus sistemas defensivos. Dispondría del mejor de los laboratorios y de un jardín donde cultivar plantas para sus experimentos y recetas.

Las obras marchaban según el ritmo establecido y, lo que era más importante, el presupuesto no había crecido más allá de lo previsto: en torno al sesenta por ciento de las cifras iniciales. Su administrador le advirtió que eso ocurría con frecuencia. Conocía obras donde las cifras iniciales se multiplicaban por tres.

En aquel momento, no era el costo de las obras lo que la sumía en la meditación. Los centinelas miraban de reojo y la saludaban, cada vez que pasaba por su lado. Bajó la escalera, cruzó el patio y ordenó que buscasen a Giacomo, que acababa de regresar de una partida de caza y a quien no parecía afectarle demasiado la grave situación política en que se encontraban.

—He tenido carta de Milán —indicó a su marido que, sonriente, llevaba en la mano una copa llena de vino.

—Siempre resulta agradable la correspondencia familiar.

A Caterina le molestó su risueña despreocupación y le tendió el pliego.

—Estoy cansado, dímelo tú.

Con el paso del tiempo Giacomo se había vuelto insolente, sin percatarse de que su posición dependía de su esposa. Era un don nadie, pero la soberbia con que trataba a la gente y la creencia de que sus méritos le hacían acreedor a todo le granjearon antipatías generalizadas.

—¡Léelo!

Aunque el amor de Caterina no se había borrado, cada vez eran más frecuentes las desavenencias conyugales y, en esas circunstancias, Giacomo era consciente de que su esposa imponía su criterio. Al fin y al cabo, ella era la condesa.

Soltó la copa y con calculada parsimonia cogió el papel y lo leyó.

—¿Qué piensas hacer?

Antes de contestar, removió las ascuas de la chimenea y las llamas se avivaron.

—Mi tío se equivoca, si piensa que Francia ganará esta guerra.

Giacomo agitó la carta.

—Si estas cifras son ciertas, nadie podrá oponerse a ese ejército. ¡Son más de cuarenta mil hombres! En Italia no hay una fuerza capaz de hacerles frente, ni siquiera todos juntos. Yo no lo dudaría.

—El Papa se ha puesto al lado de Nápoles.

Giacomo bebió de su copa y arqueó los labios, dando a su boca un aire de displicencia.

—Querida, las guerras no se ganan con bendiciones, sino con soldados y cañones.

Estaba de espaldas, atizando el fuego. Se volvió y preguntó a su esposo:

—¿Sabes por qué, alguien tan astuto como Alejandro VI, ha cambiado de opinión y permitido el paso del ejército napolitano hacia el norte?

—Lo ignoro, querida.

La condesa arrojó el atizador sobre el cajón donde estaba la leña.

—Porque ya sabe que los españoles no permanecerán cruzados de brazos. Aguardarán acontecimientos y, si Francia se apodera de Nápoles, intervendrán. También ellos pueden alegar derechos históricos sobre el reino.

—Por lo que sé, el Rey Católico no se ha movido. No hay un solo soldado español en Italia, mientras que con Carlos VIII han cruzado los Alpes —agitó otra vez la carta en su mano— más de cuarenta mil hombres.

—Porque Fernando de Aragón es mucho más hábil que ese francés engreído. Llegado el momento, aparecerá como liberador de los invasores franceses. Y por lo que respecta a las tropas, no te equivoques; Fernando tiene en estos momentos el mejor ejército de Europa, miles de soldados curtidos en la guerra con los que ha expulsado a los musulmanes de España. En campo abierto son temibles y su experiencia en el asedio de plazas fuertes y castillos está sobradamente demostrada.

—¿Acaso apostarías por los españoles en un conflicto contra los franceses? —Giacomo estaba sorprendido.

—¡Toda mi fortuna!

—En ese caso, te repito mi pregunta, ¿qué piensas hacer?

—Declararme neutral.

—No te será posible. Si los franceses descartan cruzar la Toscana, solamente pueden avanzar hacia el sur por la vía Emilia, por la Romaña. Tendrán que pasar por Forlì, no tienen otra posibilidad para llevar esa artillería de la que habla tu tío.

—Creo que puedo explicar mi posición. Si por un lado me debo a mi familia, por otro el Papa es el señor natural de estos dominios. Mi poder es un poder vicario. Estoy en el fiel de la balanza.

Giacomo la miró a los ojos. Bajo su aspecto de mujer hermosa, se ocultaba todo un temperamento, había dado pruebas sobradas de ello. Pero su inteligencia no le iba a la zaga. Si los datos sobre la fuerza de los españoles eran correctos, el análisis de la situación era el adecuado y, además, podía razonarlo ante cualquiera.

—Tendrás que dar explicaciones a los napolitanos, si avanzan hacia aquí, porque el Papa les ha facilitado el paso por sus dominios

—Como has leído, mi tío anuncia que también los franceses entrarán en la Romaña. Será en los próximos días.

—Serán ellos quienes venzan, pues son superiores en número y están mejor equipados.

Unos suaves golpes en la puerta interrumpieron la conversación.

—¡Adelante! —gritó Giacomo.

Era un criado, que parecía sofocado. Dio unos pasos e hizo una desmañada reverencia.

—Disculpadme, *madonna* —se dirigió a la condesa—, pero acaba de llegar un enviado del Papa. Solicita una audiencia y he creído que…

—Dile que lo atenderé, una vez que haya concluido con el gobernador.

Giacomo apuró su copa y se consideró un hombre afortunado.

28

El ruido de los aprendices rayaba en el alboroto porque la juventud siempre es proclive a la diversión y la chanza. El maestro tuvo que llamar la atención a los dos más revoltosos y les impuso como castigo lijar un amplio testero, hasta dejarlo completamente liso.

—¡Lo quiero tan suave como el culo de un niño! —les gritó.

Cuando los dos jovenzuelos de no más de doce años comenzaron la penosa tarea de alisar la pared, donde se dejarían las uñas, el artista indicó a uno de sus oficiales que moliese unos adarmes del preciado lapislázuli para preparar el azul del manto de la Virgen.

—Mi querido Bernardino.

El vozarrón del Santo Padre, con su inconfundible acento español, que un cuarto de siglo en Roma no había logrado suavizar, hizo que Pinturicchio se volviese e hincase la rodilla en tierra con la cabeza inclinada, a la espera de que el Papa le tendiese la mano para que besase el anillo del pescador.

—Santidad, es un inmerecido honor recibir vuestra visita. Si se nos hubiese advertido…

—Mejor así, Bernardino, mejor así. Es la única forma de

enterarse de cómo van las cosas. Si se anuncia, todo se dispone para que las cosas parezcan lo que no son.

—En eso, vuestra santidad tiene razón.

Rodrigo Borgia, que cubría su voluminosa cabeza con un camauro de terciopelo rojo y borde de armiño, entrecerró los ojos. Sus pupilas azules eran de acero.

—¿Sólo en eso?

Pinturicchio se dio cuenta de su error demasiado tarde, lo único que ya podía hacer era murmurar una disculpa.

—Mis disculpas, santidad. En realidad, me refería a que también en eso tenéis razón.

—¿Se cumplirán los plazos fijados?

—Sí, santidad. Todo va según el plan previsto.

—No me fallarás…

—Quedad tranquilo, santidad. Todo estará para la fecha fijada.

El Papa paseó su mirada por la estancia, satisfecho de lo que veía. El artista estaba cumpliendo con el encargo. En la primera de las estancias, la figura central que aparecía en el fresco era su imagen, revestida con los atributos de su dignidad pontificia. Estaba arrodillado ante el sepulcro de Cristo con aire majestuoso. En otra de las paredes, dedicada al juicio a santa Catalina, aparecían los rostros de sus hijos; Lucrecia estaba preciosa con su melena dorada y César era un apuesto joven.

El pintor tenía razón, una buena parte de las paredes estaban ya cubiertas por escenas de brillantes colores, donde resaltaban los dorados, los azules marinos y los rojos brillantes.

—¿Y la torre? Bernardino, ¿cómo va la torre?

—Puede verla vuestra santidad; espero haber reflejado sus instrucciones.

Allí la iconografía era diferente, Rodrigo Borgia le había

indicado que se olvidase de los asuntos religiosos y rindiese culto a la mitología, con enigmáticas escenas donde primaban los elementos egipcios y asuntos relacionados con la astrología, a la que el Papa tenía gran afición.

—¿Dónde están los escudos?

—Vuestra santidad no debe guardar cuidado.

—Que el toro sea fiero, como los que lidian los nobles de España, no vayas a pintarme una vaca. ¡Entonces no sería el emblema de los Borgia!

—Perded cuidado, santidad —insistió el pintor.

—Cuando antes de la Epifanía reciba a ese maldito galo, que el diablo confunda, quiero que quede impresionado.

Pinturicchio creyó haber oído mal. ¿Se había referido Su Santidad al rey de Francia? Tenía entendido que Alejandro VI acababa de firmar una alianza con Nápoles para enfrentarse a la invasión de Carlos VIII.

Iba a preguntárselo, cuando un revuelo en el pasillo anunció que algo ocurría. Instantes después apareció el cardenal Riario, al que acompañaban varios clérigos. El rojo de su indumentaria era tan fuerte que hería la vista. Se acercó al Papa, hizo ademán de arrodillarse, pero el pontífice lo tomó por los hombros y lo impidió.

—Creo que vuestra santidad deseaba verme.

—Así es, Raffaele.

Rodrigo Borgia lo tomó del brazo y se lo llevó hasta un rincón donde no se escuchasen sus palabras.

Pinturicchio los observó de reojo, mientras cuchicheaban, y pensó en lo tortuosos que eran los caminos de la política.

Caterina se sentía honrada con su presencia. Honrada y contenta, porque no podía olvidar que, en las difíciles jornadas que siguieron a la muerte de Girolamo, el cardenal no la abandonó. La llegada del conde de Pitigliano, enviado por Su Eminencia para reforzar Ravaldino, fue el golpe de gracia para los conjurados, que vieron esfumarse definitivamente las esperanzas de recibir apoyos desde Roma.

Paseaban entre los parterres del jardín del Paraíso, que se materializaba según los planes de la condesa.

—¿Por qué ese interés de Su Santidad, Raffaele? —Caterina trataba al sobrino de su difunto esposo con familiaridad.

El cardenal se desabrochó el botón superior de su sotana; el calor de los días finales de aquel verano era mayor del habitual.

—El Borgia es un zorro. Resulta complicado interpretar sus decisiones, pero supongo que ve la ocasión de mejorar las relaciones con Nápoles, muy malas durante demasiado tiempo. Eso le permite tener segura la frontera sur de los dominios pontificios.

Pasearon en silencio entre los aromas de unas plantas cuidadas con un esmero que rozaba el mimo. Caterina tomaba buena nota de lo que acababa de escuchar, como un comentario sin importancia. Tiempo atrás aprendió que en la vida nada ocurre por casualidad y mucho menos cuando se trata de decisiones de importancia. Si Alejandro VI quería tener segura la frontera sur de los dominios pontificios en un momento en que Nápoles no era, precisamente, el mejor de los aliados, debía ser porque había otras razones.

—Aunque soy consciente de lo difícil de tu situación, nadie podrá echarte en cara seguir el dictado marcado por el Papa. Al fin y al cabo, el poder de que gozas es por delegación de Su Santidad. Tu decisión tal vez no guste en Milán, pero no podrán culparte por ello.

Caterina dejó escapar un suspiro.

—¡No imaginas cómo presiona mi tío!

—Conozco al Moro y sé cómo puede apretar cuando desea algo. Pero no podrá echarte nada en cara. A propósito, ¿qué sabes de tu hermano, el duque Gian Galeazzo?

Se quitó la fina redecilla de oro cuajada de perlas con que sujetaba su cabello, deshizo la trenza que coronaba su cabeza y sacudió su rubia melena.

—Tiene dieciocho años y tendría que haber asumido las funciones de gobierno, pero a mi hermano, abandonado a la molicie, sólo le interesa la buena mesa, la bebida y las mujeres. Dilapida sus fuerzas en celebraciones, que la mayor parte de las veces acaban en escandalosas orgías. Me dicen que resulta difícil verlo sobrio y que pasa días encerrado en los burdeles de Milán.

Aunque Riario conocía la respuesta, no vaciló en preguntar.

—¿El Moro no pone coto a esos despropósitos?

—Mi tío está encantado, las noticias que recibo de Milán son que precisamente él facilita el camino.

—Esas cosas suelen acabar mal.

Caterina guardó silencio y paseó la mirada por las plantas de su jardín.

—Acompáñame, acabo de decidir que no puedo apartarme de los deseos del Santo Padre. Si Alejandro VI está al lado de Nápoles, yo no puedo oponerme, según los principios del derecho canónico, al paso de las tropas napolitanas por Forlì y por Imola. ¿Dónde me has dicho que se encuentra su ejército?

El cardenal, a pesar de ser ya un hombre curtido, capaz de disimular sus pensamientos y sus intenciones —habían transcurrido ya muchos años desde que Sixto IV lo enviase a Florencia para seguir de cerca la conjura contra los Médicis y su inexperiencia de entonces era un vago recuerdo—, no pudo disimular su alegría porque el encargo del Borgia era una trampa para apartarlo de los círculos de poder vaticanos. Era sobrino de su gran enemigo y rival en el cónclave, Giuliano della Rovere, y lo había mandado a Forlì con el convencimiento de que la condesa se dejaría arrastrar por la fuerza de la sangre y se pondría al lado de los Sforza. No se enfrentaría a su familia y Riario fracasaría.

En esta ocasión el astuto zorro valenciano había calculado mal.

—Sus tropas están a dos jornadas de aquí. Has de saber que Su Santidad rebosará felicidad cuando conozca tu decisión.

—No lo haremos esperar, voy a escribirle ahora mismo.

Apenas terminó de leer la carta, el recio papel crujió entre sus manos. La vena que marcaba la sien estaba hinchada y palpitaba. Alejandro VI arrojó con fuerza la bola que había formado con el mensaje de Caterina. Su secretario la recogió en silencio. Rodrigo Borgia no creía posible que una Sforza se alinease en el bando contrario a su familia.

—El cardenal de San Giorgio se nos ha convertido en un experto diplomático —masculló entre dientes.

Respiró hondo, tratando de sosegarse. Una de las cualidades del Santo Padre, reconocida hasta por sus más acérrimos enemigos, era que podía controlar sus emociones, pese a vivirlas con intensidad.

—¿Por qué lo dice vuestra santidad?

—Porque no esperábamos que, quien alcanzó el capelo cardenalicio con el único mérito de ser sobrino nieto del Papa Della Rovere, fuese capaz de conseguirlo.

—¿Queréis decir que ha llevado a buen puerto vuestra encomienda?

Rodrigo Borgia entrecerró los ojos, eran dos rayas azuladas.

—Para mi mortificación.

Caterina se movió con habilidad sobre el filo de la navaja en que la colocaban las pretensiones de Carlos VIII. Que permitiese el paso de las tropas napolitanas e incluso que autorizase a sus súbditos a venderles provisiones, no significaba que abandonase la neutralidad. Los soldados napolitanos no podrían utilizar las fortificaciones ni las defensas de sus dominios en sus planes de lucha y dejó claro que su actitud era, exclusivamente, consecuencia de sus obligaciones con el sumo pontífice.

A pesar de lo cuidadoso de sus planteamientos, cuando el Moro conoció la decisión de su sobrina, tuvo un ataque de cólera y le escribió una dura carta, recordándole la ayuda prestada y los lazos familiares que los unían.

Giusti la miraba en silencio mientras ella majaba con fuerza granos de pimienta en el mortero. Era la forma de desahogar su explosión de cólera, al tener noticia de que el castillo de Mordano, que formaba parte de las defensas de Imola, había caído en manos de los franceses porque las tropas de Nápoles no acudieron en su auxilio.

Habían transcurrido cerca de diez minutos desde que llegó al nuevo laboratorio, construido en uno de los laterales del Paraíso.

—Ese napolitano es un incompetente —comentó al fin.

Continuó dándole al mortero un buen rato. La pimienta se había convertido en un finísimo polvo negruzco.

—Ignoro la razón por la que ha sacado a sus tropas de Nápoles, si no está dispuesto a presentar batalla a los franceses. Más le hubiese valido pertrecharse en sus dominios y aguardarlos allí.

El guardaespaldas mantuvo el silencio hasta que, por fin, Caterina preguntó:

—¿Qué opinas de la posibilidad de buscar otros aliados?

—¿A qué os referís en concreto?

—Conozco a Sanseverino, ajustamos la paga de las tropas para que no entrasen en Forlì hace seis años. Es un hombre razonable.

—¿Os alinearíais con los franceses?

Caterina dejó de machacar en el mortero.

—Me pondría al lado de los Sforza. Esos napolitanos no merecen que arriesgue ni por un día más la consideración de mi familia. ¡El duque de Calabria no ha acudido a defender Mordano, como era su obligación! Si él no se siente obligado conmigo, yo tampoco con él.

Antes de hablar, Giusti midió cada una de sus palabras.

—Los papas cambian cada cierto tiempo, pero la sangre que corre por vuestras venas es siempre la misma.

No podía decirse de forma más clara ni más concisa. Giusti era hombre de pocas palabras, una de sus muchas cualidades.

—¿Cuánto tardarías en llegar al campamento de Sanseverino?

—Cinco horas, tal vez seis.

—Es tarde para que te pongas en camino. Saldrás mañana al amanecer.

—Hay luna llena.

Pensó que otra cualidad de aquel hombre, fiel como ninguno, era que siempre estaba dispuesto. Cada vez que lo necesitaba, estaba en el sitio adecuado con la actitud conveniente.

En cuatro días Caterina cerró un acuerdo con Galeazzo Sanseverino. Mantendría su neutralidad, pero el ejército franco-milanés tendría paso libre por la Romaña. Los días siguientes la cancillería de la condesa se dedicó a preparar, con exquisito cuidado, una serie de cartas para explicar la nueva posición de su señora.

Entre las cartas enviadas había dos particularmente importantes. Una a Alejandro VI explicando su actitud, determinada por el papel ejercido por Su Santidad, como señor natural de sus dominios. Otra a Piero de Médicis porque los florentinos, cuya proximidad a la Romaña los convertía en unos interesantes vecinos, estaban en el bando napolitano y la condesa no deseaba que su nueva posición fuese interpretada erróneamente.

También tuvo una de las pocas alegrías que le proporcionó la difícil situación en que se encontraba. Una carta firmada por su tío Ludovico. El Moro se sentía contento y le decía que regresaba al lugar que le correspondía, según establecían las leyes de la naturaleza.

Fue una alegría efímera porque el otoño trajo un rosario de desdichas.

Perder el apoyo de la condesa significó para los napolitanos el hundimiento del frente que habían querido establecer en la Romaña. El duque de Calabria no calculó bien los efectos de su pasividad en el ataque al castillo de Mordano y, preocupado por lo vulnerable de su posición, levantó el campamento de Faenza e inició una lenta marcha hacia el sur, en medio de lluvias torrenciales, con los caminos embarrados y sus tropas atascadas en el fango. Aunque Caterina no le obstaculizó la retirada, sus soldados cometieron toda clase de desmanes: grandes robos, pillaje generalizado, violencias y devastaciones por donde transitó su ejército. La miseria, ante un invierno que estaba a las puertas, se extendió como una plaga.

Muchos campesinos vieron cómo sus mujeres e hijas eran violadas, cómo desaparecían sus cosechas, cómo morían sus ganados y cómo eran incendiadas sus casas. Acudían a Forlì en busca de una ayuda que la *madonna* no estaba en condiciones de proporcionarles.

En medio de la pesadumbre y cuando las relaciones con su tío el Moro se recomponían, recibió una penosa noticia. Su hermano Gian Galeazzo había muerto. Caterina no pudo contener el llanto en la soledad de su alcoba. Unas lágrimas que se convirtieron en ira contra su tío, conforme pasaban los días.

Por todas partes se difundía el mismo rumor. El joven duque había sido envenenado por orden de Ludovico. Con su muerte desaparecía el único obstáculo que se interponía entre él y el título ducal, la legitimación formal de un poder que en la práctica ejercía desde hacía mucho tiempo.

Se hizo reconocer duque sin el menor obstáculo. El único que podía interponerse en su investidura, porque el ducado de Milán era un feudo imperial, recuerdo del pasado gibelino de la región, era el emperador Maximiliano de Habsburgo y ese asunto lo tenía resuelto desde un año antes. El Moro le había entregado como esposa a su sobrina Bianca. La novia iba acompañada de una dote de cien mil ducados.

Comprendió que la estrategia de su tío había funcionado a la perfección. Tenía al rey Carlos VIII de Francia como aliado y con cuarenta mil soldados en suelo italiano, al emperador Maximiliano I profundamente agradecido y el ducado de Milán vacante por muerte, la de su sobrino, sin descendencia. En aquellas circunstancias, nadie puso reparos a su proclamación.

Supo que lo único que podía hacer era dar rienda suelta a sus lágrimas y contener su ira.

29

No tuvo tiempo de recrearse en su dolor, ni era mujer que se regodease con tales sentimientos. Había que negociar con los jefes del ejército francés, que avanzaba hacia el sur lentamente y en medio de grandes dificultades, provocadas por una meteorología adversa. Si los napolitanos en su retirada cometieron todo tipo de desmanes, Caterina tenía que evitar que sus nuevos aliados hiciesen algo parecido y sus súbditos padeciesen la rapiña y el saqueo habituales. El único factor que jugaba a su favor era la lluvia. Mientras el tiempo no despejase, las tropas francesas estarían detenidas.

Nadie recordaba un otoño tan lluvioso como aquél. Con pequeñas interrupciones, llevaban cuarenta y tres días de lluvias continuadas. Unas veces caía mansamente, pero otras eran aguaceros intensos que inundaban las zonas más bajas. Los caminos eran fangales por los que resultaba imposible transitar y la primera consecuencia fue la paralización del comercio. Ya escaseaban algunos artículos y en el campo resultaba imposible realizar las tareas correspondientes a la estación.

El día que la condesa se reunió con los comandantes del ejército de Carlos VIII llovía torrencialmente. Los militares estaban empapados, cuando entraron en el salón donde los aguardaba. Acababa de despedir a una comisión de campesinos que acudían a ella para pedir justicia, porque un grupo de soldados les habían robado unas ovejas y dos cargas de leña.

El encuentro se presentaba tenso porque Caterina estaba encolerizada cuando recibió a los franceses, que se mostraron cortesanos saludando con exageradas reverencias. Vestían ropas de fiesta y más que soldados parecían aristócratas que acudiesen a un baile.

—*Madonna*, nuestro amado Sire nos ha rogado encarecidamente que os presentemos sus saludos y mejores deseos. Es para nuestro ejército un honor inclinarnos ante vuestra excelencia.

—Ése es un honor compartido.

El francés se llevó la mano a la bocamanga de su traje y sacó una carta.

—Permitidme que os entregue una carta de nuestro soberano.

Caterina, con un gesto, indicó a su secretario que se hiciese cargo de ella. La acompañaban también Giacomo Feo, en su condición de gobernador, y Giusti.

—Será mejor que hablemos junto a la chimenea, creo que vuestros cuerpos y también vuestros trajes lo agradecerán.

Caterina se levantó del pequeño estrado donde recibía. Su porte era majestuoso, vestía sus mejores galas porque deseaba impresionar a los franceses, cuya corte, junto a la de Borgoña, marcaba las pautas de la moda. Cogió una jarra y ella misma sirvió las copas.

—Supongo que el mal tiempo tiene a vuestras tropas detenidas —planteó después de que los franceses alabasen el vino, señalando que era digno de ser francés.

—Los mayores problemas los tenemos con la artillería. Los caminos están intransitables, el peso de los cañones y de la munición hunde en el barro las carretas de transporte, pero la infantería y la caballería tienen más movilidad.

—Estoy enterada de que vuestra caballería no tiene problemas para desplazarse —señaló la condesa con malicia.

—Nuestros soldados, excelencia, son excelentes jinetes y no temen a la lluvia. Nada puede detenerles, es la mejor caballería del mundo y lo ha demostrado en numerosas ocasiones. Los ingleses tuvieron una triste experiencia en Bouvines.

Caterina recordó que hacía ya más de doscientos cincuenta años de aquello y que, con posterioridad, esas tácticas se mostraban poco efectivas ante la infantería armada de arcos y ballestas. Los ingleses lo pusieron de manifiesto en Crécy. Había oído hablar del enorme orgullo con que los franceses alababan sus cosas, pero si la modernidad de su ejército, de la que todo el mundo hablaba, se encontraba con los obstáculos que acababa de escuchar, las tropas francesas tendrían muy pocas posibilidades ante la infantería napolitana.

—Coincidimos, *monsieur*, en que se mueven con rapidez, la misma con que nos ofenden robando a indefensos campesinos.

El oficial francés iba a dar un trago a su vino, pero no lo hizo.

—¿A qué se refiere vuestra excelencia?

—Acabo de recibir las quejas de unos pobres campesinos; el invierno que se avecina será para ellos dramático. Posiblemente, sus hijos mueran de hambre.

—Nosotros no somos responsables de estas lluvias que a todos nos afectan.

—No me refiero a la lluvia, *monsieur*, ante ella no queda otra cosa que resignarse. Estoy hablando de robo, de pillaje, de violencia.

El rostro de los franceses se contrajo.

—¿Nuestros soldados?

—¿Quién si no? Los napolitanos hace más de una semana que se marcharon.

—Prometo a vuestra excelencia que actuaremos con severidad. Si, efectivamente, han sido soldados de nuestro ejército, serán castigados.

—Así lo espero. Pero en estos momentos, lo más importante —señaló la condesa— es establecer las condiciones de paso de vuestras tropas y el control que vuestros oficiales habrán de ejercer, para evitar hechos como los ocurridos para los que pido justicia. Ahora, decidme, ¿cuándo pasarán vuestras tropas por Forlì?

—Pasado mañana estará aquí el grueso de nuestra infantería y caballería. La artillería no puede moverse.

Caterina intercambió una mirada de sorpresa con su esposo y con Giusti.

—¿Tan pronto?

—No es pronto, mi señora, llevamos mucho retraso por culpa de este maldito temporal que parece no tener fin.

—En tal caso, como prueba de buena voluntad, facilitaremos a vuestras tropas bastimentos por un precio justo, en la medida de nuestras posibilidades. Las lluvias también afectan al aprovisionamiento de la ciudad.

—Os lo agradecemos, en nombre de nuestro rey.

—Vuestros oficiales —por su parte, Caterina no hizo caso a las palabras del francés— buscarán la forma de evitar la rapiña y el saqueo; somos aliados, no enemigos.

—Por supuesto.

—Para ello he dispuesto que se establezca, extramuros, un mercado para la venta de productos, junto a una de las puertas de la ciudad. Los precios quedarán fijados por una comisión integrada por las dos partes. Nadie podrá exigir un pago mayor, ni abonar menos de lo establecido.

—Me parece justo.

—Una última cuestión.

La condesa había dejado para el final el más espinoso de los asuntos.

—Decidme.

—Quedará prohibido el acceso de las tropas al interior de la ciudad. No podrán entrar bajo ninguna circunstancia. Solamente se permitirá la entrada a oficiales con autorización previa del gobernador. —Caterina miró a su esposo, quien apuntó una sonrisa.

El francés estaba muy serio.

—En ese terreno, vuestra excelencia nos trata como a un ejército invasor.

—No se trata de eso, *monsieur*. Galeazzo Sanseverino, que manda las tropas milanesas, integradas en vuestro ejército, podrá deciros que tampoco permitimos la entrada de sus soldados hace algunos años, a pesar de que se trataba de un ejército que acudía en nuestro auxilio.

Los franceses se miraron.

—Resultará difícil que nuestros hombres lo acepten.

—Nosotros colaboraremos.

—¿Cómo?

—Las puertas de la ciudad permanecerán cerradas y reforzaremos la vigilancia en las murallas.

—Excelencia, Forlì no es una ciudad asediada. ¡Somos amigos!

—Os doy la razón, pero mis súbditos necesitan una tranquilidad, que ya ha alterado la simple presencia de un ejército tan numeroso.

El francés hizo un gesto que denotaba resignación.

—Intentaremos que todo suceda como la condesa desea. Las instrucciones de nuestro soberano son atender a todas vuestras peticiones.

Caía un aguacero sobre Forlì cuando los enviados del rey de Francia abandonaban Ravaldino.

Una vez solos, la condesa preguntó a los tres hombres que la acompañaban:

—¿Qué pensáis de la facilidad con que han aceptado todas las propuestas?

—Están por agradar. La decisión de facilitarles el paso hace que se muestren amables —respondió Giacomo.

El secretario señaló que tenía una impresión favorable, pero que las medidas de mantener cerradas las puertas y vigilada la muralla deberían extremarse.

—Los soldados son gente peligrosa —sentenció.

—Y tú, Jacopo, ¿qué opinas?

—No me fío.

—¿Por qué dices eso?

—Porque cuando se aceptan, casi sin discutir, todos los planteamientos del otro, es porque les da igual lo que se les proponga. No lo piensan cumplir.

—¿Crees que no harán honor a su palabra? —preguntó Giacomo.

—No me gusta esa gente. Al fin y al cabo son franceses —se limitó a comentar el guardaespaldas.

—Eres injusto; que sean franceses no quiere decir nada.

—Los reyes de Francia y sus cortesanos no son de fiar.

—¿Por qué dices una cosa así? —preguntó la condesa.

—El abuelo del actual rey, al que llamaron el Bienservido, abandonó a su suerte a la persona que le facilitó el acceso al trono. No movió un dedo para evitar que fuese quemada viva en la plaza del Mercado Viejo de Ruán, hace algo más de sesenta años.

—¿Te refieres a Juana de Arco?

—Sí, mi señora, a la Doncella de Orleans. Si no hubiese

sido por su valor en Patay, Carlos VII jamás hubiese sido coronado en Reims. Los ingleses habrían ganado la guerra y se habrían repartido Francia con sus aliados borgoñones. El padre de Carlos VIII tampoco es un ejemplo de nobleza.

—Luis XI ha sido un buen rey —señaló Caterina.

—Disculpad, mi señora, pero no comparto vuestra opinión.

—Explícate.

—Mejor dejarlo.

Las palabras de Giusti habían sido poco más que un susurro, pero la condesa, extrañada por el derrotero que había tomado la conversación, lo instó a continuar.

—Me interesa mucho tu opinión, Jacopo.

Giusti carraspeó, aclarándose la voz.

—Es posible que con Luis XI se hayan dado en Francia pasos muy importantes para unificar los territorios, cosa que nosotros, los italianos, somos incapaces de hacer. En ese sentido puede considerársele un buen monarca. Pero no es de fiar una persona que con diecisiete años se subleva contra su padre, encabezando la protesta de los nobles. Tampoco vaciló en atacar a quien lo acogió cuando tuvo que huir de las iras de su padre; me refiero al duque de Borgoña. Se repartió con los Habsburgo los dominios de la nieta de quien le dio calor y acogida, como si fuesen despojos. Eso y no otra cosa fue el inicuo tratado de Arras. Todo su reinado fue una sucesión de intrigas, sobornos y traiciones. Con tales antecedentes, comprenderéis que tenga ciertas reservas y considere que Carlos VIII y sus cortesanos no sean de fiar.

Caterina estaba asombrada. Nunca había escuchado a Giusti, hombre de pocas palabras, expresarse de aquella forma. Su fina intuición le indicó que había algo que no alcanzaba a calibrar. Conocía a Jacopo desde pequeña, era persona de absoluta confianza y siempre estaba a su lado en los momentos de dificultad. Sin embargo, era mucho lo que ignoraba de cómo había transcurrido su vida, antes de dedicarla a su servicio.

Giacomo interrumpió sus pensamientos.

—He de impartir instrucciones para la vigilancia de las murallas y el control de las puertas; ya veremos qué pasa con los franceses.

Besó a su esposa en la mejilla y se marchó, también lo hizo el secretario. Giusti hizo ademán de retirarse.

—Aguarda un momento, Jacopo.

Cuando se cerró la puerta le preguntó:

—¿En qué lugar del Milanesado naciste?

El rostro de Giusti se contrajo de forma casi imperceptible. La pregunta lo cogió por sorpresa.

—No nací en el Milanesado, mi señora.

—¡Ah! ¿No?

—No, mi señora.

—¿Dónde naciste?

—Mi madre me dijo que en una aldea, cerca de Auxerre.

—¿Auxerre?

—En Borgoña.

—¡Eres borgoñón! —Había un fondo de incredulidad en aquella exclamación.

—No me considero como tal. Mi padre era francés y mi madre milanesa.

—Nunca me lo has contado.

—La señora nunca me lo ha preguntado.

—¿Cómo fue ese amor?

Otra vez, el rostro de aquel hombre de edad indefinida, pero que rozaría el medio siglo, se contrajo ligeramente.

—Creo que no fue una historia de amor, soy el resultado de un engaño.

Caterina se arrepintió de haber iniciado aquella conversación. Se volvió hacia la chimenea y atizó el fuego.

—Lo lamento mucho.

—¿No deseáis conocer la historia?

—No, si te resulta dolorosa.

—Creo que nunca la conté y ya es hora de que lo haga.

La condesa se volvió; el resplandor de las avivadas llamas de la chimenea envolvía su imagen con una aureola anaranjada.

—Mi abuelo se llamaba Roberto Giusti, era un importante mercader de paños que solía acudir a las ferias de Champaña y el Franco Condado. Tenía un hijo, el primogénito, que también se llamaba Roberto, y una hija, Stella. En uno de sus viajes, lo acompañó Stella que por entonces tenía dieciséis años, muchas ilusiones y gran cantidad de pájaros en la cabeza. Fue seducida por un joven, vástago de una noble familia de Auxerre, quien le prometió matrimonio y ella le entregó su amor, a espaldas de mi abuelo. El resultado fue un embarazo que no alcanzó las bendiciones matrimoniales, porque el francés se desdijo de sus promesas y abandonó a mi madre. Mi abuelo, indignado, la repudió cuando mi madre rechazó la posibilidad de poner fin al embarazo e ingresar en un convento. Estaba dispuesta a exigir lo que consideraba su derecho: el cumplimiento de la palabra empeñada. Viajó a Auxerre, pero no consiguió su propósito; allí le llegó el parto. La atendieron por caridad y así fue como vine al mundo. Según me contó mi madre, vivimos tiempos muy difíciles. Estuvimos dos años en aquella ciudad, a la que nada me liga y de la que no conservo recuerdo alguno. Apenas teníamos para comer, mi madre conseguía algún dinero sirviendo en un mesón. Fueron dos inviernos tan terribles, que la pobre atribuía a un milagro que no pereciésemos. Decidió abandonar la ciudad en busca de mejores horizontes que nunca llegaron. Tengo vagos recuerdos de un peregrinar por caminos y ciudades en los que fui creciendo y madurando mucho más deprisa que los niños de mi edad. Tenía diez años cuando mi madre cayó enferma; para entonces, su mayor deseo era regresar a Milán y lograr el perdón de su padre antes de morir. Sabía que su tiempo se acababa. Yo la amaba más que a nada en el mundo y fue ese amor el que me salvó. Siempre, hasta en los momentos más desesperados, se mostró como una madre tierna. Fue ella quien me enseñó a leer y a escribir por las noches, después de fatigosas jornadas de trabajo, sacando fuerzas de donde no las tenía. La recuerdo siempre cansada y con una tos agobiante, que conforme pasaba el tiempo se hacía más intensa y persistente. Emprendimos un viaje que recuerdo con horror. Estaba pálida, ojerosa y tenía dificultades para caminar. Las fuerzas se le acababan y cada día que pasaba nos veíamos obligados a hacer etapas más cortas. Creí que no llegaría a Milán, los últimos días apenas si lográbamos caminar poco más de un par de millas y el poco dinero que teníamos tocaba a su fin. Estábamos en Legnano, a menos de veinte millas del final de nuestro viaje, cuando mi madre se rindió. Me dijo que no podía más.

Caterina escuchaba en silencio aquella historia cargada de sentimientos. Estaba convencida de que Jacopo había esperado años para contarla.

—Supe que tenía que tomar una decisión y lo hice. Di el dinero que nos quedaba a un posadero y estuve cortando troncos durante tres días, hasta hacer astillas un montón de leña que parecía no tener fin. El trato era que proporcionaría lecho y comida a mi madre durante cuatro días. El cuarto día, poco antes del alba, me puse en camino con el propósito de llegar a Milán antes del anochecer. Llegué a la ciudad con el sol todavía alto y pregunté a los soldados que hacían guardia en la puerta Vercellina si conocían a un mercader·de paños llamado Roberto Giusti. Para mi sorpresa, me dieron una dirección cercana adonde nos encontrábamos, una calle a la espalda del convento de los dominicos.

—¿Santa Maria delle Grazie?

—El mismo —confirmó Giusti—. En pocos minutos llegué al lugar; era una casa de gente acomodada. Pregunté y me respondieron que Giusti, el viejo, había muerto hacía un año. Cuando dije quién era, mi tío me echó a patadas, llamándome impostor y no sé cuántas cosas más. Lloré desconsoladamente y pasé aquella larga noche acurrucado en uno de los contrafuertes del monasterio. Por la mañana emprendí el viaje de regreso a Legnano, sin saber cómo contarle a mi madre lo ocurrido. No fue necesario: cuando llegué a la posada, recibí la noticia de que acababa de morir. Según me contaron, se ahogó con las flemas de su propia tos. El posadero me exigía sacar el cadáver con discreción porque era mala propaganda para su establecimiento y yo lloraba, sin saber qué hacer. No tenía adónde ir, ni una miserable moneda en el bolsillo. De repente, todo se agitó ante la llegada de un nutrido grupo de jinetes. Gente de alcurnia, según denotaban sus vestiduras y, sobre todo, por la actitud servil del posadero. Uno de aquellos hombres se fijó en mí y preguntó, el posadero respondió con evasivas, pero el caballero insistió, se acercó hasta el rincón donde yo lloraba mi desconsuelo y le conté lo que me ocurría. ¿Sabéis quién era aquel caballero?

—No.

—Era vuestro abuelo, Francesco Sforza. Yo ignoraba que se trataba del duque de Milán. Le caí bien, ordenó que se enterrase a mi madre y me llevó consigo a Milán. Desde entonces mi suerte ha estado ligada a vuestra familia.

—¿Y la tuya?

—Acabó mal. Mi tío Roberto y toda su familia perecieron en el incendio que se produjo al arder unas balas de algodón. Las llamas destruyeron el almacén que estaba en la planta baja y los pisos superiores, donde tenían la vivienda.

—Ahora entiendo que abomines de los franceses.

—Tuve diez años para conocerlos y, aunque mis recuerdos son borrosos y están desdibujados, hay sentimientos que no se pierden jamás.

Dos días después apareció el ejército francés ante los muros de Forlì. Las puertas de la ciudad estaban cerradas y la guarnición, a las órdenes de Giacomo, vigilaba cualquier movimiento. Los molinos de las riberas estaban cerrados porque los molineros, siguiendo instrucciones del gobernador, retiraron el grano y la harina, poniéndolos al resguardo de los muros. La tensión se palpaba a ambos lados de las murallas y los forliveses tenían la sensación de estar en una ciudad asediada.

Al tercer día, poco antes del atardecer, un viento recio que bajaba de los Apeninos trajo frío y se llevó las nubes. Por fin aparecía el sol después de muchos días de cielos encapotados. El ánimo de la gente mejoró.

Anochecía cuando Giacomo, después de escuchar misa en San Mercuriale, hizo la última ronda por las murallas para comprobar que todo estaba en orden. La guardia estaba en sus puestos y fuera de los muros todo parecía tranquilo.

Se retiraba cuando el grito de un centinela desde la puerta de Schiavonia alertó a los hombres; a la carrera acudieron al lugar. Unos franceses habían asaltado la muralla, valiéndose de unas escalas de cuerda. Comenzó una reyerta que acabó con seis muertos, cuatro franceses y dos soldados de la condesa, a lo que se añadió la detención de tres asaltantes más.

Caterina se negó a devolver a los prisioneros, como le reclamaban unos oficiales; serían juzgados por su delito y les indicó que no volvería a reanudarse el mercado.

Los franceses protestaron, pero la condesa se mantuvo firme; las consecuencias fueron rapiñas, saqueos y robos por las campiñas de los alrededores.

Aquel ejército se comportaba como el más feroz de los enemigos.

Las jornadas siguientes se hicieron eternas en el interior de los muros. Hasta que, por fin, los franceses levantaron el campamento, veinte días después de su llegada. Los efectos de su presencia eran devastadores. Caterina, después de azotar a sus prisioneros, negoció su entrega, a cambio de una suma que se destinaría a reparar los daños causados a los molinos.

Cuando desde la muralla vio partir al último contingente de tropas, la condesa escuchó que alguien le susurraba:

—Ya os dije que no os fiarais de esa gente.

Era Jacopo Giusti.

30

Las noticias que llegaban de Roma eran desconcertantes. Alejandro VI dejaba paso libre a las tropas francesas, facilitándoles el camino hacia Nápoles. ¡El muy zorro ya tenía previsto, meses atrás, cambiarse de bando y dejar que los napolitanos se las compusiesen por su cuenta!

Con la ayuda, más estratégica que efectiva, de Florencia, la resistencia de los napolitanos ante el ejército francés fue casi simbólica. Apenas aguantaron los primeros envites de las tropas enemigas, muy superiores en número y mucho mejor equipadas. El 22 de febrero de 1495 Carlos VIII entraba en Nápoles, en medio de la frialdad de sus habitantes.

Caterina leía una y otra vez la carta que sostenía en sus manos, mientras que Giacomo se burlaba de su contenido. Su insolencia era cada vez mayor.

—Ya te lo dije, querida, el ejército francés es invencible. No comprendo por qué el Moro se extraña tanto. Las cosas son como son, estamos en el bando de los ganadores y no debes olvidar quién apoyó esa opción. —Giacomo se esponjaba como un pavo real que abre su cola.

—Lo que mi tío dice es que hemos de unirnos para enfrentarnos a los franceses. Todos estamos en peligro porque sus apetencias territoriales no se reducen a Nápoles.

—Por supuesto que no, después le tocará el turno... ¿Adivinas a quién?

La sonrisa de su esposo era insidiosa, pero Caterina no le dio el gusto de preguntar, por lo que tuvo que contestarse a sí mismo.

—Le tocará el turno a Milán. Por eso tu tío promueve una liga para enfrentarse a quienes hasta ahora han sido sus aliados.

—En tal caso, lucharemos contra los franceses.

Giacomo hizo un gesto casi obsceno.

—¡Los poderosos ejércitos de Imola y Forlì! ¡Carlos VIII temblará de miedo cuando llegue a sus oídos tan terrible noticia!

—Tú eres el responsable de nuestras tropas.

No le gustó la alusión a sus funciones militares, por lo que ironizó:

—Por cierto, ¿dónde están los españoles?

—¡Aquí! —Caterina levantó la carta de su tío.

—¿Quieres decir que existe la posibilidad de que vengan tropas españolas a Italia?

—Eso es lo que se deduce de estas líneas cuando la lectura es la correcta. Se señala, incluso, el nombre de su comandante.

—¿Quién es?

—¿Acaso no lo has leído?

—¿Quién es? —repitió insolente.

—Gonzalo Fernández de Córdoba.

—Si llega a venir, veremos si tiene algo más que un nombre sonoro.

—El Papa y Venecia han entrado en la Liga, sólo Florencia se ha negado.

—¿Así que el papa Borgia cambia por tercera vez de bando?

—Ha sido el propio Alejandro VI quien ha reunido a los

embajadores de España, Milán, Venecia y el Sacro Imperio para formar lo que ya se conoce como la Liga Santa. —Caterina miró a su esposo a los ojos—. La política es un arte complicado; ahora resulta que Florencia está al lado de sus enemigos de hace unos meses.

La llegada de Giacomo Feo al mesón produjo gran revuelo. Desde hacía meses lo rodeaba un cortejo de gentes, entre los que podían contarse los hombres de su escolta personal, amigos de ocasión y la gente que se arrima al calor del poder. Con malos modos, exigió una mesa que estaba ocupada.

—Señor, aquella otra es mucho mejor —le ofreció el mesonero, tratando de mostrarse obsequioso.

—He dicho que quiero aquélla. —Giacomo señaló la mesa donde unos comerciantes en sal, procedentes de Florencia, degustaban un cordero, regado generosamente con vino.

El mesonero, que cubría su barriga con un mandil de lona, agachó la cabeza y entrecruzó los dedos de sus manos sobre el vientre, en una actitud que tenía mucho de súplica.

—Señor, está ocupada.

—¡Diles que la desocupen!

Los ojos del mesonero mostraban el duro trance por el que pasaba. El sudor perlaba su amplia frente. Se acercó hasta los comerciantes y éstos negaron con la cabeza. Insistió y otra vez rechazaron dejar el sitio. Giacomo hizo un gesto y varios hombres de su escolta se acercaron a la mesa y arrojaron sin contemplaciones a los mercaderes, que, consternados, abandonaron el mesón en medio de la rechifla y las risotadas de Giacomo y sus acompañantes.

—¡Vino, mesonero! —gritó uno de los muchos vividores que formaban parte de la compañía del gobernador.

—¡Vino y comida! —exigió otro de los que se sentaban alrededor de la mesa.

—¡Rápido! ¡Que no tenemos todo el día!

El mesonero, despavorido, elevó una plegaria y se dispuso a atender a tan difíciles clientes.

En los mesones, posadas y hospederías de Forlì temían, como si de una peste se tratase, que el gobernador y su séquito apareciesen. Ahuyentaban a otros parroquianos, exigían sin tasa, resultaba complicado cobrarles y, por lo general, se producía alguna reyerta, provocada para diversión del gobernador.

Algunos comentarios apuntaban a que se apropiaba de parte de los impuestos destinados a la ejecución de las obras públicas, entre ellas el encauzamiento del curso del Montone. Se decía que destinaba esos fondos a erigirse una suntuosa capilla con un hermoso mausoleo.

Por las calles, las gentes se apartaban a su paso, evitaban, si les era posible, cruzarse con aquella caterva y murmuraban en voz baja. Cuando se tenía seguridad de que no escuchaban oídos indiscretos, los comentarios giraban en torno al mismo asunto: la ambición desmedida del gobernador. Algunos afirmaban que se aprovechaba del amor de la condesa para acaparar poder y, en círculos muy reducidos, se hablaba de sus planes para usurpar los derechos del joven Ottavio, el hijo de Riario.

Estos rumores llegaron hasta Milán, donde nunca vieron con buenos ojos el ascenso de aquel advenedizo. Jugó a su favor el papel que desempeñó durante el tiempo en que la alianza con los franceses primó en los intereses del Moro. Sin embargo, ahora, ante el giro de los acontecimientos, se había convertido en un obstáculo.

Giacomo Feo reverenciaba a Carlos VIII, entre otras razones porque le había dado un título de barón, que ennoblecía sus humildes orígenes; ésa era otra de las causas de su arrogante conducta. También a Roma llegaron ecos y no gustaron, porque en el Vaticano el viento soplaba en otra dirección. La animadversión hacia Feo del cardenal Raffaele Riario, convertido en numen protector de la familia de Caterina, no paraba de crecer.

Para Giacomo fue una decepción la decisión del monarca francés de abandonar Nápoles. La alianza promovida por el Papa, su antiguo aliado y quien le había franqueado la entrada en Italia, era una grave amenaza. Carlos VIII temía a los españoles, cuya infantería nada tenía que ver con los soldados napolitanos, y le aterraba la idea de que él y su brillante ejército quedasen atrapados en las tierras meridionales de la península.

Los franceses emprendieron la marcha hacia el norte, en medio del regocijo de los napolitanos. Se retiraron dejando pequeñas guarniciones en puntos estratégicos y en fortalezas de fácil defensa. La más importante era la de Ostia, en la desembocadura del Tíber, desde donde vigilaban Roma. Su titular era el cardenal Giuliano della Rovere, el mayor enemigo del Papa, quien decidió acompañarlos en su retirada.

Alejandro VI, para mayor seguridad, abandonó Roma. Rodrigo Borgia sabía que si permanecía en la ciudad, aunque fuese tras los muros de Sant'Angelo, Carlos VIII sentiría la tentación de apresarlo. Cuando supo que las tropas francesas estaban a tres jornadas, abandonó la ciudad y se dirigió a Orvieto. Lo acompañaba su nueva amante, la delicada Giulia Farnesio. El indignado monarca francés, que veía cómo se desvanecía su sueño italiano, lo persiguió hasta allí porque la ciudad se encontraba en su ruta hacia Florencia, pero cuando llegó, el Borgia ya estaba en Perugia. Perseguirlo nuevamente significaba demasiado riesgo y el monarca francés desistió del empeño.

Forlì cerró sus puertas, reforzó la vigilancia de las murallas y acogió en su interior a los campesinos y labriegos de los alrededores, donde era visible la devastación causada por aquel ejército cuando marchaban hacia el sur. Ahora, con el calor del verano apretando, su paso fue mucho más rápido. Su mayor deseo era cruzar la Liguria y ganar territorio francés lo antes posible.

El 25 de agosto una alegre comitiva regresaba de una excursión campestre. Avistaron la ciudad a la caída de la tarde. El carruaje donde iban las damas estaba rodeado por un numeroso acompañamiento de jinetes. Cantaban romanzas y se divertían con las ocurrencias de algunos. Cruzaron la puerta de San Pietro, donde la guardia formó para recibir a la condesa. Su esposo cabalgaba junto a ella, montando un brioso corcel alazano. Llegaron al puente Brighieri, uno de los que cruzaban el río Rabbi, que corría por el interior de la ciudad de sudoeste a nordeste. Cerca de la iglesia de la Santísima Trinidad, varios hombres aprovecharon para acercarse a la ruidosa comitiva. Parecía que deseaban presentar sus respetos a la *madonna*.

Uno de ellos llegó hasta Giacomo, sacó un puñal y dando un salto le asestó un golpe mortal, mientras otro lo alcanzaba en el costado con su espada. El herido no pudo sostenerse sobre el caballo y al caer fue cosido a puñaladas por otros integrantes del grupo. Giacomo no tuvo tiempo de pedir confesión.

Caterina reaccionó con rapidez; saltó del carretón sobre el caballo de su marido, lo espoleó y galopó por las calles, buscando el refugio de Ravaldino. Tras ella, montando sus caballos, la seguían sus hijos Ottavio y Cesare, que ya eran dos jóvenes de dieciséis y quince años, y Giusti.

Mientras la condesa galopaba por las calles no dejaba de pensar en la actitud de la escolta. Los soldados no habían reaccionado; quedaron impasibles ante el ataque. Tuvo un momento de duda: no sabía si en Ravaldino estaba su salvación o iba a encontrarse con otra cosa. Miró hacia atrás; a su espalda galopaban Cesare y Giusti, éste con la espada desenvainada. Al no ver a Ottavio, se temió lo peor.

Llegó ante los muros de la fortaleza y encontró las puertas cerradas. No era extraño porque ésas eran las instrucciones de la condesa, pero tuvo un mal presentimiento.

Fue Giusti quien gritó para que alzasen el rastrillo y tendiesen el puente sobre el foso. Hubo unos segundos de incertidumbre hasta que el sonido chirriante de las cadenas indicó que las órdenes eran atendidas.

En los alrededores del puente Brighieri se concentraba cada vez más gente, curiosos interesados en saber qué ocurría. Muy pronto corrió la noticia de que Giacomo Feo había sido asesinado y, en voz baja, la gente murmuraba que le habían dado su merecido, pero no se atrevían a dar rienda suelta a su alegría. Los asesinos recorrían las calles gritando la noticia para que llegase a conocimiento de todos. Cada vez era mayor el concurso de gente que se arremolinaba en el lugar del crimen.

Muchos, sin embargo, prefirieron encerrarse en sus casas, preguntándose quién estaba detrás del asesinato que dejaba viuda, por segunda vez, a la condesa. Los enemigos de Giacomo Feo eran muchos y algunos de ellos muy poderosos. Todo el mundo estaba pendiente de la reacción de la *madonna*.

31

—¿Dónde está Ottavio? —La condesa apenas había puesto los pies en el suelo.

Cesare, con el semblante descompuesto, incapaz de articular una palabra, negó con la cabeza. Fue Giusti quien respondió:

—Hubo un momento en que lo vi cabalgar a mi lado, pero ignoro qué ha podido ocurrir.

—¡Rápido, el capitán de la guardia!

Ordenó redoblar la vigilancia y que varias patrullas salieran en su busca. Después llamó a su secretario y le dijo a Giusti que la acompañase.

En la estancia donde despachaba los asuntos de gobierno, en la que tantos momentos había compartido con Giacomo, a pesar de sus defectos y con quien se había casado por amor, desafiando a todo el mundo, trató de serenarse.

Su mayor preocupación en aquellos momentos era el paradero de Ottavio.

—¿Reconociste a alguno de los asesinos?

—Aunque todo fue muy rápido, pude distinguir en el grupo a Filippo della Salle, un boloñés, que lleva mucho tiempo en Forlì. Otro de ellos era un clérigo a quien dicen don Pavagliotta. Eran seis o tal vez siete, los que se acercaron a la comitiva.

—El nombre de don Pavagliotta es don Antonio Valdinoce —puntualizó el secretario.

—¿Por qué han hecho una cosa así?

Giusti y el secretario cruzaban miradas de complicidad; tal vez, la verdad resultase demasiado dura para una mujer enamorada.

—Mi señora, el gobernador tenía muchos enemigos. Por la ciudad corrían rumores extraños.

Caterina clavó la mirada en el rostro de su secretario, que agachó la cabeza.

—¿Rumores? ¿Qué rumores?

—Comentarios maliciosos, mi señora.

—¿Qué dicen esos comentarios? —exigió.

El secretario estaba arrepentido de haber abierto la boca. Otra vez los dos hombres intercambiaron miradas, que ahora no escaparon a la *madonna*, pendiente de cualquier gesto.

—¿Qué está ocurriendo aquí?

Fue Giusti quien salió en ayuda del agobiado secretario.

—Se decía que vuestras diferencias con el gobernador eran cada vez mayores, que os disputaba el poder y que actuaba por su cuenta, sin considerar vuestros puntos de vista. Incluso… incluso…

—¿Incluso qué?

—Incluso que maniobraba para privar a vuestro hijo de sus derechos y convertirse en señor de vuestros dominios.

Caterina estaba pálida. Se acercó a la ventana que daba al patio y la abrió. Percibió la rojiza luz del crepúsculo, que ponía reflejos dorados en las piedras de la fortaleza. A pesar de darles la espalda, los dos hombres se percataron del estremecimiento de su cuerpo.

—Ya regresa una de las patrullas —comentó con voz entrecortada.

Unos minutos después, el capitán pedía permiso para entrar.

—¡Adelante!

El oficial saludó a la condesa.

—Vuestro hijo, mi señora, se encuentra a salvo, está en casa de un amigo.

—¿Por qué no lo han traído?

El azoramiento del capitán fue visible y la condesa tuvo que repetir la pregunta.

—Mi señora, no ha sido posible. Se niega a venir.

El semblante de Caterina adquirió la dureza y el color del mármol. Lo que había escuchado por boca de Giusti le había encogido el corazón y hecho albergar graves presentimientos, que ahora cobraban dolorosa forma.

El silencio en la estancia era agobiante.

—¿Qué está ocurriendo en las calles? —preguntó al fin.

—Hay pandillas de gente que corren de un sitio para otro, profiriendo voces en favor vuestro y de vuestro hijo. Gritan: «¡Ottavio! ¡Ottavio!», y «¡Caterina! ¡Caterina!».

Otra vez un silencio espeso se apoderó del ambiente. Los tres hombres estaban pendientes de la condesa, que rumiaba su dolor. Acababa de descubrir, al menos, una de las claves del asesinato de su marido.

¿Cómo había podido estar tan ciega para no presentir la terrible tragedia que golpeaba su vida una vez más?

Era como si una fuerza invisible se abatiese sobre los hombres que estaban más cerca de su persona. Su padre murió asesinado cuando ella despertaba a la vida, luego le tocó el turno a Girolamo, al que no amaba pero al que acompañó, sin verse correspondida, con un valor digno de mejores acogidas. Y ahora Giacomo, cuyo amor le había ayudado a soportar los difíciles momentos por los que su vida había transcurrido en los últimos años, siempre plagados de dificultades.

Sintió un aguijonazo en la cabeza, como si le pinchasen con un alfiler, y recordó lo que Ana la judía le dijo un día ya lejano. Las palabras de la astróloga resonaron en su cabeza como si las estuviese escuchando: «Forlì será una fuente de sufrimientos. Decid a vuestro esposo que rechace ese nombramiento».

¡Cuánta verdad encerraban aquellas palabras!

Los pensamientos pasaban por su cabeza a tal velocidad que le resultaban casi insoportables. Si Ottavio había urdido el asesinato, tendría que enfrentarse a su propio hijo. Si Giacomo planeaba usurpar los derechos de su hijo, actuó de forma vil y rastrera. Cualquiera de las dos posibilidades la desquiciaba. Necesitaba pensar.

—¡Dejadme sola!

—¿Desea la condesa que traigamos al señor Ottavio? —se aventuró a preguntar el capitán.

—Lo que deseo en este momento es estar sola.

Los tres hombres se retiraron sin hacer ruido.

Caterina quedó envuelta por el silencio, sumida en graves reflexiones. Un silencio que también se apoderaba de la ciudad conforme avanzaba la noche. Los que pensaron que el asesinato del gobernador contaba con el apoyo de la condesa, empezaron a albergar dudas. Nadie sabía si la condesa estaba detrás del acontecimiento, como se había rumoreado, cansada de que el gobernador actuase de la forma en que lo hacía. Fueron muy pocos los que repararon en que *madonna* Caterina era una mujer enamorada.

Apenas había despuntado el sol; los oficiales de la guarnición acudían presurosos a la llamada de la condesa, que aguardaba en su gabinete vestida con elegancia. Realzaba su belleza natural con maquillajes que la ayudaban a disimular las horas de insomnio.

—Se ha cometido un crimen execrable —comenzó la condesa, dando serenidad a su voz—, el gobernador ha sido asesinado y una acción tan vil exige un castigo ejemplar. Es mi deseo que se detenga a todos los que participaron en el asesinato. Eran seis o tal vez siete los que asaltaron al gobernador para coserlo a cuchilladas. Los quiero a todos, a ser posible, vivos.

Los soldados, en una actitud marcial, asentían en silencio.

—Decidle al *auditore*, como responsable del orden público, que todos sus hombres presten la colaboración que se necesite. Tengo entendido —prosiguió la condesa— que mi hijo Ottavio está en casa de los Denti. Traedlo a Ravaldino y encerradlo en la estancia alta de la torre del León, sin que pueda hablar con nadie. Si se niega a venir, prendedlo. Ahora, cumplid mis órdenes.

Se retiraban ya cuando la condesa les dio una última orden.

—A Scipione, detenedlo y encerradlo en una de las mazmorras del sótano, permanecerá incomunicado hasta que yo disponga otra cosa.

Retirados los oficiales, la condesa llamó a Giusti.

—Hazte cargo del cadáver de Giacomo. Entérate de dónde está y disponlo todo para las exequias. Será enterrado como merece.

Cuando por Forlì se conoció la noticia de que los rumores que señalaban a la *madonna* como inductora del asesinato eran falsos, un silencio de muerte se extendió por la ciudad. Muchos recordaron las terribles jornadas que siguieron a la muerte de su primer esposo. La imagen de Babone, el verdugo contratado para atormentar a los asesinos de su primer marido, permanecía en la memoria de la gente.

Hubo numerosas detenciones; la más espectacular fue la de Gian Antonio Ghetti, el primero de los que apuñalaron a Giacomo.

El asesino logró llegar hasta la catedral de la Santa Cruz, pero no le permitieron acogerse al asilo eclesiástico. Fue expulsado de la iglesia y trató de huir saltando por las tapias del cementerio. Los canónigos ordenaron tocar las campanas a rebato para denunciar su presencia. Acudió mucha gente y Ghetti se vio rodeado. Se defendió con su espada, pero la muchedumbre se abalanzó sobre él y lo golpeó con saña. Cuando unos soldados lograron apartar a la chusma y lo levantaron, sangraba por todas partes y tenía el rostro lleno de contusiones. Encadenado y sangrante fue conducido por las calles, donde le gente lo insultaba y se burlaba de él.

Fueron apresados los siete individuos que participaron en el crimen y los interrogatorios revelaron algo terrible para Caterina. Sometidos a tortura, todos los detenidos confesaron lo mismo: al matar a Giacomo Feo creían cumplir los deseos del cardenal Raffaele Riario, los de Ottavio y los de la propia condesa. Descubrió horrorizada que el crimen del puente Brighieri fue la consecuencia de una conjura organizada por los Riario. Tenía como objetivo poner a salvo sus intereses familiares, que consideraban amenazados por el asesinado. Las confesiones explicaron la causa por la cual su hijo Ottavio no se refugió en Ravaldino, sino que buscó la casa de un amigo para escapar de las iras maternas.

Los detenidos fueron ajusticiados y a ellos se sumaron algunos de sus familiares y otros ciudadanos acusados de colaborar; todos ellos, víctimas de la *vendetta* de una mujer enamorada.

El ambiente en Forlì se enrareció y la animadversión popular se concentró en la condesa porque los principales agentes de la conjura no pagaban con su vida. El cardenal Riario no estaba a su alcance y era demasiado poderoso. Tampoco tomaba medidas contra Ottavio, aparte de haberlo detenido, porque era su propio hijo. Sin embargo, mantenía a Scipione encarcelado.

Los espías del duque de Milán en Forlì le comunicaron que el nombre de los Sforza provocaba rechazo. Caterina no hizo caso de los consejos que su tío le enviaba. Entre otras razones porque las confesiones de los detenidos apuntaban a que el Moro también conocía los entresijos de la conjura.

Fue Giusti quien una tarde sacudió su conciencia, aprovechando que la condesa recogía hierbas aromáticas en el jardín del Paraíso.

—Perdonadme si os importuno, mi señora.

Caterina, agachada sobre un macizo de plantas, se sobresaltó.

—¡Me has asustado, Jacopo!

—Lo lamento, *madonna*, tal vez sea porque vuestra conciencia no está tranquila.

Apretó las plantas en su mano y clavó su mirada en los ojos del guardaespaldas.

—¿Por qué dices eso?

—Porque me parece excesivo todo lo que está ocurriendo.

—¡Son unos asesinos!

—No todos los que han pagado con su vida.

La voz de Giusti era serena, pero llena de energía.

—¿Qué quieres decir?

—Que cuando la justicia se transforma en venganza, pierde su condición.

—¡Estoy administrando justicia!

—Permitidme que os diga que estáis equivocada. Todo esto se volverá contra vos. La gente no habla porque tiene miedo, pero no gozáis de simpatías.

—¡No quiero su simpatía!

Giusti agachó la cabeza.

—Lo he expresado de esa forma para no herir vuestros sentimientos.

—Habla sin rodeos.

—Os detestan, mi señora. Muchos incluso os odian por lo que está ocurriendo. Hay gente que ha pagado con su vida porque alguien buscó amparo en su casa, otros por haber facilitado una cuerda para que alguno de los perseguidos se descolgase por la muralla.

—¡Han ayudado a los asesinos! —Caterina estaba cada vez más crispada.

—Pero no pueden pagar con su vida por una cosa así.

—¡Es la ley!

—No, mi señora, eso es arbitrariedad. Vuestra sed de venganza ha ido mucho más allá de lo humanamente explicable. El pueblo puede entender la muerte de unos asesinos, pero rechaza con un silencio acusador las demás muertes. ¿Sabéis que en las últimas ejecuciones la plaza Grande estaba vacía? Sólo los soldados, el verdugo y los familiares del ajusticiado, que clamaban por su vida.

—Se trata de justicia.

Las últimas palabras de Caterina habían perdido fuerza, su tono revelaba que trataba de justificarse. Giusti, prudente por naturaleza, alzó la cabeza y la miró a los ojos. En las pupilas del guardaespaldas se apreciaba una extraña mezcla de dulzura y entereza.

—No, mi señora. No es justicia cuando sólo satisface la venganza.

Caterina dejó caer el manojo de hierbas que apretaba con tanta fuerza, se echó en brazos de Giusti y rompió a llorar desconsoladamente.

—¡Me encuentro tan sola, Jacopo, tan sola!

Al sentir en su hombro los gemidos de la mujer que desde las torres de Sant'Angelo desafió al poder de la curia y que desde las murallas de Ravaldino hizo frente, con una gallardía tintada de obscenidad, a un desafío a su autoridad, Giusti entendió lo que Giacomo Feo había significado para su señora.

Era una lástima que los hombres que la habían tenido como esposa no dieran la talla que ella merecía.

Permaneció sollozando largo rato abrazada a su cuello, hasta que lentamente los sollozos se apagaron.

Aquella noche, la condesa firmó un bando. Era el fin de las ejecuciones. En la ciudad hubo un suspiro de alivio, pero Caterina tenía en su contra a buena parte de los forliveses.

32

Milán, otoño de 1497

—¡No es posible! ¡No es posible! —repetía una y otra vez mientras recorría a zancadas el enorme salón de la primera planta del castillo de los Sforza.

Los dos hombres guardaban silencio. Su experiencia al servicio del duque les había enseñado que era mejor guardar un prudente silencio y que pasasen los efectos producidos por la lectura del mensaje.

Los dos conocían lo que Ludovico el Moro acababa de leer y sabían cuál sería su reacción. Los Sforza eran gente de sangre caliente, y no resultaba fácil templarles los ánimos sin esperar a que la tormenta amainase.

Sin volverse, después de un largo silencio su voz sonó menos violenta de lo que esperaban:

—¿Qué dice mi sobrina?

La pregunta no iba dirigida a ninguno de ellos. Los dos intercambiaron una rápida mirada y fue el secretario, hombre de confianza del Sforza, quien contestó.

—La condesa lo niega, excelencia.

El Moro se volvió y lo taladró con aquella mirada que hacía sudar a embajadores y emisarios.

—Entonces, ¿cuáles son las pruebas que tiene Tranchedini para afirmar una cosa así?

El mensajero se puso nervioso.

—Yo, señor... yo lo ignoro. Supongo que...

—¡No quiero suposiciones en un asunto como éste! —gritó el duque—. ¡Exijo certezas! —Extendió el brazo y señaló la mesa donde estaba la carta.

El secretario comprendió que había de intervenir.

—Excelencia, yo creo que una persona con la experiencia de Tranchedini no aventuraría una información como ésa, si no tuviese ciertas seguridades.

—En ese papel habla de comentarios, rumores y suposiciones —protestó el duque.

—Eso es cierto —contemporizó el secretario—, pero también dice que Giovanni de Médicis lleva semanas alojado en Ravaldino, que se le ve junto a la condesa por todas partes y que, en estos momentos, ninguna razón explica su presencia en Forlì. Hace semanas que los contratos para la compra de granos se dieron por concluidos y todos los mercaderes abandonaron la ciudad, porque los negocios estaban cerrados y ya nada les retenía allí.

El Moro movió lentamente la cabeza.

—A mí me trae sin cuidado a quién mete mi sobrina en su cama; al fin y al cabo ya es mayorcita y no tiene por qué dar explicaciones a nadie. Eso es algo que sólo sirve para alimentar a las lenguas que de eso viven y animar los chismorreos de viejas desocupadas, pero lo que dice Tranchedini es mucho más grave. —Miró a su secretario y le ordenó—: Léeme otra vez ese párrafo.

El secretario cogió la carta, se colocó las antiparras que colgaban de su cuello y leyó:

Son muchos los días que lleva alojado en la Roca, donde es agasajado. Se me dice que ha venido para tratar la compra de granos para Florencia, pero se rumorea que la condesa podría casarse con él para satisfacer su apetito.

Se quitó las gafas y plegó el papel.

—En realidad, Tranchedini se cura en salud. —El duque hizo un aspaviento con los brazos—. Todo es «se dice, se rumorea»; lo único que afirma es que Giovanni de Médicis lleva muchos días en Ravaldino.

—Un agente de la experiencia de Tranchedini no querrá dar un paso en falso, excelencia —trató de justificar el secretario—. Eso sería un error imperdonable.

El Moro se acercó a un ventanal, abrió uno de los postigos y en la estancia penetraron los gritos de unos criados que descargaban los fardos de una recua de mulas.

—Si lo que se dice de mi sobrina es cierto, tenemos un grave problema que vendría a sumarse a una situación cada día más complicada. Hay que dar instrucciones específicas a Tranchedini para que se cerciore de eso que cuenta.

—¿Alguna instrucción, mi señor?

—¡Escribe a Tranchedini y dile que quiero seguridades, no suposiciones!

Su cuerpo no parecía el de una mujer de treinta y tres años, que había dado a luz media docena de veces, afrontado situaciones complicadas y momentos de tensión. Caterina era tan hermosa que sus enemigos y las lenguas maledicientes afirmaban que tenía un pacto secreto con el diablo. Ésa era la explicación que para la gente tenían las largas horas de encierro en su laboratorio.

Giovanni de Médicis, tendido en la cama, se dejaba ganar por la lasitud, después de hacer el amor con pasión. Caterina le deparaba cada día una nueva sorpresa. La miró mientras llenaba las copas de un vino espeso, de color ambarino. Tenía unos senos firmes, coronados por grandes pezones rosados, el vientre liso, pese a los partos soportados, y la piel tersa. Su belleza estaba fuera de lo común.

Le ofreció una copa y se recostó junto a ella.

—¿Serías mi esposa?

Entornó los ojos y miró a Giovanni, cuyo rostro estaba enmarcado por una corona de alborotado cabello negro.

—¿Quieres repetírmelo?

—Casémonos.

Lo besó en la boca y degustó el sabor a vino de sus labios.

—¿Estás seguro de que es eso lo que quieres?

—No podría concebir mi vida sin ti.

En los ojos de Caterina se apreciaba una expresión de ternura que muy pocos conocían. Su imagen estaba marcada por los grandes hitos de su vida. En Roma era la Dama del Dragón, perduraba el recuerdo de la mujer fuerte de Sant'Angelo. En buena parte de las cortes de Italia era la *madonna* de Forlì, capaz de enfrentarse al mundo. Para sus hijos, la madre fuerte que cuidaba de su seguridad y de su instrucción. Para muchos forliveses era la encarnación de la ira, porque el paso del tiempo no borró de sus mentes las duras jornadas de la venganza, tras el asesinato de Giacomo Feo.

—Soy mayor que tú, ¿sabes qué dirán?

Giovanni soltó la copa y la tomó en sus brazos, le besó la oreja y le mordió el lóbulo. Caterina se estremeció.

—Nada de lo que digan me importa —le susurró al oído.

Besó sus labios.

—Dirán que soy demasiado vieja, que he perdido el seso.

—Sin embargo, son muchos los que afirman que tienes un pacto con el diablo para que te mantenga eternamente joven.

—Sabes que un matrimonio entre una Sforza y un Médicis agitará estas tierras como si las sacudiese un terremoto.

Giovanni se incorporó, tomó la cabeza de Caterina entre sus manos y la besó en la frente, en los ojos, en la nariz, en las mejillas y en los labios, con amorosa suavidad. Después, mirándola a los ojos, le preguntó:

—¿A ti te importa?

Le mordisqueó de nuevo el lóbulo de la oreja, consciente de que era una de las caricias que más la excitaban, y sintió cómo, una vez más, ella se estremecía de placer.

—En absoluto.

Estaba enamorada de la serenidad de aquel hombre tranquilo que poseía una vasta cultura, algo que no tenían sus esposos anteriores. ¡Con Giovanni podía hablar de tantas cosas interesantes y que no encontraban eco ni en Riario, interesado únicamente por los placeres, ni en Feo, obsesionado con el poder!

El acceso de cólera ya había pasado cuando Leonardo llegó a la estancia donde lo esperaba el Moro. En el despacho eran perceptibles sus efectos. Por el suelo se veían los restos de valiosas porcelanas y miniaturas de cristal hechas añicos, cualquiera de ellas valía una pequeña fortuna. Algunos muebles también mostraban las consecuencias de su ira. La servidumbre sabía que lo mejor, en aquellas circunstancias, era estar cuanto más lejos mejor.

—¿Me ha mandado llamar vuestra excelencia?

El maestro, a sus cuarenta y cinco años no cumplidos, ofrecía una imagen avejentada. Las arrugas de su rostro, tan profundas como las de su inquieto espíritu, y la larga y plateada barba que caía sobre su pecho ayudaban a darle un aire de anciano, no exento de cierto atractivo. Llevaba una amplia hopalanda parecida a la de los médicos y sostenía en sus manos el bonete de piel, como señal de respeto a quien lo empleaba desde hacía años, como ingeniero y constructor de máquinas de guerra.

El Moro, a diferencia de otros, soportaba con extraña paciencia los desaguisados producidos por las máquinas que surgían de la prodigiosa cabeza del florentino, a quien trataba con respeto y consideración.

—¡Mi buen Leonardo! ¡Pasa, pasa, no te quedes en la puerta como un pasmarote!

El inventor miró en derredor con cierta desenvoltura.

—Hay cosas que me sacan de quicio —comentó el duque a modo de explicación.

Leonardo sonrió.

—La tormenta parece que ha sido intensa.

—Hay razones para ello, pero no nos perdamos en detalles. ¿Conoces a mi sobrina Caterina?

El artista florentino se puso en guardia. ¿Por qué le hacía el duque aquella pregunta? En la mente de Leonardo cobró vida el recuerdo de una tarde lejana en que, siendo un joven con la mitad de la edad que ahora soportaban sus hombros, conoció a una adolescente inquieta y preguntona.

—¿Se refiere vuestra excelencia a la condesa de Imola?

—A la misma.

—¿Quién no ha oído hablar de ella, mi señor? Estuve en Roma poco después de que Inocencio VIII accediese al solio pontificio; en los salones de la aristocracia y en las tabernas del Trastevere se hablaba de su arrojo. Todavía se acordaban de que había desafiado a la curia desde las almenas de Sant'Angelo; la llamaban la Dama del Dragón.

El Moro apuntó una sonrisa en sus labios.

—No ha sido el único desafío que ha lanzado desde las murallas de una fortaleza. No cabe duda de que por sus venas corre la sangre de los Sforza.

—Sin duda, señor, sin duda —corroboró Leonardo, sin saber adónde quería llegar el duque.

—Quiero que vayas a Forlì.

Aquélla era una de las cosas que el artista admiraba de su protector. Era directo en sus palabras y, llegado el caso, también en sus acciones.

—¿Yo, señor?

—Sí, tú. Deseo que visites a mi sobrina.

Leonardo suspiró. Sabía que los deseos del Moro eran órdenes y la única opción, acatarlas. Pensó en el prior del monasterio de Santa Maria delle Grazie y se regodeó internamente. Aquel dominico intransigente, con quien no se entendía, tendría que fastidiarse. El fresco de su refectorio, donde quería un mural que recordase a los frailes, mientras hacían sus colaciones, la última cena de Jesús, sufriría un nuevo retraso. En esta ocasión tenía un poderoso argumento: el duque le encomendaba una misión fuera de Milán y eso era algo que no se discutía.

—¿Con algún encargo especial?

—Quiero cierta información de primera mano.

En la frente de Leonardo las arrugas se pronunciaron.

—¿Puedo haceros una pregunta indiscreta?

—Habla.

—¿Por qué ha pensado vuestra excelencia en mi humilde persona para una misión como ésa?

—Mi sobrina os recibirá encantada.

—¿Por qué piensa vuestra excelencia una cosa así?

—La condesa tiene devoción por ciertos conocimientos en los que tu sabiduría es de sobra conocida. Tendrá gran placer en recibirte y, sin duda, mostrará la mejor de las disposiciones. Eso facilitará tu labor.

—¿Qué tipo de información, excelencia?

El Moro clavó sus ojos en el rostro de Leonardo, quien como buen toscano sostuvo impasible la mirada de su protector.

—¿De verdad no conoces los rumores que corren?

—Señor, bien sabéis que no suelo prestar atención a las habladurías.

El duque se pasó la mano por la mejilla. La notó rasposa. Nunca sabía qué carta jugar con el maestro Da Vinci, quien resultaba la mayor parte de las veces una figura desconcertante. En aquel momento no apostaría ni medio ducado sobre si el hombre que tenía delante sabía algo de los rumores que circulaban por media Italia. Trató de plantearle la cuestión de forma que no resultase una injuria encomendarle lo que deseaba, que no era otra cosa que saber si su sobrina había contraído matrimonio con Giovanni de Médicis y, sobre todo, si había alguna alianza política detrás de aquella unión.

—La situación política se vuelve más compleja cada día y el juego de alianzas, como siempre, tendrá un papel determinante. Una vez más, estaremos enfrentados a los florentinos, porque ése es uno de los ejes que determinan la política desde hace décadas. Los informes que tengo señalan que los Médicis tratan de extender su influencia por tierras de la Romaña, lo que les permitiría, caso de conseguirlo, controlar todas las vías de comunicación que conectan el norte y el sur de Italia.

—¿Cree vuestra excelencia que su sobrina entraría en ese juego de alianzas? —Leonardo se mostraba extrañado.

—No lo creo, pero Caterina, en ocasiones, se ha mostrado como una mujer imprevisible. Tengo entendido que Giovanni de Médicis lleva muchos meses en Forlì, demasiados para explicar su presencia en la ciudad con la excusa de comprar grano. El mercado del trigo hace meses que se cerró.

—Supongo que vuestra excelencia desea saber lo que realmente está haciendo el Médicis en Forlì.

—Exactamente.

—¿Eso es lo que he de preguntar a la condesa?

—Eso es lo que quiero saber. La forma que utilices para conseguir la información es algo que dejo en tus manos. Estoy seguro de que sabrás cómo manejar la situación.

—Sin embargo, mi presencia en Forlì deberá ser explicada de forma conveniente; de lo contrario levantaría sospechas. Recuerdo que la condesa era una niña despierta, inquieta y muy sagaz.

—Una definición perfecta. Tu misión será estudiar las defensas de la ciudad y proyectar su mejora, tanto defensiva como ofensiva. Mi sobrina, desde hace tiempo, ha manifestado interés en que vayas a Forlì para acometer trabajos de ingeniería que conviertan la plaza en una fortaleza inexpugnable.

—Eso significaría una prolongada ausencia.

—En absoluto. Analizarás las defensas, tomarás nota de todo y le indicarás que concluirás el trabajo en Milán, confeccionando los planos correspondientes. Estarás allí solamente el tiempo necesario para traerme la información que necesito.

—¿Cuándo partiré?

—Pasado mañana, para dar tiempo a que un correo anuncie tu llegada con cierta antelación.

—¿Desea vuestra excelencia alguna otra cosa?

—Se te proveerá de las credenciales correspondientes y del dinero necesario.

Leonardo hizo una ligera reverencia y ya se retiraba cuando lo detuvo la voz del duque.

—Maestro, cualquier detalle, por insignificante que pueda parecer, es de suma importancia en las circunstancias presentes.

—¿Se refiere vuestra excelencia a algo en concreto?

El Moro no pudo resistirse.

—Uno de esos rumores, supongo que habladurías sin fundamento, apuntan a que la condesa ha contraído matrimonio con el Médicis. Me gustaría saber si es cierto.

33

Caterina decidió que Leonardo se alojaría en Ravaldino, lo que el maestro consideró un honor inmerecido, pero que aceptó porque facilitaría su tarea de estudio para mejorar las defensas de la fortaleza. En realidad, era lo mejor que podía ocurrirle para dar cumplimiento al verdadero objetivo que le había llevado hasta Forlì.

Estaba en la muralla norte de la fortaleza, donde trabajaba con la ayuda de un par de criados, cuando Giovanni de Médicis se acercó y lo saludó con afabilidad.

—Supongo que sois micer Leonardo da Vinci.

El maestro, embebido en sus cálculos, alzó la cabeza y contempló a un hombre joven, de excelente planta y rostro agradable, en el que resaltaban una prominente nariz y unos ojos negros como sus ensortijados cabellos.

—¿Quién sois vos?

—Mi nombre es Giovanni de Médicis, florentino de nacimiento, como vos. Es todo un placer saludaros después de tantos años.

—Ése es un placer compartido.

—Veo que tenéis una manera extraña de anotar.

Giovanni se había quedado con la mirada fija en los papeles de Leonardo.

El artista frunció el ceño imperceptiblemente. Le pareció

de mala educación que un desconocido husmease en sus papeles, pero disimuló su malestar.

—Es un sistema muy útil, al que estoy habituado desde muy joven.

El tono empleado indicó al Médicis que era mejor cambiar de conversación.

—Tengo entendido que vuestra presencia en Forlì está relacionada con la mejora de sus defensas.

—En efecto. Según el duque de Milán, ése es un deseo acariciado por la condesa desde hace años. Vivimos tiempos agitados y todas las prevenciones resultan pocas.

—La condesa quiere convertir Ravaldino en una gran fortaleza.

Leonardo dobló los papeles y decidió que podía preguntarle la razón de su presencia allí. Giovanni ya lo había hecho.

—Disculpadme si peco de indiscreto, ¿cuál es la razón de vuestra presencia aquí?

—Florencia necesita trigo. Una población de cincuenta mil almas no se abastece fácilmente y estas campiñas son feraces.

—¿Habéis venido a comprar grano por cuenta del gobierno florentino?

—Así es.

—¿El mercado es propicio en este tiempo?

La pregunta puso en guardia al Médicis y Leonardo se dio cuenta de que acababa de cometer un error.

—Siempre hay trigo a la venta. Todo depende del precio que se esté dispuesto a pagar, por mucho que las autoridades se empeñen en poner trabas. Y ahora os dejo con vuestro trabajo.

—Leonardo no ha venido a diseñar un proyecto sobre Ravaldino.

—¿Por qué dices eso? Nada más llegar se ha puesto manos a la obra.

—Para disimular. Tu tío lo ha enviado para obtener información.

—¿A Leonardo? —se extrañó Caterina.

—Sí.

—Puede enviar a docenas de agentes; de hecho, ya tiene suficientes para que le den noticia de todo cuanto ocurre en Forlì. Al menos, de todo cuanto puedan alcanzar a conocer.

—Precisamente por eso.

—No te entiendo.

—Muy sencillo, sus agentes no tienen acceso franco a estos muros, Leonardo está en su interior.

—Creo que ves fantasmas. Hace años que vengo reclamando la presencia del maestro para que mejore las fortificaciones y para otro asunto.

—¿Otro asunto?

—Sí, relacionado con mis experimentos.

—¿Podrías explicarme por qué tu tío satisface ahora tu petición?

Caterina vaciló un momento y Giovanni se respondió a sí mismo.

—Porque el Moro sabe que Leonardo puede entrar en Ravaldino sin levantar sospechas. ¿Cuántas veces has tenido que negar que hemos contraído matrimonio? ¿Cuántas cartas has tenido que escribir? ¿Cuántas veces te ha preguntado tu tío sobre los rumores que corren? No le satisfacen tus respuestas. Es listo y muy sutil. Sabe que cuando se sepa lo nuestro, las consecuencias no se harán esperar, porque todo el mundo pensará que hemos cerrado un acuerdo político y Florencia siempre se ha enfrentado a Milán.

—¿Crees que Da Vinci aceptaría un encargo como ése?

—La gente tiene que comer y los fracasos de Leonardo se cuentan por cientos. Como artista nadie discute sus méritos, pero le cuesta trabajo acabar una obra. Todo eso tiene su reflejo en el bolsillo y, como todo el mundo, ha de satisfacer sus necesidades. Tu tío le ha proporcionado la posibilidad de poner en práctica proyectos fantasiosos en los que nadie cree. Si le pidiera una misión, que además puede encubrir, no se negaría. ¿Sabes que utiliza signos extraños para tomar nota en su trabajo?

—Por supuesto que lo sé —lo interrumpió Caterina.

—¿Sí?

—Ése es el otro asunto del que te he hablado. Insisto en que ves fantasmas.

—¿Fantasmas, dices? Estoy convencido de que oculta su verdadera misión con el señuelo de convertir en realidad un sueño que has acariciado largamente. Ya te he contado la breve conversación que hemos mantenido. Creo que harías bien en sondearlo.

—Antes o después, nuestro matrimonio saldrá a la luz.

—Cuanto más tarde, mejor.

Leonardo escrutaba el laboratorio de Caterina. La condesa lo invitó para mostrarle algunos experimentos y conocer su opinión acerca de ciertas cuestiones, en las que mantenía divergencias con Alberti. Pero, sobre todo, deseaba que le descifrase el enigmático mensaje que le dejó escrito en el reverso de aquel pliego donde dibujó, con trazos abocetados, una hermosa flor.

—¿Creéis que se puede obtener oro a partir de metales viles?

La pregunta sorprendió al maestro.

—¿Siempre sois tan directa?

—Creo que es mejor no andarse con rodeos. Los circunloquios suponen una pérdida innecesaria de tiempo.

Leonardo se atusó suavemente su larga barba, en un gesto que le era característico cuando reflexionaba.

—Demócrito hablaba de que la materia está formada por partículas diminutas a las que llamaba átomos. Estaba convencido de que la esencia de las cosas dependía de las diferentes combinaciones de átomos y pensaba que si, mediante el frío, el agua se transformaba en hielo y con el calor se evaporaba, un metal podía transformarse en otro. La clave está en encontrar el método adecuado para que la transformación se produzca.

—Es decir, que creéis posible la obtención de oro a partir de otros metales como el plomo.

—¿Habéis oído hablar de Nicolás Flamel?

—¿Flamel?

—Sí, un notario parisino, conocedor de importantes arcanos. Algunos afirman que nació en 1330, aunque se ignora la fecha de su muerte, que hay quien sitúa en 1413.

—Nadie lo ha mencionado en mi presencia.

—Se cuenta que poseyó el libro de Abraham el Judío, un extraño manuscrito que encierra importantes conocimientos relacionados con la ciencia de Hermes Trismegisto. Algunos opinan que en sus páginas se encuentra la fórmula para obtener oro y que Flamel lo consiguió en grandes cantidades.

—¿Vos lo creéis?

Leonardo hizo un ambiguo movimiento de hombros.

—Eso es lo que se dice. Flamel dejó una importante fortuna que iba mucho más allá de lo que pudo ganar con su actividad de notario. ¿Os interesa el oro?

Caterina meditó unos segundos la respuesta.

—No tanto como para dedicarle el tiempo que esa experimentación requiere. Estoy mucho más interesada en la vida.

—¿La vida? —Había algo de extraño en la pregunta.

—Sí, la vida y su proceso. La juventud y el proceso que conduce al envejecimiento y la pérdida de facultades.

—¿A ello dedicáis vuestro esfuerzo?

—Principalmente.

En los labios del toscano apareció una sonrisa.

—Veo que con excelentes resultados.

—¿Lo decís por algo en concreto?

Leonardo se atusó otra vez la barba.

—Os conocí en Milán hace veinte años. Entonces ibais a cumplir catorce, eso significa que rondaréis los treinta y cuatro. Habéis alumbrado media docena de hijos y vuestra vida no ha sido relajada, más bien lo contrario. Alguien que no conociese vuestra edad, apostaría su fortuna a que andaríais sobre los veinticinco años.

Caterina notó cómo el rubor cubría sus mejillas.

—Me halagáis.

—No es halago, lo que os digo es algo que salta a la vista. Vuestra belleza está llena de lozanía y vuestra piel es tersa, como la de una joven doncella. ¿Me permitís una pregunta?

—Por supuesto.

—¿Creéis en la existencia de la fuente de la eterna juventud?

Caterina respondió con una evasiva.

—Son muchos los que la han buscado a lo largo de los siglos, pero nadie la ha encontrado.

—¿Estáis segura?

La condesa dio unos pasos para disimular su nerviosismo y evitar la mirada del maestro florentino.

—¿Por qué me lo preguntáis?

—Porque hace pocos meses conocí a un individuo que afirmaba haber visto a Flamel, pocos días antes de que me diese tan extraña noticia.

—No es posible, acabáis de decir que nació en 1330.

—Exactamente.

—No han podido verlo en nuestro tiempo. Tendría... tendría... ciento sesenta y siete años. No es posible —repitió Caterina.

—Antes os he dicho que tenía el libro de Abraham el Judío.

—Con el que, según acabáis de decirme, se dice que logró fabricar oro.

—Y también el elixir de la eterna juventud.

Caterina contuvo la respiración y Leonardo remató:

—Al menos eso dicen algunos y, desde luego, lo corroboran quienes afirman haberlo visto recientemente.

—¿Quién os lo ha dicho?

Leonardo no pudo evitar una ligera sonrisa.

—Son cosas que se escuchan aquí y allá. No podría precisároslo. —El maestro se escabulló, pero ella no estaba dispuesta a dejarlo escapar tan fácilmente.

—¿Vos creéis esas cosas?

Otra vez, con suavidad, Leonardo pasó la mano por su larga barba.

—Lo importante no es lo que yo crea, sino lo que creáis vos. No olvidéis jamás que la fe mueve montañas.

—¿Sólo la fe?

—La fe no basta, es necesario que vaya acompañada del esfuerzo. Ahora bien, los esfuerzos sin fe resultan por lo general baldíos.

—A veces esa combinación tampoco da resultado.

—Mi querida condesa, hay múltiples ocasiones en la vida donde lo importante no es lograr el fin que nos proponemos, sino en el empeño que ponemos para conseguirlo, aunque el resultado final sea un fracaso. La fórmula está en dejar constancia de la experiencia y las frustraciones. Ahí reside la clave del progreso: una generación construye sobre la base que le han legado otras gentes, aunque ese legado sean escombros. Hoy la perspectiva pictórica es algo que se aprende en cualquier taller; sabemos representar una ilusión óptica para dar sensación de que existe una tercera dimensión donde sólo hay dos. Apenas se concede importancia porque es algo que está al alcance de cualquier artista; sin embargo, apenas hace unas décadas, los pintores, ni siquiera los más geniales de su tiempo, eran capaces de representarla. Se hizo realidad después de numerosos fracasos de los que nosotros somos herederos.

—¿Queréis decir que algún día se encontrará la fuente de la eterna juventud, en el caso de que ese tal Flamel no la haya encontrado ya?

—La fuente de la eterna juventud es un concepto abstracto. No creo que exista un lugar donde mane agua que rejuvenece y mantiene joven a quien la ingiere. Sin embargo, creo que existe la posibilidad de prolongar la juventud y retardar los achaques de la vejez. Todo organismo vivo completa un ciclo cuyas fases ha de cumplir, pero el proceso de envejecimiento puede alterarse.

—¿Podemos sustituir la palabra fuente por la del elixir de la eterna juventud?

—Me temo que la palabra eterna no es aplicable a los seres vivos, que llevan en ellos el germen de la muerte. Pero es posible conseguir que los efectos de la vejez retarden su aparición.

—No creéis, pues, en la posibilidad de vivir eternamente jóvenes.

—Insisto en que no se trata de lo que yo crea, sino lo que creáis vos. No conozco casos de seres vivos que se mantengan eternamente en el vigor de su juventud.

—¿Y ese tal Flamel?

—Referencias, mi querida condesa, referencias. Nada que se haya podido constatar, como ahora puedo hacer con vos, cuya edad no se corresponde con vuestro aspecto. ¿Acaso poseéis ese maravilloso elixir? —Leonardo paseó la vista por el amplio laboratorio; vio varios atanores, números y finas redomas de cristal, crisoles de varios tamaños, un alambique con retorcidos serpentines y dos bocas de destilación, hornillos y toda clase de artilugios propios del arte de la alquimia.

—No os burléis de mí.

—Puedo aseguraros que no hay burla en mis palabras, sino que constato un hecho que se encuentra delante de mis ojos. Nadie os creería si le dijeseis que habéis parido en tantas ocasiones y que estáis en la cuarta década de vuestra existencia. Tenéis el aspecto de una moza casadera.

Las últimas palabras alertaron a Caterina.

—Son muchas las mujeres que contraen nupcias pasada su juventud.

—Nadie lo diría en el caso de que la condesa se casase.

—Me halagáis otra vez, micer Leonardo.

—Pues he de insistir en que no es halago, mi señora. Por cierto, que vuestro tío, el duque, está muy preocupado con ciertos rumores que circulan acerca de vuestro posible matrimonio con Giovanni de Médicis, a quien he tenido el honor de saludar esta mañana. Si ese matrimonio fuese realidad, sus consecuencias políticas serían de gran importancia.

—¿Os ha encomendado mi tío indagar acerca de ese asunto?

El maestro acarició su barba una vez más, en esta ocasión

para disimular el desconcierto que le producía la forma tan directa de abordar los asuntos que tenía *madonna* Caterina.

—He venido a Forlì para realizar un trabajo de ingeniería militar, respondiendo a vuestros deseos.

—¿Solamente?

Se quedó mirándola a los ojos. Admiraba la leyenda tejida en torno a su figura y ahora podía decir que respondía a la imagen que la envolvía, a diferencia de las impresiones que había recibido al conocer a grandes personalidades en las que encontró más oscuridad que brillo. Decidió no mentirle. Caterina Sforza podía ser una mujer admirada o repudiada, amada u odiada, pero no merecía ser engañada.

—Como os he dicho, vuestro tío está preocupado por las posibles consecuencias que se derivarían de vuestro matrimonio con un miembro de la familia Médicis. La prolongada presencia de Giovanni da pie a toda clase de rumores. Ayer, en la hospedería donde me alojé para adecentarme, antes de comparecer ante vos, presté atención a los comentarios. Todo el mundo afirma que habéis contraído matrimonio. La gente lo ve con buenos ojos, piensan que una alianza con los Médicis repercutirá beneficiosamente en la ciudad. Pero vuestro tío considera de suma importancia las consecuencias de la influencia de Florencia en lugares tan estratégicos como vuestros dominios. Tenéis razón, en última instancia mi presencia aquí está dictada por la necesidad de indagar acerca de vuestro matrimonio.

Caterina escuchaba las palabras de Leonardo sin pestañear. Sus hermosos ojos de tonos melados eran dos puntos brillantes que indagaban más allá de las palabras. Midió al hombre que tenía delante y valoró su valentía. Si su tío llegaba a saber lo que acababa de confesarle, le costaría la vida.

—Agradezco vuestra sinceridad y quedad tranquilo. Nadie conocerá vuestra confesión.

—Levantaré los planos lo antes posible y regresaré a Milán. Será cuestión de pocos días.

—¿Qué información daréis al duque?

—Le informaré de los rumores que corren por la ciudad, le diré que Giovanni de Médicis se aloja en Ravaldino, pero que no he conseguido una evidencia de que hayáis contraído matrimonio.

—¿Os gustaría saber qué hay de cierto en esos rumores?

—¿Insinuáis que me lo diríais?

—Sí.

—¿Puedo decírselo a vuestro tío?

—¿Si yo os pidiese que no lo hicieseis?

Leonardo meditó unos instantes.

—Creo, mi señora, que no soy la persona adecuada para conocer vuestro actual estado. Me vería envuelto en una situación poco deseable.

—Sois un hombre templado.

—La vida me ha enseñado algunas cosas y procuro aprenderlas.

Caterina tomó la mano del maestro y, en un gesto insólito, la posó sobre su vientre. Las amplias ropas que la condesa vestía disimulaban su estado. Leonardo, visiblemente nervioso, se limitó a preguntar:

—¿Para cuándo será?

—Llegará con la primavera.

—Eso significa que disponéis de unos cinco meses para hacer público vuestro matrimonio.

—Mi tío os tachará de estúpido si no le dais noticia de mi embarazo, aunque son pocas las personas que tienen conocimiento del mismo, porque hasta la fecha he podido disimularlo. Pero si os ha mandado a por noticias, mal recado llevaréis si no os percatarais de mi situación.

Leonardo le dedicó una amplia sonrisa, eran pocas las veces en que se veía sonreír al maestro de aquella forma.

—Asumiré las consecuencias de mis actos, pero no haré uso de lo que acabáis de confiarme. Entre las actividades que no ejerzo se encuentra la de partera.

—¿Cuántos días permaneceréis en Ravaldino?

—En realidad, después de este encuentro, mi presencia aquí carece de sentido.

—No digáis eso. La vuestra es siempre una grata compañía. En todo caso, me gustaría tener los planos y todos los detalles necesarios para la mejora de Ravaldino, quedaos hasta concluir ese trabajo.

—Será un placer.

Leonardo inició una reverencia a modo de despedida, pero las palabras de la condesa lo detuvieron.

—Hay otro asunto que me gustaría desvelar.

—Si está en mi mano…

—¿Recordáis la tarde que nos vimos en Milán, la víspera de vuestra partida?

—La conservo fresca en mi memoria.

—¿Recordaréis entonces que me regalasteis un dibujo?

—¿Acaso lo conserváis?

—¡Como un tesoro!

—Me alegra saberlo.

—Aquel papel era mucho más que un dibujo. Garabateasteis un texto en su reverso y me dijisteis que si lograba descifrarlo tendría a mi alcance un poderoso elixir.

—¿Lo habéis conseguido?

—No. Vuestro texto es un enigma indescifrable.

Leonardo entrecerró los ojos, disfrutando el momento. Le gustaban los acertijos, los símbolos y las interpretaciones. Era un consumado maestro en el arte de enmascarar la verdad y jugaba con quienes deseaban acercarse a las interpretaciones de sus obras.

—Mi señora habrá de perseverar. Ésa es una virtud que ha de acompañar a los cofrades de la hermandad del atanor.

—¡Son ya veinte años!

En la mirada de Leonardo brilló un destello de ironía.

—Viendo vuestra figura nadie en su sano juicio lo diría.

Leonardo quedó sorprendido con el recibimiento del Moro. Aunque las noticias que su sobrina le comunicó le produjeron gran disgusto, a pesar de indicarle que su matrimonio no llevaba aparejado ningún compromiso político con los florentinos, el duque estaba receloso. Sin embargo, halagaba su vanidad la noticia de que si nacía un varón, se llamaría Ludovico, en su honor.

En la frase más llamativa de la carta le decía:

… Micer Leonardo, además de un artista extraordinario y un consumado ingeniero en las artes de la poliorcética, es persona que posee unas poderosas dotes de observación. Le han bastado pocos días para percatarse de mi estado, por lo que se ha mostrado particularmente solícito. Como entiendo que el maestro te comentará que pronto daré a luz, me adelanto a comunicarte que Cupido ha tentado mi espíritu y he contraído matrimonio con Giovanni de Médicis. Es un matrimonio por amor, sin ninguna connotación política. Como Sforza, estaré el lado de mi familia para todo aquello que menester fuere…

34

Juan Borgia, duque de Gandía, estaba ebrio. Pedía, una y otra
vez, que le rellenasen la copa. Fanfarroneaba, aunque la lengua se le atropellaba por causa del vino, acerca del gran éxito
obtenido sobre los franceses. Se atribuía todo el mérito en la
capitulación de la guarnición francesa de Ostia, allí establecida
a instancias del cardenal Della Rovere.

—¡Lucrecia, brinda por el triunfador! —Tomó a su hermana por la cintura y la besó en la boca con lascivia.

Su esposo, Giovanni Sforza, hijo de Constanzo Sforza,
hermano del Moro, dio un paso hacia su cuñado, pero éste, a
pesar de su estado, lo desafió con la mirada. La sangre de los
Sforza que circulaba por sus venas había perdido la fuerza que
caracterizaba a la familia. Giovanni no era un guerrero, era un
cortesano y eso se pagaba en ocasiones como aquélla. Agachó
la cabeza y abandonó la estancia abrumado por la humillación
de ver a su esposa en brazos de su propio hermano. No era la
primera vez que retrocedía ante la lujuria de su cuñado, quien
no se privaba de hacer torpes tocamientos a su hermana. En otra
ocasión, y ante numerosa concurrencia, llegó a alzarle la falda
y palparle los muslos. Lucrecia, simplemente, se dejaba hacer.

—¡Brindemos por quien ha arrojado al Tíber a los franceses! —propuso uno de los presentes, alzando su copa.

—¡Viva el duque de Gandía! —gritaron a coro.

Apartados en un rincón, como si aquella celebración no fuese con ellos, dos hombres hablaban en voz baja.

—Creo que se excede.

—Ya sabéis cómo es —comentó el otro, haciendo con los hombros un gesto de excusa.

—A los españoles no les va a gustar. Son gente soberbia y he de reconocer que en este caso con cierta razón. Ellos son quienes han vencido a los franceses, luchan como fieras. ¿Los habéis visto cruzar el foso?

—Son valientes y desprecian la vida, se la jugarían en una partida de naipes.

—Imaginaos entonces la de los demás. Alguien debería aconsejarle prudencia. El verdadero artífice de la victoria ha sido Fernández de Córdoba. Ordenó la maniobra que transformó en un éxito lo que la locura del duque iba a convertir en un desastre.

—Nadie tiene por qué saber lo que ocurre aquí.

—Lo dudo. Los españoles están por todas partes. Hoy por hoy, son los verdaderos dueños de Roma. Casi insultan con su sola presencia.

Giovanni Sforza caminaba presuroso; unos pasos más atrás, los dos hombres que lo escoltaban se mantenían vigilantes ante cualquier sorpresa. Cualquier rincón, cualquier callejón podía ser una trampa mortal. Cuando llegaron a Santa Maria in Portico, donde estaba el palacio que servía de residencia a Giovanni y Lucrecia, el duque de Pesaro, que era el título que ostentaba *il Cornutto*, nombre con que se conocía al marido de la hija del Papa, dudaba sobre lo que podía hacer para afrontar una situación como la que vivía.

Barajaba la posibilidad de abandonar aquella ciudad corrompida que rebosaba vicio por todas partes, pero albergaba no pocos resquemores. Para llevar a buen puerto su fuga, pues de eso se trataba, tenía que planificar cuidadosamente todos los detalles, empezando por salir de la ciudad sin que nadie tuviese conocimiento de su partida. Si el Papa se enteraba de su marcha, no se lo permitiría porque no soportaba las ausencias de Lucrecia. Las malas voces señalaban que su esposa embelesaba a su padre con algo más que el cariño de una hija.

Pasó una mala noche, debatiéndose en la duda. Apenas consiguió ligeros períodos de sueño interrumpidos por largas vigilias. Pudo conciliar un duermevela cuando el amanecer entraba por la ventana de su alcoba, por eso estaba profundamente dormido cuando Pietro, su ayuda de cámara, lo despertó sin muchos miramientos. Giovanni buscó algo que arrojarle a la cabeza.

—¡Estúpido! ¿Quién te has creído que eres?

—Disculpadme, señor, pero he de comunicaros algo de suma gravedad. Es muy importante.

—¡Nada es tan importante como el sueño de tu amo!

—Os reitero mis disculpas.

Somnoliento, Giovanni Sforza pensó que, efectivamente, algo grave tendría que haber ocurrido para que aquel bellaco se atreviese a interrumpir su descanso.

—¿Qué ocurre?

—Vuestra vida, excelencia. Vuestra vida corre un serio peligro.

—¡Qué tontería dices!

Giovanni Sforza se incorporó y sacudió la somnolencia. Su rostro mostraba inquietud.

—Me envía vuestra esposa. Sus hermanos planean acabar con vuestra vida.

Con el semblante demacrado se bajó de la cama. Sabía que sus cuñados no amenazaban en balde. Los Borgia eran gente peligrosa y carecían de escrúpulos. El duque de Pesaro pensaba en la mala pasada que su familia le jugó al casarlo con Lucrecia Borgia, utilizándolo como moneda de cambio político. Después de conocerlos, llegó a la conclusión de que la mejor relación que se podía mantener con ellos era evitar su trato y todavía más, si se trataba de un pusilánime como él. Había sido el hazmerreír de sus fiestas.

—¿Qué te ha dicho la duquesa?

—Que ponga en vuestro conocimiento lo que una casualidad me ha permitido escuchar.

—¿Una casualidad?

—Esta mañana, muy temprano, acudí a su llamada. Estaba en su alcoba cuando sonaron unos golpes en su puerta; era su hermano el cardenal. Vuestra esposa me ordenó esconderme tras un biombo y permanecer en silencio. «Te va la vida en ello», me dijo. Desde el improvisado escondite, escuché lo que hablaron.

—¿Qué escuchaste?

—Le decía a la duquesa que vos erais un estorbo. Más aún, que os habíais convertido en un obstáculo, porque el Papa acaba de comunicarle que sería conveniente poner fin a su matrimonio con vos; le dijo que incluso estaba arrepentido de haberle impuesto un esposo que no era de su gusto. Con una exclamación casi triunfal, Su Eminencia indicó a su hermana que volvería a estar soltera.

—¡Canalla! —Giovanni Sforza estaba rojo de ira—. ¿Qué más escuchaste?

—La duquesa le preguntó acerca de la forma en que se os iba a plantear la anulación matrimonial y el cardenal le dijo… le dijo… —El criado se mostraba vacilante.

—¡Qué dijo!

—Lo siento, excelencia, dijo que deberíais aceptar vuestra impotencia.

—¡Será bastardo! —Se puso de pie y ordenó al criado que le diese un vaso de agua, quien obedeció con mano temblorosa.

—Lo siento, mi señor.

El duque bebió con ansiedad.

—¿Qué más dijo?

—Indicó que sería suficiente con que vuestra esposa y vos hicieseis público que vuestra excelencia no puede accederla como hombre. Todo el mundo daría crédito a esa versión.

—¿Cómo reaccionó la duquesa?

—Dijo que eso era una maldad, que vuestra excelencia no aceptaría.

—¿Qué respondió?

—Insistió en que aceptaríais.

—¿Qué dijo mi esposa?

El criado agachó la cabeza.

—Lo lamento, señor, os tachó de cobarde, pero puntualizó que por vuestras venas corre sangre de los Sforza y que no admitiríais públicamente una cosa así.

El duque le pidió más agua.

—¿Qué más escuchaste?

—Poco más, señor. Vuestro cuñado dijo que, en ese caso, sería necesario haceros desaparecer.

—¿Planean asesinarme?

En el rostro del criado era perceptible lo embarazoso de la situación.

—Vuestra esposa se negó. Pero el cardenal indicó que ése era el deseo del Santo Padre y que contravenirlo era un grave pecado.

—¡Hipócritas! ¡Son asesinos que no vacilan en matar a

personas inocentes y se atemorizan ante supuestos pecados! ¿Qué más escuchaste?

—Cuando Su Eminencia abandonó la alcoba, la duquesa me indicó que viniese a informaros. Cree que, si permanecéis en Roma, iréis a parar a las aguas del Tíber.

Todas las dudas que lo atormentaron durante la noche desaparecieron. Se atrincheró en sus habitaciones, protegido por criados que le eran fieles, y dedicó parte del día a efectuar los preparativos del viaje. Después del almuerzo, que le trajeron de un mesón, porque no se fiaba de la cocina de su propia casa, hizo saber que acudiría, para cumplir con sus obligaciones de buen cristiano, pues estaban en los días de la Semana Santa, a la iglesia de San Onofre para confesar, hacer un acto de contrición y alcanzar el perdón de sus pecados. Luego recorrería las siete iglesias donde estaba expuesto el Santísimo Sacramento, como acto de penitencia. Sólo unos pocos de sus fieles conocían sus verdaderas intenciones. Al llegar al primero de los templos montó un espléndido semental y, acompañado de una fuerte escolta, abandonó Roma. No paró de galopar hasta bien entrada la noche, cuando llegó a un albergue a veinte millas de Roma, donde hombres y animales recompusieron sus desgastadas fuerzas.

Al día siguiente, antes de que despuntase el alba, con el cielo todavía tachonado por las estrellas, Giovanni y sus hombres reanudaban el camino. El duque no se sentiría seguro hasta que cruzase los muros de Pesaro. Cuando el sol estaba ya alto en el horizonte, decidieron hacer la primera parada. Comieron algo, refrescaron a los animales y poco después reemprendieron el camino. Tenían por delante una larga jornada, hasta llegar a su destino.

Al día siguiente de que su marido emprendiese la marcha, cuando ya era pública la sospecha de que había huido de Roma, poniendo tierra de por medio, Lucrecia se desperezó, voluptuosa, entre las sábanas de una amplia cama, cerrada a miradas indiscretas por las ligeras cortinas que colgaban del dosel. Recibió, con la tamizada luz que entraba por la ventana, la bandeja del desayuno, en ella había una nota garrapateada a toda prisa por su esposo.

Cuando leas estas líneas estaré lejos de Roma, no soporto un instante más. Me marcho a Pesaro, donde te aguardo para que cumplas con tus deberes de esposa.

GIOVANNINO

Lucrecia rasgó el papel.

—¡No me conoce, si espera que me pudra entre los rojos ladrillos de las murallas de Pesaro!

Aunque despreció la nota de su esposo, no pudo evitar una creciente sensación de malhumor que se apoderaba de su ánimo. Por un momento, llegó a arrepentirse de haberlo puesto sobre aviso.

Pesaro era una ciudad con ciertos encantos. Durante mucho tiempo constituyó el dominio de los Malatesta, pero pasó a manos de los Sforza hacía más de medio siglo. Alessandro Sforza había construido un hermoso palacio al estilo romano, con arcos de medio punto, amplios ventanales y una cornisa almenada que ocupaba uno de los testeros de la plaza del Popolo. Defendía la ciudad una gran fortaleza, mandada construir por Constanzo Sforza, el padre de Giovanni; tenía forma cuadrada y en sus esquinas contaba con poderosos torreones, fuertemente artillados.

Hasta allí llegó fray Mariano de Genazzano, como enviado del Papa, para convencer al duque de que debía regresar a Roma. Genazzano era hombre de verbo fácil, cuyos sermones sirvieron de contrapunto a las encendidas soflamas que Savonarola lanzaba desde el púlpito del convento dominico de San Marcos. Sus formas eran suaves, pero en su rostro se podía entrever la dureza con que podía actuar.

Giovanni calibró la presencia del fraile y llegó a la conclusión de que, si su suegro lo enviaba, era porque daba al asunto gran importancia. Pensar en ello le produjo cierto regocijo interior.

Tras unas breves palabras de saludo, en las que el emisario ponderó la riqueza de la estancia donde era recibido, los dos hombres tomaron asiento.

—¿Cuál es la causa de vuestra presencia en Pesaro?

Fray Mariano midió cuidadosamente sus palabras.

—Su Santidad desea fervientemente que regreséis a Roma, allí está vuestro hogar —respondió el clérigo.

A Giovanni le sorprendió la propuesta, esperaba una amenaza, no una invitación. Los Borgia no se andaban con rodeos, al fin y al cabo eran españoles. Los conocía sobradamente y había tenido ocasión de comprobar que eran más proclives a la amenaza y a la ira, que a desenvolverse en el plano de las consideraciones. Cuando advertían no lo hacían en balde: era frecuente la aparición de cadáveres flotando en las aguas del Tíber o acuchillados en una calleja, pocas horas después de recibir la amenaza de un Borgia.

—Regresar a Roma sería como acudir al matadero.

El fraile dibujó en sus labios una expresión difícil de interpretar. Era un artista de la oratoria y ello suponía dominar los gestos y los ademanes.

—No comprendo a vuestra excelencia.

—Muy sencillo, vuestra reverencia, he recibido amenazas de muerte.

—Serán baladronadas. Gozáis de la protección de Su Santidad.

Giovanni soltó una risotada, que sonó falsa. Tuvo que controlarse para no decirle al fraile de dónde provenían las amenazas.

—Vuestra excelencia —señaló el fraile— debería regresar a Roma para ocupar el lugar que le corresponde junto a su esposa Lucrecia que, dadas su belleza y cualidades, no representa en absoluto una carga.

—Es mi esposa quien debe acompañarme. Si yo estoy en Pesaro, es ella quien debe venir a mi lado. Así se lo he hecho saber y así está dispuesto por la ley de Dios.

—Creo, excelencia, que no deberíamos mezclar a Dios en estos asuntos mundanos. Yo os traigo un mensaje del Santo Padre, que os ama como a un verdadero hijo y se encuentra apenado por vuestra marcha; en medio de tantas obligaciones como le atosigan, uno de sus mayores deseos es teneros a su lado.

—Su Santidad sabe lo que pienso. Lo primero que hice, nada más arribar a mis dominios, fue escribirle una carta. En ella le manifestaba las razones de mi apresurada salida de Roma.

—Creo que albergáis temores infundados.

—No se trata de temores infundados, son poderosas razones las que me llevaron a tomar esta decisión.

Fray Mariano, profundo conocedor del alma humana, comprendió que el duque no cedería. Lo veía en su rostro, donde se reflejaba una firme voluntad. Había llegado el momento de adoptar otra disposición.

—Veo que vuestra decisión es firme.

—No alberguéis la menor duda.

—En tal caso, he de deciros que Su Santidad me encomendó que, en caso de que persistieseis en vuestra actitud, os comunicase que se vería obligado a proceder a la anulación de vuestro matrimonio.

Giovanni Sforza apretó los labios y clavó sus ojos en el fraile, que le sostuvo la mirada. Los segundos de silencio fueron tensos.

—¿Eso es una amenaza? —preguntó a la par que se levantaba airado.

El fraile permaneció impasible, había guardado sus manos en las amplias mangas de su hábito.

—¿Es una amenaza? —repitió.

—Permitidme que indique a vuestra excelencia que se equivoca. No es una amenaza, sino una posibilidad.

Giovanni Sforza iba de un lado para otro del salón, conforme pasaban los segundos crecía su agitación.

—¿Qué piensa invocar para la anulación?

El fraile se puso de pie.

—Vuestra incapacidad para consumar el santo matrimonio.

Las palabras de fray Mariano sonaron frías, metálicas, pero su efecto sobre el duque fue paralizante. Giovanni Sforza se quedó clavado en el sitio donde estaba. Inmóvil y con el rostro demudado.

—¡Además de mentira, es una maldad! Mi primera esposa murió de parto.

El fraile curvó hacia abajo las comisuras de sus labios, marcando un gesto de displicencia.

—¿Por qué Lucrecia no ha concebido? —La pregunta del fraile era malévola.

—¡Preguntádselo a ella!

—No, mi querido duque, la impotencia es causa vuestra. Por Roma circulan toda clase de rumores al respecto. No os habéis mostrado muy celoso como defensor de vuestros derechos.

Giovanni pensó que a aquel mal bicho sólo le faltó recordarle que la plebe romana se divertía llamándole *il Cornutto*. Toda la amabilidad destilada en la primera parte del encuentro había desaparecido, ahora se envolvía en un manto de rudeza que encubría la hostilidad. Estaba claro que si los Borgia no podían alcanzarlo con la espada, podían hacerlo con su lengua. Si no acababan con su vida, acabarían con su dignidad. Por su cabeza pasaron escenas donde consintió situaciones que un hombre de honor jamás hubiera soportado, ahora iban a utilizarlas contra él como venablos envenenados. El curso de los acontecimientos corría en su contra. Supo que estaba arrinconado y que su única opción era tomar la decisión menos perjudicial.

—Necesito tiempo para reflexionar.

La sonrisa que apareció en la boca de fray Mariano era pura mentira.

—Ésa es una decisión sensata. Pero sabed que el Santo Padre quiere acabar con este enojoso asunto lo antes posible. Poned un plazo.

—Una semana.

—Me parece adecuado. Meditad vuestra respuesta, yo vendré dentro de siete días para recogerla.

El fraile se levantó, recogió su capa y se dispuso a abandonar el hermoso salón donde acababa de destrozar la vida de un hombre.

Mientras cabalgaba sin descanso hacia Milán para mantener un encuentro con su tío el Moro, Giovanni se habría reconfortado si hubiese sabido que su esposa, al conocer los manejos de su padre acerca de la impotencia de su esposo para provocar la nulidad de su matrimonio, se encerró en un convento, el de San Sixto, para huir de las presiones de unos y otros. Lucrecia Borgia se negaba a recibir visitas.

Alejandro VI, que en cuestiones de familia sacaba a relucir toda la pasión de su temperamento, estaba enojado porque no comprendía la actitud de su hija, que se había quejado reiteradamente de aquel matrimonio y ahora que él pretendía liberarla, se enclaustraba y le volvía la espalda.

La reunión en el castillo de Milán entre el tío y el sobrino fue breve. El matrimonio del duque de Pesaro con una hija del Papa había sido un acuerdo político entre los Sforza y los Borgia para reforzar sus posiciones frente a los enemigos comunes. Giovanni tendría que transigir con algunos de los sucesos ocurridos porque las preocupaciones de Ludovico, con el curso que tomaban los acontecimientos, no dejaban de crecer. Por nada del mundo estaba dispuesto a romper el acuerdo sellado con Roma, que ahora le era más necesario que nunca.

Escuchó desganado los lamentos de su sobrino y, tras breves reflexiones, le indicó que juntos acudirían ante el Papa para encontrar una salida negociada al enredo que había provocado su marcha de Roma. Giovanni se negó porque temía por su vida, pero Ludovico lo convenció de que viajando a su lado nada tenía que temer, gozaba de la protección del duque de Milán.

A Giovanni le resultó penoso hincar la rodilla ante su suegro, aunque se tratase del mismísimo Papa. Su presencia en las que ya eran conocidas como las estancias Borgia aceleraba el ritmo de su corazón porque el temor a que le ocurriese alguna desgracia le encogía el ánimo. El valor nunca fue una de sus virtudes.

—¡Mi querido hijo, cuánto te hemos echado de menos!

Giró la cabeza hacia César, quien a su lado permanecía impasible, vestido con los hábitos de su dignidad cardenalicia. Los cuñados cruzaron una mirada más elocuente que un bien trenzado discurso. El odio estaba presente en sus pupilas.

—No encuentro una explicación para tu inesperada marcha de Roma —remachó el pontífice.

Giovanni decidió no pasar por tonto.

—Vuestra santidad puede preguntarle a su hijo.

—¿A César? ¿Por qué?

El cardenal permaneció en silencio.

—Me amenazó de muerte —balbució con dificultad Giovanni.

El Papa miró a su hijo y César Borgia negó con un ligero movimiento de cabeza, como si el asunto no fuera de su incumbencia. Fue la intervención de Ludovico la que evitó que la reunión quedase liquidada antes de comenzar.

—Nunca con aguas pasadas se movieron los molinos. Hemos venido a hablar de futuro, no de cuitas pretéritas.

—La fama que alaba vuestra sagacidad no es palabrería —señaló el pontífice, quien dedicó una amplia sonrisa al duque de Milán en un gesto de afabilidad—. Sabía que no me equivocaba al invitaros a venir. Vuestra presencia en esta reunión es imprescindible para encontrar el acuerdo que ponga fin a una situación que nos tiene en boca de todos, desde que Giovanni se marchó a Pesaro abandonando a Lucrecia.

—Ella debió de seguir mis pasos. Así está establecido por la ley.

La mirada de Ludovico a su sobrino fue aviesa.

—Pienso, santidad, que podría buscarse una fórmula para la anulación menos… menos humillante.

—No hay otra fórmula que la impotencia del marido.

—¡Pero eso es una falsedad! —clamó Giovanni, sin poder contenerse.

—¡Cállate! —le ordenó su tío.

El cardenal arzobispo de Valencia saboreaba cada instante de aquel encuentro. Siempre le cayó mal aquel mequetrefe que un acuerdo político convirtió en el marido de su hermana, el amor de su vida. Alejandro VI, cuya humanidad reposaba en un sillón forrado de terciopelo carmesí, mientras los presentes permanecían de pie, dio un tono de gravedad a sus palabras.

—Tratándose de mi hija, tengo muy poco margen de maniobra. Un tribunal no encontraría razones para la nulidad fuera de ese supuesto. Desde luego, la aceptación por parte de Giovanni sería generosamente recompensada.

César Borgia consideró que había llegado el momento de dar el golpe definitivo a su cuñado. La maledicencia atribuida a su lengua no era una calumnia de sus enemigos.

—Podríamos someterte a una prueba que despejase cualquier duda al respecto.

Giovanni notó cómo se le encogía el estómago.

—¿Una prueba? ¿Qué prueba?

Los blancos dientes de César Borgia asomaron tras la sonrisa de su boca.

—La que es común en casos como el que nos ocupa.

—¡No te entiendo!

—Pues es muy sencillo. En una estancia apropiada podríamos instalar un gran lecho, donde una cortesana te ofreciese sus encantos para que demostrases tu hombría. Estaríamos presentes miembros de ambas familias.

—¡Canalla!

Giovanni hizo ademán de tirar de la daga que adornaba su cinturón, pero la mano de su tío fue como un garfio. Los ojos de Ludovico desafiaron al hijo del Papa, pero César Borgia no se inmutó.

—No habrá prueba. —Las palabras del Moro sonaron rotundas—. Hablemos de las compensaciones.

Giovanni iba a protestar, pero la mano de su tío aumentó la presión sobre su muñeca. Tuvo que hacer un verdadero esfuerzo para no romper a llorar.

35

Unas semanas después de que Leonardo da Vinci se marchase, entraba en Forlì el obispo de Volterra, como enviado especial del Papa, con una propuesta de matrimonio bajo el brazo.

—¡Es una mente perversa! ¡Ese Borgia es la mismísima encarnación del demonio! —Caterina no podía contener su ira y ni siquiera su esposo lograba serenarla.

—No debes irritarte. Piensa que esa propuesta forma parte de una estrategia mucho más amplia. Hay que mantener la mente fría porque lo que te proponen es, simplemente, un peldaño para construir una escalera.

—¿Qué escalera?

—Anhela acceder a un gran Estado. El Borgia quiere la Romaña, unos Estados Pontificios poderosos no sólo desde la perspectiva espiritual: también desea su control político. Aquí está la explicación del escándalo montado a costa del duque de Pesaro. Ya sabemos por qué deseaba, de forma tan ardiente, que Lucrecia quedase limpia de compromisos.

—¡Es una víbora!

—Una víbora inteligente. No era la felicidad de su hija lo que le movía a anular su matrimonio, sino que la deseaba libre para utilizarla de nuevo como mercancía política.

—Roma ya es poderosa.

—No lo suficiente para el Borgia. Alejandro VI se siente fuerte y tiene el apoyo de los españoles después de los favores que ha hecho a sus reyes.

—Esa propuesta de matrimonio es una aberración.

—Como tantas otras, si la miras desde un cierto punto de vista —replicó Giovanni—. Pero si la analizas con criterio político, el Borgia sabe lo que hace.

—Su hija Lucrecia ha estado casada con Giovanni Sforza, quien lleva en sus venas la misma sangre que la de mi hijo Ottavio.

—El matrimonio está anulado.

—Suena a incesto. —Caterina empezaba a agitarse de nuevo.

—El incesto queda eliminado por la anulación matrimonial. Además, algunos rumores señalan que tal tipo de relaciones no resultan ajenas a la familia del Papa.

—¡No quiero que mi hijo se case con Lucrecia Borgia! —gritó Caterina.

—Ése es un argumento maternal, que yo comparto; pero hay otros que no son estrictamente familiares.

—¿Podrías explicármelos?

—Ese matrimonio llevaría a que el papado posase sus zarpas en la Romaña. Aunque el obispo no lo ha dicho, supondría que Ottavio asumiría las funciones de gobierno en las que participaría su esposa. La nueva condesa sería Lucrecia Borgia. He oído decir, por diferentes conductos, que es mujer decidida e inteligente.

—¡Una pécora!

—También se dice eso.

—No habrá matrimonio. Ottavio es demasiado joven. Enviaré con el propio obispo de Volterra la negativa a la propuesta pontificia, señalando que el deseo de mi hijo es no contraer matrimonio, por el momento.

El rostro del Papa estaba tan rojo como el camauro que cubría su cabeza. No daba crédito a lo que el obispo de Volterra acababa de comunicarle. *Madonna* Caterina rechazaba la mano de su hija Lucrecia.

—¡Esa desvergonzada que se ha exhibido impúdicamente habla de incesto! ¡Soy yo quien dice cuándo hay o no hay incesto!

Plandini, su secretario, aguardaba silencioso y en sumisa actitud a que Alejandro VI se calmase, pero el furor de Su Santidad no parecía tener fin. Tomaba el rechazo como una afrenta personal, más dolorosa que el jarro de agua fría que suponía para sus planes.

—¿Dónde está don Michelotto? ¡Hace rato que requerí su presencia! —gritó sin recobrar la compostura.

El secretario aprovechó para salir de la estancia. También lo hizo el obispo de Volterra, que literalmente se escabulló del gabinete.

El pontífice ya había preguntado en dos ocasiones por el temible servidor de confianza, utilizado para los trabajos más siniestros que, en ocasiones, demandaban los Borgia. Ser requerido de forma tan imperiosa no anunciaba nada bueno. Plandini regresó a los pocos minutos.

—Santidad, me dicen que no se le encuentra por ninguna parte. Al parecer, don Michelotto salió esta mañana muy temprano en busca del duque de Gandía, desaparecido desde anoche.

El Papa, a quien los minutos de soledad sirvieron para sosegarse, estaba de espaldas, contemplando los hermosos murales pintados por Pinturicchio. Se volvió con el rostro todavía contraído.

—¿Qué quiere decir desaparecido desde anoche?

—Santidad, vuestro hijo no regresó para dormir.

—¿Tiene algo de particular?

—No, santidad. Pero no se tiene noticia de su paradero.

—¡Bah! Estará en los brazos de alguna hermosa mujer. ¿Dónde estuvo ayer?

—En una fiesta en la villa de *madonna* Vanozza.

—¿Quién más estaba en esa fiesta?

—Vuestros tres hijos, santidad, Juan, César y Jofre, querían despedir al cardenal, que partirá en fecha próxima para Nápoles a cumplir la misión que le habéis encomendado. También estaban en la fiesta los cardenales Médicis y Sforza.

El rostro de Alejandro VI se ensombreció.

—Averigua dónde está. ¡Rápido!

El Papa se retiró a su capilla, necesitaba orar. Las sombras que se percibían en su rostro eran fiel reflejo de los oscuros pensamientos que pasaban por su mente. Cuando regresó a su gabinete tenía las rodillas doloridas, después de más de una hora de plegarias; todavía no se tenían noticias del duque de Gandía.

El capitán general de los ejércitos pontificios se marchó de la Viña, nombre familiar dado a la villa donde Vanozza Catanei se había instalado, sin que nadie supiese hacia dónde encaminó sus pasos. Conforme pasaban las horas la tensión crecía en las estancias vaticanas. Después del rezo del *angelus*, el Papa suspendió todas sus actividades y mandó llamar a su hijo César.

El cardenal arzobispo de Valencia se presentó vistiendo ropas más propias de un cortesano que de un príncipe de la Iglesia. El jubón de seda negra bordado del mismo color, las calzas negras y como único adorno una gruesa cadena de oro sobre su pecho le conferían una elegancia sencilla y a la vez un aspecto impresionante. La barba, negra y perfilada, enmarcaba un rostro adusto y unos ojos gatunos que brillaban hasta en la oscuridad.

Su padre estaba solo, sentado tras su bufete donde se amontonaba una pila de pergaminos que contenían bulas, decretales y nombramientos a la espera de estampar su firma. La arrogancia de Rodrigo Borgia, que tanto admiraban las mujeres de Roma, había desaparecido. Estaba abatido y en su rostro se reflejaba un cansancio infinito; la vivacidad de sus ojos estaba velada por la tristeza.

—¿Querías verme?

Alejandro VI dejó escapar un suspiro. Como si hubiese estado ausente y regresase a la realidad.

—¿Sabes algo de Juan?

César negó con un movimiento de cabeza.

—¿Nada?

—Nada. Anoche se marchó con los hombres de su escolta, antes de que los demás abandonásemos la Viña. Dijo que tenía un compromiso.

—¿Qué clase de compromiso?

—Lo ignoro, pero supongo que sería una excusa; tendría prisa por acudir a alguno de los lupanares del Trastevere. Casi todas las noches frecuenta esos lugares.

—¿Y la escolta? ¿Dónde está la escolta?

—No lo sé.

—¡Hay que encontrarlos! ¡No ha podido tragárselos la tierra!

Después se hizo un silencio pétreo. El cardenal de Valencia no interrumpió: se limitaba a mirar a su padre, mientras éste pasaba deprisa las cuentas del rosario que sostenía en su mano izquierda. Al cabo de un rato César preguntó:

—¿Dónde está don Michelotto?

El Papa mantuvo la cabeza gacha, tenía la barbilla pegada al pecho.

—No lo sé. También salió esta mañana, he preguntado por él varias veces y nadie me dice dónde está.

Unos golpecitos en la puerta anunciaron novedades. Plandini se excusó por interrumpir.

—Santidad, es que han encontrado al escudero del duque de Gandía.

El Papa alzó los ojos.

—Loado sea Dios.

—Está malherido, santidad.

El Papa se levantó y preguntó con ansiedad:

—¿Ha dicho alguna cosa?

Plandini miró a César.

—No puede contarnos nada, santidad.

—¿Tan mal está?

—Santidad, le han arrancado la lengua.

Una nube de siniestros pensamientos revoloteó por la cabeza del pontífice.

—¡Pedidle que escriba! ¡Dadle pluma y papel!

—Lo lamento, santidad, también le han cortado las manos.

El rostro de Rodrigo Borgia perdió el color, su garganta se contrajo y ya no pudo hablar. Las palabras se negaban a salir de su boca.

—¿Dónde lo han encontrado? —preguntó César.

—En la plaza de la Giudecca, tirado en un rincón.

El cardenal dijo al secretario que se quedase con el Santo Padre, quien balbuceaba palabras ininteligibles y continuaba pasando nerviosamente las cuentas de su rosario.

Por Roma se comentaba ya que el hijo mayor del Papa había desaparecido. Primero se hicieron chanzas y bromas, pues todo el mundo conocía las aficiones del capitán general por los burdeles de baja estofa y se daba por descontado que estaría ebrio, en la alcoba de alguna ramera. Pero conforme pasaban las horas las bromas desaparecieron, y un temor invisible fue apoderándose del ambiente. Los comercios cerraron a media tarde, las tabernas perdieron buena parte de sus clientes, las calles se veían desiertas y las cortesanas apenas trabajaron. Roma era una ciudad asustada.

El Papa pidió ayuda a sus compatriotas. Varios cientos de soldados españoles, formando nutridas cuadrillas, recorrían todos los barrios de la ciudad en busca de una huella, un detalle donde encontrar una pista para dar con el paradero del duque. La noche llegó cargada de miedos, pero no fue obstáculo para que continuase la búsqueda, y los soldados iban de un lado para otro bajo la luz de las antorchas. Se produjeron algunos conatos de violencia que anunciaban algo peor, si no aparecía Juan Borgia.

El Papa estaba abatido. Amaba a su familia más que a nada en el mundo y la sola idea de perder a su primogénito lo atormentaba profundamente.

El nuevo día amaneció gris. Las brumas del Tíber se extendían por la ciudad contribuyendo a dar un aspecto sobrecogedor a la ciudad. Las calles estaban silenciosas, se aguardaban noticias y eran muchos los que rezaban para que el duque de Gandía apareciese con vida, aunque cada minuto que pasaba lo hacía más difícil.

Alejandro VI rezó el *angelus* en sus habitaciones, llevaba casi dos días encerrado en ellas y se negaba a recibir visitas, salvo la de sus hijos. Cuando Lucrecia se abrazó a él, no pudo contener las lágrimas.

En uno de los embarcaderos del Tíber un grupo de soldados obtuvo cierta información. Un pescador decía haber visto, hacía dos noches, un grupo de jinetes cabalgando por la zona y arrojaron algo al agua. No supo precisar más. Era una pista incierta porque cada día se tiraban muchas cosas al río, convirtiendo sus aguas en lo más parecido a una ciénaga pestilente, pero se ordenó a cientos de hombres montados en barcas que, con pértigas, redes y bicheros, rastreasen el cauce.

Declinaba la tarde cuando desde una de las barcazas se toparon con un pesado fardo atascado en los fangos del lecho; con gran esfuerzo, lograron izarlo a la superficie. Se trataba de un cadáver a medio descomponer; lo habían cosido a puñaladas. Quienes lo asesinaron no buscaban su dinero, el muerto conservaba una bolsa repleta de ducados y lo habían lastrado con piedras. El difunto vestía ropas de calidad y calzaba unos finos borceguíes de tafilete.

—Tiene que ser el hijo del Papa —murmuró un pescador, sobrecogido por el aspecto que ofrecía. Una de las cuchilladas le había segado el cuello.

—Hay que llevarlo a la orilla.

La noticia corrió, primero por las riberas del río y luego por toda la ciudad.

Miquel Corella, más conocido como don Michelotto, certificó a la orilla del Tíber, donde lo depositaron, que el cadáver era el de Juan Borgia, duque de Gandía y capitán general de los ejércitos pontificios. Dispuso llevarlo en una barca, para alejar a los mirones, hasta el castillo de Sant'Angelo, donde unos funerarios lo adecentarían antes de que su padre lo viera.

Cuando Alejandro VI supo que su hijo había sido asesinado, sus gritos de dolor retumbaron por las estancias vaticanas. El Papa estaba inconsolable.

36

Forlì, verano de 1498

Aquel verano, la larga guerra que enfrentaba a Pisa y Florencia desde hacía tantos años que muchos habían perdido la
cuenta, vivió un nuevo episodio. El estancamiento de las hostilidades se vio alterado por la entrada de Venecia en el conflicto, al lado de los pisanos. Caterina Sforza preparó sus tropas
para ayudar a la patria de su marido y apoyar la carrera de
Ottavio como *condottiero* en el ejército florentino.

La *madonna* se encontraba mal porque las tercianas se
reproducían con su penosa intermitencia.

—Tienen que guarnecer adecuadamente los pasos de los
Apeninos; es la forma de cerrarles el paso a los ejércitos venecianos —le decía a Giusti ante un mapa donde se apreciaba con
detalle la Italia central.

—Supongo que lo harán por la cuenta que les trae.

—No lo sé, es como si no se percatasen de la importancia
estratégica de esos lugares. Ahora los problemas no los tienen
por delante, en Pisa, sino a la espalda. El ejército veneciano es
más peligroso que el pisano porque es más poderoso.

—Vuestro esposo influirá para que así sea.

—Por otra parte, si no quieren que la Romaña quede a

merced de Venecia, lo que supondría un grave contratiempo, también deberían bloquear los accesos desde Rávena.

Giusti se encogió de hombros.

—Para nosotros lo más importante es reforzar nuestras defensas. Como están las cosas, me temo que los venecianos llegarán hasta los muros de Forlì.

—Dios no lo permita porque, si así fuese, no podría ir a Bagno.

—¿Al valle del Savio?

—Sí, quiero tomar los baños termales. Estas malditas calenturas me atormentan sin descanso.

Los proyectos de la condesa para cuidar de su salud no pudieron hacerse realidad. Tal y como predijo, un potente ejército veneciano se concentró en Rávena con el objetivo de atacar la Romaña. La amenaza era tan grave que Caterina pidió ayuda al duque de Milán, con quien había recompuesto las relaciones después de bautizar a su hijo con el nombre de Ludovico. El Moro envió un contingente de tropas al mando de Sanseverino, no tanto con el propósito de ayudar a su sobrina, como para entorpecer el avance veneciano.

Mientras tanto los florentinos se dedicaban a debatir sobre asuntos triviales, sin hacer caso de la amenaza que les llegaba desde su frontera oriental. Un acuerdo de la Señoría nombraba a Caterina ciudadana de Florencia, como reconocimiento por los servicios prestados a la ciudad. Pero sus tropas no aparecían por las campiñas romañolas, donde ya era una realidad la presencia de las avanzadillas del ejército veneciano.

A mediados de agosto las tropas enemigas estaban ante los muros de Forlì. La amenaza era tan real que el propio Giovanni de Médicis, que luchaba contra los pisanos, regresó a Forlì para colaborar en las tareas de defensa. Llegó en muy malas condiciones, aquejado de un acceso de gota, enfermedad que lo mortificaba desde hacía tiempo. Padecía tales dolores que su esposa lo obligó a recibir las aguas termales a las que ella había renunciado.

Como en tantas ocasiones, Caterina se encontró sola, una vez más, para hacer frente a las dificultades. La mejor noticia en aquellas fechas críticas llegó del norte: su tío le envió refuerzos desde Milán, un cuerpo combinado de infantería y caballería formado por tropas escogidas. El Moro le indicaba en una carta que, si fuese necesario, él mismo acudiría a defender la Romaña. Por nada del mundo estaba dispuesto a ver a los venecianos enseñoreando aquel territorio.

El 11 de septiembre recibió carta de Giovanni en la que le indicaba que no experimentaba mejoría; en realidad estaba muy mal. Tanto que al día siguiente la condesa recibió una terrible noticia. Su marido había muerto.

Fue un golpe terrible, pero las circunstancias no le permitieron dejarse abatir por la pena. Los venecianos estaban saqueando y destruyendo la campiña de Forlì y las noticias eran que concentraban hombres y pertrechos en Rávena. Todo apuntaba a una invasión a gran escala.

Urgía que los florentinos acudiesen en su defensa; al fin y al cabo ella se veía envuelta en el conflicto por su causa. A finales de septiembre los venecianos lanzaron el primer ataque serio, pero las tropas de Caterina, con ayuda de contingentes florentinos y los refuerzos enviados por su tío, lograron rechazarlo. Peleó con tal vigor que causó la admiración de sus soldados y se ganó el odio de sus enemigos, conscientes de que ella fue la verdadera artífice de su derrota. Como castigo, lanzaron un ataque directo contra Forlì.

Las campanas de la ciudad tocaban a rebato, llamando a la

defensa, mientras Caterina, desde las murallas de Ravaldino, contemplaba el despliegue de las tropas venecianas. Su comandante la conminó a entregar la plaza. Era consciente de que se trataba de un protocolo establecido por las leyes de la guerra, porque de sobra sabía el veneciano que la condesa no haría caso. Lo que no esperaba era la respuesta. Caterina le contestó abriendo fuego con su artillería.

Los sitiadores descartaron lanzar un ataque sobre la parte de Ravaldino, sería un suicidio, y concentraron sus esfuerzos en la puerta Schiavonia, mucho menos fortificada. Pero la *madonna* trasladó suficientes cañones para batir las posiciones del enemigo.

Embutida en su armadura, en la que resaltaba un cincelado dragón, espada en mano, recorría la muralla, dirigiendo la defensa y alentando a sus hombres. Su sola presencia actuaba como un revulsivo. Para nada sirvió a los atacantes la presencia en sus filas de Antonio Ordelaffi, con la pretensión de promover un levantamiento interior. Fracasaron porque, en esta ocasión, los forliveses eran conscientes de que sus intereses estaban al lado de la condesa.

Cundió el pánico cuando se esparció el rumor de que la *madonna* había sufrido graves heridas, como consecuencia de la explosión de una bomba veneciana muy cerca de donde ella estaba. La onda expansiva la lanzó contra el antepecho del muro, donde quedó conmocionada. Giusti, siempre a su lado, la tomó en sus brazos y la sacó a toda prisa en medio de la polvareda, los cascotes y los gritos de los heridos. Había perdido el conocimiento y algunos señalaban que también la vida.

Su desaparición de las murallas coincidió con redoblados ataques de los sitiadores, como si los venecianos supiesen lo que ocurría en el interior de la ciudad. Parecía que por fin los estandartes de San Marcos iban a ondear sobre las murallas de Forlì. En lo más duro de la pelea, cuando las fuerzas de los forliveses empezaban a flaquear, un cañonazo desde una de las torres de Ravaldino hizo que muchos dirigiesen hacia allí sus miradas. En las almenas se recortaba, desafiante, la imagen de la condesa.

Un grito salvaje recorrió las murallas. Los defensores recobraron el ánimo, porfiaron en sus esfuerzos y cuando poco después la contemplaron recorriendo los adarves, una corriente de energía hizo vibrar a sus hombres. Los venecianos habían perdido su oportunidad.

A pesar de su victoria, Caterina estaba preocupada porque sus posibilidades frente a los enemigos eran limitadas, ya que enfrente tenía a la República de Venecia, una potencia de primer orden en el mosaico de la política italiana. Era consciente de que no podría mantener su posición mucho tiempo, aunque las defensas de Ravaldino eran consistentes.

Sin embargo, a finales de octubre el ejército enemigo se retiró. Desde las murallas los forliveses les lanzaban pullas y chanzas. Era un triunfo personal de Caterina, que fue aclamada por su pueblo. Parecía que la distancia abierta por la venganza de la muerte de Giacomo Feo se había acortado.

Emotiva fue la fiesta celebrada para colocar en la torre del Popolo una nueva campana, mandada fundir por la condesa en recuerdo de la victoria. El bronce fue adornado con una leyenda: *Sfortiades laetor Catharinae tempore facta quae populum vigilem reddo et ad arma voco* (Yo esforzada, fundida en tiempos de Caterina, me complazco en mantener vigilado al pueblo y en llamarlo a las armas).

Caterina, con el semblante alterado, paseaba por el salón; de vez en cuando releía la carta que sostenía en su mano. No daba crédito a lo escrito en aquel papel: por primera vez en su vida, su tío Ludovico estaba agobiado. No era para menos.

Giusti y los capitanes de su pequeño ejército, que lucharon bravamente contra los venecianos, guardaban silencio e intercambiaban miradas, sin saber qué era lo que tanto le afectaba. Cuando empezó a hablar trató de dar un tono pausado a su voz:

—Las noticias son muy graves. El duque de Milán me comunica que el nuevo rey de Francia reclama derechos sobre el ducado, alegando ser descendiente de los Visconti. —En el salón se elevó un pequeño murmullo—. Eso significa que antes o después tendremos guerra. Luis XII también reclama, como lo hizo su hermano, el trono de Nápoles. Me extraña, sin embargo, que los franceses se aventuren a tanto, sin contar con apoyos sustanciales.

—¿Se sabe algo de Roma? —preguntó Giusti.

—El Papa tiene un pacto con Milán, pero Alejandro VI no es persona de quien pueda uno fiarse. Me temo que haya cerrado un acuerdo con los franceses.

—¿Tiene la condesa algún indicio para albergar ese temor? —preguntó uno de los oficiales.

—Hay un dato sumamente importante. Su hijo César, que ha sido relevado por su padre de todas sus obligaciones religiosas, al renunciar a la púrpura cardenalicia, ha marchado a Francia, acompañado de un séquito propio de un rey. Acude a contraer matrimonio con Carlota de Albret, la hija del rey de Navarra. Sospecho que el Borgia empieza a mover sus peones en la complicada partida que se avecina.

Giusti hizo un gesto de pesadumbre.

—¿Qué opinas, Jacopo?

—Si la información que poseéis no está adulterada, en estos momentos nos encontramos ante una amenaza mucho mayor de la que nos podamos imaginar.

—Explícate.

—Cuando el Papa planteó el matrimonio de vuestro hijo Ottavio con su hija no buscaba una alianza con los Sforza. Si ése hubiese sido su deseo, no habría tenido necesidad de anular el matrimonio de Lucrecia con el duque de Pesaro. Sus verdaderos propósitos estaban en extender los dominios pontificios sobre la Romaña, pero vuestra negativa fue para él un desafío inesperado. Sin embargo, Rodrigo Borgia se encontró con el asesinato de su hijo Juan y con su dolor tardó en reaccionar. Cuando se recuperó, dedicó sus esfuerzos a encontrar al asesino de su hijo.

—Hasta el momento, sin resultados prácticos —comentó uno de los capitanes.

—Después —prosiguió Giusti— los acontecimientos se han precipitado. El cardenal arzobispo de Valencia, que nunca quiso vestir los hábitos, encontró en la muerte de Juan la ocasión que esperaba. Pidió a su padre la liberación de sus votos para convertirse en soldado y dar respuesta a su ambición sin límites. El Papa tiene ahora el capitán general que deseaba para los ejércitos pontificios, tiene a los españoles de su lado y busca un acuerdo con los franceses. Supongo que no le gustará ver ni Nápoles ni Milán hollados por los ejércitos franceses, pero si eso sirve a sus pretensiones sobre la Romaña, no vacilará en actuar en la dirección que más convenga a sus intereses. La clave de todo este complicado asunto tiene un nombre: César Borgia.

Caterina, que jugueteaba con las perlas de su collar, mostró su parecer:

—Tu exposición ha sido brillante, pero tiene un punto débil.

—Lo conozco, mi señora.

—¿Cuál es?

—Los españoles no permitirán jamás que los franceses se queden con Nápoles y con el Milanesado. Cuando Carlos VIII invadió el primero de esos territorios, surgieron como una amenaza en el horizonte. Fue su presencia lo que obligó a los franceses a tomar el camino de los Alpes a toda prisa. Por nada del mundo querían enfrentarse a esas nuevas unidades de infantería, que llaman tercios, cuya capacidad de combate es equiparable, según dicen, a las legiones romanas.

—Ante un posible enfrentamiento entre franceses y españoles, ¿cuál es tu opinión sobre la actitud que tomará el Borgia?

—Enredar, mi señora, enredar. Mientras la situación se lo permita, tratará de conjugar los intereses de unos y otros, nadará entre dos aguas para sacar provecho de la situación. Cuando eso no sea posible, se alineará con los vencedores.

—¿Quién crees que ganará esta partida?

Giusti se tomó unos segundos antes de contestar.

—Me preocupa mucho más quién va a perderla.

37

Caterina y Giusti, con una escolta de cuatro hombres, salieron de Forlì al amanecer. Llevaban dos horas cabalgando y los animales acusaban el esfuerzo cuando llegaron al lindero del bosque adonde sólo algunos cazadores se aventuraban. El camino se empinó adentrándose entre la enmarañada maleza.

La condesa se detuvo y ordenó a sus hombres:

—Tomad un descanso y aguardad aquí nuestro regreso. ¡Jacopo, sígueme!

Resultó penoso avanzar entre la maleza extendida por todas partes, aunque había un sendero trazado para llegar a la choza que encontraron, como en otras ocasiones, en silencio y con un aire externo de abandono. Un delgado hilillo de humo señalaba que el hogar estaba encendido. Desmontaron y Giusti golpeó en la puerta con el puño.

—¿Quién llama?

—*Madonna* Caterina.

Escucharon apartar las trancas que aseguraban la puerta y apareció Argila. La encorvada imagen de la bruja tenía algo de siniestro, pero en sus ojos podía apreciarse un destello de alegría. La *madonna* siempre era bien recibida. No sólo se mostraba generosa, sino que la hechicera era consciente de que existía un punto de complicidad con aquella mujer, cuya pasión por conocer no tenía límites.

—¡Cuánto tiempo, mi señora!

La vieja le dedicó una sonrisa sincera; después miró a Giusti y la borró de su cara.

—Si la condesa no dispone otra cosa, quedaré al cuidado de los caballos.

Entraron en la cabaña y el servidor de confianza ató los animales de forma que pudiesen pacer; después dispuso de tiempo para echar una ojeada por los alrededores.

El encuentro de Caterina con la que muchos conocían como la bruja de los Apeninos se prolongó varias horas. Ningún ruido salía del interior de la cabaña, y Giusti empezó a preocuparse. No sabía lo que la condesa deseaba, ya que la víspera se limitó a indicarle que estuviese dispuesto para salir temprano porque deseaba visitar a Argila. Todo fue muy precipitado y su única referencia era un correo llegado de Roma poco antes de que requiriese su presencia. La condesa se mostró muy reservada y Giusti sabía por experiencia que aquella actitud no anunciaba nada bueno. Sus mutismos siempre anunciaban problemas.

Pensó que, posiblemente, su señora quisiese indagar algo relacionado con el futuro que le aguardaba ante la situación creada por las exigencias del monarca francés. Una cascada de acontecimientos se había producido tras conocerse las demandas de Luis XII. A Forlì llegó la noticia de que Alejandro VI había anulado el matrimonio del rey con Juana de Francia, la deforme hija de Luis XI, para que pudiese contraer nuevas nupcias con Ana de Bretaña, su cuñada, la viuda de Carlos VIII. El nuevo rey deseaba por aquella vía redondear sus posesiones, además de expandir sus dominios por Italia. Al parecer, el Papa se había hecho de rogar antes de conceder la anulación y la dispensa para el nuevo matrimonio, hasta que recibió garantías suficientes de acuerdos ventajosos para él y una cuantiosa suma de dinero para las arcas pontificias, ya que las obras de embellecimiento de Roma necesitaban ingentes cantidades de ducados.

Sentado en el suelo, donde había amontonado un puñado de hojarasca a modo de cojín, y con la espalda apoyada en el grueso tronco de un olmo centenario, estaba tan sumido en sus pensamientos que lo sobresaltó el ruido de la desvencijada puerta de la cabaña.

La condesa apareció en el umbral y un poco más atrás, en la penumbra, se adivinaba la presencia de Argila. Las dos mujeres comentaron algo en voz baja y Giusti, que se había levantado, pudo escuchar las palabras de despedida de su señora.

—… no lo dejes ni un solo día, seis meses ya es mucho tiempo. Espero que no sea demasiado tarde.

A continuación le ordenó que preparase los caballos. Cuando se acercó hasta donde le aguardaba su señora, llegaron hasta sus oídos unas enigmáticas palabras de la bruja:

—El tiempo está relacionado con la eficacia.

Sin perder un instante emprendieron el camino de regreso. Al llegar al lindero del bosque, tuvieron que despertar a los hombres de la escolta, que dormían a pierna suelta.

Caterina aguardaba en su gabinete a que llegase Giovanni della Salle, tenía que enviarlo a Roma sin pérdida de tiempo si deseaba dar respuesta a la amenaza. Giusti tenía razón, la estrategia del Papa ya no ofrecía dudas. De pronto, unos golpecitos le anunciaron la llegada de la visita que esperaba.

—Adelante.

Giovanni della Salle era un hombre en la plenitud, rondaría los cuarenta años y la corpulencia era su rasgo más llamativo. Tenía el pelo negro y lacio, peinado hacia atrás, lo que despejaba su ancha frente. Se quitó el bonete de terciopelo negro e hizo una reverencia. La condesa soltó la pluma de oca y se levantó para recibirle. Toda una deferencia porque se trataba de un destacado miembro de una de las familias fieles a los Riario.

—Mi querido Giovanni —extendió su mano para que su visitante la besase—, siempre es un placer verte.

—El placer es mío, condesa.

—Ven, sentémonos allí. —Caterina lo condujo hasta un estrado donde tomaron asiento.

—¿A qué debo el honor de vuestra llamada? He de confesaros que estoy intrigado, los términos de vuestra carta eran tan acuciantes...

—Necesito que acudas a Roma.

Della Salle se miró las manos: había olfateado problemas. Un viaje a la urbe, sabiendo que las relaciones de la condesa con el Papa no pasaban por su mejor momento, significaba una misión cuando menos complicada.

—¿A Roma?

—Has de llevarle al Papa algo en mi nombre.

—¿De qué se trata?

Caterina dirigió su mirada a una mesa en la que había dos bolsas de cuero y unas copas de plata.

—Como sabes, la tenencia de Forlì, de Imola y de la aldea de San Mauro tiene ciertas obligaciones y hemos de pagar anualmente una suma a Su Santidad. Se trata de algo simbólico en recuerdo de que el poder que ejercemos es vicario. Una forma de reconocer los derechos del papado sobre estos territorios.

El visitante se relajó, no era tan grave como temió en un principio. Lanzó una mirada furtiva hacia la mesa y supo lo que contenían las bolsas.

—¿La condesa ha decidido que mi humilde persona haga las veces de pagador de las sumas correspondientes a este año?

—No exactamente.

Caterina se levantó y Della Salle se puso de pie, como correspondía.

—Siéntate, Giovanni, sólo voy a ofrecerte algo para beber. Tengo un vino excelente que me mandan de Florencia. En esa república de mercaderes no se privan de ninguno de los placeres que Dios Nuestro Señor ha puesto para el disfrute de las personas. Te aseguro que es puro néctar.

Llenó dos copas de finísimo cristal tallado, le ofreció una y se sentó de nuevo.

—Dame tu opinión.

Della Salle se mojó los labios y paladeó el oscuro y espeso vino que llenaba su copa.

—¡Excelente, mi señora! ¡Una bebida digna de... —estuvo a punto de cometer un error pues iba a decir de un Papa, pero rectificó a tiempo— ...digna de un emperador!

—Como puedes ver, no he exagerado.

—Ni un adarme, mi señora. —Volvió a paladear el vino y asintió con la cabeza—. Si no soy el pagador, ¿cuál es el objetivo de mi viaje a Roma?

—Serás el pagador, pero no de los derechos de este año. Por una serie de circunstancias, que no vienen al caso, hace tres años que el pago no se efectúa. Ha llegado el momento de ponernos al día. En aquellas bolsas —Caterina señaló hacia la mesa— hay dos sumas. Tres mil florines en una y seiscientos en otra. Son los óbolos de Forlì e Imola, a razón de mil y doscientos respectivamente por cada anualidad. Las copas corresponden a San Mauro; son seis, dos por año. Eso es lo que quiero que lleves a Roma. Eso y una carta. —Se acercó al escritorio y cogió un pliego sellado y lacrado.

—*Madonna* sabe que puede contar con los servicios de mi humilde persona.

—Por eso te he llamado, sé que puedo confiar en ti. Ahora escúchame con mucha atención porque la misión que te encomiendo no es tan fácil como a primera vista pudiese parecer.

—Cierto, mi señora. Un viaje con una suma como ésa significa un gran riesgo, los caminos están llenos de peligros.

—No debes preocuparte, tendrás protección adecuada; una escolta te acompañará hasta Roma. Cuando digo que tu misión no es tan fácil me refiero a otras cuestiones.

Caterina se acercó a la mesa donde trabajaba cuando llegó la visita y tomó uno de los papeles que allí había. Era otra carta.

—Léela con atención.

Observó atentamente cada una de sus reacciones. Cuando concluyó, Della Salle tenía la respiración agitada. Con la voz entrecortada preguntó:

—¿Conoce mi señora el contenido exacto de la bula a la que se hace referencia?

—No, pero puedo imaginármelo.

—En cualquier caso, mi señora, la situación parece muy complicada.

—Por eso llevas esa carta.

—He visto que es para el cardenal Riario.

—Siempre se ha mostrado valedor de los derechos de mis hijos. Ha de saber que si el Papa reclama esa suma, el débito de la Santa Sede con ellos se eleva a sesenta mil ducados, que se le adeudan desde que Sixto IV entregó estos dominios a mi primer esposo. Así que puestos a hablar de deudas, el saldo es netamente desfavorable a las arcas pontificias.

—Rodrigo Borgia revolverá los argumentos, dirá que esa suma no corresponde a su pontificado, hablará de deudas prescritas. Mientras que vuestro débito está vivo.

—Por eso vamos a liquidarlo.

—Sabéis que haré todo lo que esté en mi mano. Mañana mismo me pondré en camino.

—Lo sé, por eso te encargo esta delicada misión. Una cosa más, deseo que me consigas una copia de esa bula, el cardenal Riario podrá facilitártela. Tráetela cuando vuelvas de Roma.

Giovanni della Salle cogió las dos bolsas y en un zurrón de fino tafilete colocó las copas. Antes de marcharse la condesa le entregó cien ducados para afrontar las costas del viaje.

La bula a la que se refería Caterina fue firmada el 9 de marzo. En ella el papa Borgia entregaba a su hijo César los derechos de vicariato sobre las ciudades de Forlì e Imola, privando del mismo a los sucesores de Girolamo Riario. La razón aducida para una decisión tan grave estaba basada en el impago de los derechos papales durante los últimos tres años. En el documento se señalaban supuestas irregularidades en el gobierno de las dos ciudades y calificaba a Caterina como *iniquitas filia*.

Con aquel texto Alejandro VI se tomaba cumplida venganza de lo que consideró una intolerable ofensa, inferida cuando la condesa rechazó la propuesta matrimonial de su hija Lucrecia con Ottavio. Lo que no consiguió por la vía matrimonial, lo tomaba con una interpretación artera de la ley, amparándose en el enorme poder que le daba el hecho de ser el vicario de Cristo en la tierra. Sin embargo, Rodrigo Borgia no contaba con que la condesa era Caterina Sforza, a quien los romanos habían bautizado como la Dama del Dragón.

38

Había oído hablar mucho de él. Giovanni de Médicis le dijo en numerosas ocasiones que era un hombre oscuro, pero que tenía claras las ideas. Alguna vez le comentó que era un hábil negociador en una tierra donde los negocios eran una de las razones más importantes de la vida, y los florentinos no entendían la vida sin los negocios.

Ahora Caterina se encontraba con que había sido nombrado secretario del Consejo el año anterior y la Señoría de Florencia lo enviaba a Forlì para negociar con ella un acuerdo de gran importancia.

¡Cuánto hubiese deseado tener a Giovanni a su lado para que le advirtiese de las sutilezas de Niccolò Maquiavelo! No lo tenía y además la enfermedad que aquejaba al fruto de ese matrimonio, el pequeño Ludovico, la desasosegaba. A las preocupaciones por la gravedad de la situación política, se añadían las que ahora vivía como madre. En las largas noches de insomnio, cuando la oscuridad se convierte en mala consejera y agiganta las dificultades, llegaba al convencimiento de que sus problemas eran el pago por sus pecados. Sobre todo los relacionados con la ira y, en menor medida, con la lujuria.

Al verlo por primera vez tuvo una mala sensación. Lo observó desde una ventana, mientras el florentino daba instrucciones al criado que se hacía cargo del caballo. No le gustaron sus ademanes.

Le fue presentado por el canciller, Antonio Baldraccani, quien elogió al enviado de Florencia con palabras altisonantes. El discurso de presentación fue demasiado largo y se le hizo tedioso, pero lo aprovechó para estudiar a aquel hombre desde la posición de superioridad en que se encontraba, ella sentada en su sitial de condesa y él de pie, aguardando su venia. Ahora que lo veía más de cerca se ratificó en sus sensaciones de la víspera. Tendría unos treinta años, era de baja estatura y llevaba el pelo bien recortado, los ojos almendrados y tan negros que intimidaban. Su rostro era lo más parecido a una máscara. Sus finos labios indicaban una voluntad férrea y su sonrisa inspiraba desconfianza.

Cuando Baldraccani terminó, la condesa pronunció dos palabras:

—Sed bienvenido.

Niccolò Maquiavelo hizo una reverencia muy medida, casi estudiada.

—Excelencia, os traigo el saludo y el afecto de la ciudad de Florencia, de la que sois ciudadana. —Caterina pensó que era una forma de recordarle sus obligaciones—. La Señoría desea mostraros sus respetos y también estrechar los lazos que nos unen. Éste es el motivo por el que me ha comisionado; aquí están mis credenciales.

Mostró un pergamino enrollado.

La condesa hizo un gesto al canciller para que recogiese la acreditación.

—¿Cuáles son las intenciones de vuestro gobierno? —preguntó la condesa, tanteando el terreno.

—Hemos cerrado un acuerdo con Venecia, olvidando pasadas rencillas que, en realidad, fueron atizadas por los pisanos, junto a algún que otro malentendido. Las consecuencias de aquel enfrentamiento no fueron irreparables. —Caterina recordó los difíciles momentos del asedio veneciano a Forlì—. Eso significa que vuestra frontera oriental no estará amenazada en el futuro; en el acuerdo suscrito se señala con toda claridad que Venecia respetará a nuestros aliados. Nuestra lucha es contra Pisa y para acabarla felizmente necesitamos el mayor numero de efectivos posibles.

En la brevedad del discurso apreció la sagacidad de su autor. Con pocas palabras había señalado la necesidad que tenían de su alianza, sin manifestarlo.

—¿Significa que la Señoría desea que nuestras tropas engrosen las filas del ejército florentino?

—Sí, mi señora. Por supuesto, tendrían sus propios mandos. En ese orden de cosas, he de haceros saber la satisfacción de nuestro gobierno con la capacidad demostrada en la anterior campaña por vuestro hijo Ottavio.

Miró al hombre que tenía delante, impávido y casi misterioso. Maquiavelo le sostuvo la mirada, no daba el menor síntoma de nerviosismo a pesar de la distancia impuesta por ella. Además de sagaz, era templado.

—Un ejército en campaña es costoso y con los vientos que soplan mucho más. Los franceses buscan por todas partes mercenarios para ese gran ejército con que amenazan Milán y Nápoles. También se buscan hombres capaces de empuñar las armas contra los franceses.

Caterina trataba de jugar con las mismas armas que el astuto florentino, poniendo sobre la mesa algo que era del dominio público en toda Italia: el reto lanzado contra el ducado de Milán era una amenaza contra los Sforza. No afirmaba que sus tropas estuviesen comprometidas con el Moro, pero daba a entender mucho más de lo que decía.

—Excelencia, ésa es una guerra cuyo resultado es previsible, disculpadme la franqueza.

—Os escucho, Maquiavelo.

—No hay ejército capaz de oponerse a los franceses. Ellos ganarán la guerra y a todos nos gusta estar en el bando vencedor. Pero permitidme otra franqueza, no os veo luchando contra vuestro tío.

Caterina contuvo la respiración. A aquel individuo le habían bastado unos segundos para retorcer su argumento.

—Por supuesto. —Su respuesta pretendía ser cortante.

—Nuestra amistad con Francia ofrece también ciertas garantías a nuestros aliados. No olvidéis que Florencia fue la única potencia que no abandonó al rey Carlos en su campaña de Nápoles.

Trató de calibrar el sentido de las palabras de su interlocutor. Sus palabras exactas habían sido: «Nuestra amistad con Francia ofrece también ciertas garantías a nuestros aliados». Ciertas garantías era no comprometerse, una bonita fórmula de ofrecer humo. Decidió dar un paso en firme.

—También el Papa es aliado de Francia.

—Es cierto, excelencia, las relaciones de Alejandro VI y Luis XII atraviesan por un buen momento.

—El papa Borgia es nuestro enemigo. ¿Qué creéis que pesará más en el ánimo del francés, vuestra alianza o la suya?

Por primera vez el florentino vaciló. La cuestión planteada le hizo ver que Caterina Sforza era mucho más que una mujer de temperamento, era inteligente. Trató de ganar tiempo.

—No os entiendo, excelencia.

—Muy sencillo, ¿respetará Luis nuestros estados por influencia de vuestro gobierno o ayudará a nuestros enemigos a combatirnos?

—Excelencia, Luis XII todavía no ha invadido el Milanesado. A veces, la política marcha por senderos inesperados. En todo caso, creo que la peor opción, dadas las circunstancias, es permanecer aislados y el mejor aliado en estos momentos no es el duque de Milán.

Caterina supo que nada más sacaría a aquel hombre enjuto, de rostro inexpresivo. Decidió tantear otro terreno y jugar con las mismas cartas que él: aparentar una decisión que, sin embargo, no estaba tomada.

—Podemos disponer de mil quinientos hombres que pueden entrar en combate inmediatamente. ¿Cuánto ofrecéis?

La pregunta no lo cogió de improviso, pero carraspeó y, por primera vez, rompió su inmovilidad.

—Creo que una suma de cinco mil florines es adecuada.

La condesa observó que no hubo un asomo de duda en su respuesta, ni siquiera un intento de disimular. Supo que podía transitar sin complicaciones por aquel terreno.

—No es suficiente.

—Excelencia, he hablado de cinco mil florines.

—No es suficiente —repitió Caterina, dando un aire de cansancio a su voz—. Ahora podéis retiraros, el canciller os acompañará. Trasladad a vuestro gobierno nuestra posición. Estamos en disposición de negociar, pero no a cualquier precio y, desde luego, en las circunstancias presentes, cinco mil florines nos parecen una cifra inadecuada. Cuando tengáis otra oferta, hacédnosla llegar; la estudiaremos con todo interés.

Maquiavelo estaba desconcertado; hizo una ligera inclinación de cabeza y murmuró una despedida. Abandonaba el salón, cuando la condesa le hizo una precisión.

—Aguardad un momento. Antes habéis dicho que no hay ejército capaz de frenar el avance francés. Permitidme que os manifieste mi desacuerdo.

—Mi señora, ni Milán ni Nápoles, aunque uniesen sus

fuerzas, tendrían capacidad para enfrentarse a las tropas de Luis XII.

—Es cierto, pero os habéis olvidado de que los españoles tienen algo que decir en esta partida. No perdáis eso de vista, señor Maquiavelo. Si los españoles intervienen, los franceses correrán de nuevo hacia los Alpes, tan deprisa como lo hicieron cuando vinieron bajo los estandartes de Carlos VIII.

Maquiavelo se desesperaba porque sus peticiones de audiencia no encontraban una acogida favorable. Sabía que estaba tocando el éxito de su misión con la punta de los dedos, pero tenía que culminarla. Después de mucho porfiar, de un viaje a Florencia para explicar con detalle la posición de la condesa tal y como él la veía y de un cruce continuo de cartas, logró que su gobierno mejorase la oferta. Sin embargo, los días pasaban y no era recibido. Baldraccani le pedía paciencia; el canciller le indicaba que cada cosa tenía su tiempo y lo alentaba a que disfrutase su estancia en Forlì. Había buen vino, hermosas mujeres y la campiña, pese a los destrozos sufridos, ofrecía magníficas vistas y lugares amenos donde pasar una agradable jornada. Las razones que esgrimía para la tardanza eran que la condesa estaba preocupada con la enfermedad de su hijo pequeño.

La excusa del canciller tenía algo de cierto, Caterina se sentía agobiada con la grave enfermedad del pequeño Ludovico, pero no era toda la verdad. Trataba de poner nervioso, para afrontar la reunión en las mejores condiciones, a un hombre con quien la negociación era difícil.

Por fin, una calurosa tarde de los últimos días de julio, unos soldados aparecieron en la hospedería donde se alojaba, preguntando por el embajador florentino. Maquiavelo no estaba, pero el hospedero les informó de que lo encontrarían en San

Mercuriale, adonde había acudido para reunirse con el abad. Hasta allí fueron los soldados para darle el recado que le llevaban. Al día siguiente debería acudir a Ravaldino; la condesa lo recibiría a las diez.

Nada más entrar en la estancia, el secretario de la Señoría de Florencia supo que tendría dificultades. Le preocupó el semblante sombrío de la condesa. En su primer encuentro lo dejó maravillado su aspecto: tacharía de loco a quien dijese que *madonna* Caterina era una mujer que tenía cumplidos los treinta y seis años y mucho menos que hubiese dado a luz en tantas ocasiones. Su cutis, su silueta y su aspecto eran los de una mujer diez años más joven. Ahora su semblante reflejaba graves preocupaciones. Maquiavelo trató de mantener el optimismo con que acudía a la audiencia. Por fin estaba delante de la condesa; había puesto todo su empeño y escrito muchas cartas, a veces dos por día, para conseguir que desde el Palazzo Vecchio mejorasen de forma sustancial la oferta.

Tras el protocolario saludo, le preguntó por su hijo.

—Excelencia, el canciller me ha dicho que el pequeño Ludovico no se encuentra bien.

La leve sonrisa de la condesa mostró el agradecimiento por su interés.

—Tiene unas calenturas que han cubierto de pústulas su cuerpo, está muy delgado y apenas come. Estoy muy preocupada, pero los asuntos de gobierno también reclaman mi atención. Tengo entendido que la Señoría nos ofrece una nueva propuesta.

—Así es, excelencia. Una magnífica propuesta que os resultará imposible rechazar.

—Os escucho, Maquiavelo.

Como en la ocasión anterior, el florentino permanecía de pie ante su interlocutora.

—Excelencia, la Señoría de Florencia, en reconocimiento a vuestros méritos, ha decidido ofreceros la suma de diez mil florines, pagaderos por mitades. La primera, coincidiendo con la fecha en que se firme la alianza y la segunda, cuando las tropas lleguen a su destino.

El semblante de la condesa era el de una esfinge. Estaba inmóvil, hierática. Maquiavelo escrutó buscando un detalle que le señalase la acogida de su propuesta, pero el rostro de la mujer que se sentaba delante de él era inexpresivo, salvo ese aire sombrío que parecía señalar sus angustias maternales. El florentino, que esperaba una mejor acogida a su propuesta, se sentía desconcertado. Caterina guardaba silencio y cada segundo transcurrido era como si una mano invisible aumentase el peso que sentía sobre sus hombros. Hubo un momento en que no aguantó el silencio.

—Excelencia, ¿os sentís mal?

La respuesta restalló como un golpe seco en sus oídos.

—No es suficiente.

El florentino no daba crédito a lo que acababa de escuchar. Consideraba su propuesta algo más que generosa.

—Disculpadme, excelencia, acabo de ofreceros diez mil florines. Hemos doblado la cantidad que estábamos dispuestos a pagar hace algunas fechas.

—El doble de poco sigue siendo poco.

Miró a Baldraccani, quien se encontraba de pie, dos pasos atrás. El rostro del canciller no expresaba ninguna emoción. Maquiavelo tuvo la convicción de que su misión en Forlì iba a saldarse con un fracaso absoluto y su gobierno necesitaba las tropas de la condesa para doblegar, de una maldita vez, la cerviz de los pisanos. Trató de serenarse, aunque las condiciones no eran las más adecuadas, y decidió jugárselo todo a una carta. Nunca se había caracterizado por amar el riesgo; era hombre de despacho, de plumas y papeles. Pero en aquellas condiciones no vislumbraba otra salida. Si se equivocaba en la apuesta, cuando cruzase el foso de Ravaldino, recogería su equipaje y tomaría el camino de Florencia.

—¿Acaso vuestra excelencia no está interesada en cerrar una alianza con nosotros? —La pregunta encerraba un desafío.

La condesa no se inmutó y el breve silencio jugó otra vez en contra del embajador, quien miró al canciller buscando un apoyo que no encontró. Tras un silencio agobiante, llegó la respuesta a su pregunta.

—En la guerra contra Venecia tuvimos que luchar al límite de nuestras posibilidades para evitar un desastre. Nuestros requerimientos a vuestro gobierno apenas fueron escuchados, pese a que nos vimos envueltos en dicho conflicto por causa de la alianza mantenida con el gobierno de la Señoría. Aquella guerra no era nuestra guerra, y de Florencia tuvimos muchas palabras, pero pocos hechos. Ahora se nos requiere de nuevo como aliados en un momento en que por todas partes suenan tambores de guerra. La Señoría habrá de reconocer que nuestra posición es muy complicada y, en tales circunstancias, vuestro gobierno habrá de hacer un esfuerzo mayor para que podamos afrontar los gastos que exige la mejora de nuestras fortificaciones.

Maquiavelo se vio sorprendido de nuevo porque, con suma habilidad, la condesa sorteaba su pregunta. Además, no podía oponer argumento alguno a las quejas que acababa de escuchar porque estaban cargadas de razón. Florencia no atendió adecuadamente sus peticiones de ayuda cuando el ejército veneciano asedió Forlì.

Hizo lo único que podía hacer, limitarse a murmurar una justificación:

—Fue un tiempo muy difícil también para nosotros.

—No es excusa y vos lo sabéis. Respecto a la cuestión que habéis planteado, sabed que si negociamos es porque estamos interesados en una alianza. Pero vuestro gobierno ha de saber que no será a cualquier precio.

Aunque las palabras estaban cargadas de dureza, Maquiavelo las escuchó con un punto de satisfacción; al menos la condesa había despejado la duda más importante, al manifestar su deseo de cerrar un acuerdo. Lo que ahora estaba sobre la mesa era el precio final de ese acuerdo.

—En tal caso, excelencia, necesito saber cuáles son vuestras exigencias. Resulta muy complicado cerrar una negociación en estas condiciones.

Caterina se puso de pie.

—El canciller os las indicará. Ahora podéis retiraros.

Fue como un mazazo. El Maquiavelo que abandonaba la audiencia era un hombre apesadumbrado. Se sentía derrotado, si bien la condesa había sido lo suficientemente hábil como para no cruzar la línea de la humillación. Aprovechó la audiencia para hacerle llegar su malestar y desbaratar su estrategia de presentar la nueva oferta como algo imposible de rechazar. Confirmó algo de lo que se percató en su anterior audiencia: Caterina Sforza era mucho más que una mujer de temperamento.

Una vez que salió la condesa, Baldraccani se mostró afectuoso.

—Acompañadme a mi gabinete, creo que una copa de vino os vendrá bien.

—Me vendría mucho mejor una cifra.

—También os la daré, pero después de que os reconfortéis. Os veo abatido.

—¿Acaso os extraña? ¡Nunca se han pagado soldados a ese precio! No podéis imaginar la lucha para conseguir una suma como ésa y ahora me encuentro con que no satisface a vuestra señora. Me temo…

—Pasad —Baldraccani se hizo a un lado, después de empujar la puerta—, aquí podremos hablar con mayor sosiego.

Maquiavelo dejó escapar un suspiro.

—Poneos cómodo, Niccolò, os serviré un vino que reconfortará vuestro ánimo.

El canciller sacó una frasca de cristal tallado que dejaba ver un vino rojizo y aromático, llenó dos copas y las miró al trasluz.

—Recuerdo de una grata estancia en Venecia. Pero lo mejor está en su interior. Es el mismo que utilizan los canónigos de la Santa Cruz para convertirlo en sangre de Cristo.

Maquiavelo apenas apreció la calidad del néctar que Baldraccani le ofrecía. Su sensibilidad no estaba para primores.

—¿Cuál es la cifra?

Antes de responder, el secretario paladeó el vino, apreciándolo debidamente.

—Doce mil florines.

El florentino agotó su copa de un trago, y el canciller se arrepintió de habérselo ofrecido. Era un lamentable desperdicio.

—¿No hay posibilidad de negociar esa cifra?

—Me temo que no. Como habéis tenido ocasión de comprobar, la condesa está enojada y no le falta razón. En la guerra contra Venecia nos dejasteis abandonados, cuando la realidad era que estábamos envueltos en el conflicto por vuestra causa.

—No podíamos acudir a todos los frentes —se defendió Maquiavelo.

—Vos, que sois hombre prudente, sabéis que en tales circunstancias hay que establecer prioridades y he de deciros que Forlì era la mayor.

—Era la mayor para la condesa.

—También para Florencia. No se pueden tener aliados a los que únicamente se ofrecen palabras; a largo plazo resulta una mala táctica. —Baldraccani mojó sus labios en la copa—. Miradlo por el lado positivo: la condesa os ofrece una alianza y ése es el principal éxito de vuestra misión. Lo demás es secundario.

—¿Llamáis secundario a doce mil florines?

—Entended que podéis alcanzar el acuerdo.

—La verdad es que la condesa me desconcierta. A veces tengo la impresión de que su verdadero deseo es no cerrar ningún acuerdo.

—Está agobiada con la enfermedad de su hijo pequeño. Pero no os quepa duda de que, si su voluntad fuese no negociar, no se habría andado con rodeos. Posiblemente ni os hubiese recibido y, en caso de hacerlo, os lo habría indicado con claridad. Si conseguís de vuestro gobierno los doce mil florines, nuestras tropas lucharán contra Pisa. Podéis darlo por seguro. Pero el pago será inmediato y en un solo plazo.

—Se trata de una suma muy elevada.

—Lo sé, pero ésa es la condición. Me ha hecho saber que el pago habrá de efectuarse a la firma del acuerdo.

Poco después del mediodía, montando un tordo nervioso, dejaba atrás los muros de Forlì. Maquiavelo era consciente de que, para conseguir la suma solicitada, no bastaba con un mensajero. Tendría que hacer un brillante discurso en el Palazzo Vecchio para convencer a la Señoría de las innegables ventajas de cerrar un acuerdo con Caterina Sforza.

Los días finales de agosto trajeron el acuerdo con Florencia y la mejora del pequeño Ludovico, a quien su madre decidió cambiar de nombre y rebautizarlo como Giovanni, en recuerdo de su fallecido progenitor. El acuerdo y la mejoría no significaron el final de los problemas de aquel caluroso verano.

Otra vez hubo brotes de peste bubónica y Caterina se enfrentó a la enfermedad con la misma decisión de la ocasión anterior. Preparó medicinas, estableció un lazareto para aislar a los afectados, ordenó quemar enseres y ropas que hubiesen estado en contacto con los enfermos. A algunos les parecieron medidas radicales, pero resultaron efectivas. Las muertes no alcanzaron la cifra de doscientas personas, cuando en otras epidemias se contaron por miles. El verdadero problema estaba en las noticias que llegaban del norte.

El ejército francés había invadido el Milanesado y con las tropas de Luis XII marchaba César Borgia, flamante duque de Valentinois, título concedido por el rey de Francia como regalo de bodas. Pavía se rindió sin apenas ofrecer resistencia y los franceses estaban a las puertas de Milán. Por el este los venecianos rompían las hostilidades y se apoderaban de Lodi. Ludovico el Moro se encontraba solo para hacer frente a enemigos muy superiores.

39

La noticia la dejó anonadada. Una y otra vez leía el texto de aquel mensaje, sin acabar de creerse su contenido. Pensó, incluso, que podía tratarse de una añagaza. Pero descartó esa posibilidad porque carecía de sentido.

Ahora, en la soledad de su gabinete, después de haber debatido la noticia con Giusti y Baldraccani, estaba angustiada. No alcanzaba a comprender cómo su tío, el jefe de la familia, podía hacer una cosa así: había huido ante la presencia del enemigo, abandonando Milán y marchándose a Alemania, sin ofrecer resistencia, dejando el campo libre a los franceses. Eso era lo que le comunicaba en aquella carta, fechada el 2 de septiembre, pero que no llegó a su poder hasta seis días más tarde.

No sabía si estaba más afectada por las previsibles consecuencias o por la vergüenza de que no se hubiera enfrentado al enemigo. En todo caso, era consciente de que los próximos meses serían decisivos porque con César Borgia en el ejército triunfador y el Papa exigiendo la entrega de sus estados, la suerte no podía ser más que una, a no ser que se produjese un milagro.

La sensación de peligro le recordó el encargo que hizo a Argila meses atrás. El tiempo que la bruja le solicitó estaba cumplido, al día siguiente Giusti viajaría hasta el cubil de la hechicera para recogerlo.

Desde la ventana de su dormitorio Caterina lo vio partir. El sol se ocultaba todavía tras la línea del horizonte, pero el resplandor de la aurora señalaba su inminente despuntar. La invadió una sensación de impotencia, pensando que con varios cientos de hombres como Jacopo no temería a nada ni a nadie, incluido César Borgia, de quien se contaban historias que ponían los vellos de punta.

Se retiró de la ventana y agitó una campanilla; al punto acudió su doncella.

—Que avisen al canciller, quiero verlo en mi gabinete dentro de media hora. Una hora después quiero que esté allí el comandante Bernardino. No te entretengas, necesito que me ayudes a vestirme.

La doncella cumplió puntualmente los encargos y se extrañó cuando al regresar a la alcoba de la condesa, vio sobre la cama la negra armadura que vestía en algunas ocasiones. Le ayudó a ponérsela, pieza a pieza, como si su ama fuese a disputar un torneo. Le costó trabajo colocarle la pesada cota de malla, que rondaría las veinticinco libras de peso; le calzó las polainas y después la embutió en el cuerpo de acero pavonado de la armadura de placas. La señora rechazó los guanteletes y el yelmo.

Cuando Baldraccani entró en el gabinete contuvo por un momento la respiración. Ver a la condesa de aquella guisa le hizo pensar que los acontecimientos se desarrollaban mucho más deprisa de lo que indicaban las previsiones más alarmantes. Sin embargo, el discreto canciller decidió no hacer comentario alguno. Si circulaba alguna noticia que no había llegado hasta sus oídos, ya se enteraría.

Hizo una ligera reverencia y se limitó a preguntar:

—¿Me habéis mandado llamar?

—Te veo impresionado, Antonio.

El canciller apuntó una sonrisa.

—Ciertamente, mi señora, no esperaba veros con semejante atuendo.

—No te alarmes. Tendremos guerra, pero aún habrá que aguardar algunas semanas. Por lo que sabemos, los franceses aún no han entrado en Milán y es de suponer que después celebrarán su triunfo. Eso nos da un plazo de, al menos… —Caterina simuló hacer unos cálculos que ya tenía medidos desde que supo de la huida del Moro— …al menos dos meses.

—También yo lo pienso así, mi señora.

—Siéntate —le señaló un sillón, aunque ella permaneció de pie— y escúchame con atención.

—Siempre lo hago, mi señora.

Caterina pasó por alto el comentario.

—Hemos de prepararnos para soportar un duro asedio.

—No sería la primera vez. A los venecianos…

—Esta vez será diferente, y por eso hemos de tomar medidas radicales. Necesitaremos armas, municiones y víveres que nos permitan resistir al menos cuatro meses. Si lo logramos, César Borgia se marchará con el rabo entre las piernas, porque sus tropas no aguantarán un asedio tan prolongado en medio del invierno. Eso también significa que hemos de ponerles muy difícil el aprovisionamiento. Con las lluvias las comunicaciones quedarán cortadas, no podrán abastecerles y si aquí no encuentran comida ni refugio, no resistirán. Tenemos que conseguir que sus condiciones sean peores que las nuestras, de manera que cada día de asedio sea para ellos más insoportable que para nosotros.

—¿Qué proponéis exactamente?

—Tú serás quien se encargue de la intendencia. Comprarás

los víveres, las municiones y las armas necesarias para esos cuatro meses.

—Se necesitará mucho dinero.

—Tenemos el dinero de los florentinos. Ha llegado el momento de emplearlo.

—¿Dónde se concentrarán los bastimentos?

Caterina ya lo tenía decidido. El único lugar adecuado era el que le garantizase la resistencia. No podía ser de otro modo.

—Aquí, en Ravaldino.

Baldraccani comprendió entonces por qué la condesa, al ampliar la fortaleza, había mandado construir aquellos enormes almacenes que hasta entonces carecían de utilidad.

—¿Cuándo empiezo?

—Cuando salgas por esa puerta.

—¿La señora desea alguna otra cosa?

—Sí, necesito hablar con Ottavio.

El canciller puso cara de no comprender. El hijo de la condesa estaba en el frente de Pisa, mandando los mil quinientos hombres que los florentinos tenían contratados. Era consciente de que para defender Forlì no necesitaba tantas tropas; la clave estaba en Ravaldino y la fortaleza podía resistir un asedio con cuatrocientos, quizá quinientos hombres. Su estrategia estaba en los fosos que la protegían y en obstaculizar el aprovisionamiento de los sitiadores.

—Señora, vuestro hijo está…

—Con un buen caballo cubrirá el trayecto en una jornada. Los florentinos no perderán la guerra porque se ausente del campo de batalla unos días. Tengo entendido que las hostilidades hasta el momento se limitan a una serie de movimientos tácticos.

—Le enviaré recado para que venga a Forlì, mi señora.

—Todo tu trabajo es urgente, pero eso es lo primero.

La reunión con Bernardino de Cremona fue muy breve. El comandante de Ravaldino era un militar experimentado y, como a tal, le bastaban muy pocas palabras para entender una orden. Le agradó ver a la condesa en traje de batalla.

—Todo asolado, Bernardino. Que no encuentren un refugio, que no puedan conseguir leña para calentarse, que no hallen alimentos de ninguna clase. Han de encontrarse con un paisaje desolado.

—Entendido, condesa. ¿Cuál es la fecha?

Caterina meditó unos segundos.

—Primero avisad a los hortelanos, a los campesinos, dadles tiempo para que terminen de recoger sus cosechas. También, poned sobre aviso a los ganaderos y a los pastores, advertid a los molineros de las riberas del Montone y del Rabí. Todo debe quedar recogido para antes de la festividad de Todos los Santos; ésa es la fecha límite para dejar concluidas las tareas. A partir de entonces, cortad los árboles que no hayan sido talados, llenad los pozos de piedras, arrancad las puertas y las ventanas, incendiad las cubiertas de las casas de campo. El enemigo no debe encontrar lugar donde refugiarse ni alimento que llevarse a la boca. Los pastores y sus rebaños marcharán a las montañas, a más de veinte millas, donde no pueda localizarlos el enemigo.

—Eso significa que tenemos algunos días de claro.

—Los aprovecharemos para mejorar las defensas. Necesitamos más artillería y toda la munición que podamos conseguir; vamos a enfrentarnos a un ejército poderoso. Hemos de conseguir piezas ligeras, de tiro rápido, mucho más eficaces que las pesadas bombardas. Además, hay que preparar a los hombres para hacer frente a un asedio que dejará el ataque de los venecianos en un juego de niños. ¡Vamos a enfrentarnos a César Borgia!

Aunque el comandante de Ravaldino era hombre experimentado y sabía de los manejos del Papa para apoderarse de Imola y de Forlì, no pudo evitar una ligera contracción de su rostro. ¡Se decían tantas cosas del hijo del pontífice!

—¡Nos vamos a enfrentar a él y le haremos morder el polvo! —apostilló la condesa.

A continuación ordenó al militar que, en una hora, todos los hombres disponibles formasen en el patio. Era consciente de su poder de seducción y quería hablar a sus soldados.

Las predicciones de Caterina resultaron ciertas. Las tropas de Luis XII no entraron en Milán hasta el 6 de octubre, a pesar de que hacía más de un mes que el Moro había puesto tierra de por medio. Ahora vendrían los agasajos y las celebraciones. ¡Eran cortesanos y estaban ufanos de su poder! Se alegraba de que así fuese, porque con esa actitud le proporcionaban el tiempo que necesitaba para prepararse. Estableció una tupida red de espías que la mantenían informada de todos los movimientos del enemigo. Por aquel conducto le llegaba toda clase de informaciones, minucias, pequeños detalles que en ocasiones valían su peso en oro. Sabía, por ejemplo, que César Borgia, duque de Valentinois, jamás aparecía en público con el rostro descubierto: usaba un antifaz que le tapaba la cara. Se decía que era una forma de asentar el nombre de Duque Negro, con que se le denominaba de un tiempo a esta parte. Colaboraba a ello el que vestía de ese color, montaba un caballo negro y cubría su rostro con una máscara negra. Otros señalaban que la razón se encontraba en la necesidad de ocultar una horrible cicatriz, producida por su hermano Juan al defenderse, cuando el propio César, ayudado por varios esbirros, acabó con su vida. Había quien señalaba que no había cicatriz y que llevaba el rostro cubierto como penitencia por sus muchos pecados, entre los que se contaban unas incestuosas relaciones con su hermana Lucrecia.

Caterina aguardaba impaciente el regreso de Giusti. Respiró tranquila cuando una doncella acudió al laboratorio para anunciarle su llegada.

—¿Le digo que venga, mi señora?

—Sin perder un instante.

Giusti, después de explicarle a la condesa que Argila no estaba en su casa y que tardó varias horas en encontrarla, porque la hechicera andaba recolectando hierbas en las profundidades del bosque, le entregó una tosca bolsa de piel de conejo, confeccionada de tal forma que era imposible conocer su contenido si no se descosían las costuras.

—También me dio esta carta para vos. Insistió varias veces en que la leyeseis antes de abrir esa bolsa.

Sacó de uno de los bolsillos de su coleto de piel de búfalo un papel, burdamente lacrado con un pegote de resina.

Caterina lo leyó con rostro inescrutable, luego lo arrojó al fuego donde calentaba un alambique que destilaba, gota a gota, un líquido ambarino. Argila le había proporcionado lo que ella quería. Ahora todo dependía de su propia habilidad.

Miró a Jacopo y le dedicó una sonrisa de agradecimiento.

—Descansa porque tienes que recuperar fuerzas. Nos esperan jornadas agotadoras.

Giusti no pudo satisfacer su curiosidad por saber lo que contenía aquella piel de conejo. Le inquietó que la vieja bruja lo despidiese con una recomendación preocupante. En la puerta de la choza le ordenó con su voz aguardentosa: «No se te ocurra hurgar en esta bolsa».

«¿Por alguna razón especial?»

Argila dejó escapar una risilla que dejó ver sus desdentadas encías.

«Porque te va la vida en ello.»

Por el camino de regreso a Forlì, no dejó de pensar en el contenido de lo que llevaba en las alforjas. Tal vez, la vieja se burlaba de él, aunque por la forma en que le hizo la advertencia, no se diría que estuviese de broma.

En Forlì se mejoraban las defensas de la muralla y se fabricaban espadas, virotes de ballesta y puntas de flecha; las forjas funcionaban a pleno rendimiento. La condesa había incautado unas tiendas para convertirlas en almacenes. Los vecinos contemplaron la llegada de ingentes cantidades de salitre, carbón y azufre. Unos forasteros, llegados la víspera, fabricaban pólvora, que en carretas se llevaba a los sótanos de Ravaldino.

En pocas semanas las torres de las puertas de la ciudad se convirtieron en bastiones fortificados, aunque los mayores esfuerzos se concentraron en Ravaldino. La fortaleza, artillada con más de cien cañones, muchos de ellos de tiro rápido, ofrecía un aspecto impresionante. La gente hizo acopio de víveres para cuatro meses, se aprovisionaban de harina, de vino, de pescados en salazón y de carne seca, se guardaban sacos de bellotas, nueces y almendras. Muchas familias adelantaron la matanza de los cerdos, sin esperar a que llegase San Martín.

Caterina contaba con la entrega del canciller Baldraccani y del tesorero Giovanni Sorbi, que hacía malabarismos con los recursos. Testadoro se hizo cargo de las murallas, mientras que

Bernardino de Cremona, como responsable de la fortaleza, asumía la defensa de Ravaldino. El maestro Constantino se encargaría de la artillería y Giovanni de Cassale asumiría el mando de todas las tropas. Aunque deseaba la paz, se preparaba para la guerra.

Envió numerosos correos a Florencia, en su condición de aliada del gobierno de la Señoría, buscando su ayuda porque era consciente de que, a pesar del esfuerzo y de los preparativos, sus enemigos tenían una superioridad aplastante.

El 1 de noviembre Caterina vistió sus mejores galas para acudir al solemne oficio religioso, que se celebraba en San Mercuriale con motivo de la festividad de Todos los Santos. A sus treinta y seis años, edad en la que muchas mujeres eran ancianas, mostraba un aire juvenil que daba pábulo a todo tipo de comentarios. La preocupación que hacía mella entre los forliveses no parecía afectarla. Vestía un traje de terciopelo carmesí de talle ceñido y corpiño ajustado, el tejido estaba primorosamente bordado con hilos de oro y adornado con perlas. Las mangas acuchilladas dejaban ver un forro de seda carmesí y remataban en unas hombreras que realzaban su figura. Caterina estaba espléndida.

40

Dos días antes de que Luis XII abandonase Milán para regresar a Francia, uno de los espías de la condesa informó del suceso. El 5 de noviembre Caterina supo que comenzaba la cuenta atrás. El plazo para el comienzo de las hostilidades empezaba a correr y estaba sola para enfrentarse a un enemigo cien veces más poderoso. Su única posibilidad estaba en los muros tras los que se protegía y en la duración del asedio. El tiempo jugaba a su favor.

Por las cortes de Italia empezaban a circular apuestas. Se decía que los preparativos eran un montaje para negociar una rendición en las mejores condiciones posibles. Nadie en su sano juicio se atrevería a hacer frente a las tropas de Luis XII. Otros llegaban más lejos y señalaban que ya tenía dispuesta la vía de escape, saldría por los Apeninos para ganar el Milanesado y pasar al Sacro Imperio, donde buscaría refugio junto a su tío. Por el contrario, otros recordaban que tuvo arrestos para desafiar el poder de la Iglesia desde el castillo de Sant'Angelo y que desde las almenas de Ravaldino dio una respuesta contundente a sus enemigos, sin arredrarse ante sus amenazas.

Aquella tarde trataba de serenarse en su laboratorio. Allí buscaba aislarse de las graves preocupaciones que la aquejaban. Caterina estaba muy nerviosa; a lo largo de la jornada había gritado a algunas de sus doncellas por nimiedades que, en otras circunstancias, ni siquiera hubiese tenido en cuenta. Todos pensaban que era la consecuencia de las noticias que llegaban de Milán y que apuntaban al comienzo de la lucha en pocos días; sin embargo, lo que la sacaba de quicio eran las noticias que no llegaban, las que esperaba de Roma, y que Giusti se retrasase tanto.

Tres días después, un nuevo mensaje anunció que el rey de Francia ponía a disposición de César Borgia dos mil jinetes, al mando de Yves d'Allègre, y cuatro mil infantes bajo las órdenes de Antoine de Bissey, bailío de Dijon.

Caterina interrumpió el trabajo que realizaba sobre un mapa de Forlì y sus alrededores, donde trazaba planes con Giovanni de Cassale, buscando la forma de sacarle el mayor partido a sus recursos.

—Esas tropas son el pago que ofrece al hijo del Papa por los arreglos conyugales que le facilitó Alejandro VI. ¡Hatajo de bellacos!

—Si las sumamos a las tropas pontificias que manda Tiberti, nuestros enemigos podrán lanzar contra nosotros unos quince mil hombres —señaló De Cassale.

Caterina se encogió de hombros.

—No podrán utilizarlos porque nosotros estaremos a resguardo de los muros. La clave, como te he dicho, está en los fosos, en la artillería y en los suministros. ¡Ahí nos jugaremos el resultado de esta lucha! Hemos de utilizar nuestra mayor ventaja: el resguardo de los muros, los fosos y el tiempo. Cada día que resistamos será un fracaso para el Borgia y los suyos.

—¿Por qué insistís tanto en los fosos, mi señora?

—Porque les crearemos graves problemas cuando intenten cruzarlos.

Giovanni de Cassale se quedó esperando una explicación

más amplia, pero no le llegó. Al militar le producía admiración ver a la condesa desenvolviéndose con tanta soltura en un terreno como el de la guerra, reservado a los hombres.

Las plegarias se elevaban junto a las columnas de incienso entre los muros de la iglesia de Santa Maria in Pace. En aquel templo, cuyo nombre traía ecos de paz, se celebraba un solemne tedeum. Alejandro VI, revestido de pontifical, presidía la liturgia sentado en un sillón de doradas maderas y tapizado en seda adamascada, un sillón que asemejaba un trono. Cinco cardenales concelebraban el oficio divino y una abigarrada muchedumbre abarrotaba la pequeña iglesia, situada cerca de la vía del Ánima, junto a la piazza Navona; también era muy numerosa la concurrencia que se arracimaba en el exterior. El Papa había escogido este templo, a pesar de los inconvenientes que significaban las obras que dirigía el maestro Bramante, porque de esa forma había tenido ocasión de recorrer el Trastevere y cruzar al otro lado del Tíber en medio de una muchedumbre que lo aclamaba. En su recorrido pudo tomar el pulso a los siempre díscolos romanos y comprobar que los acontecimientos de los últimos días jugaban a su favor.

El tedeum respondía a la necesidad de celebrar un acto de acción de gracias porque Alejandro VI estaba vivo. Era la forma de confirmar la veracidad de los rumores difundidos y la liturgia señalaba, sin dejar lugar a la duda, que era cierto lo que corría de boca en boca: habían atentado contra la vida del sumo pontífice.

El rostro del Santo Padre era una máscara ajena a las emociones humanas. Su semblante carecía de expresión, aunque en el fondo de sus pupilas podía adivinarse la vitalidad de aquel hombre que representaba la cúspide del poder de la cristiandad.

Concluida la ceremonia, se levantó lentamente, aguardó a que se configurase el cortejo de cardenales, obispos y sacerdotes, y encaminó sus pasos hacia la sacristía en medio de aclamaciones. Poco a poco los fieles abandonaron Santa Maria in Pace, pero muchos de ellos se quedaron en la explanada que se abría ante el templo.

—Debieron de contar con alguna colaboración dentro del Vaticano para alcanzar su propósito.

El comentario lo hacía un individuo vestido de negro que, por las trazas, debía de ser un caballero que hablaba con acento español.

—En realidad, no lograron su propósito —replicó uno de los presentes.

—Me refiero a que consiguieron llegar hasta Su Santidad y sólo la intervención de la Divina Providencia evitó la catástrofe.

—¿Cómo es que esos individuos pudieron acceder hasta el Papa? —preguntó un tercero.

—Porque traían credenciales que los acreditaban como embajadores.

—Sé de buena tinta que obtuvieron la audiencia porque lograron que en la cancillería pontificia se pensase que era posible, si el Papa los recibía, que se evitase la guerra en la Romaña —añadió un clérigo que cubría su cabeza con un bonete encarnado.

—¡Esa guerra es inevitable!

—¿Por qué ha de serlo? ¿Acaso los españoles no encontráis otra forma de solventar las diferencias más que con las armas en la mano?

En las pupilas del reprendido asomó un destello de ira.

—Sepa vuesa merced —utilizó un tratamiento habitual entre los españoles— que luchamos solamente cuando es necesario, y entonces buscamos la cara de nuestro enemigo.

—¿Insinuáis algo con esas palabras?

—No insinúo, afirmo.

—Explicaos, porque deduzco que sabéis algo que los demás ignoramos cuando afirmáis con tanta contundencia.

—Está claro, la condesa Caterina no se entregará sin resistencia.

El clérigo hizo con su boca un mohín de displicencia.

—¿Como su tío Ludovico? —Esbozó una sonrisilla y apostilló con maledicencia—: Tengo entendido que huyó un mes antes de que los franceses llegasen a Milán.

Sus palabras provocaron algunas risillas.

—No conocéis a la condesa —farfulló el español.

—¿Acaso la conocéis vos?

—Tuve ocasión de servirla cuando puso a todas las sotanas de Roma a sus pies. Si no hubiese sido porque su marido era un melindroso…

—¿Alguien sabe exactamente lo ocurrido? Porque los rumores son contradictorios —terció otro de los presentes, de quien por la larga y pesada hopalanda que vestía podía deducirse su condición de médico.

—Parece ser que dos individuos que se decían enviados de la condesa Caterina Sforza solicitaron una audiencia al Papa. No les fue concedida, pero insistieron dando ciertos argumentos que ejercieron su influencia, porque Alejandro VI terminó por acceder a su petición. En esa audiencia le hicieron entrega de un regalo, un precioso bastón en cuyo interior se guardaba un mensaje. Según afirmaban aquellos individuos, contenía la propuesta que su señora dirigía al Papa.

—En efecto, casi todos los rumores coinciden con lo que acabáis de escuchar —señaló el clérigo—. Es a partir de ese momento cuando las versiones difieren mucho unas de otras.

Alrededor se había formado un pequeño corro de gente atraída por la conversación.

—¿Qué pensáis vos? —le preguntó el médico.

—Que Caterina Sforza ha tratado de acabar con la vida de Su Santidad introduciendo en ese bastón un trozo de tejido emponzoñado.

—¿Es cierto que pertenecía a un apestado?

—Eso es lo que se dice.

—Y también que toda esta historia, acompañada de actos y celebraciones, es un invento de Alejandro VI para tener una excusa que dé cobertura a su ataque sobre los dominios de *madonna* Caterina —indicó uno de los que se habían aproximado.

El clérigo le lanzó una mirada iracunda.

—Parece que esa dama conserva atractivos que embelesan a los incautos.

—Es la única que ha mostrado entereza ante un ejército extranjero —respondió el individuo—. La única que está dispuesta a oponerse a los franceses, algo que ni Milán, ni Venecia, ni Florencia, ni Roma han sido capaces de hacer. ¡Malditos aquellos que tratan de manchar su nombre con ignominias, en lugar de ponerse a su lado para devolvernos algo de dignidad!

—No tengo el gusto de conoceros, señor.

—Eso es lo de menos. Sabed que soy uno de los muchos que no están dispuestos a tragarse las mentiras de los Borgia.

—Los dos secuaces han confesado su crimen.

—Por supuesto que lo han confesado —ironizó—, fueron llevados a Sant'Angelo. Todo era cuestión de tiempo en el suplicio.

—Os veo muy informado.

—Mucho más de lo que podáis imaginar.

El clérigo se embozó la capa y se alejó. Cuando el causante

de su retirada comprobó que se dirigía hacia un grupo de soldados que, protegidos bajo el pórtico de la iglesia, jugaban a los dados, se escabulló rápidamente. Sin perder un instante, llegó a la hospedería que había a la espalda de Santa Maria in Trastevere, pidió que le preparasen su caballo, mientras recogía sus escasas pertenencias; pagó la cuenta y se marchó. Media hora después, un grupo de hombres armados preguntaba al hospedero por un individuo que, según la descripción, coincidía con el huésped que acababa de dejar el alojamiento.

Cuando los guardias que controlaban las puertas de Roma recibieron órdenes de identificar a un hombre de pelo negro, enjuto de carnes y con una cicatriz en el cuello que le bajaba desde el mentón, Giusti hacía más de dos horas que había puesto tierra de por medio. Los aires que soplaban en Roma no eran buenos para la *madonna*, aunque por la ciudad los rumores que corrían no eran unánimes.

Llegó a Forlì después de un agotador viaje. Sólo pudo confirmar a su señora que la embajada enviada a Alejandro VI, ofreciéndole una solución para poner fin al conflicto que los separaba, estaba siendo utilizada arteramente. El Papa había montado una tramoya en su contra.

Caterina supo por boca de su fiel servidor de confianza hasta dónde podía llegar la maldad de Alejandro VI, una maldad que no conocía límites. También, que estaba dispuesto a cualquier cosa con tal de convertir a su hijo César en el señor de un poderoso estado en la Romaña.

41

—Mi señora —el mensajero, un soldado, acababa de llegar—, el enemigo está en Imola.

—¿Han iniciado ya el asedio? —le preguntó Giovanni de Cassale.

El jinete acompañó su negativa con un ligero movimiento de cabeza.

—Eso significa que aún tenemos tiempo para concluir nuestros trabajos —el comandante se dirigía a la condesa.

—Lo siento, mi señora. —Al jinete la voz apenas le salía del cuerpo.

—¿Qué quieres decir?

—Mi señora, lo lamento, lo lamento mucho.

—¿Qué lamentas?

—Imola ha abierto las puertas al enemigo.

El silencio fue breve, pero amargo.

—¿Naldi se ha rendido sin luchar? —le preguntó Caterina.

El soldado, que había bajado la cabeza para dar cuenta de la grave noticia, se irguió.

—¡No, mi señora! El capitán se ha atrincherado en la fortaleza con toda la guarnición y está dispuesto a resistir.

Todos los presentes, salvo la condesa, dejaron escapar un suspiro de alivio.

—Exactamente, ¿qué ha sucedido?

El soldado bajó otra vez la cabeza.

—Hace dos días, una avanzadilla de unos quinientos jinetes, mandados por Aquiles Tiberti con el toro de los Borgia ondeando en sus estandartes, llegó a la ciudad. Uno de los capitanes se acercó a las murallas para parlamentar y... —le costaba trabajo articular las palabras.

—¿Qué ocurrió?

—Mi señora, fue un acto vergonzoso, no hubo parlamento porque, ante la incredulidad del enemigo, les abrieron las puertas.

—¿Sin la menor resistencia? ¿Sin condiciones? —preguntó el maestro Constantino, el responsable de la artillería de Forlì.

El soldado asintió.

—¿Qué hizo Naldi? —preguntó Caterina.

—El capitán, como digo, se ha atrincherado en la fortaleza y se defiende lo mejor que puede contra un enemigo muy superior. El duelo artillero ya ha comenzado, pero la moral es alta, aunque, si no recibe ayuda, todo su esfuerzo resultará infructuoso.

—¡Tiene agua! ¡Víveres para cuatro meses y municiones para abatir a todas las tropas de ese condenado Borgia! —clamó Ottavio poniendo un acento de desprecio en sus palabras.

—El duque de Valentinois ha tratado de corromper al capitán.

A Caterina le gustó que el soldado emplease la palabra corromper, significaba que consideraba una mezquindad la acción del hijo del Papa, pero le llamó la atención el hecho de que ya estuviese en el asedio. Eso era una pésima noticia porque revelaba sus deseos de entrar en campaña. La espera para mandar un ejército había durado mucho tiempo, demasiado. Sólo la muerte de su hermano le abría el camino con que el flamante duque de Valentinois soñaba cada noche. La púrpura cardenalicia era para él una carga insoportable y ahora, desprendido de ella, le faltaba tiempo para la guerra.

—¿César Borgia está ya en Imola?

—Sí, mi señora.

—¿Estás seguro?

—Sin la menor duda.

—¿Lo has visto? —insistió.

—Sí, mi señora, lo vi desde la muralla.

—¿Es cierto que lleva el rostro cubierto? —preguntó Bernardino de Cremona, vivamente interesado.

—Sí, comandante, oculta su rostro con una máscara negra.

—¿Sabes con qué ha tentado a Naldi? —preguntó Baldraccani.

—Le ha ofrecido cinco mil ducados y la mitad de esa suma para repartir entre la guarnición. También le promete nombrarlo castellano de una fortaleza de las Marcas, con mando de por vida.

—¿Qué respondió el capitán?

—Dijo que había empeñado su honor a vuestra excelencia y que afrontaría la muerte, antes que faltar a la palabra dada.

—¡Bah! Naldi es un *condottiero*, se venderá al mejor postor —comentó con desprecio el hijo de la condesa—. Si no lo ha hecho, es porque tenemos, aquí en Ravaldino, a su esposa y a sus hijos como rehenes.

Todos los presentes intercambiaron elocuentes miradas. ¿Quién era aquel jovenzuelo de dieciocho años para juzgar con tanta dureza a un hombre que estaba haciendo honor a su palabra? La condesa se sintió incómoda con la actitud insolente de Ottavio y lo recriminó con dureza:

—Espero que, llegado el momento, muestres la misma diligencia con la espada que con la lengua.

A pesar de sus palabras, Caterina pensaba ya en la forma de ponerlo a salvo de los horrores del asedio.

Dion Naldi hizo honor a su palabra y resistió con bravura las embestidas del enemigo, que sometían Imola a un sistemático saqueo, cometiendo toda clase de vejaciones y violencias sobre los horrorizados imolenses, quienes habían esperado una actitud muy diferente del ejército invasor después de abrirles las puertas de la ciudad. Aquellos traidores no tuvieron en cuenta que la mayor ganancia para los mercenarios estaba en el saqueo, mucho más lucrativo que las magras pagas que cobraban por sus servicios.

Caterina difundió por Forlì, fijando pasquines que se colocaban en los lugares de mayor circulación pública y también por voz de pregonero, los desmanes cometidos por las tropas pontificias y los soldados franceses. En uno de ellos podía leerse:

La villana actitud de los vecinos de Imola, faltando a sus obligaciones ciudadanas, a la palabra dada y a su juramento de fidelidad, ha encontrado su recompensa. El saqueo a que está siendo sometida la ciudad por las tropas de César Borgia y sus aliados franceses es el pago que reciben por su traición. Las casas son asaltadas, los víveres robados, las mujeres violadas y los que se resisten a la vesania del enemigo, asesinados; porque, quienes han manchado su honor con la traición, no merecen más que el desprecio del enemigo, el cual no oculta su asco ante actitudes que únicamente provocan repulsa y rechazo...

Los agentes de Caterina esparcían entre los forliveses horribles historias de brutalidad y violencia, sin ahorrar detalles sobre la deshonra de mujeres o los tormentos aplicados a quienes se resistían a darles sus riquezas. El mensaje era muy claro para los que se sintiesen tentados de seguir el mismo camino. En los pasquines se animaba a la resistencia y a la lucha como la única posibilidad de salir con bien de la amenaza que se cernía, cada vez más próxima, sobre sus cabezas.

El 7 de diciembre las tropas pontificias se lanzaron al asalto de la fortaleza defendida por Naldi. Fue un ataque furioso con el que César Borgia esperaba doblegar la resistencia de los sitiados, pero la guarnición soportó los envites del enemigo, causándoles numerosas pérdidas porque su poderosa artillería disparaba a discreción, sin tener en cuenta los destrozos que causaba entre la población. La traición de sus habitantes eximía a Naldi de velar por sus intereses. Sin embargo, las pérdidas entre los defensores también fueron importantes, con el agravante de que cada caído no tenía repuesto.

Si los sitiados no recibían refuerzos, no podrían resistir mucho tiempo.

Tras un nuevo ataque, las tropas papales lograron ocupar algunos de los bastiones exteriores, donde emplazaron piezas de artillería de ligero calibre y alta potencia de fuego. Desde allí causaban mucho daño a los asediados. César Borgia hizo nuevas proposiciones a los sitiados.

Naldi, consciente de que sus posibilidades mermaban cada hora que pasaba, le respondió con una propuesta que dejaba a salvo su honor y no ponía en riesgo la vida de su esposa e hijos.

Pidió paso libre para enviar un mensajero a su señora y solicitarle refuerzos. Si éstos no llegaban en el plazo de tres días, negociaría la entrega de la fortaleza, a condición de que se respetase la vida de sus hombres, se les permitiese salir con armas y llevarse todas las pertenencias que pudiesen cargar en cinco carretas.

Los franceses entendieron que la situación de los asediados era desesperada, así que recomendaron una negativa y lanzar sin pérdida de tiempo un nuevo asalto, después de un castigo artillero.

—Si le permitimos enviar un mensaje, podrá recibir refuerzos y prolongar su resistencia, algo muy peligroso porque cada día vale más que el oro. El invierno se nos echa encima —comentó Yves d'Allègre.

El duque tomó una jarra de vino y llenó cuatro copas, que ofreció a los franceses y a Tiberti, el comandante de los soldados pontificios, que eran los que habían soportado el peso del asedio. Lo hizo con mucha parsimonia, como si de aquella forma se tomase tiempo para pensar. Paladeó el vino y después preguntó:

—¿Qué te parece, Aquiles?

Tiberti lo paladeó lentamente.

—Excelente.

Los franceses se miraron desconcertados. ¿Cuál era el juego de aquellos dos italianos?

—Ahora quiero conocer tu opinión sobre la propuesta de Naldi.

El *condottiero* tampoco parecía tener prisa. Después de un prolongado silencio, que cada vez exasperaba más a sus aliados, comentó:

—Naldi es un buen soldado y los buenos soldados no son carniceros, les preocupa la vida de sus hombres. Es posible que sus recursos para resistir el asedio sean mayores de lo que piensan nuestros amigos. Lo digo porque ha tenido tiempo de pertrecharse. Todo el que nosotros hemos pasado en Milán, entre festejos y celebraciones —en sus palabras había una crítica a la pérdida de tiempo—. Si ahora tenemos prisa, debimos pensarlo antes.

—¿Acaso nos culpáis…?

—Disculpad, D'Allègre, pero no he terminado. Pienso que

en tres días esa fortaleza puede estar en nuestras manos, sin mayores costes. Si durante el asedio no ha recibido refuerzos de Caterina Sforza, es probable que ya no los reciba. Según nuestras noticias, la condesa ha concentrado sus medios en Forlì y ahora no va a desprenderse de ellos.

—¿Y si no se entrega? —planteó el bailío.

—Si Naldi no rindiese la fortaleza, sólo habríamos perdido tres días, después de haber malgastado semanas. ¿Qué son tres días en un asedio que puede resultar más largo de lo que a todos nos gustaría?

—Por lo tanto, tu opinión es que debemos responder afirmativamente a su propuesta —indicó el duque.

—Así es.

—¿Y si recibe los refuerzos? —Yves d'Allègre alzó la voz.

—No los recibirá. —Las palabras del duque de Valentinois sonaron como la sentencia de un juez.

—¿Estáis seguro?

—Completamente.

—Me gustaría escuchar la razón de vuestra seguridad —planteó el bailío.

—Caterina Sforza no tiene aliados, está sola.

—No os comprendo…

—Está muy claro. Como acaba de explicar Aquiles, no sacará un solo hombre de Forlì para ayudar a Naldi. Se ha atrincherado en Ravaldino y es allí donde nos espera con sus mejores hombres. Ésa será la verdadera batalla, esto son simples escaramuzas.

—Sin embargo, los asediados hace dos semanas que resisten.

—Porque los manda un hombre desesperado. Naldi no se rendirá sin mandar antes un mensaje a su señora; ésa será la garantía para su familia. Si deseamos que este asedio concluya en tres días, debemos permitir que envíen un mensajero a la condesa.

—Si ése es vuestro criterio… —Yves d'Allègre mostró las palmas de sus manos en un claro gesto de eludir la responsabilidad por una decisión que era de otro.

—No nos equivocaremos.

No se equivocó.

En medio de una tensa espera, endurecida por el frío y la lluvia, que hizo acto de presencia la segunda jornada del plazo, transcurrieron los días ajustados.

Al tercer día, después de que las campanas de Imola anunciasen la hora del *angelus*, la guarnición abandonó la fortaleza con todos los honores. Los soldados salieron del castillo con sus banderas y estandartes desplegados y portando sus armas. Con ellos iban las carretas con sus más preciadas pertenencias.

La única condición impuesta por César Borgia era que no podrían dirigirse a Forlì. Al duque le llegaban noticias inquietantes: la actitud de Caterina Sforza había levantado la admiración de muchos y no eran pocos los que tomaron la decisión de unir su suerte a la de aquella mujer que, en solitario, había desafiado el poder del papado, de Francia y de sus aliados.

En Forlì se vivían momentos emotivos. Hermosos gestos como la llegada de Scipione Riario, el hijo de Girolamo, a quien su madre adoptiva tuvo dieciocho meses en prisión después del asesinato de Giacomo Feo. Acudía a jugar su suerte al lado de Caterina. Dos hermanos de la condesa, Alessandro y Galeazzo, arribaron desde Milán para sumarse en las tareas de defensa. Varios *condottieri*, admirados por la valiente decisión de aquella indomable mujer, llegaron con algunas docenas de hombres dispuestos a luchar, sin pedir nada a cambio. Dos oficiales españoles, con quince soldados de infantería, arrastraron a marchas forzadas, desde Roma, varias piezas de artillería para ofrecérselas a la condesa, junto a sus personas. También viajaron a Forlì algunos jóvenes pertenecientes a ilustres familias romanas. Acudían para morir junto a ella, si necesario fuese, luchando por la dignidad de su patria.

Eran hermosos gestos, cargados de idealismo, que señalaban la admiración despertada por el valor con que Caterina había afrontado una situación tan difícil como la que tenía por delante. En muchos hogares de Italia se contaban alrededor de la lumbre hermosas historias donde la protagonista era Caterina Sforza, que empezaba a convertirse en una leyenda.

42

Las primeras avanzadillas del ejército enemigo aparecieron ante los muros de Forlì hacia la media tarde del 16 de diciembre. Era un pequeño cuerpo de caballería, no más de medio centenar de hombres al mando de Aquiles Tiberti.

La condesa los vio acercarse desde una de las torres de Ravaldino. Se detuvieron a distancia suficiente para quedar al abrigo de la artillería de la fortaleza y allí aguardaron hasta que un grupo de miembros del Consejo salió por la puerta de San Pedro. A Caterina le produjo más rabia que sorpresa.

¡Aquellos traidores habían decidido abrir las puertas y entregar la ciudad al enemigo! Eran los mismos que la abandonaron a su suerte después del asesinato de su primer marido.

—¡Constantino! —gritó.

El maestro artillero también estaba en la muralla, junto a otros jefes militares.

—¿Qué deseáis, mi señora?

—¡Da la orden de disparar una de las bombardas grandes!

—¿Hacia dónde?

—Hacia cualquier lugar, da lo mismo. ¡Quiero advertirles de nuestra presencia! ¡Que sepan que estamos aquí!

El estruendo del cañonazo provocó un revuelo de pájaros que ya buscaban acomodo para la noche. El cielo se llenó de puntos negros que se agitaban desconcertados. En la ciudad la gente se alarmó, buscó el refugio de sus casas y el consuelo de la oración.

La noche fue tranquila, pero fueron pocos los que pudieron dormir. Caterina, después de una breve reunión con sus comandantes, en la que repasaron los pormenores de sus planes de defensa, se encerró en su laboratorio.

A lo largo del día siguiente arribaron a los alrededores de la ciudad contingentes cada vez más numerosos de tropas, escuadrones de caballería y compañías de infantes, porque las carretas donde transportaban la artillería eran muy pesadas y se desplazaban con lentitud. También llegaron carros con tiendas de campaña y víveres, así como la avanzadilla de una turbamulta de buhoneros, taberneros, prostitutas, jugadores y saltimbanquis. A la caída de la tarde un estruendo de tambores y el sonar de las trompetas señaló que algo importante ocurría.

Desde las murallas de Ravaldino observaron en lontananza un tremolar de banderas y estandartes aproximándose por la vía Emilia. Con las últimas luces, vislumbraron que en las banderas resaltaba un toro sobre fondo dorado, la enseña de los Borgia. El Duque Negro acababa de llegar a Forlì.

Caterina, desde la torre más alta de la fortaleza y acompañada por sus hermanos, de Scipione y de Giusti, contemplaba el despliegue. Sobre el color terroso de la campiña, un mundo de colores se agitaba desordenadamente. Hasta sus oídos llegaban mitigados los inconfundibles ruidos que se elevaban desde el campamento. Se alegró de haber puesto a resguardo a su familia, acogidos en Florencia.

Era ya el crepúsculo cuando un cortejo formado por los ancianos del Consejo salió por la puerta de San Pedro para rendir homenaje al hijo del Papa y hacerle entrega de la ciudad.

Avanzaban parsimoniosamente bajo la luz de las antorchas para recibir a quien habían escogido como su señor.

El encuentro fue rápido. César Borgia declinó entrar en la ciudad, argumentando que prefería hacerlo en pleno día. Después de una breve ceremonia que resultó fría y sin vida, los ancianos regresaron a Forlì. Desde las murallas se veían dos filas de antorchas que oscilaban creando una imagen cargada de inquietudes.

El duque prohibió a sus tropas traspasar los muros y, como había señalado, tampoco él se alojó en el interior, aunque fuera de las murallas no quedaba ni una miserable choza donde alojarse. Los hombres de Caterina Sforza habían realizado un concienzudo trabajo; alrededor de la ciudad todo estaba arrasado.

La noche fue tan incómoda que César Borgia cambió de opinión al día siguiente; mientras durase el asedio, tendría un confortable acomodo en alguna de las mansiones de la ciudad que le había abierto sus puertas.

El 18 de diciembre amaneció gris y con un frío intenso, si llovía el agua se convertiría nieve. Caterina, protegida tras los gruesos muros de Ravaldino, pensó en las dificultades del enemigo.

A media mañana un grupo de sargentos se preparaba para buscar alojamiento a los comandantes del ejército y sus respectivos séquitos en el interior de la ciudad. Hubo protestas, porque todos querían ser incluidos entre los que iban a disfrutar del abrigo de unas paredes y de un techo, una cama blanda, comida caliente y el calor de la lumbre, cosas que suponían un privilegio. Las protestas no anunciaban nada bueno.

Al día siguiente la tensión aumentó. César Borgia, vestido con galas propias de un rey y montado sobre un corcel negro, se aproximó a los muros de Forlì. Caterina lo vio de lejos y comprobó cómo su rostro estaba cubierto por una máscara. Con el duque de Valentinois entraron en la ciudad los comandantes franceses, su estado mayor y los obispos que formaban parte de la comitiva. Fueron alojados en las mejores casas de la ciudad y las familias que los acogieron se consideraron honradas.

Muy pronto se produjeron los primeros altercados, aunque los problemas fueron simples minucias hasta que el comandante francés, Yves d'Allègre, dio instrucciones de que sus dos mil jinetes se cobijasen en Forlì. Fue como tocar a rebato: la ciudad se vio invadida por un tropel de soldados y bestias que buscaban el mejor acomodo para soportar los rigores del asedio.

—Es para mí todo un honor que toméis posesión de mi humilde morada.

Luffo Numai, uno de los hombres más ricos de Forlì, cuya actuación resultó decisiva para abrir las puertas al enemigo, se humillaba ante el Borgia y, como siempre, se situaba al lado de quien presumía ganador.

El duque montó en su corcel y se dirigió hasta la plaza Grande. La lluvia caía desde hacía horas y las calles eran lodazales. Los ancianos habían insistido en la importancia de efectuar el ritual para confirmarlo ante los ojos de los vecinos como señor de la ciudad. La lluvia era tan fuerte y la concurrencia tan escasa que el duque se limitó a dar una vuelta, en lugar de las tres establecidas por la tradición.

A pesar de las veladas protestas de algunos miembros del Consejo, César Borgia se retiró al palacio de Numai y los jefes del ejército imitaron su ejemplo. La tarde no era propicia para celebraciones callejeras. Sin embargo, para los soldados franceses la conclusión de la breve ceremonia fue como el toque de corneta que llamaba al saqueo.

Hubo violaciones, extorsiones y robos. Muchas familias fueron obligadas a desalojar sus casas, que fueron ocupadas por la soldadesca. Si la salida no se realizaba con la suficiente celeridad los hombres eran apaleados y las mujeres ultrajadas. Salvo las viviendas donde estaban aposentados sus jefes, pocos lugares quedaron a salvo de la rapiña y la codicia de los invasores.

Si los forliveses pensaban que la entrega de la ciudad sin resistencia les iba a librar de los horrores de la guerra, comprendieron demasiado tarde cuán equivocados estaban.

Tampoco escapó al escarnio la imagen del patrón de la ciudad. San Mercuriale fue objeto de toda clase de burlas. Los franceses gritaban obscenidades e insultos y algunos lo motejaron de obispo holgazán. Lo peor se produjo cuando un grupo de soldados ebrios amarraron la imagen con unas cuerdas y la tiraron del pedestal, arrastrándola por el fango en medio de carcajadas y redobladas blasfemias.

Aquella noche muchos forliveses cargaban con un sentimiento de culpa.

—Tenemos lo que nos merecemos —comentaba un compungido anciano, que se abrigaba con una manta sobre sus hombros.

Formando corro a su alrededor había un grupo que encontró acomodo en un establo, después de ser obligados a abandonar sus hogares. Ninguno hizo el menor comentario, sólo se escuchaba el llanto desconsolado de un pequeño, a quien su madre trataba de calmar acunándolo en los brazos. El anciano se apretó la manta en un intento inútil de protegerse del frío, mientras los hombres, apesadumbrados, mantenían las cabezas gachas. Uno de ellos, encogiéndose de hombros y con un hilo de voz, preguntó:

—¿Qué podíamos hacer?

El anciano levantó la mirada con un fondo de reproche y un brillo retador en sus enrojecidos y cansados ojos.

—Estar al lado de quien ha sido capaz de desafiarles, en lugar de abandonarla a su suerte. *Madonna* Caterina es nuestro único timbre de orgullo y la hemos dejado sola.

—Ella está protegida tras los muros de Ravaldino —se excusó uno de los hombres, sin atreverse a levantar la mirada.

—También nosotros teníamos la protección de los muros de la ciudad.

—Ravaldino es una fortaleza.

El anciano negó con ligeros movimientos de cabeza.

—La resistencia no depende del grosor de los muros, sino de la disposición del ánimo y a ella le sobra lo que a nosotros nos falta.

Los cañones del ejército pontificio apuntaban sus bocas contra la fortaleza, los artilleros ocupaban sus puestos y todo parecía dispuesto para iniciar el ataque. En las almenas de Ravaldino, defendida por quinientos hombres, también asomaban las redondas formas de su artillería.

—¡Fuego! —El grito del oficial se perdió en medio del estruendo de los cañonazos.

Desde las torres de la fortaleza llegó la respuesta. No resultaría fácil expugnar aquellas defensas por el grosor de los muros, el poder de sus cañones y, sobre todo, la voluntad indómita de la mujer que desde su interior desafiaba, una vez más, al mundo.

Una hora después de iniciarse el duelo artillero, una densa nube de polvo y un intenso olor a pólvora se habían adueñado del paisaje. Se apuntaba por intuición porque la humareda hacía imposible corregir los disparos. En medio del tronar, se difundió la orden de alto el fuego.

Cuando bastante después se disipó el humo, atacantes y defensores pudieron ver los efectos de sus acciones. Los daños en el campamento del Borgia eran mínimos, pues estaba lejos del alcance de la artillería de Ravaldino, aunque algunas de sus baterías habían sufrido el impacto de las bombas. Las defensas de la fortaleza se mantenían desafiantes: el ataque no había afectado a sus muros, al menos aparentemente.

—Mi señora —el rostro del maestro Constantino rebosaba satisfacción—, la artillería enemiga apenas ha dañado nuestras defensas; sólo hay algunos desperfectos y ya estamos reparándolos.

Caterina, rodeada de sus comandantes, estaba inclinada sobre una mesa donde se extendía un enorme plano, dibujado con todo detalle. Vestida como un soldado, tenía concentrada su atención en la información que le proporcionaba el precioso documento, guardado con gran cuidado como uno de sus mayores tesoros. Cuando se irguió señalaba con su dedo índice un punto concreto.

—¡Será por aquí! —Miró uno a uno a sus oficiales y ordenó—: ¡Que cada cual cumpla con su deber!

—¿A la hora convenida, mi señora? —preguntó Giovanni de Cassale.

—Cuando suenen las campanadas del reloj del Palacio Comunal.

Los hombres asintieron con ligeros movimientos de cabeza, cada uno conocía su cometido. Sólo entonces la condesa miró de frente al responsable de su artillería.

—¿Todo bien, Constantino?

—Sí, mi señora. Hemos dado al fuego enemigo la respuesta adecuada, sin apenas pérdidas. Su artillería tiene menos alcance del que presumíamos, al menos la que han utilizado hasta el momento. ¡Si no tienen mejores armas que las mostradas, el Borgia jamás entrará en Ravaldino!

Caterina apuntó una ligera sonrisa. También ella estaba convencida de que a las tropas del Papa y a sus aliados no les resultaría fácil poner sus plantas en las murallas, pero por otra razón diferente a la expresada por el maestro artillero. Le agradeció sus desvelos y lo despidió con una suave palmada en el hombro. Necesitaba tranquilidad y decidió retirarse a su gabinete.

Una vez sola, agitó la campanilla y, al punto, apareció uno de los guardias que custodiaban la entrada del salón.

—Que avisen a Jacopo.

Mientras aguardaba, quedó hipnotizada ante la chimenea, donde el fuego lamía gruesos troncos y sus anaranjadas lenguas se retorcían en formas caprichosas. En su mente surgió el reto de Leonardo. Había luchado denodadamente para descifrar aquel texto escrito en extraños caracteres. En ocasiones estaba convencida de que lograría atrapar en una redoma aquel sueño acariciado desde su infancia, pero una vez tras otra esa ilusión se había desvanecido. A veces le asaltaba la duda, pensando que Leonardo se había burlado de ella. Pero las dudas nunca lograron domeñar su voluntad y después de cada fracaso se tomaba un respiro para volver a la carga con renovada fortaleza. Unos golpes en la puerta le anunciaron la llegada de Giusti.

—¿Me habéis llamado?

—Estaré en el laboratorio. No quiero que nadie me moleste. Necesito tranquilidad para concluir un trabajo de suma importancia, pero si algo grave ocurriera, no dudes en acudir.

Giusti no comprendía qué podía ser tan importante para su señora en el laboratorio. Lo entendió como una necesidad de la condesa, que encontraba allí el reposo a la tensión de los últimos tiempos.

Apenas llevaba una hora encerrada cuando Giusti la interrumpió. La condesa, vestida con un enorme mandil, vertía una poción espesa, de color muy oscuro, casi negro, en un panzudo matraz de cristal.

—Disculpadme, pero es que el Borgia está al pie de la muralla.

—¿El propio duque? —El asombro de Caterina se reflejaba en sus ojos.

—Sí, mi señora.

—¿Qué quiere?

—Hablar con vos.

Caterina quedó un momento en suspenso.

—Tendrá que aguardar a que concluya.

Ahora el sorprendido fue Giusti.

—¡Señora!

El tono era de reproche, no pudo evitarlo.

—Suya es la falta de cortesía. Se ha presentado sin avisar y yo tengo que acabar lo que he iniciado.

—¿Le franqueamos la entrada?

La condesa frunció los labios.

—¡Jamás!

—Señora, la lluvia es…

—¡Nadie lo ha llamado! ¡Que espere!

Caterina continuó con su tarea. El alambique destilaba una sustancia negra, oleaginosa que goteaba en una redonda vasija de barro. Cuando estuvo llena, la retiró y colocó otra igual. Había por lo menos para una docena. Una vez llenas, tapaba su boca con un corcho y las lacraba. Concluida la operación, se quitó el mandil. Debajo llevaba puesta la cota de malla.

El arrogante duque de Valentinois soportó, con estoica paciencia, la lluvia sobre su negro corcel. Iba acompañado por un escudero que portaba una bandera blanca que, empapada, caía a plomo.

Cuando la condesa apareció en la muralla ofrecía una imagen desafiante. Únicamente su larga y dorada melena denotaba que bajo la cota había una mujer. Su voz sonó potente a través de la lluvia.

—¿Qué desea vuestra excelencia?

César Borgia la miró impávido; también el caballo, como si estuviese fundido en una sola pieza con el jinete, permanecía inmóvil.

—¿No franquearéis la puerta a quien viene a parlamentar?

—¿A un Borgia? ¡Nunca!

Caterina no pudo comprobar la ira que sus palabras le causaban, porque su rostro permanecía oculto bajo la negra máscara. El duque sintió deseos de retirarse sin exponer la razón de su presencia allí, pero se impuso el político que se ocultaba bajo la armadura del guerrero. Intentó mostrar serenidad en sus palabras.

—¡He venido a haceros una oferta acorde con vuestra dignidad!

—¡Hacedla!

—¡Os ofrezco el señorío de una ciudad de las Marcas y una cantidad, adicional sobre sus rentas, de cuatro mil ducados anuales!

La condesa escrutaba a través de la lluvia, buscando un detalle, un atisbo que le indicase si existía otra razón para explicar la presencia del duque de Valentinois.

—¿A cambio de vuestra generosidad he de entregaros Forlì?

La pulla causó efecto en el duque.

—¡Forlì ya está en mis manos! ¡Estáis encerrada entre esos muros!

—Adivino que estar tras estos muros le parece a vuestra excelencia poca cosa. ¿Me equivoco?

—Estáis sitiada, aislada. ¡No podréis resistir!

—¿Eso explica vuestra generosidad?

—¡Mi oferta os proporciona una salida digna a la trampa donde estáis metida!

El tono de las palabras del hijo de Alejandro VI denotaba su creciente estado de alteración.

—Si tan fácil le parece a vuestra excelencia, ¡atrapadme!

—Os doy veinticuatro horas para que reflexionéis. Ya conocéis mi propuesta: el señorío de una ciudad de las Marcas y una renta anual de cuatro mil ducados, además de las que proporcione la ciudad que se os entregue.

—¡Podéis ahorraros el plazo! ¡Mi respuesta es no, entre otras razones porque la palabra de un Borgia no me ofrece crédito alguno! ¡No puedo esperar justicia de un Papa que ha faltado reiteradamente a sus compromisos y a su palabra!

El caballo de César Borgia comenzó a patear el suelo con sus cascos. El animal exteriorizaba la agitación de su jinete.

—¡Os juro que os haré tragar las injurias que salen por vuestra boca!

César Borgia era como una fiera enjaulada. Recorría con largas zancadas la principal estancia de la casa de Luffo Numai. Una y otra vez repetía las mismas frases.

—¡Esa arpía se ha burlado de todos nosotros! ¿Cómo ha podido ocurrir una cosa así?

Ninguno de los presentes tenía respuesta.

—¿Nadie responde? ¿Nadie tiene una explicación para esto?

Su mirada iracunda no encontraba los ojos de ninguno de sus capitanes, reunidos precipitadamente en medio de aquella tormentosa noche. En los momentos de silencio se escuchaba el ruido del agua que caía sobre Forlì, sin cesar, desde la media tarde.

—¡Que alguien me conteste! —gritó el hijo del Papa, cada vez más descompuesto.

—La verdad, excelencia, es que nos ha sorprendido —comentó el responsable de la caballería pontificia—. No podíamos esperarnos una cosa así. ¡Esa mujer es el mismísimo demonio!

—Nos ha sorprendido... Nos ha sorprendido... —repitió el duque con cierto desdén—. ¿Acaso no conocéis la astucia de *madonna* Caterina? ¡Desafió a la curia desde las murallas de Sant'Angelo y puso a los venecianos mirando para el Adriático, cuando la atacaron y se estrellaron contra estos muros!

—Señor, creíamos que...

—¡No me digas lo que creíais! ¡Nos ha puesto en ridículo! ¡Cuando se sepa lo ocurrido, seremos el hazmerreír del mundo! ¿Acaso no tuvimos bastante cuando hace dos días me humilló ante los muros?

—Simplemente nos ha sorprendido, excelencia —terció Yves d'Allègre.

—Os aseguro que no volverá a ocurrir —señaló un atribulado Tiberti.

El famoso *condottiero*, como encargado de la seguridad del campamento, era el máximo responsable de los graves destrozos causados por la inesperada salida de un cuerpo de jinetes de Ravaldino.

Fue al filo de la medianoche cuando se produjo el ataque.

Era no más de medio centenar de hombres protegidos por la oscuridad, el ruido de una lluvia que caía con fuerza y, sobre todo, amparados en la ventaja que les concedió la sorpresa. Salieron de improviso de la fortaleza y se lanzaron sobre los confiados sitiadores. Los resultados de su ataque fueron demoledores. Numerosas tiendas destruidas, dos carromatos de pólvora volados por los aires y el más importante de los almacenes de provisiones incendiado; utilizaron unas vasijas de barro llenas de un líquido oleaginoso que al prenderle fuego ardía pese a la lluvia. A ello se sumaban las bajas sufridas, cerca de un centenar entre muertos y heridos, y la moral de las tropas por los suelos.

A la misma hora en que César Borgia desahogaba su ira con los oficiales de su ejército, Caterina Sforza se retiraba a sus aposentos, después de recorrer todo el perímetro de la fortaleza y comprobar que los centinelas estaban en sus puestos y la vigilancia se realizaba según los planes establecidos. Viendo su semblante nadie diría que padecía los rigores de un asedio. Acaba de convertir la Nochebuena en una pésima noche para sus enemigos.

Se durmió pensando en el semblante de su enemigo. Habría dado un buen puñado de ducados por verle la cara en aquellos momentos.

43

La mañana de Navidad amaneció fría y despejada. La lluvia había cesado y a la luz del día se apreciaban mucho mejor los graves destrozos sufridos en el campamento de César Borgia.

Todavía algunos soldados se afanaban por apagar los últimos rescoldos de unos incendios que en pocos minutos, ante el desconcierto generalizado de los confiados soldados pontificios, convirtieron en teas sus tiendas y almacenes de campaña. El fuego que, en medio de la noche, lanzaron los jinetes enemigos ardía a pesar del aguacero.

Entre los asustados vecinos de Forlì que fueron a los oficios religiosos para conmemorar la Natividad del Niño Jesús, cada vez eran más numerosos los que se arrepentían de su actitud, porque el comportamiento de las tropas aposentadas en la ciudad estaba lleno de toda clase de violencias y excesos. En voz baja y con la mirada atenta a posibles oídos indiscretos, se comentaban los sucesos de aquella noche.

Quienes vivían cerca del castillo oyeron bajar el puente y salir un tropel de jinetes. Al parecer, los cascos de los caballos iban envueltos en trapos para amortiguar el ruido y muchos de ellos portaban candelas, que el agua no apagaba.

La palabra brujería salió de más de una boca, pero el miedo a las prácticas ocultas hizo prudentes los comentarios. Nadie deseaba tener más complicaciones. Y que la condesa tenía algo de hechicera era del dominio general, aunque se evitara hablar de ello.

Durante tres días los cañones del ejército sitiador permanecieron mudos. Levantó expectación la presencia de un enviado pontificio portador, según se decía, de una propuesta que la condesa no podría rechazar. Aunque se desconocía el contenido de la oferta de Alejandro VI, todos albergaban la esperanza de que permitiese encontrar una solución negociada.

En casa de Luffo Numai aguardaban impacientes una respuesta a la propuesta de Su Santidad, pero el tiempo pasaba y la espera se hacía cada vez más tensa.

Reclinado en un sillón, la lánguida imagen de Raffaele Riario contrastaba con la imagen guerrera de César Borgia.

—Desde pequeña —señalaba el purpurado—, Caterina tuvo una voluntad indomable. No me extraña que esté dispuesta a resistir hasta el final.

—¡No tiene salida! —clamó el duque.

—A pesar de eso, no os quepa la menor duda de que la solución a este conflicto no resultará fácil.

Su Eminencia dio un sorbo al vino de su copa que apenas mojó sus labios. En su fuero interno, el cardenal Riario maldecía el momento en que Alejandro VI le había encomendado la difícil misión de doblegar la voluntad de la condesa. Lo había elegido porque conocía su ascendiente sobre ella y porque, con el paso de los años, el joven cardenal, que fracasó estrepitosamente en la conjura contra los Médicis, se había convertido en un consumado diplomático.

El ruido del exterior y la aparición de Luffo Numai les indicó que algo ocurría.

—¡Acaba de llegar el mensaje que esperamos! ¡Dios Nuestro Señor quiera que sean buenas nuevas!

El camaleónico forlivés llevaba en su mano la carta donde estaba la respuesta, pero no sabía a quién entregársela. Fue César Borgia el que, con un leve gesto, lo sacó del apuro.

—Eminencia —hizo una servil y torpe reverencia a la par que entregaba el pliego al cardenal.

Con calculada parsimonia Riario rompió el lacre y leyó el texto. Su rostro se contrajo de forma casi imperceptible, pero no tanto que escapase a la agudeza el hijo del pontífice.

—¿Malas noticias?

—Puede verlas vuestra excelencia. —El purpurado le dio la carta.

Al eminentísimo y reverendísimo señor, cardenal Raffaele Riario:

Salud y gracia.

Mi corazón se alegra al saber de la proximidad de vuestra eminencia. Hago fervientes votos para que la Providencia Divina os mantenga bajo la protección de su bendito manto.

La alegría de mi corazón no es obstáculo para que una extraña sensación se adueñe de mi ánima, ya que siempre he tenido a vuestra eminencia en un alto concepto y soy la primera en reconocer los dones y virtudes que adornan a vuestra persona. Por eso me causa extrañeza que seáis portador de una propuesta, llena de vileza y cargada de iniquidad, en la que se me pide que renuncie a algo que no es mío, sino un sagrado depósito que he de entregar a quien es carne de mi carne.

La palabra de quien hace la propuesta es como una hoja seca, que el viento arrastra, y sus prosas huecos frutos, que perdieron la sustancia tiempo ha. ¿Cómo he de confiar en quien cambia de criterio como de camisa? ¿Puedo, acaso, tener un ápice de fe en quien no es fiel a su palabra?

Tengo la obligación de defender la herencia de mis hijos, porque es el depósito que me fue confiado, y no la entregaré a quien mancilla su palabra de forma tan frecuente que es imposible enumerar.

Nada, pues, tenemos que hablar al respecto, a lo que se suma el deseo de que no desperdicie vuestra eminencia un minuto de su precioso tiempo.

Vuestra hija en la fe de Nuestro Salvador Jesucristo,

CATERINA, condesa de Imola, señora de Forlì

César Borgia arrugó el pliego, que crujió en su mano.

—¡Maldita perra! ¡Ni siquiera se digna recibiros! ¡Su soberbia no conoce límites!

Dio una patada a una labrada columna de madera sobre la que descansaba una hermosa pieza de cristal, que se hizo añicos al estrellarse en el suelo. Luffo Numai se llevó las manos a la boca, donde ahogó un doloroso gemido.

—¡Haré que se trague, una a una, sus palabras!

Hizo una cruz con los dedos de su mano derecha y, con un gesto cargado de ira, se la llevó a la boca para besarla.

—¡Os lo juro por la salvación de mi alma!

Raffaele Riario, que permanecía en su sillón sin que su rostro manifestase emoción alguna, lo vio marcharse dando un sonoro portazo. Hasta sus oídos seguían llegando las maldiciones del duque.

Luffo Numai estaba atónito, inmóvil. Apenas escuchó las palabras del cardenal.

—El duque de Valentinois no sabe realmente a quién se está enfrentando.

44

A diferencia de las tres jornadas anteriores, durante cuatro días los cañones del ejército sitiador vomitaron fuego sin cesar. Era la cólera de César Borgia.

Desde Ravaldino se respondía con igual furia a la lluvia de fuego y bombas que caía sobre ellos.

Los forliveses estaban sobrecogidos. Nunca habían sido testigos de una cosa similar. La artillería pontificia concentraba su fuego en la zona del Paraíso, donde las murallas ofrecían mejor ángulo de tiro y, sobre todo, eran menos gruesas. Algunos pensaban que había otra razón, incluso más importante que las estratégicas. El enfrentamiento entre la condesa y el hijo del Papa superaba con mucho las diferencias lógicas de la rivalidad en el campo de batalla y se había convertido en un duelo personal para ambos. La actitud desafiante de Caterina impresionaba y desconcertaba a un hombre acostumbrado a doblegar voluntades y a que sus caprichos fuesen satisfechos con prontitud. Las palabras injuriosas contra su padre, aunque la condesa se había guardado mucho de mencionar el nombre del pontífice en el escrito enviado al cardenal Riario, fueron como gotas de aceite hirviendo sobre su corazón. La negativa a celebrar un encuentro y el rechazo a recibirlo, obligándole a permanecer bajo la lluvia, hirieron su orgullo mucho más que el quebranto infligido a sus tropas la noche de la inesperada salida nocturna.

El último de los duelos artilleros fue tan intenso que se necesitaron cuatro horas para que se disipase la densa humareda provocada. Cuando Ravaldino emergió de las brumas todos enmudecieron. En la más alta de las torres de la fortaleza ondeaba una enseña, donde resaltaba un toro rojo sobre un fondo de oro. ¡Era la enseña de los Borgia!

Los soldados no daban crédito a lo que veían sus ojos. Un oficial avisó al duque para que acudiese a contemplar tan extraña aparición. La imagen que ofrecía sobre el corcel era la representación misma de la arrogancia y sus hombres lo aclamaron con júbilo.

—¡César! ¡César! ¡César!

Las almenas de Ravaldino estaban desiertas y un extraño silencio envolvía la fortaleza.

El duque de Valentinois espoleó con suavidad los lomos de su caballo y avanzó, al paso, hacia los inundados fosos que rodeaban las murallas. Notaba cómo la sangre golpeaba en sus sienes y su corazón latía cada vez más rápido. Nadie, sin embargo, podía atisbar la tensión que lo atenazaba. ¿Qué significaba la enseña de su familia en la más alta de las torres? ¿Era la rendición de Caterina Sforza? ¿Se negó a recibirlo para que no fuese testigo de sus debilidades? En ese caso, ¿por qué no aceptaba las propuestas que le llevaba el cardenal Riario?

Presa de encontradas sensaciones llegó al borde del foso. Era una temeridad porque a esa distancia un hábil ballestero podía asestarle un disparo mortal. A su espalda crecía el clamor de sus hombres, mientras que en los muros de Ravaldino el silencio era absoluto. De repente, los sones de una trompeta invisible llamaron su atención y el duque alzó su brazo pidiendo silencio a sus hombres. Fue entonces cuando la imagen de la condesa apareció en la torre donde ondeaba la enseña.

César Borgia se percató demasiado tarde del ultraje que se preparaba: acababa de caer en una trampa, como un soldado bisoño. Caterina llevaba en su mano una antorcha con la que prendió fuego a la bandera. Era la que robaron días atrás en su ataque al campamento.

Como por ensalmo las murallas se llenaron de soldados que proferían burlas y lanzaban toda clase de improperios. La humillación fue completa.

Nadie pudo ver el semblante de César Borgia, una vez más cubierto por una máscara con la que ocultaba tanto sus sentimientos, como las purulentas llagas con que la sífilis había marcado su rostro. Con un tirón de las riendas giró el caballo y se alejó del foso; al llegar a la altura de sus hombres, enmudecidos por lo que acababan de presenciar, gritó:

—¡Fuego! ¡Fuego a discreción!

Los infantes se retiraron y los artilleros acudieron a sus puestos. Antes de que los cañones rugiesen, la artillería de la fortaleza lanzó una lluvia de bombas que causó gran desconcierto.

El año de 1499 se despedía con los peores augurios para las tropas pontificias.

En Forlì los saqueos y los abusos de los soldados hicieron que la tensión aumentase. Algunos vecinos, envalentonados ante el fiasco que hasta el momento suponía el asedio, se enfrentaban a los franceses, a quienes cargaban con las culpas de sus males. El odio que los separaba era cada día mayor. El día 30 se encontraron los cadáveres de dos soldados. Se acusó de la muerte de uno de ellos al hijo de un boticario, que fue ajusticiado después de un simulacro de juicio. A un campesino se le achacó la otra muerte y acabó en la horca.

La situación era tal, que los franceses no se ocultaban de manifestar su admiración por el valor y la entereza de Caterina. Siempre estaba en los lugares de mayor peligro y su inconfundible silueta no dejaba de verse en la muralla, moviéndose de un lugar a otro, llevando ánimo y aliento a sus hombres. A Yves d'Allègre no le extrañaba que a Forlì llegasen mensajes de los más apartados rincones de Italia en los que se manifestaba admiración por el valor de que la condesa hacía gala.

Por el contrario, las noticias de Roma eran inquietantes. Alejandro VI instaba a ocupar la fortaleza de Forlì porque «de no ponerse fin a aquella situación, nadie podía aventurar las consecuencias que la actuación de aquella loba podía tener». Su Santidad no exageraba: sus espías le informaban a diario de que en algunos salones de Roma se hablaba abiertamente de promover un movimiento a favor de Caterina Sforza. Se decía que incluso los Orsini o los Colonna estaban dispuestos a deponer sus ancestrales enfrentamientos para acudir en su ayuda, y personalidades como el cardenal Della Rovere y algunos *condottieri* se manifestaban públicamente a favor de una mujer que empezaba a convertirse en un símbolo en el que muchos se miraban. Una noche Pietro Colonna afirmó, ante sus invitados, que la vergüenza de los romanos sólo podía lavarse si acudían en su auxilio para salvarla de las garras de los Borgia.

El 3 de enero de 1500 amaneció en el campamento del duque de Valentinois con noticias alarmantes. Iban más allá de vehementes discursos en salones alfombrados. Ahora llegaban del norte y señalaban que Ludovico el Moro había cruzado los Alpes y marchaba sobre Milán al frente de un poderoso ejército. No se trataba de infundados rumores como los que circularon las semanas anteriores. Gian Giacomo Trivulzio, el gobernador dejado por los franceses en la capital del ducado, les enviaba una carta donde indicaba que se disponía a abandonar la ciudad porque los milaneses, que desde el primer momento hicieron patente su rechazo a la presencia francesa, se mostraban cada vez más insolentes, conforme se difundían las noticias de que el duque se disponía a cruzar la frontera para marchar sobre la ciudad. «Ahora que la noticia está confirmada mi situación es insostenible», señalaba Trivulzio en su misiva.

Si la preocupación prendía en César Borgia y sus aliados con tan malas noticias, poco antes del medio día vivieron un trago mucho peor.

Los centinelas que vigilaban el perímetro que cerraba Ravaldino, para mantenerlo aislado del exterior, se vieron sorprendidos por otro golpe de mano. Una pequeña tropa de unos doscientos hombres rompió el cerco y entró en la fortaleza. Eran soldados procedentes de Florencia, el único de los estados italianos que no había abandonado a Caterina a su suerte. Los vítores en las murallas contrastaban con la consternación que reinaba entre los sorprendidos sitiadores. El duque ordenó castigos ejemplares para quienes se dejaron sorprender, no tanto por el refuerzo, sino por la moral que insuflaba en los sitiados la llegada de tropas de refresco.

La víspera de la festividad de la Epifanía los rumores acerca del avance del ejército del Moro sobre el Milanesado cobraban mayor fuerza. Se afirmaba que sus tropas, después de entrar en Milán, marcharían sobre la Romaña para liberar a su sobrina. Los informes que tenía Caterina indicaban que, en cualquier momento, en Forlì podía producirse una explosión de cólera popular. Si tal cosa ocurría, sus tropas lanzarían un ataque sobre el enemigo para expulsarlo de la ciudad y asestaría un golpe mortal para las pretensiones de los Borgia.

Hasta muy entrada la noche el duque no pudo conciliar el sueño y sólo para dormir mal y poco, porque era consciente de que cada día que pasaba jugaba en su contra.

Aquella madrugada decidió no mantener por más tiempo una situación que le resultaba insoportable, se lo jugaría todo a una carta y haría honor a la divisa que había hecho grabar en su espada. «O César o nada.»

Caterina observó con gesto preocupado cómo los grandes cañones que batían la zona del Paraíso eran emplazados en el lienzo de la muralla que miraba al sudoeste. No le importaba que la artillería enemiga castigase otra zona de sus defensas, sino que un cambio como aquél no acababa de comprenderlo.

—Los hombres estarán atentos a cualquier movimiento —indicó a Testadoro, como responsable de las murallas.

—Estaremos pendientes, mi señora.

—Cuando digo a cualquier movimiento, me refiero al vuelo de una mosca.

Testadoro asintió.

—Entendido, mi señora.

—No perdáis de vista lo que suceda tras las líneas de su artillería. Tengo un vago presentimiento.

—¿Algo concreto, mi señora?

Caterina negó con un movimiento de cabeza, pero el capitán vio, por primera vez desde que comenzara el asedio, un brillo de preocupación en las pupilas de la condesa.

—César Borgia sabe que el tiempo es su mayor enemigo. No esperaba la resistencia con que se ha encontrado y la desmoralización hace presa en sus hombres. Los informes que nos llegan hablan de deserciones, del temor a que las tropas de mi tío avancen hacia el sur, con lo que corre el riesgo de quedar atrapado en una tenaza. Tiene que intentar algo que lo saque de la situación en que se encuentra, y la nueva disposición de su artillería es la señal más clara de que ha tomado una decisión.

El responsable de las murallas oteó el horizonte y encogió los hombros.

—No alcanzo a comprender qué pretende con ello.

—Tampoco yo, pero estoy segura de que ha tomado una decisión para poner fin a una situación que no le beneficia.

—Estaremos atentos, mi señora.

Caterina recorrió el adarve de la fortaleza, escrutándolo todo con ojos de halcón para encontrar una pista que le revelase las intenciones de su enemigo. Decidió que la cautela era la mejor arma con que contaba; sólo podía aguardar.

Se retiró al laboratorio porque allí, entre redomas y matraces, ungüentos y pócimas, el tiempo se convertía en un suspiro. Recluida en aquel mundo había tomado una buena parte de las decisiones importantes de su vida. Tenía que meterse en la cabeza de su enemigo si deseaba conocer cuál era su pretensión. La situación del asedio era favorable a sus intereses porque tenía reservas de alimentos y municiones para más de tres meses y estaba al abrigo de sus murallas; podía dejar que los días transcurriesen. Por el contrario, los sitiadores no podían permitírselo.

El alambique no paraba de destilar el negro aceite que sus tropas habían utilizado en el ataque al campamento enemigo. Caterina apilaba las vasijas en un rincón.

45

La llegada a Forlì de las grandes piezas de artillería, que los franceses llevaban días esperando, cambió el panorama. Concentraron su potencia de fuego en dos puntos concretos para probar la intensidad de sus disparos, batiendo un pequeño lienzo de muralla. Fue entonces cuando Caterina comprendió la situación. Reunió a todos los que tenían responsabilidades militares en Ravaldino y a Jacopo Giusti.

En torno a una mesa se arracimaban el comandante Giovanni de Cassale, Bernardino de Cremona, Testadoro y el maestro Constantino. Después de un largo debate, la condesa preguntó a este último:

—¿No tenemos ninguna posibilidad?

—Ninguna, mi señora. Esos cañones franceses tienen mayor alcance que nuestras piezas, están fuera de nuestra línea de tiro. No sé por qué los han reservado hasta ahora. Lo lamento, pero nuestras baterías no pueden hacer nada —señaló De Cassale.

—Eso significa que podrán castigar a placer nuestras defensas.

—Así es, mi señora. Sólo una salida rápida de nuestra caballería podría crearles problemas.

Caterina arrugó el entrecejo.

—No es posible, el Borgia ya lo tiene previsto. ¿No habéis visto que junto a sus cañones hay escuadrones de jinetes prestos a intervenir?

—¿Quizá una salida nocturna...?

—¿Cuánto tiempo resistirá la muralla? —preguntó la condesa a Bernardino de Cremona.

—Aunque por la noche reparamos todo lo posible, no creo que más allá de tres días, a lo sumo cuatro.

Por primera vez, desde que comenzó el asedio, Caterina se sintió en inferioridad frente a su enemigo. Sólo tres o cuatro días... Por su cabeza voló un pensamiento, como si fuese el aleteo de una mariposa, y notó cómo se le aceleraba el pulso.

No era posible que aquel bastardo tuviese conocimiento de algo que... que... Si el castellano tenía razón, podría lanzar su ataque el día... ¡El día 11! ¡Ésa era la mala fecha! ¡La peor de todas! Procuró que ninguno de los presentes notase la zozobra que la agitaba.

Mientras los oficiales discutían acerca de las medidas más convenientes, sus pensamientos estaban en otro lugar. ¿Cómo podía saber el bastardo del Borgia que ése era el día en que había de lanzar el ataque? Sus cañones no batían la nueva zona elegida por casualidad, lo hacían porque estaba preparando su asalto. ¡Un asalto que iba a lanzar el 11 de enero! ¿Habría guardado aquellas piezas para utilizarlas en la fecha señalada?

Los comentarios de los soldados sonaban lejanos en su cabeza. La discusión se centraba en si era mejor ofrecer resistencia en los primeros bastiones o replegarse y concentrar las fuerzas en el núcleo principal de la fortaleza.

—El ataque se producirá el día 11.

Las palabras de la condesa sonaron rotundas. Todos quedaron en silencio, como si hubiesen recibido una orden imperiosa.

—¿Por qué el 11, mi señora?

Caterina miró a Bernardino.

—Porque ése es el día elegido por Borgia.

—¿Cómo lo sabéis? —preguntó el maestro Constantino.

—El ataque será el día 11 —reiteró, sin explicar nada más—. Disponedlo todo para enfrentarnos al asalto en esa fecha. Ahora retiraos y que cada cual cumpla con su deber.

Los hombres inclinaron la cabeza y abandonaron la estancia en silencio.

Caterina sacó de una gaveta un pliego y buscó la parte del documento que más le interesaba; lo leyó con detenimiento.

> La confluencia de Saturno, Marte y Júpiter, que se producirá en el último año del siglo, bajo el signo de Capricornio, anuncia un tiempo de dificultades para vuestra persona y vuestros intereses. Esa conjunción astral os es desfavorable en todas sus manifestaciones, hasta el punto de presentar perfiles letales. Particularmente oscura se presenta la tercera de las semanas del signo de la Cabra, que nunca os ha resultado propicio. Es un tiempo en el que deberéis guardaros de vuestros enemigos y habéis de procurar, por todos los medios a vuestro alcance, evitar confrontaciones en la fecha del vigésimo primer día del recorrido de este signo astrológico. Los resultados serían funestos para vuestros intereses y los de vuestros familiares.

Releyó varias veces aquel párrafo de la carta astrológica que Argila le hizo tiempo atrás, cuando le pidió un pronóstico acerca de lo que le deparaban los astros en su vida. Rememoró sus palabras al entregarle el pergamino: «El peligro que os acecha es negro como la noche, vendrá del norte, aunque sus raíces están en el sur, y buscará vuestra perdición. Su amenaza cobrará la mayor fuerza el vigésimo primer día del signo de la Cabra, cuando el siglo rinda su recorrido».

Todo encajaba hasta en los más pequeños detalles, el ataque se produciría el 11 de enero, el vigésimo primer día del signo de Capricornio. Lo que la intrigaba no era el cumplimiento del vaticinio sino el hecho de que César Borgia, cuyo ejército había descendido desde Milán, desde las tierras del norte, pero cuyo poder estaba al sur, en Roma, estuviese al tanto de aquella conjunción de astros, que tan malos augurios presentaban para ella.

Guardó el pergamino en la gaveta y se dispuso, con la misma serenidad mostrada en los momentos más difíciles de su azarosa existencia, a afrontar el reto que el destino le ponía por delante. Lucharía con todo lo que tenía a mano para torcer el destino de los astros.

La noche en Ravaldino fue intensa. Todos se afanaron en cumplir las precisas instrucciones de la condesa. Centenares de vasijas con la boca sellada fueron distribuidas por los adarves y en el patio se veían las cajas repletas de ellas.

El frío era intenso y los hombres lo combatían con tragos de aguardiente seco, que rajaba la garganta al pasar, pero calentaba el estómago y alejaba a los malos espíritus.

El día 9 amaneció gris. Caterina, desde la muralla, oteaba el horizonte, pero la niebla le impedía ver. Sus oídos, sin embargo, percibieron el sobrecogedor silencio que lo inundaba todo. Podía jurar por los santos evangelios que el enemigo no se había preparado para el asalto. Por mucho que fuese el sigilo con que se moviesen, no era posible mantener un silencio como aquél. Además, no podían sorprenderlos, pues los fosos del castillo delatarían un ataque por cualquier punto.

Algunos empezaban a dudar de la inmediatez del ataque, cuando el rugir de las piezas anunció el comienzo de un cañoneo. Una vez más el enemigo concentró sus disparos sobre el lienzo de muralla que cerraba el flanco sudoeste de la fortaleza. Disparaban desde todos los ángulos posibles con una cadencia hasta entonces desconocida; lo hacían tan rápido, que sus efectos sobre el muro eran demoledores. En poco más de dos horas abrieron dos huecos en la muralla. A eso del mediodía cesó el bombardeo y el batir de los tambores anunció el avance de la infantería pontificia. Había llegado el momento decisivo.

Los artilleros prepararon las mechas, pero la condesa ordenó a Constantino que no se abriese fuego hasta que ella lo ordenase.

—Señora, si les permitimos acercarse, les daremos ventaja. ¡A esta distancia ya podemos causarles mucho quebranto!

—¡No antes de que yo lo ordene! —gritó la condesa, que murmuró algo al oído de Giovanni de Cassale, quién asintió con ligeros movimientos de cabeza, y dio instrucciones a un oficial para que quitasen las lonas que protegían dos pequeñas catapultas instaladas en el patio central y que habían permanecido inactivas hasta aquel momento.

A una orden de la condesa, un centenar largo de ballesteros colocó los virotes y tensó las cuerdas.

Los artilleros estaban nerviosos. Con los cañones dispuestos y las mechas en la mano, aguardaban la orden de abrir fuego. No entendían la estrategia porque las tropas enemigas avanzaban con rapidez y las primeras filas estaban a pocos pasos de los fosos. Los hombres se miraban unos a otros, indecisos. ¿Qué le ocurría a la condesa?

La primera oleada de enemigos estaba a punto de tender las escalas para cruzar los fosos cuando Caterina dio la orden.

Los cañones rugieron, las ballestas dispararon sus mortíferos dardos y las catapultas comenzaron a lanzar las vasijas, después de que unos soldados introdujesen una cánula en los corchos y aplicasen fuego a su inflamable contenido. Una lluvia de bombas y flechas cayó sobre el enemigo, pero lo peor de todo fue el fuego provocado por las vasijas al estrellarse sobre el agua de los fosos, en el momento en que los cruzaban cientos de soldados. Inexplicablemente el agua ardía, quemándolo todo. Ni un solo hombre logró aproximarse a los dos boquetes abiertos en la muralla. En pocos minutos el asalto se convirtió en un estrepitoso fracaso. Caterina contemplaba, hierática, el descalabro de sus enemigos, mientras sus hombres prorrumpían en gritos de júbilo.

Fue entonces cuando llegaron gritos desde el otro extremo de la fortaleza. La caballería francesa lanzaba una carga contra la puerta principal. Muy pronto Bernardino de Cremona, que defendía aquel sector, comprendió que se trataba de una maniobra de distracción, porque un cuerpo de doscientos infantes atacaba por el lienzo que rodeaba el Paraíso, que era el menos protegido. Muchos de los asaltantes lograron salvar los fosos y escalar los muros, apoyados por un grupo de arqueros, que obligó a los defensores a guarecerse tras las almenas. Ganaron la muralla y comenzó una feroz lucha cuerpo a cuerpo en los adarves.

Si no lograban arrojarlos pronto, el enemigo entraría por allí como por un pasillo alfombrado. Caterina, seguida por Giusti, como si fuese su sombra, acudió con algunos hombres en auxilio de sus apurados soldados, mientras daba órdenes a De Cassale para que variasen la posición de tiro de las catapultas. La presencia de la condesa infundió ánimos a sus hombres que lograron hacerse con la muralla, mientras que nuevas bolas de fuego caían sobre los fosos de aquella zona, obligando a los atacantes a replegarse. Todos los que pusieron el pie dentro de la fortaleza perdieron la vida.

Después de tres horas de enconados ataques, las tropas de César Borgia se retiraron sin haber alcanzado ninguno de sus objetivos. Dejaban en el campo más de cuatro centenares de muertos y un número de heridos mucho mayor. Las bajas entre los defensores apenas llegaban al medio centenar entre muertos y heridos.

A la caída de la tarde Caterina estaba convencida de que los malos augurios de Argila podían ser conjurados. El décimo noveno día del dominio de Capricornio no había resultado tan funesto como ella pronosticó para sus intereses. Había que aguantar dos días más para que acabase la temida tercera semana de aquel signo astrológico.

La grave derrota quedó en parte compensada, antes del anochecer. Al campamento pontificio llegó una carreta procedente de Roma. Traía veinte mil ducados, que Alejandro VI enviaba a su hijo. A la mañana siguiente César Borgia ordenó que, sin pérdida de tiempo, se repartiese dinero a sus hombres para estimularles y hacerles olvidar el fracaso de la víspera. En un momento de acaloramiento ofreció una suma fabulosa como recompensa a quien apresase a Caterina. ¡Diez mil ducados para quien se le entregase viva!

No deseaba un cadáver, la quería con vida para vengarse de sus humillaciones.

Durante toda la jornada su artillería batió con furia los castigados muros de la fortaleza, en los que las brechas eran cada vez mayores. Mientras tanto el duque buscaba la forma de enfrentarse al agua ardiente de los fosos.

La mañana del sábado 11 estuvo llena de sobresaltos para los forliveses. Desde poco después de que despuntase el alba, todos los vecinos con un mínimo de aptitudes, hombres, mujeres y niños, fueron sacados de sus casas y concentrados en un descampado a las afueras de la ciudad, donde había grandes montones de leña y taramas. La víspera los soldados pontificios las habían requisado a los vecinos, que se quedaron sin nada con que encender la lumbre y alimentar las chimeneas. Fueron obligados a confeccionar haces y a llevarlos a los fosos con el propósito de rellenarlos y salvar el mayor de los obstáculos para alcanzar el pie de las murallas.

Si los fosos se rellenaban con las fajinas de leña, acceder al pie de la muralla sería un juego de niños. Si quemaba a sus súbditos con aquellas bolas incendiarias, la matanza sería horrible. César Borgia había encontrado la fórmula para que sus soldados entrasen en la fortaleza. No les resultaría fácil pero, antes o después, sus hombres acabarían por romper las defensas.

Mientras se rellenaban los fosos, ante la impotencia de los defensores, unos heraldos los conminaban a la rendición. Si lo hacían, encontrarían clemencia; si se obstinaban en resistir solamente podían esperar la muerte.

Impotente, Caterina observaba desde las murallas el ir y venir de la gente acarreando haces de leña. Descartada la posibilidad de incendiar de nuevo el agua, porque los ancianos, las mujeres y sobre todo los niños arderían en ella, era consciente de que la lucha en las murallas sería una realidad en pocas horas y que allí su resistencia tenía un límite.

Efectivamente, así fue. El asalto de las tropas pontificias apenas se pudo contener un par de horas, por lo que los soldados de Caterina se replegaron a las defensas interiores de la fortaleza.

Poco después de las tres de la tarde, en una tensa reunión, la condesa dio libertad a sus hombres para que optasen por entregarse o resistir. No deseaba obligar a nadie a enfrentarse a una muerte casi segura. Muchos soldados, padres de familia, se despidieron con lágrimas en los ojos. Algunos oficiales también optaron por acogerse a la oferta que el duque les hacía, pero dos centenares de hombres decidieron correr la suerte de su señora.

Giovanni de Cassale negoció salida franca para los refuerzos florentinos, que el enemigo aceptó con la condición de que, sin demora alguna, marchasen hacia la capital de la Toscana. En la negociación se incluyó a varios de los caballeros que acudieron a la defensa de Ravaldino, entre ellos se camufló Scipione Riario.

Antes del anochecer, Caterina se había atrincherado en la torre principal de la fortaleza con los hombres que decidieron compartir su suerte con ella. Desde allí fue testigo de la entrada de sus enemigos en Ravaldino. Lo más doloroso fue abandonar su amado laboratorio y contemplar cómo destruían el valioso instrumental allí depositado: matraces y redomas, atanores y hornillos fueron hechos añicos para humillarla. También vio cómo destrozaban su alambique, mientras los soldados se divertían injuriándola, gritándole obscenidades y llamándola bruja.

Por el momento, había salvado de la furia destructiva algunos libros, el diario en que apuntaba sus experimentos y el cuaderno donde dejaba detallada constancia de la fórmula de sus recetas. También el ajado papel que le regaló Leonardo, donde se encerraba la encriptada fórmula que ya no podría desentrañar.

Las posibilidades de Caterina estaban reducidas a que se operase un inesperado milagro; sin embargo, su voluntad era firme: lucharía hasta el final. Argila no se había equivocado de fecha, la clave había estado en los fosos, no podía matar a niños inocentes y a mujeres indefensas. El 11 de enero Ravaldino había quedado condenado, aunque ella resistiese aún, junto a un puñado de valientes.

César Borgia ordenó que se redoblase la vigilancia; saboreaba su triunfo, pero éste no sería completo si ella se le escapaba. Podía aprovechar la noche y llegar a Florencia, que no distaba tanto como para convertir la huida en una quimera. No conocía a Caterina: la condesa jamás abandonaría a sus hombres, a aquel puñado de fieles decididos a morir junto a ella. Compartiría la suerte que el destino les tuviese reservada.

Al amanecer, el enemigo lanzó un furioso ataque. Abatieron la puerta con un ariete, mientras los defensores asistían impotentes a la operación. Solamente les quedaba vender caras sus vidas.

Los asaltantes penetraron como un huracán en el corazón de la fortaleza, la torre desde la que Caterina Sforza los había desafiado. Se peleó por cada estancia, por cada escalón y por cada palmo de suelo. Conforme los atacantes avanzaban, dejaban un rastro de cadáveres en una pelea, cuerpo a cuerpo, que se prolongó durante más de cuatro horas.

Una veintena de hombres alrededor de la condesa defendieron con bravura cada palmo de terreno, como si esperasen un milagro que les sacase de la desesperada situación en que se encontraban.

Cuando los asaltantes llegaron a la estancia más alta de la torre se enfrentaron a Caterina, que resistía junto a sus últimos hombres. La conminaron a rendirse una vez más, amenazándola con pasar a cuchillo a todos los prisioneros. Su respuesta fue preguntar por el duque de Valentinois.

—¿Dónde se esconde el Borgia? ¿Acaso le faltan agallas para luchar contra una mujer?

Tres soldados que se acercaron para apresarla hubieron de

retroceder ante el mandoble lanzado por la condesa. Tenía la cabeza cubierta por una cota de malla, el rostro empapado por el sudor y el peto de su armadura manchado de sangre.

Desafió otra vez a su enemigo, afeándole que no diese la cara.

El estallido de una bomba produjo un momentáneo desconcierto y luego una gran confusión, que fue aprovechada por un soldado del bailío de Dijon, quien aprovechó un instante en que la condesa se enfrentaba a dos enemigos para sorprenderla por la espalda y hacerla prisionera en nombre de su señor. No tuvo más remedio que deponer su espada y ordenar a sus fieles que entregasen las armas. Le extrañó no ver a Giusti.

Mientras bajaba de la torre, llena de cadáveres, escuchaba los quejidos lastimeros de los heridos. Había sangre por todas partes y los peldaños de las escaleras estaban resbaladizos, como consecuencia de la carnicería.

Salió al patio con la punta de una espada amenazando su espalda, pero con mirada desafiante. A su paso se hacía un silencio, sólo roto por el lamento de algún herido.

Al verla pasar, un oficial murmuró a los hombres que estaban junto a él:

—Nadie será capaz de doblegar el espíritu de esa mujer.

46

—¡Según las leyes de la guerra, es mi prisionera! —gritó el bailío de Dijon, encarándose al duque.

César Borgia se llevó la mano a la empuñadura de su daga y Antoine de Bissey se puso en guardia. Sólo la intervención de Yves d'Allègre evitó el enfrentamiento.

—¡Teneos, señores, teneos! —Abrió los brazos en señal de apaciguamiento—. ¡La condesa no puede ser causa de enfrentamiento!

—¡Es mi prisionera! —repitió el francés—. ¡Y es la ley de la guerra!

—¡Este ejército está bajo mis órdenes! —replicó el duque, sin soltar la empuñadura de su arma.

—Los soldados del rey de Francia son vuestros aliados, pero no tenéis el mando directo sobre ellos; esas tropas dependen de nosotros.

—¿Tenéis mucho interés en la dama? —preguntó D'Allègre a su compatriota, dando a su pregunta un tono conciliador.

—No especialmente. ¡Pero es mi prisionera y he de recordar que el duque ofreció diez mil ducados a quien la capturase viva!

D'Allègre miró a Borgia. En esta ocasión, en contra de lo que ya era una costumbre, el hijo del Papa no llevaba cubierto el rostro con la máscara. Al escrutar sus ojos, el francés supo que aquel hombre estaba dispuesto a cualquier cosa por ser el dueño de la mujer que lo había humillado públicamente.

—Reconoceréis, excelencia, que el bailío tiene razón.

Los diez mil ducados ofrecidos, en un instante de apasionamiento, eran una suma tan fabulosa que, llegado el momento, resultaba dificultoso hacer frente al compromiso lanzado.

D'Allègre, hombre de recursos y curtido en las lides cortesanas, lanzó una propuesta que, tal vez, aportase una solución al problema que enfrentaba a los dos hombres.

—Las leyes de la guerra señalan el derecho de todo soldado a ser dueño de sus presas o a pedir rescate por ellas. En este caso, la presa obtenida es persona de calidad, a lo que se añade que existía un ofrecimiento previo por su captura. Os pregunto a vos, Antoine de Bissey, ¿aceptáis como rescate la suma ofrecida por Su Excelencia?

—Acepto, siempre y cuando la condesa Caterina sea considerada prisionera del rey de Francia.

—¡Queréis alzaros con el santo y la peana! —gritó irritado el duque—. ¡Esa suma es el rescate de una reina!

—Vos la pusisteis —indicó D'Allègre—. ¿Estaríais dispuesto a pagar los diez mil ducados ofrecidos, si la prisionera es vuestra?

—¡Siempre y cuando sea mía sin condiciones!

—¡Es prisionera del rey de Francia! —insistió el bailío.

—¡No, si pago esa fortuna!

—Un poco de calma, señores, un poco de calma. —D'Allègre tomó del brazo a De Bissey y tiró de él hacia un rincón—. Disculpadnos un momento, excelencia.

Los dos franceses sostuvieron una breve conversación.

Caterina quedó encerrada en una dependencia de la fortaleza, conocida como el Tinello. Junto a ella estaban Bernardino de Cremona y el canciller Baldraccani. También algunas mujeres y varios caballeros de los que defendieron junto a ella el último bastión de Ravaldino. Allí aguardaban su destino, ajenos a la negociación que se celebraba a poca distancia de su encierro.

El ambiente en el Tinello era sombrío. La condesa daba ánimos a sus afligidos compañeros, aunque era consciente de que el futuro no se presentaba halagüeño.

El chirriar de los goznes los alertó. Caterina, que en aquel momento oteaba el horizonte desde la pequeña y enrejada ventana que daba ventilación a la estancia, se volvió para ver cómo entraba un piquete de soldados. Tras ellos apareció César Borgia con el rostro cubierto.

Los soldados, sin guardar consideración a la calidad de su persona, se acercaron hasta la condesa con gestos cargados de altanería, mientras el duque permanecía en la puerta, inmóvil, como si fuese una estatua de metal. Su negra presencia intimidaba.

—¡Encadenadla! —ordenó el soldado que mandaba el piquete.

Caterina no se movió, tenía clavada la mirada en su antagonista, por lo que el soldado repitió la orden con más energía.

—¡Encadenadla!

Sin apartar la mirada de su enemigo, la condesa alzó la barbilla en un gesto cargado de dignidad y extendió los brazos ofreciendo sus muñecas. El soldado, visiblemente nervioso, se volvió e interrogó con la mirada al Borgia, quien hizo un gesto apenas perceptible con la cabeza.

Uno de los hombres le sujetó los brazos hasta juntar sus muñecas a la espalda y le colocó unos grilletes. Varios de los prisioneros hicieron ademán de acudir en defensa de su señora, pero las picas de los soldados los mantuvieron a raya.

Caterina, altiva y en silencio, abandonó el Tinello. Tras su máscara, el hijo del Papa no pudo disfrutar el momento, porque la altivez de su prisionera no le dejó resquicio. Incluso tuvo que hacerse a un lado para dejarla pasar. Fue en ese instante cuando cruzaron una mirada de desafío. La proximidad de su más encarnizada enemiga le produjo un estremecimiento: a pesar de haber cumplido los treinta y seis años era una mujer bella y llena de atractivo. Pensó que tendría que domarla y sabía cómo hacerlo.

Caterina fue conducida a la mansión de Luffo Numai y encerrada en un sótano, utilizado como bodega. Allí aguardó largas horas, en medio de la oscuridad, esposada y sentada en un catre mugriento. Su única compañía eran las ratas, a las que escuchaba corretear cada vez más cerca de ella, agitadas ante la intrusión que suponía su presencia. Poco a poco fue perdiendo la noción del tiempo, a la vez que el hambre y, sobre todo, la sed se convertían en una tortura insoportable.

Un ruido al otro lado de la puerta la puso en tensión. La deslumbró la luz de unas antorchas y necesitó algún tiempo para percibir los contornos de la imagen de César Borgia, cuya silueta cobraba matices conforme pasaban los segundos. Ya no llevaba la armadura que vestía en la puerta del Tinello, mientras contemplaba cómo le colocaban los grilletes. Ahora ofrecía la imagen de un cortesano vestido con un traje de seda negra, ricamente bordado.

Cuando sus pupilas se acostumbraron pudo verle el rostro sin la máscara. Las úlceras lo marcaban profundamente, afeando unas facciones que en otro tiempo debieron ser bellas.

Ordenó a los dos criados que lo acompañaban que colocasen las antorchas en unas argollas y que cerrasen la puerta al marcharse. Después se acercó al catre. Caterina se había incorporado con dificultad porque, con las manos esposadas a la espalda, le resultaba difícil moverse. Sin decir palabra, el Borgia le rasgó de un tirón la camisa y, tirando de ella hacia atrás, pudo contemplar unos hombros brillantes y redondos y unos hermosos pechos. No eran los de una mujer que había parido media docena de veces. Después buscó el cierre de los calzones, unos cordones que ajustaban la cintura, deshizo los nudos y los aflojó con manos torpes; la despojó de la ropa y la dejó completamente desnuda.

Caterina se mantenía impasible, dejándose hacer. Trataba de controlar su agitada respiración y apretaba las mandíbulas, pero ni abrió la boca, ni opuso resistencia. Sabía sobradamente lo que venía a continuación, pero estaba dispuesta a ganar aquella batalla con las únicas armas que tenía a su alcance. El duque la empujó sobre el catre y ella abrió las piernas en un gesto cargado de erotismo y, con su cuerpo, desafió al hombre que tenía delante con las calzas bajadas.

César Borgia se abalanzó sobre ella y la embistió con la fuerza del toro que campeaba en su escudo familiar. Penetró a su prisionera con una furia desprovista de toda consideración, porque sus instintos iban mucho más allá de una apetencia sexual sobre una mujer hermosa. Con aquel acto, deseaba sobre todo mostrarle su dominio y humillarla como mujer en lo más íntimo de su ser. Era su prisionera y podía hacer con ella lo que le viniese en gana.

La embestida, sin embargo, fue breve, mucho más breve de lo que hubiese deseado porque la mujer que tenía bajo su cuerpo estaba cargada de sensualidad. Con satisfacción contenida, Caterina comprobó cómo el cuerpo de su enemigo se tensaba primero, se arqueaba después para aflojarse finalmente y luego desmadejarse poco a poco, mientras dejaba escapar unos gemidos sordos y contenidos. Fue el instante que ella aprovechó para susurrarle al oído.

—¿Esto es todo?

El duque contuvo la respiración, no daba crédito a lo que escuchaban sus oídos.

—¿Vuestra excelencia ya ha concluido?

Un latigazo sobre su espalda no le habría resultado más doloroso. Se incorporó rápidamente y cuando se vio de pie arrastrando las calzas, lo invadió la misma sensación que tuvo al pie de la muralla de Ravaldino. Se sentía humillado.

—¿No desea vuestra excelencia intentarlo de nuevo?

El hijo del Papa estaba desconcertado. Caterina Sforza, con las manos a la espalda, sujetada con grilletes, estaba desafiándolo de la única forma que podía hacerlo en aquellas circunstancias.

Lo estaba desafiando como mujer.

Se montó a horcajadas sobre ella, que permaneció inmóvil, retándolo con la mirada.

—¿A qué aguardáis? ¿Acaso todo lo que se dice de vuestra excelencia es pura palabrería?

El duque bramó ciego de ira.

Caterina abrió las piernas y lo provocó con una contorsión de sus caderas. Otra vez se ofrecía, sacando de quicio a su enemigo porque ni oponía resistencia, ni se defendía, ni gritaba. En realidad era ella quien lo provocaba.

La penetró otra vez, pero ahora se mostró menos impulsivo. Ella lo abrazó con las piernas, rodeándolo por la cintura, facilitándole la labor. Las palabras de Caterina sonaron como un desafío:

—Si tuviese las manos libres…

Se sintió atrapado entre el deseo y su sed de venganza.

Muchas horas de los últimos días las había dedicado a pensar la mejor manera de doblegar la voluntad de Caterina, de humillarla, de destrozarla emocionalmente.

Sin embargo, en aquel duelo personal el derrotado era él. Caterina lo acababa de vencer en lo más íntimo de su ser y ésa era la peor de las humillaciones, la que se producía en la intimidad, sin testigos. Algo que quedaba solamente entre ellos dos.

Dominó su deseo y no consumó un acto donde se sentía una marioneta sin voluntad. Abandonó el lecho, pero mientras se subía las calzas no podía apartar su mirada de aquel cuerpo voluptuoso del que emanaba una sensualidad morbosa. Ella le sostenía la mirada, por lo que el duque, obsesionado, pensó que se ofrecía impúdicamente. En realidad, Caterina nada podía hacer con las manos esposadas a la espalda.

—¡Zorra! —le gritó con desprecio, tratando de desahogar su frustración con el insulto.

—Veo que el encuentro no ha sido de vuestro gusto. Ya os lo he dicho, si tuviese las manos libres…

César Borgia tomó una de las antorchas y abandonó la bodega en silencio. Caterina escuchó cómo subía las escaleras porque la puerta había quedado abierta.

A los ojos del mundo era el héroe del momento. Había logrado doblegar a la indomable Caterina Sforza, se había apoderado de Ravaldino y con ello salvaba el principal de los obstáculos para construir un poderoso feudo papal en la Romaña. Era el vencedor.

Pero nunca un vencedor se había sentido tan derrotado como se sentía César Borgia, mientras subía aquellas escaleras.

47

Un grupo de soldados, mandados por un empenachado oficial, se detuvo ante la casa de Luffo Numai y tomaron posiciones, como si fuesen a asaltarla. La gente se arremolinó, expectante. El oficial y media docena de soldados entraron en la vivienda.

Los minutos pasaban y en la calle se agolpó una muchedumbre atraída por los gritos descompuestos que se escuchaban en la casa. La gente especuló sobre la salida de dos soldados, que montaron en sus caballos y se alejaron del lugar, mientras en la casa continuaba la trifulca, a tenor de los gritos que se escuchaban. Al cabo de veinte minutos los dos jinetes regresaron; con ellos venía una carroza de la que bajaron dos damas. Poco después salió la condesa, acompañada por las mujeres y escoltada por los soldados. En la palidez de su rostro se reflejaba el encierro padecido que, sin embargo, no domeñaba ni su elegancia natural ni su perfil arrogante. Vestía un traje de seda y satén morado que resaltaba su figura. Hacía mucho tiempo que, armada como un guerrero, no se ponía las prendas propias de una persona de su calidad.

Como ocurriera en otros momentos señeros de su vida, la gente, al verla, guardó un silencio respetuoso. En la desgracia, Caterina Sforza emanaba un magnetismo que se transmitía a quienes la veían, lo que agigantaba su figura y producía un respeto reverencial, que reconocían hasta sus más encarnizados enemigos.

Ayudada por las damas subió a la carroza, echó las cortinillas y escoltada por el escuadrón de jinetes franceses abandonó el lugar. El bailío de Dijon acababa de raptarla delante de la muchedumbre congregada ante la casa de Luffo Numai.

Inmediatamente después un jinete partió hacia el campamento, donde el duque de Valentinois discutía los planes militares de las próximas jornadas. Cuando tuvo conocimiento de lo que ocurría se dirigió a toda prisa a la casa donde había sido llevada la condesa y se alojaba el bailío de Dijon.

—¡No habéis cumplido con vuestra obligación!

—¡Quien no ha cumplido con sus obligaciones ha sido vuestra excelencia! ¡Ha tratado a la condesa como si fuese un vulgar malhechor!

—¡Caterina Sforza es mi prisionera!

—¡Eso no os autoriza a ultrajarla y vejarla!

—¿Qué sabéis vos de eso?

—Más de lo que imagina vuestra excelencia. ¿Acaso no es ultraje mantener, a una persona de su calidad, encadenada en un sótano con las ratas por compañía?

Los dos hombres, frente a frente, se midieron con dureza y, una vez más, Yves d'Allègre trató de apaciguar los ánimos.

—Nada se resolverá con enfrentamientos. El bailío tiene razón cuando señala lo inadecuado de las condiciones de la prisión de la condesa, y a vuestra excelencia no le falta cuando afirma que el bailío se ha propasado al llevarse a su prisionera.

Unos golpes en la puerta anunciaron la presencia de un oficial de caballería.

—Disculpadme, señor… —el soldado se dirigía a Yves d'Allègre—, pero acaba de llegar correo de Milán. El mensajero dice que es de la máxima urgencia y tiene instrucciones de entregároslo en mano.

—Hazle pasar.

El militar hizo una ligera inclinación de cabeza y, sin abandonar la estancia, ordenó entrar al jinete, que aguardaba al otro lado de la puerta. Su rostro y sus vestiduras —se trataba de uno de los espías enviados al ducado de Milán— señalaban el esfuerzo de una larga e intensa cabalgada. Hizo una reverencia poco cortesana y después miró a los tres hombres que tenía delante.

—*Monsieur*, traigo noticias importantes en relación con la misión que me fue encomendada.

—¿Qué dicen esas noticias?

—Se trata de una carta de *monsieur* De la Blanche.

Yves d'Allègre supo que se trataba de algo muy grave.

El mensajero le entregó la carta, a la par que señalaba el gran esfuerzo realizado:

—He cubierto la distancia desde Milán en tres jornadas y media, señor. Dos caballos han quedado inservibles, pero he cumplido el encargo que se me hizo.

El comandante francés entendió el comentario.

—Que lo atiendan de forma adecuada y se le recompense por su esfuerzo —ordenó D'Allègre al oficial.

El lacre aseguraba su confidencialidad. Una flor de lis resaltaba en el centro del sello.

—Si me disculpáis…

Se volvió hacia la ventana y leyó el mensaje.

El Moro ha cruzado la frontera del ducado al frente de un ejército de más de veinte mil hombres, en su mayoría lansquenetes alemanes y mercenarios suizos. También hay varias compañías de jinetes del Milanesado. En Milán, donde se espera su entrada en los próximos días, se producen grandes muestras de simpatía hacia su persona, y por las poblaciones del norte se le recibe como su señor natural.

Los intereses del rey nuestro señor nos han aconsejado evacuar la ciudad y replegarnos a posiciones más seguras. Me siento en la obligación de comunicaros que con estos movimientos tácticos, en pocas jornadas, la situación de vuestras tropas en la Romaña se volverá complicada, al menos de forma momentánea, en caso de que consideréis necesario replegaros hacia el norte.

Adoptad, pues, las disposiciones que consideréis más adecuadas, a la vista de las circunstancias presentes.

FRANÇOIS DE LA BLANCHE

Dobló cuidadosamente la carta y la guardó en su jubón. Ahora tenía un motivo para tomar la decisión que deseaba hacía mucho tiempo; aquella carta era su salvoconducto para explicar al rey una decisión tan importante como la que tomaba mientras leía. Estaba harto del frío, de la lluvia, de las incomodidades de un asedio que se había prolongado mucho más allá de las previsiones iniciales. Añoraba los encantos y las comodidades de su amado París.

—La situación en el norte es complicada y confusa. Se confirma el avance del Moro sobre Milán.

—Eso no es nada nuevo. Los rumores sobre ello no han dejado de circular desde hace semanas —señaló el duque.

Las urgencias militares desplazaban, momentáneamente, la disputa en torno a Caterina.

—La diferencia está en que ahora —se llevó la mano al pecho, donde guardaba la carta— no se trata de un rumor. La presencia de Ludovico Sforza es una certeza; además, por todas partes es acogido con grandes muestras de simpatía.

El rostro de César Borgia se contrajo resaltando sus llagas.

—Serán agentes pagados por el Moro.

—No opina igual *monsieur* De la Blanche. Ha dado órdenes de que sus tropas, en un movimiento táctico, abandonen Milán.

César Borgia se quedó estupefacto. Sabía lo que, en realidad, significaba aquel juego de palabras: era una forma elegante de señalar que los franceses abandonaban el Milanesado.

—¡No es posible!

El bailío intercambió una mirada cómplice con su compatriota.

—Excelencia, no estoy hablando de posibilidades, sino de realidades. El repliegue de nuestras tropas de Milán es un hecho y a vuestra excelencia no se le oculta que ese movimiento afecta de forma directa a nuestra posición en la Romaña.

—¿Qué insinuáis?

—Nada, excelencia, no insinúo nada. Simplemente señalo que nuestra posición no es insostenible, pero corremos un grave riesgo en caso de que nos cierre el paso, impidiendo un eventual repliegue.

—¿Qué queréis decir con un eventual repliegue? —preguntó César Borgia.

—Lo que vuestra excelencia está pensando en estos momentos.

D'Allègre llamó al oficial que guardaba la puerta.

—Que se curse aviso a todos los comandantes para celebrar una reunión dentro… —dudó un instante— dentro de dos horas.

César Borgia sabía lo que aquello significaba.

48

Los forliveses subidos en las murallas de la ciudad celebraban la marcha de los franceses. En veinticuatro horas lo habían dispuesto todo para replegarse hacia el norte. Una vez que las tropas estuvieron fuera de la ciudad, la alegría degeneró en insultos hacia quienes durante más de un mes los habían mortificado, extorsionado y humillado sin consideraciones.

En aquellos momentos, en casa de Luffo Numai, César Borgia se sentía impotente ante lo que consideraba un incumplimiento de los acuerdos cerrados con el monarca galo. Sus protestas, invocándolos, no sirvieron para nada. Yves d'Allègre afirmaba que las circunstancias habían cambiado sustancialmente en el ducado de Milán y que permanecer en la Romaña significaba poner en grave riesgo la vida de sus hombres. Estaba seguro de que Su Majestad aprobaría aquella actuación.

Tan inesperada decisión lo dejaba sin aliados y se complicaban de forma grave sus posibilidades de continuar la campaña. Tendría dificultades si se mantenía firme en su decisión de apoderarse de las Marcas y consolidar el dominio pontificio en el centro de Italia.

El último enfrentamiento entre el duque y los franceses lo provocó la situación de Caterina. El bailío la reclamó al considerarla su prisionera, pero la negativa de Borgia fue rotunda. La condesa quedaba en su poder.

En los días siguientes la forzó en varias ocasiones, pero cada vez que lo hizo ella le respondió de la misma forma, desafiándolo a que continuase cuando sus fuerzas no se lo permitían.

En uno de esos encuentros, Caterina le formuló una extraña pregunta.

—¿Cómo supisteis que el ataque había de lanzarse en la fecha en que lo hicisteis?

César se echó hacia atrás, como si desease tomar perspectiva ante una pregunta que le producía sorpresa.

—No os entiendo. ¿Qué queréis decir con eso?

Ahora fue ella quien quedó sorprendida o, tal vez, ¿se trataba de una artimaña de su enemigo?

—¿Por qué atacasteis el 11 de enero? ¿Qué sabíais?

César Borgia tomó un candelabro y lo acercó al rostro de Caterina para ver mejor sus facciones.

—¿Se ha trastornado vuestro juicio?

También ella podía ver mejor el rostro del duque y supo que, en esta ocasión, no había doblez en sus palabras.

—Olvidadlo.

La agarró por la muñeca y le exigió una respuesta.

—¡De ninguna manera! Quiero saber por qué me habéis hecho una pregunta como ésa.

Caterina pensó que no merecía la pena guardar un secreto que carecía de valor.

—Mi carta astrológica señalaba que era un día aciago para mis intereses. Supuse que lo sabíais.

César Borgia negó con la cabeza y sus labios dibujaron una mueca de desprecio. No creía en vaticinios de esa clase, aunque recordó el empeño de Tiberti en atacar en la fecha señalada. Aquiles estaba siempre rodeado de astrólogos, pronosticadores y arúspices.

Los jinetes aprovecharon la luna llena para cabalgar toda la noche.

Amanecía cuando avistaron las torres y las espadañas de las iglesias de Roma. Los primeros rayos de sol ponían suaves reflejos dorados al frío paisaje que ofrecía la campiña romana aquel 7 de febrero. César Borgia templó el paso de su caballo, cuyo pelo brillaba empapado en sudor. Acababan de abrir la puerta para acceder a la ciudad por la vía Emilia y los soldados que la custodiaban daban paso a un grupo de campesinos que se agolpaba ante ella. Al percatarse de su presencia, despejaron la puerta sin ninguna clase de miramientos.

Tardaron más de lo habitual en cruzar la ciudad porque, conforme se acercaban a la plaza donde se alzaba San Pedro del Vaticano, aumentaban los mendigos y pordioseros que se desperezaban para comenzar una nueva jornada y a ellos se sumaba un inusual número de forasteros. El duque no recordó que era año jubilar hasta ver la muchedumbre. Todo estaba lleno de peregrinos a la búsqueda de las indulgencias que Alejandro VI concedía a quienes visitasen la ciudad y depositasen sus limosnas en los lugares señalados al efecto. No pudo evitar una sonrisa al recordar un fuerte debate, cuando todavía vestía la púrpura cardenalicia, acerca de las cantidades que habían de entregar quienes visitasen Roma para alcanzar los beneficios espirituales que se concedían a los peregrinos.

El secretario del Papa no salía de su asombro.

—¡Qué sorpresa, excelencia! No os esperábamos.

El sacerdote de deshacía en reverencias y palabras de bienvenida. El duque lo cortó con sequedad:

—Dile a Su Santidad que estoy aquí.

—Lo informaré en cuanto concluya la celebración de la misa que celebra en estos momentos.

—¿Dónde está?

—En su capilla privada, excelencia. ¿Desea vuestra excelencia lavarse y comer algo?

César se miró y comprobó que sus negras vestiduras estaban polvorientas, testimonio elocuente de su larga cabalgada. Se golpeaba rítmicamente la palma de la mano con los guantes de recio cuero.

—¿Mi padre ha desayunado?

El secretario se escandalizó.

—¡Está en ayunas, excelencia! Como os he dicho, en estos momentos celebra el santo sacrificio de la misa.

—En tal caso, dile que me gustaría acompañarle en el desayuno. Mientras tanto, me vendrá bien mejorar algo mi aspecto.

Alejandro VI recibió a su hijo con afecto paternal, aunque César, siguiendo el protocolo, hizo ademán de hincar la rodilla con la cabeza humillada para besar su anillo. El Papa tiró de sus hombros y lo alzó, abrazándolo. Ordenó a su secretario que nadie los molestase.

El Santo Padre picoteaba de las bandejas de manjares que llenaban la mesa y disfrutaba viendo comer a su hijo con un apetito rayano en la voracidad. Una noche entera a lomos de un corcel justificaba tanta hambre; aunque era proverbial la resistencia del duque: podía soportar días enteros sin tomar alimento alguno.

—¡Por fin lograste expulsar a la zorra de su madriguera! —exclamó el pontífice rebosante de satisfacción.

César se limpió con la servilleta la comisura de sus labios, dio un sorbo al vino de su copa y comentó sin levantar la vista de los alimentos:

—Resultó mucho más difícil de lo que esperábamos.

—Éramos conscientes de que la empresa no resultaría fácil.

—Cierto, pero resistir en Ravaldino sin esperanza de ayuda...

—Siempre luchó en solitario, eso jamás supuso un obstáculo para ella. Tú eras muy joven, apenas un niño, cuando nos desafió a todos desde los muros de Sant'Angelo. ¡Ah, si su marido hubiese sido más decidido! ¡Nos habría impuesto sus condiciones!

—Ahora está en nuestro poder —comentó el duque con voz neutra.

Alejandro VI bebió pausadamente de su copa, paladeó el excelente vino de Chipre, muy difícil de encontrar porque la demanda era mucha y los venecianos monopolizaban su comercio.

—Tengo entendido que a los franceses les preocupa la presencia del Moro en Milán —comentó el Papa.

Los finos labios del duque dibujaron una mueca.

—¿Les preocupa? ¡Los ha aterrorizado!

—¿Por qué dices eso?

—Porque se repliegan hacia el norte.

Alejandro VI miró a su hijo, sus pupilas brillaban.

—No es posible.

—Lo es. Ayer levantaron el campamento porque albergan el temor de que el Sforza les pueda cortar la retirada.

Los ojos del Papa se velaron y César comentó en voz baja:

—Eso significa que estaremos solos en nuestro ataque contra Pesaro.

El Papa bebió otra vez de su copa y, tras un breve silencio, planteó:

—¿Quién ha dicho que atacaremos Pesaro?

Su hijo alzó la vista.

—No te entiendo…

—En estos momentos eres un triunfador, no puedes arriesgar tu éxito ante los muros de Pesaro. ¡Ni te imaginas cómo se ha vivido en Roma el asedio a Ravaldino! Durante esas semanas se cruzaron apuestas, hubo reyertas y enfrentamientos. Unos daban como favorita a Caterina y otros se inclinaban por ti. ¡Ha sido algo increíble! Tu victoria va mucho más allá de lo que piensas. No podemos arriesgarla con una operación menor. Pesaro caerá a su debido tiempo, ahora tenemos que explotar tu triunfo y aguardar los acontecimientos de Milán.

—¿A qué te refieres?

—Tengo noticias de que la posición del Moro no es tan sólida como parece.

—¡Sin embargo, los franceses se han replegado hacia el norte!

La fina cristalería del servicio bailó sobre ella con el golpe que César dio sobre la mesa. Su padre lo miró con aire bonachón, pero con un fondo de reproche. Pensó en lo fuertes que eran los impulsos de la juventud, que él mismo había practicado con exceso. Con frecuencia conducían por senderos equivocados. Tamborileó con los dedos sobre el mantel.

—Porque De la Blanche se puso nervioso. De todas formas, un repliegue a tiempo, en la mayoría de los casos, suele suponer una victoria.

Cruzaron una mirada. El Papa lamentó que las úlceras del rostro de César le restasen atractivo y pensó en lo cruel que, en ocasiones, se muestra el destino. Él, que había gozado sin tasa y continuaba haciéndolo aunque con cierta mesura de los placeres que le proporcionaba la adorable Giulia Farnesio, se mantenía con una lozanía impropia de su edad, mientras que su amado César, en la flor de la vida, aparecía castigado con aquella maldita enfermedad que los franceses habían esparcido por toda Italia.

—¿Tienes algún plan?

Alejandro bebió antes de responder.

—Olvídate de Pesaro... por el momento. Como te he dicho, hemos de explotar tu triunfo. No todos los días se vence a un Sforza, y si se trata de la indomable Caterina...

—¿Qué propones?

—Volver a las glorias de la Roma imperial. ¡A los viejos tiempos de los césares!

Las pupilas que ahora brillaban eran las del hijo. Había imaginado un encuentro en términos muy diferentes. Esperaba encontrarse con la cólera de su padre por la retirada francesa y, sin embargo, lo veía contento, casi eufórico.

—No comprendo.

—Es muy fácil, hijo mío. —En la boca del Papa se dibujó una sonrisa de condescendencia—. ¡Vamos a mostrarle al mundo el triunfo de un César! ¡El triunfo de César Borgia! Escúchame con atención.

Ni el año jubilar decretado por Alejandro VI, con el cúmulo de celebraciones que implicaba en las cuatro grandes basílicas de Roma —San Pedro del Vaticano, Santa María la Mayor, San Pablo Extramuros y San Juan de Letrán— y en todas y cada una de las iglesias de la ciudad, donde las masas de peregrinos buscaban la indulgencia plenaria establecida por el Papa, ni la celebración del carnaval, hicieron sombra a la triunfal entrada de César Borgia.

Los preparativos dispuestos por el pontífice la retrasaron hasta los últimos días de febrero, en que los astros se mostraban propicios con los Borgia.

Por aquellos días las noticias que llegaban de Milán no podían ser mejores. La posición del Moro, como apuntara el pontífice, no era tan sólida como en un primer momento se dijo. Era cierto que De la Blanche huyó a las primeras de cambio y que los partidarios de los Sforza armaron mucho ruido, hasta el punto de crear un estado de opinión a su favor, que parecía extenderse por todo el Milanesado. Las cosas no eran exactamente así. Las últimas noticias señalaban que las tropas de Luis XII ganaban posiciones, mientras que las del Moro se debilitaban. En Milán las espadas estaban en alto y aún debía librarse la batalla en que se iba a decidir la suerte del ducado.

Pospuesto el ataque a las Marcas y su principal bastión, la ciudad de Pesaro, César preparó meticulosamente, siguiendo las precisas instrucciones paternas, su entrada en Roma.

Rememorarían el esplendor de la entrada en la ciudad de un general victorioso, cuando regresaba de una triunfal campaña. Alejandro VI consultó con historiadores, eruditos y peritos en el mundo clásico. Todos se sintieron entusiasmados ante la perspectiva de colaborar en un acontecimiento que recordaba momentos culminantes de una civilización y unas formas de vida que volvían a estar de moda.

Era como un renacer de las formas clásicas en todas sus manifestaciones. Se leía, se recitaba y se hablaba en latín en los salones más importantes, la aristocracia romana rivalizaba por aprenderlo y se enseñaba en las academias. Se descubrían antiguos textos perdidos u ocultos en viejas bibliotecas. En las décadas anteriores, la llegada de hombres de letras, artistas, lingüistas, historiadores y eruditos procedentes de la Constantinopla amenazada por los turcos, colaboró mucho a crear ese ambiente que ahora eclosionaba por todas partes. En las academias de la ciudad se hablaba en latín, todo lo demás era vulgar. Se construía según los cánones de belleza del mundo clásico y se leía a autores como Horacio, Cicerón, Virgilio u Ovidio, cada vez al alcance de más personas gracias a la difusión de la imprenta.

El espíritu grecorromano lo inundaba todo, también las fiestas, donde los invitados acudían vestidos con atuendos que rememoraban los tiempos del imperio. Fiestas que, con frecuencia, degeneraban, como en la Roma de los césares, en auténticas bacanales donde la gula y la lujuria se desataban sin freno.

El Papa dispuso que la entrada de su hijo imitara a la realizada por César a su regreso de la Galia. Al fin y al cabo, también él venía de Francia. El recorrido estaría jalonado por arcos de triunfo y, en todos ellos, podría verse el escudo de los Borgia y la divisa del triunfador: «O César o nada».

La seguridad correría a cargo de varias compañías de tropas pontificias, con vistosos uniformes adornados con plumas rojas y doradas, los colores de los Borgia, cuyos estandartes con el toro que simbolizaba a la familia tremolarían adornando el recorrido, al tiempo que mostraban a todos quiénes eran los verdaderos dueños de Roma. Las docenas de miles de peregrinos que llenaban la ciudad serían testigos de la grandeza del Papa y esparcirían a los cuatro vientos los poderes de Alejandro VI.

«La entrada de César» era la comidilla de las tabernas y los mesones, donde no se daba abasto para satisfacer la demanda de los parroquianos que, venidos de los más apartados rincones, buscaban perdón para sus pecados y consuelo para sus conciencias.

La fecha era el 26 de febrero, un señalado día de carnaval, y fueron muchos los romanos que, aprovechando la celebración de tan profana fiesta, se vistieron con indumentarias propias del mundo clásico.

Desde muy temprano la gente se agolpaba a lo largo del recorrido. En la plaza del Vaticano, en un estrado con dosel, tomarían asiento los miembros de la curia y Alejandro VI, revestido con todas las insignias de su cargo, aguardaría entronizado ante la puerta de la basílica.

El desfile se inició una hora antes del *angelus*. Lo abría un escuadrón de jinetes con relucientes armaduras, montando corceles blancos, y en cuyas lanzas ondeaban guiones con el escudo de los Borgia. Tras ellos, media docena de añafileros, también a caballo y tocados con grandes y emplumados gorros de terciopelo, llamaban la atención con toques de trompeta.

Antes de dar paso a las tropas de infantería, vestidas con llamativos colores que variaban según la compañía a la que pertenecían, seguían filas de tamborileros, que atronaban con sus redobles el cielo de Roma. La gente percibía en sus estómagos el estruendoso retumbar de un centenar de cajas de guerra al unísono.

Hombres, mujeres y niños gritaban entusiasmados al paso de los soldados, entre los que podían verse robustos mercenarios alemanes, de rostro mofletudo y llamativos mostachos, tocados con grandes sombreros ladeados sobre sus cabezas y con sus largas picas al hombro; algunos espectadores los llamaban tudescos. También cuerpos de ballesteros suizos que, con sus mortíferas armas cruzadas sobre el hombro, cantaban canciones de tonos agudos; infantes napolitanos con la cabeza descubierta, rostros aceitunados y negras cabelleras aceitadas, que caían sobre sus hombros, vestidos de forma desigual, pero siempre ostentosa; iban armados con espadas cortas que recordaban las de los legionarios romanos.

La gente no paraba de gritar, de señalar y vociferar. El espectáculo, ciertamente, era digno de un emperador.

Tras los infantes desfilaba la artillería. Relucientes piezas de bronce de diferentes tamaños, montadas sobre sus armones y transportadas en carros tirados por mulos, a los que se habían quitado los laterales para exhibirlas mejor. Era cerca del mediodía cuando un cuerpo de jinetes, vestidos lujosamente con sedas y damascos de vivos colores, precedidos de una banda de tambores y cornetas, anunció la llegada de César Borgia.

Saludaba a la muchedumbre desde un adornado carro de amplia plataforma, con forma de cuadriga, rodeado de una guardia de honor equipada con relucientes armaduras. Iba vestido de negro y ése era también el color de su armadura, decorada con un delicado trabajo de arabescos dorados. Sobre su pecho llevaba una gruesa cadena de la que colgaba la figura de un toro esmaltado y cuajado de piedras preciosas. A su lado un criado le susurraba al oído, como hacían en la Roma imperial con los generales victoriosos:

—*Respice post te, hominem mortalen te esse memento.*

Su imagen era arrogante. Los vítores de admiración arreciaban a su paso.

—¡César! ¡César! ¡César!

Era llamativo, sin embargo, el silencio momentáneo que se producía al ver la figura que lo acompañaba, un paso atrás, en el carro triunfal: una mujer, con las manos y los pies atados con una cadena de oro.

Su porte era altivo, casi majestuoso, a lo que colaboraba la túnica de seda carmesí que vestía. Su rostro, con la mirada perdida en un punto indeterminado, resultaba tan inexpresivo, que nadie podía imaginar lo que en aquellos momentos pasaba por su cabeza.

Después del silencio, fruto de la sorpresa, un murmullo se extendía entre la muchedumbre:

—¡Es la condesa Caterina!

—¡Es Caterina Sforza!

—¡Es la Dama del Dragón!

César Borgia había decidido, sin el menor de los pudores, exhibirla como un trofeo.

El rumor de su presencia en el cortejo se extendió a mucha más velocidad de la que marchaba el desfile, que se recreaba en su propio movimiento. En pocos minutos, la noticia de su presencia había llegado hasta la plaza de San Pedro. El gentío comprobó cómo se producía cierta agitación en el estrado de los cardenales.

Estaba previsto que el triunfal recorrido llegara hasta el mausoleo de Augusto. Era una ruina abandonada, pero conservaba la grandiosidad del monumental sepulcro que guardaba los restos del primero de los emperadores. Allí, el duque descendería de su carro para realizar una ofrenda floral en la tumba del fundador del imperio.

El auriga tiró de las riendas y los negros corceles se detuvieron. César Borgia bajó del carro y por un momento su mirada se cruzó con la de su prisionera. Hubiese dado cualquier cosa por saber qué pasaba por su cabeza.

Al quedar sola en la cuadriga la figura de la prisionera cobró más relieve. Su imagen solitaria, pero envuelta en un halo de dignidad pese a estar encadenada, se agigantó. Entonces, se produjo lo imprevisto.

En el instante en que el Borgia se agachaba para dar los últimos retoques a la gran corona de laurel que portaban, con aire ceremonioso, cuatro de sus hombres, llegó a sus oídos un grito, que se elevó por encima del clamor de la muchedumbre.

—¡Viva *madonna* Caterina!

Los gritos se apagaron y se hizo un silencio momentáneo, cargado de expectación. La gente vacilaba; César Borgia, sorprendido, se había incorporado.

El grito se elevó otra vez, sólo que ahora se escuchó con más nitidez porque se había hecho el silencio.

—¡Viva *madonna* Caterina!

La respuesta no se hizo esperar y los vivas atronaron, llenándolo todo. Por un instante el duque quedó paralizado, pero reaccionó como un soldado. Unas ágiles zancadas lo devolvieron a la cuadriga, él mismo tomó las riendas y arreó los caballos con más energía de la debida. Los corceles tiraron con fuerza y Caterina estuvo a punto de caer. El efecto de los vítores hacia la condesa se propagó entre la gente; en pocos minutos ella era la aclamada.

Cuando cruzaron el Tíber por el puente que se alzaba cerca del castillo de Sant'Angelo, los vítores eran un clamor que repetía una y otra vez el nombre de la condesa:

—¡Caterina! ¡Caterina! ¡Caterina!

La gente empezaba a lanzar improperios contra los Borgia y en numerosos puntos la guardia dispuesta a lo largo del recorrido no pudo evitar los enfrentamientos de quienes se mostraban partidarios de los Borgia y los de la condesa. Cuando llegaron a la plaza de San Pedro, el desorden se había apoderado del lugar. Los miembros de la curia abandonaban sus sitiales en medio de la confusión y los embajadores siguieron su ejemplo. Algunos oficiales ordenaron a sus hombres que protegiesen al Papa, mientras los soldados formaron una barrera impenetrable delante del pórtico de la basílica.

La escenificación del triunfo de los Borgia había saltado hecha añicos.

Para consternación de Alejandro VI muchas voces aclamaban a Caterina Sforza al grito de:

—¡*Contessa! ¡Contessa!*

Impresionado por el espectáculo en que se había convertido «el triunfo de César», se retiró a sus aposentos.

Los enfrentamientos y el desorden se prolongaron durante toda la jornada. La llegada de la noche no hizo sino aumentar el desenfreno, y la celebración del carnaval se revistió de un inesperado ropaje.

49

—¡No encuentro ninguna explicación a lo sucedido, santidad!

Quien se excusaba era el capitán de las tropas que habían custodiado el itinerario. Tampoco el responsable de la policía tenía ningún argumento para aclarar lo ocurrido.

Alejandro VI era como un león enjaulado.

—¡Estoy rodeado de inútiles! ¡Sois unos ineptos! —clamaba, mientras iba, con las manos pegadas a la espalda, de un lado a otro de la estancia, primorosamente decorada por Pinturicchio—. ¿Dónde está don Michelotto? ¡Hace una eternidad que lo he llamado!

Como una respuesta a su petición, en la puerta apareció la gigantesca figura del requerido.

—¿Vuestra santidad ha solicitado mi presencia?

—¡Dejadnos solos y que nadie me moleste! —gritó el pontífice—. ¡Absolutamente nadie!

Todos abandonaron la estancia en silencio.

La reunión del pontífice con don Michelotto se prolongó durante veinte minutos. Al salir a la antecámara, el gigante encontró a César Borgia que aguardaba para ver a su padre. Ni siquiera él se atrevió a interrumpirles.

Don Michelotto saludó al duque con una reverencia y le

susurró algo al oído. César Borgia asintió con ligeros movimientos de cabeza.

Alejandro llenó dos copas de vino chipriota y ofreció una a su hijo.

—Nadie es capaz de dar una explicación, nadie aventura una posible causa.

El pontífice dio un largo trago a su copa, y sintió un alivio en su garganta, seca de tanto gritar.

—¡Hatajo de inútiles! Lo único que son capaces de señalar es que todo comenzó junto al mausoleo de Augusto, cuando te bajaste del carro para hacerle la ofrenda al emperador. ¿Es cierto?

—Lo es. En ese momento alguien gritó: «¡Viva *madonna* Caterina!». Tuvo que repetirlo una segunda vez porque su vítor no encontró eco. La gente enmudeció durante unos segundos, y luego la aclamaron como borregos.

—¿Qué quieres decir? —El Papa se estaba sirviendo otra copa de vino.

—Que si quien gritó, en lugar de decir «¡viva!» hubiese exclamado «¡muerte!», la plebe, tal vez, hubiese coreado el grito.

—¿Estás seguro?

—Sí.

—¿Seguro?

César vaciló.

—Como te he dicho, entre la plebe hubo un momento de silencio, de duda. No se produjo una respuesta inmediata. Si aquello hubiese respondido a un plan previsto de antemano, alguna gente habría coreado el grito inmediatamente.

El Papa respiró profundamente tratando de serenar su ánimo.

—Si es así, me tranquiliza.

César compuso una mueca en su boca.

—A mí, no.

Alejandro VI entrecerró los ojos, tratando de mejorar su visión.

—No te entiendo.

Ahora fue César quien dio un trago a su copa.

—Si nada estaba preconcebido, quiere decir que los gritos de apoyo han sido espontáneos. Empezaron llamándola *madonna* y acabaron gritando a coro: «¡*Contessa!*».

Se hizo un largo silencio que rompió una pregunta del Papa:

—¿Dónde está?

—En el Belvedere, según el plan previsto.

—¿Cómo ha reaccionado?

—Está encerrada en un mutismo total, pero no podía disimular la satisfacción que rebosaba por cada poro de su cuerpo.

—¡Maldita zorra! ¡La que ha hecho una entrada triunfal ha sido ella!

—No es momento de maldecir, sino de decidir.

Alejandro miró a su hijo, le impresionaba la frialdad con que afrontaba ciertas situaciones, aunque en algunas ocasiones ese temple se veía desbordado por arrebatos de ira. Se acercó a la ventana y paseó su mirada por los jardines que no habían superado todavía los duros fríos invernales; sin embargo, en el ambiente flotaba la proximidad de la primavera. Sin volverse, preguntó:

—¿Qué piensas hacer?

—Mantenerla bajo estricta vigilancia y obligarla a renunciar a sus títulos.

Alejandro se sentó en un sillón, estaba desmadejado. Comentó con desgana:

—No son suyos; en realidad, pertenecen a su hijo Ottavio.

—¡Ese mequetrefe! ¿Qué valor puede tener su renuncia ante la gente que hoy la ha aclamado a ella?

—Es el titular del señorío.

—¡Bah! Ottavio Riario es un don nadie, ni siquiera ha tenido valor para defender Ravaldino.

—Pero tiene la titularidad —insistió el Papa.

—La clave está en Caterina. ¡Ya has visto cómo la aclamaban y lo que gritaban! ¡Hemos de conseguir que sea ella quien haga pública su renuncia!

—Hasta ahora, te has mostrado desconsiderado, la has tratado con dureza. Creo que deberías explorar otros caminos.

—¿Otros caminos?

—No puede negarse que es una Sforza; es altiva, y por lo tanto, se crece ante las dificultades. No le da miedo enfrentarse a las situaciones más difíciles; más aún, responde con energía a los retos.

—Está vencida —escupió el duque.

—Te equivocas y cometes un grave error al pensar de ese modo. Una mujer como ella no se da nunca por vencida, eso podrás decirlo cuando esté bajo una losa.

—¿Insinúa algo vuestra santidad? —ironizó sin expresar sentimiento alguno.

—No debes interpretar mal mis palabras. ¿Has usado la lisonja? Quizá con esa zorra obtengamos mejores resultados por ese camino.

Lo acompañaba una discreta escolta. Se había acicalado, cuidando su imagen hasta los más pequeños detalles; se bañó y perfumó su cuerpo antes de vestirse. Su oscura cabellera todavía estaba húmeda cuando cruzó los jardines.

César Borgia se dirigió a los aposentos que ocupaba su prisionera. Por vez primera desde que cayó en sus manos le daba un tratamiento de huésped, aunque su falta de consideración se puso de manifiesto cuando entró en la estancia sin llamar previamente. A Caterina la acompañaban dos de sus damas, que viajaron con ella desde Forlì; departían animadamente, cuando el duque hizo acto de presencia. Mientras que las damas se pusieron de pie, ella permaneció sentada y, con tono burlón, le preguntó:

—¿No tiene vuestra excelencia costumbre de anunciarse?

—No, cuando estoy en mi casa.

Dirigiéndose a las damas, les espetó:

—¡Dejadnos solos!

Las jóvenes miraron a su señora, quien asintió sin decir palabra. Una vez solos, Caterina se puso de pie y desafió a César con una mirada altiva. Se sabía triunfadora.

—¿Venís a forzarme?

El duque la obsequió con una sonrisa. Era la primera vez que lo hacía desde que se enfrentaron en la soledad del sótano que ocupó en la casa de Luffo Numai.

—¿Qué os hace pensar una cosa así?

Caterina, consciente de cuánto le había afectado el fiasco del desfile, decidió no darle tregua:

—¿Y vos me lo preguntáis?

César hizo un ampuloso gesto con los brazos, dando a entender lo acomodado de la estancia donde se encontraba. Una blanda cama con dosel, una chimenea donde crepitaba el fuego, cómodos sillones y una decoración adecuada.

—Sois mi huésped.

—Me temo que no es el fruto de vuestra voluntad, sino que lo hacéis forzado por las circunstancias. En Forlì fueron los franceses, aquí... aquí vos conocéis mejor que yo la razón que os obliga.

Se acercó hasta ella y la agarró por las muñecas. Caterina trató de disimular su cólera, pero la delató el movimiento de sus pechos que asomaban por el cuadrado escote de su vestido. La proximidad encendió el deseo del duque; aquella mujer, doce años mayor que él, lo excitaba con un simple contacto. Quienes afirmaban que tenía un pacto secreto con el diablo no andaban descaminados: mantenía una belleza impropia para su edad y su sensualidad era una tentación irresistible. La besó en la boca, sin que ella se resistiese, lo que aumentó su excitación. La soltó, tratando de contenerse porque cada vez que la había poseído, ella lo había humillado, pidiéndole más.

—He venido a ofreceros una salida airosa.

Caterina era consciente de que en el cuerpo a cuerpo era muy superior a aquel hombre, a pesar de la aureola que lo había convertido, pese a sus pocos años, en una leyenda.

—Airosa para quién, ¿para vos o para mí?

—No estáis en condiciones de mostraros insolente.

—¿No?

—¡No!

—Preguntádselo a las gentes de esta ciudad, convocadas para aclamaros, y que han gritado mi nombre hasta desgañitarse.

—No os fiéis. Las convicciones del populacho cambian con la misma facilidad que la dirección del viento.

Caterina apuntó una sonrisa maliciosa en sus labios y el duque le preguntó:

—¿Qué os divierte?

—Que vuestra excelencia lo ha comprobado en sus propias carnes esta misma mañana.

—Tenéis razón, pero ¿cuál ha sido el resultado? ¡La gran Caterina Sforza sigue siendo mi prisionera!

—Sin embargo, os ha faltado tiempo para venir a hacerme una propuesta que habéis calificado de... ¿cómo habéis dicho? ¿Airosa?

—¡Basta! —Tuvo que hacer un verdadero esfuerzo para contenerse—. ¿Estáis dispuesta a escuchar lo que tengo que deciros?

—Os escucho.

—El Santo Padre está dispuesto a mostrarse generoso. Os ofrece un señorío de por vida acompañado de una renta anual de diez mil ducados.

—Es su misma oferta desde hace tiempo.

—Pero ahora vuestras condiciones no son las mismas.

—¿Qué exige a cambio?

—Vuestra renuncia a Imola y a Forlì.

Caterina negó enérgicamente con la cabeza.

—¡Jamás! ¡Jamás cederé los derechos de mis hijos! ¡Pedídsela a ellos! ¡Ottavio ya es mayor para decidir por sí mismo!

César Borgia compuso un gesto desafiante.

—¡Sabéis de sobra que la renuncia de ese jovenzuelo no sirve para nada!

—¡Pues la mía no la tendréis!

El duque paseó la mirada por la estancia. El mobiliario era adecuado, el exorno denotaba buen gusto, todo estaba limpio y ordenado. Era lo adecuado para una dama.

—Si os empeñáis en esa actitud intransigente, vuestras comodidades pueden desaparecer.

Ahora fue Caterina quien lo miró con aire retador.

—No me amenacéis, César. —Era la primera vez que lo llamaba por su nombre de pila.

—No es amenaza, es advertencia.

—También podéis ahorrárosla. Sé de sobra hasta dónde puede llegar vuestra crueldad, pero no olvidéis la sangre que corre por mis venas. Mi tío ha recuperado el Milanesado, vuelve a ser el duque de Milán. Estoy emparentada con varios miembros de la curia y vuestra excelencia tiene empeñada su palabra ante los comandantes franceses. Espero que hagáis honor a ella.

El hijo de Alejandro VI se marchó dando un portazo que retumbó en el silencio de la noche.

50

La despertó un pequeño golpe en los cristales. Abandonó el lecho y caminó sigilosamente hacia la enrejada ventana por donde entraba el blanquecino resplandor de la luna. Escudriñó, sin asomarse, pero todo estaba quieto y en silencio. Se disponía a regresar a la cama cuando escuchó otro golpe. No había duda, alguien lanzaba pequeños guijarros para llamar su atención. Escrutó la oscuridad y ahora percibió un ligero movimiento entre las sombras. Iba a abrir el postigo cuando una duda la asaltó: si se asomaba sería un blanco perfecto para un ballestero; sin embargo, pensó que si deseaban acabar con su vida tenían mil formas de hacerlo, sin recurrir a aquello. Alzó la falleba y abrió el postigo, entonces la sombra tomó cuerpo y escuchó unas palabras apagadas.

—¡Mi señora, soy yo, Jacopo!

Caterina reconoció la voz de su servidor de confianza y no pudo evitar llevarse la mano a la boca. ¡Aquel bulto era Jacopo Giusti! Estaba convencida de que había perecido en la defensa de Ravaldino.

—¡Jacopo! ¡Qué alegría! ¿Estás vivo? ¿Adónde fuiste después de la caída de Ravaldino?

—Ya os lo contaré, mi señora, pero será en otra ocasión. Escuchadme con atención porque disponemos de muy poco tiempo. Los centinelas en estos momentos duermen confiados. He escogido esta hora porque es la peor para la vigilia, pero eso no garantiza que alguien se percate de mi presencia.

—¿A qué has venido?

—A poner fin a vuestro encierro.

Caterina contuvo la respiración.

—¿Puedes liberarme?

—Al menos, vamos a intentarlo.

—¿Dices, vamos?

—Sí, mi señora, el plan de fuga contempla la participación de varios hombres.

—¿Qué plan es ése?

—No puedo permanecer aquí mucho tiempo. Si me descubren, todo habrá sido inútil. Haceos a un lado, os lanzaré un pliego lastrado con un plomo, donde todo se explica detalladamente. Leedlo y después, destruidlo.

Una bola negra cruzó el hueco de la ventana y se escuchó un sonido seco en el suelo de la habitación. Cuando Caterina se asomó para despedir a Jacopo, el jardín estaba desierto; cerró la ventana y echó las cortinas, para evitar miradas indiscretas. Recogió el plomo del que colgaba el pergamino con el corazón palpitando en su pecho.

En Milán las cosas no marchan todo lo bien que sería de desear. Los franceses han reaccionado y la situación de vuestro tío es comprometida. Nada está decidido, pero se dice que sus enemigos recibirán refuerzos para afrontar la situación de manera ventajosa. Esa circunstancia hace que vuestra posición sea más incierta que si la suerte hubiese sonreído a las armas de los Sforza.

Por el contrario vuestra imagen se agiganta cada hora que pasa. Ésa es la mayor preocupación del Papa y de su hijo en estos momentos. Se os considera una heroína y lo ocurrido en Roma, con motivo de la entrada del duque de Valentinois, no es sino una muestra del fervor que se os tiene por toda Italia. Los poetas cantan vuestro valor y por todas partes circulan versos en vuestro honor. Pero ya conocéis por propia experiencia cuán tornadizo es el fervor de las masas. Fui testigo de cómo, enfebrecidos, gritaban vuestro nombre y he de confesaros que sentí uno de los mayores placeres de mi vida, aunque el curso de los acontecimientos hizo imposible llevar a cabo el plan que teníamos previsto para liberaros.

La agitación de Caterina iba en aumento conforme avanzaba en la lectura. Hacía muchas semanas que estaba aislada, sus carceleros la mantenían ayuna de noticias del exterior. En todo aquel tiempo, apenas había alcanzado a obtener alguna información, a través de sus damas. La carta de Jacopo valía una fortuna. Las últimas líneas la habían alterado por completo. ¡Un plan para liberarla!

Continuó leyendo.

En estos momentos estamos en condiciones de poner en marcha una estrategia para que escapéis de vuestra prisión. Dispongo de media docena de hombres de absoluta confianza, dispuestos a jugarse la vida por vos, y de algunos medios. Hay una persona clave en el proyecto, el padre Bossi. Él será la persona encargada de indicaros los pormenores del plan que pondremos en marcha, si cuenta con vuestra aprobación. Por el bien de todos, destruid el mensaje.

Siempre vuestro servidor, Jacopo

A Caterina le temblaban las manos cuando concluyó la lectura.

—¡Mi fiel Jacopo! —murmuró con admiración.

Colocó el papel sobre la llama de una de las velas y sólo lo soltó cuando estaba prácticamente reducido a cenizas. Contempló, absorta en una maraña de pensamientos, cómo las cenizas se posaban lentamente en el suelo; las pisó hasta deshacerlas y con el pie las extendió hasta que sus restos se perdieron entre las losas.

Se tendió en la cama, pero ya no pudo dormir. La claridad de la mañana la sorprendió elaborando planes para cuando hubiese recuperado la libertad.

—Así lo transmitiré, mi señora.

—Aguardaré con ansiedad vuestras noticias.

—Veré la forma de haceros llegar el día y la hora para que estéis dispuesta.

—¿Qué queréis decir con que veréis la forma de hacerme llegar vuestras noticias?

El fraile cruzó los brazos, ocultando las manos en las anchas mangas de su hábito.

—Yo no puedo venir, salvo por una causa urgente, hasta dentro de quince días y tengo entendido que los planes de Giusti van mucho más deprisa. En el encuentro de ayer me comunicó que, a falta de algunos detalles, todo estaba dispuesto. Es posible que en un par de días tengáis noticias mías.

En el pasillo se escucharon pisadas.

—Ya vienen, componed una figura devota.

Caterina se arrodilló, juntó las manos y humilló la cabeza; de sus labios brotó el bisbiseo de una oración.

Sin consideración alguna, el sargento de la guardia abrió la puerta.

—El tiempo se ha terminado. ¡Concluid, pues, *pater*! —ordenó tajante, desde el umbral.

—*Ego te absolvo a pecatis tuis, in nomine Patris, et Filii, et Spiritus Sancti. Amen.*

El fraile hizo una cruz en el aire, simulando una absolución. Caterina se alzó del suelo y él se levantó del sillón. Adoptó una actitud apacible y se despidió.

—Hasta dentro de quince días.

El sargento aguardó a que saliese, cediéndole el paso, después cerró la puerta y echó los cerrojos que aseguraban el encierro de la prisionera.

Irrumpieron como un huracán. En un primer momento a Caterina no le sorprendió la desconsideración porque era algo habitual. El sargento de la guardia trataba a la prisionera con una displicencia poco adecuada a su rango. Tampoco le llamó la atención el hecho de que acudiese César Borgia. Recibía espaciadas visitas del duque, casi siempre para presionarla y obligarla a ceder sus derechos, y en un par de ocasiones para satisfacer sus apetitos y como forma de humillarla.

Se mantuvo sentada, inmóvil, sosteniendo en sus manos el libro que leía y con la mirada altiva.

—¡Hacedles pasar! —gritó el duque que, en esta ocasión, llevaba el rostro cubierto por una de sus máscaras.

Los introdujeron a empujones.

Cuando vio a una de sus doncellas y a fray Lauro Bossi, su confesor, con signos evidentes de haber sido maltratados, Caterina estuvo a punto de derrumbarse. Ya no necesitaba explicaciones para la presencia del duque y para la prolongada ausencia de su confesor. Habían descubierto el plan de fuga.

—¡Habla! —ordenó César al fraile con la voz destemplada.

El clérigo, que tenía las manos atadas y la cabeza gacha, no abrió la boca. Al ver que no respondía uno de los soldados le golpeó con fuerza en el costado.

—¡Miserable! —gritó la condesa.

El duque sacó una daga de la vaina que colgaba en su cintura y apuntó al cuello del fraile.

—Si no repites lo que nos has contado, puedes dar por concluidos tus días —lo dijo con una frialdad absoluta, como si su cólera hubiese desaparecido.

Sabía que una amenaza de César Borgia no eran palabras vanas.

—Hablad, padre Lauro, por el amor de Dios —imploró Caterina para evitar una tragedia mayor.

El fraile levantó la cabeza —tenía los ojos arrasados por las lágrimas— y con voz monocorde comentó:

—Os envié un mensaje, utilicé para ello una de vuestras doncellas, indicándoos el día y la hora.

—¿El día y la hora de qué? —El Borgia no le apartaba la daga de la garganta.

—De vuestra fuga —sus palabras apenas eran un murmullo.

El duque envainó el puñal y se acercó a Caterina, que dejó el libro sobre la mesa y se puso de pie. Una vez más, la condesa lo desafió con la mirada.

—Por si os interesa, sabed que el intento habría sido mañana, martes, a la novena hora. Me temo que eso ya no va a ser posible.

Sonó como un trueno y todos quedaron sobrecogidos. César Borgia tuvo que hacer un gran esfuerzo para disimular el dolor en las pústulas de su cara, a causa de la bofetada que la condesa acababa de propinarle. Después de unos segundos de tenso silencio, en los que podía haber ocurrido cualquier cosa, el duque, con voz fría, ordenó al sargento:

—¡Llevadla a una mazmorra de Sant'Angelo!

Los comentarios sobre el destino de la condesa circulaban tanto en los salones de la aristocracia, como en las tabernas de los barrios populares. Se afirmaba que había sido asesinada, estrangulada, degollada, envenenada… o solamente encarcelada en el castillo de Sant'Angelo. Las causas también eran variadas. Pero lo cierto era que la verdad la conocían muy pocos. En todo caso, estaba claro que las aguas bajaban revueltas.

Sentado a una de las mesas, en una taberna del Trastevere, a la espalda de la iglesia de Santa Maria, un individuo de mediana edad y vestido de forma austera daba ligeros sorbos al agriado vino de su jarrilla. Había despedido, con buenas palabras, a una de las rameras que deambulaban por la zona a la búsqueda de algún cliente.

Al cabo de un rato aparecieron en el local los dos individuos que esperaba. Su indumentaria los identificaba: casi embozados en sus capas, pese a que los fríos del invierno quedaban atrás, cubiertos con sombreros emplumados y al cinto unas grandes espadas. El aspecto de los españoles resultaba inconfundible. Por lo general, pequeños de estatura, enjutos de carnes, pelo negro y lacio, ojos oscuros, muy vivaces, ágiles de movimientos, fanfarrones, pero poco habladores, y… temibles; sobre todo, temibles en la pelea. Si alguien no los reconocía por su indumentaria, podía hacerlo por su actitud.

Otearon el panorama del tugurio y cuando vieron a Jacopo se acercaron por entre las mesas.

—¿Cree vuesa merced que éste es un lugar apropiado? —preguntó uno de ellos, quitándose el sombrero.

El interpelado alzó los ojos y comentó:

—Aquí todo el mundo va a lo suyo, tampoco tenemos que gritar.

El que había preguntado se desprendió de la capa y se sentó en uno de los taburetes, su compañero hizo lo mismo. Instantes después, una de las mozas se acercaba solícita.

—¿Qué van a tomar los señores? —Unos abultados senos asomaban tentadores por encima del ajustado corpiño.

—Vino. —La palabra sonó seca.

La moza miró al otro, que se limitó a repetir la misma palabra.

—¿Qué ha ocurrido? —preguntó uno de los españoles.

—Han detenido al fraile.

—¿Cómo ha sido?

—Le envió un mensaje con una de sus doncellas, indicándole la fecha y la hora, pero la descubrieron.

—¿Por qué Bossi no lo dijo de viva voz?

—No lo sé. Lo cierto es que está preso, al igual que la doncella. Ignoro cómo la descubrieron a ella.

La moza trajo las jarrillas de vino, interrumpiendo la conversación. Cuando se retiró, Jacopo Giusti comentó con dolor:

—Nada podemos hacer. A la condesa se la han llevado a Sant'Angelo. Está presa en una mazmorra de los sótanos.

—¿Cómo es que vuesa merced sabe eso?

—Uno de mis hombres, que vigilaba discretamente en los alrededores del palacio, vio cómo la sacaban y la introducían en una silla de manos cerrada. Los porteadores, escoltados por media docena de hombres, la llevaron a Sant'Angelo. Al tratarse de una silla pudo seguirlos sin problemas. Aguardó, merodeando por los alrededores del castillo, hasta que salieron los porteadores. La silla estaba vacía.

Absortos en su conversación, en medio de los gritos y el

ruido que inundaban el lugar, no vieron que un individuo enorme, seguido por media docena de hombres con las espadas en la mano, se acercaba a la mesa donde ellos estaban. Cuando se percataron estaban encima. Jacopo, que tenía la espalda pegada a la pared y la mesa por delante, pudo levantarse y tirar de su acero, así como uno de los españoles, el que estaba a su derecha, porque el otro apenas se dio cuenta de lo que ocurría, ensartado a traición, antes de que pudiese llevar la mano a la empuñadura de su espada.

En medio del revuelo se abrió un pequeño espacio con taburetes y mesas esparcidas por el suelo porque la gente, despavorida, se había apartado rápidamente del lugar de la refriega. El español, que era zurdo, paró la primera estocada y, con una daga que llevaba oculta, abrió el cuello de su enemigo. El grito del moribundo quedó en un gorjeo, ahogado por la sangre que manaba de su garganta como una fuente.

El gigante, a quién Jacopo le había tirado una cuchillada alcanzándole el brazo izquierdo, se abalanzó sobre la mesa con más agilidad de la que su corpulencia permitiera imaginar y lo atravesó, de parte a parte, con una espada corta de hoja ancha. Giusti, con la espalda pegada a la pared, resbaló por ella, dejando una larga mancha de sangre. Al llegar al suelo estaba muerto.

El español, un avezado espadachín, se defendió con bravura, pero eran seis contra él. Se llevó por delante a otro de sus enemigos, lanzándole la daga al pecho y atravesándole el corazón. Antes de morir, cosido a estocadas, dejó malheridos a dos más.

Don Michelotto, cuya cabeza sobresalía de entre el gentío, hizo un gesto hacia la puerta. Entraron varios individuos vestidos con unos negros mandilones y portando angarillas, retiraron los cadáveres y los heridos. La gente permanecía inmóvil y en silencio.

—¡Aquí no ha pasado nada! ¡Que cada cual siga con lo suyo!

Miró al tabernero que, nervioso, se restregaba las manos en el mandil y le lanzó una bolsilla de cuero.

—¡Una ronda! ¡Hay suficiente para todos!

Una exclamación de júbilo lo acompañó mientras abandonaba la taberna, seguido de lo que quedaba de sus hombres.

Aquella noche, con la cena —una escudilla de caldo en la que nadaban unas hojas de verduras, una rebanada de pan y un trozo de queso enmohecido— Caterina recibió, en un cesto de mimbre, la cabeza de Jacopo Giusti.

Fue una noche cargada de angustias, sin esperanza y llena de fantasmas. Supo que se había quedado sin uno de los pilares más firmes de su existencia, porque la fidelidad de Giusti había estado más allá de lo que se podía exigir a un servidor. Se sintió más huérfana que la noche en que su padre fue apuñalado bajo las bóvedas de San Stefano, aquella lejana Navidad en que la vida salía a su encuentro.

51

Los ojos de Alejandro VI brillaban de satisfacción. Aprovechó, mientras localizaban a César, para acudir a su capilla privada. Se arrodilló en un blando reclinatorio, se descubrió la cabeza, quitándose el camauro, y elevó una plegaria al Altísimo.

A lo largo de su vida el ya anciano Papa había recorrido un camino tortuoso. Sus enemigos eran muchos y poderosos, pero a la vez había anudado valiosas alianzas. Sus relaciones con Fernando de Aragón eran excelentes; también eran buenas con Isabel, *dilecta in Christo filia*, aunque la soberana de Castilla, muy puntillosa en materia de moral y costumbres, no comprendía algunas de las realidades que jalonaban la vida del pontífice. Buenas eran sus relaciones con Manuel de Portugal, una vez superadas las diferencias que tuvo con su padre, Juan II, por causa de la bula *Inter caetera*, cuando partió el mundo entre españoles y lusitanos. Peores habían sido sus relaciones con Nápoles, pero el pontífice tenía el convencimiento de que ese reino estaba llamado a desaparecer; los españoles o los franceses terminarían por incorporarlo a sus dominios. Sus alianzas con estos últimos, aunque siempre coyunturales, le reportaron notables beneficios, como los que se derivaban de la última campaña: la Romaña estaba ahora en sus manos. Eso no significaba que se fiase de los franceses. El cardenal Giuliano della Rovere, el más encarnizado de sus enemigos en la curia, estaba acogido a su hospitalidad. Además, si tenía que decidirse entre ellos y los españoles, apostaría por estos últimos y, en esa decisión, no contaban solamente razones de origen, sino de olfato político. La monarquía del Rey Católico era mucho más poderosa que la del Rey Cristianísimo.

Tenía que darle gracias a Dios por muchas razones, pero en aquel momento lo hacía porque acababa de recibir una gran noticia, como señor temporal de los Estados Pontificios. Se la había dado el embajador galo.

Sumido en tal mezcla de oraciones y reflexiones perdió la noción del tiempo. Lo sacaron de su aislamiento los susurros de su secretario, que le musitaba al oído:

—Santidad, el duque de Valentinois hace rato que espera. Recuerdo que vuestra santidad me indicó la urgencia con que debía localizarle.

Alejandro VI se levantó con dificultad. Sus rodillas ya no soportaban como antes el peso de su cuerpo que, además, había ganado en volumen. Añoraba el tiempo en que pecaba como un animal, pero hacía penitencia como un hombre, horas y horas de oración, arrodillado en el frío suelo. Tenía las piernas entumecidas y le costó trabajo dar los primeros pasos, hasta que recuperó la vitalidad adormecida.

César vestía su habitual atuendo negro y hojeaba las miniaturas de un precioso manuscrito cuando el Papa entró en el despacho. Padre e hijo se saludaron con un abrazo, mientras el secretario se retiraba discretamente, cerrando la puerta.

—Toma, lee esta carta.

El duque cogió el pliego y, conforme se empapaba de su contenido, la alegría se dibujaba en su maltratado rostro.

—¡Esto es magnífico!

—Así es, César, así es —corroboró el Papa.

—Eso significa que está completamente sola. Nada ni nadie acudirá ya en su ayuda —exclamó el duque con expresión triunfal.

—Desde el día 10, el Moro es prisionero de los franceses. Esto es el final de los Sforza. Como dices, nadie levantará un dedo por ella. ¡La juzgaremos!

—¿Por qué?

—Por atentar contra la vida del Papa.

—No te entiendo…

—El bastón que me envió, hijo, el bastón emponzoñado con el que trató de asesinarme.

—Siempre ha negado tener algo que ver con ese asunto.

El pontífice frunció los labios.

—¡Qué más da! Todas las ventajas están de nuestra parte. Podremos, incluso, explicar su encierro en Sant'Angelo, porque será condenada por atentar contra la vida del vicario de Cristo en la tierra.

Alejandro ofrecía ya a su hijo una de las dos copas de vino que acababa de llenar. Con el paso de los años y la disminución de otras facultades, el néctar de Chipre se había convertido en una de sus debilidades.

—¡Brindemos por tu fortuna! ¡Crearemos un señorío con todos los territorios de la Romaña y las Marcas! Será el señorío de los Borgia, como el de los Bentivoglio en Bolonia o el de los Este en Ferrara.

—¿Toda la Romaña y las Marcas?

—¡Toda! —proclamó el Papa alzando su copa.

—Habrá problemas.

—No, no los habrá. El embajador francés me dice que su señor vuelve a poner sobre la mesa sus derechos sobre el reino de Nápoles, solicita nuestro apoyo. —Alejandro VI bebió de su copa y sentenció—: Se lo ofreceremos a cambio de su ayuda para nuestro proyecto.

—¿Y los españoles?

Alejandro dejó escapar una risilla.

—Estarán a nuestro lado.

Su hijo lo miró sorprendido.

—¿Apoyando nosotros las aspiraciones de Luis XII sobre Nápoles?

—¿Y quién ha hablado de apoyarlo? —Los ojos de Su Santidad se movieron chispeantes—. Termínate el vino y dile a mi secretario que llame al camarlengo. Hemos de disponerlo todo para que el juicio sea en toda regla y que sus derechos queden anulados porque, una vez superado este obstáculo, el asunto del señorío de los Riario quedará resuelto.

—Quedaría pendiente el derecho de su hijo Ottavio, que es el verdadero titular del señorío. Caterina sólo tiene el usufructo.

—Ésa es la segunda de las cuestiones que deseaba comentar contigo. Esta mañana, la primera de las audiencias ha sido con el cardenal de San Giorgio.

—¿Con Raffaele Riario? ¿Qué deseaba?

—Hablarme de su primo Ottavio. El joven aspira a un beneficio eclesiástico, a cambio de la renuncia a sus derechos. Desea algo parecido a lo que ya tiene su hermano menor, que es arzobispo de Pisa. Algo que le proporcione unas rentas sustanciosas.

—¿Qué opina vuestra santidad?

El Papa insinuó una sonrisa.

—Que el obispado de Viterbo, que en estos momentos es *sede vacante*, colmaría sus apetencias.

Los Borgia estallaron en una catarata de carcajadas.

La mazmorra era lóbrega, sin apenas ventilación. El prolongado encierro le había dejado secuelas: Caterina estaba delgada hasta un límite que perjudicaba su quebrantada salud. Otra vez la mortificaban las fiebres tercianas y no recibía cuidados. Su piel estaba ajada, sin el brillo que tanta admiración había causado a quienes la conocían, y su cabello había encanecido por completo. Eran las consecuencias más visibles de las privaciones y los sufrimientos padecidos en los meses de cautiverio.

La prisión en Sant'Angelo había doblegado su cuerpo y mermado su salud pero, a pesar de las penalidades, su indomable carácter hacía que su espíritu resistiese. Sin embargo, se vino abajo el día que compareció ente el tribunal que la juzgaba por atentar contra la vida del Santo Padre.

Apareció vestida con un tosco, pero limpio sayal en la sala donde se celebraba el juicio a puerta cerrada, si bien se permitió el acceso a dos juristas, a varios miembros de la curia y a algunas dignidades eclesiásticas con el propósito de dar visos de legalidad al proceso. Entre los asistentes se encontraba Ottavio luciendo sus galas episcopales. No tenía noticias suyas desde que le ordenó abandonar Ravaldino para evitarle los horrores de un asedio. Al verlo revestido de púrpura, el infierno se abrió bajo sus pies; sin el menor pudor, sus enemigos lo exhibían ante ella como un trofeo más de su triunfo. Tuvo que esforzarse para que las lágrimas, que asomaban a sus ojos, no se desbordasen. Apretó las uñas contra las palmas de las manos hasta hacerse daño para evitar el llanto. Lo último que deseaba era que la viesen llorar.

El fiscal, un dominico de formas engoladas, pero de una dureza verbal escalofriante, dedicó más de dos horas a exponer los graves cargos que pesaban sobre la acusada. Caterina escuchó impasible, sin mover un solo músculo de su demacrado rostro ni descomponer su actitud, el duro alegato lanzado contra ella.

El fraile necesitó dos sesiones para descargar su saco de acusaciones, insistiendo machaconamente en la gravedad de los delitos cometidos. En la sala sólo se escuchaba su discurso modulado por inflexiones, el rasgar de las plumas de los notarios y, de vez en cuando, los murmullos de los asistentes. Los cargos eran tan graves que, si se lograba demostrar uno sólo de ellos, podía mandarla al cadalso e incluso a la hoguera.

La calificó de nigromante y bruja peligrosa, señalando que, ya en su adolescencia, realizaba conjuros, invocaba a las fuerzas del mal y practicaba rituales satánicos. La motejó de hereje por sostener propuestas contrarias a la doctrina de la Santa Madre Iglesia y también la tachó de *iniquitas filia* por actuar con desacato ante la autoridad eclesiástica y despreciar a los enviados del Santo Padre. Asimismo la tildó de rebelde a su señor natural por hacer frente, con las armas en la mano, a los representantes pontificios y la acusó igualmente de ejercitar la violencia de forma indiscriminada para saciar una malsana sed de venganza. En numerosas ocasiones se dirigió a ella como *luxuriosa femina* por vivir amancebada, en continuo pecado y dando mal ejemplo a sus súbditos. Caterina, que escuchaba con rostro impasible, la larga ristra de acusaciones, no pudo evitar que en sus labios se dibujase una sonrisa al escuchar este último cargo. El acusador, que se desplazaba de un lado a otro mientras peroraba, la miraba en aquel momento. Al ver su sonrisa la cólera asomó a sus ojos. Señalándola, con el brazo extendido, se acercó a ella y, con voz descompuesta, le gritó:

—¡A todo ello hay que añadir su contumacia! ¡Contumacia en el error y contumacia en el pecado! ¡Su pecaminosa actitud es la más fidedigna muestra de su recalcitrante maldad!

Caterina amplió su sonrisa, lo que desconcertó, aún más,

al dominico. La condesa se esforzó para que sus palabras salieran de su boca con serenidad.

—Vuestra reverencia sabe que la lujuria es pecado de nuestro tiempo. Preguntádselo a Sus Eminencias, aquí presentes, o mejor aún, hacedle esa pregunta a Su Santidad.

La ira brilló en los ojos del fraile.

—¡Deslenguada!

—Abreviad vuestra exposición —le reclamó el juez principal.

El fiscal, descompuesto, se acercó a una mesilla y vació con un par de tragos una copa llena de agua. Con la respiración agitada y el rostro contraído, lanzó la última de sus acusaciones:

—Esta mujer atentó contra la vida del Santo Padre, enviándole un bastón emponzoñado con las vestiduras de un apestado. Su propósito no era otro que contagiar a Su Santidad. He dicho.

—Dentro de dos semanas se reanudará el proceso —sentenció el juez, dando por levantada la sesión.

Caterina supuso que la decisión del juez formaba parte de una táctica dilatoria, con el propósito de quebrantar su resistencia.

Pasados unos días, recibió la visita de un franciscano, que ejercería como abogado y se encargaría de su defensa. La sacaron de la celda y la condujeron hasta una pétrea sala abovedada, donde todo el mobiliario se reducía a una tosca mesa y dos sillas.

—Ahorraos las molestias, ya estoy condenada.

—Nadie está condenado hasta que no se pronuncia la sentencia —respondió con poca convicción el abogado, quien no paraba de llevarse a la nariz un pañuelo con agua perfumada.

—Vuestra paternidad lo sabe igual que yo. Todo esto es una

pantomima. Soy demasiado molesta para los Borgia. ¿Estabais en Roma el día de la entrada del duque de Valentinois?

—Sí.

—¿Fuisteis testigo de lo que ocurrió?

—Estaba frente al mausoleo de Augusto, el lugar donde todo comenzó.

—Comprenderéis, pues, que mi suerte está echada.

El enjuto fraile la miró a los ojos.

—Si hubiesen querido eliminaros, han tenido ocasiones sobradas para hacerlo.

—Lo que decís es cierto, y doy por descontado que los Borgia no tienen muchas dudas a la hora de eliminar a quien entorpece sus planes, pero hasta hace algunos meses yo era un rehén. En el ducado de Milán se libraba una batalla de suma importancia que, para mi desgracia, se ha resuelto con la derrota de las tropas de mi tío. Con ella he perdido la única baza que tenía.

—También vuestro intento de fuga os ha perjudicado gravemente.

Caterina miró al abogado. Le pareció un hombre apocado. Su elección para aquella farsa era adecuada.

—He sido apresada en combate, por lo tanto soy una prisionera de guerra, una prisionera del rey de Francia. No una delincuente, aunque se me quiera presentar como tal. César Borgia está incumpliendo lo pactado con uno de los comandantes de las tropas del ejército de Luis XII. Él fue quien me apresó y cerró un acuerdo con el duque de Valentinois, donde señalaba que habría de tratárseme de acuerdo a mi condición.

—Vuestro intento de fuga os ha sido muy perjudicial —insistió el franciscano—. Ésa es la causa que ha modificado vuestra situación.

Caterina estuvo a punto de llamar al guardia para que la

llevasen a la mazmorra. Se agarró con fuerza el tablero de la mesa como forma de contener su cólera.

—¡Os he dicho que soy una prisionera de guerra! ¡No un objeto que se muestra en público! ¿Qué hizo el Borgia el día del desfile? ¡Yo os lo diré! ¡Exhibirme sin pudor! ¡Fue él quien rompió el acuerdo, no yo! —Caterina dio un puñetazo sobre la mesa—. ¡Además, os diré, por si no lo sabéis, que según las leyes de la guerra, todo prisionero tiene la obligación de buscar su libertad por todos los medios a su alcance! ¡Eso es lo que yo he hecho! ¡El Papa y su hijo, encarnaciones del diablo, se han aprovechado para humillarme y lanzar sobre mi persona ignominiosas acusaciones!

El abogado había palidecido y se tapaba los oídos con las manos.

—¡Guardia! ¡Guardia! —gritó Caterina, dando por concluido el encuentro.

Dos soldados acudieron prestos.

—La reunión ha terminado, llevadme a mi mazmorra.

Titubeantes miraron al franciscano, cuyas manos estaban aún pegadas a las orejas; asintió con un ligero movimiento de cabeza y los esbirros se llevaron a la condesa. Antes de abandonar la sala, se volvió y espetó al abrumado clérigo:

—¡Ahorraos próximas visitas! ¡No son necesarias!

La renuncia del abogado a ejercer la defensa hizo el juego a los jueces; la interrupción del proceso se prolongó cerca de cuatro semanas. La víspera de la fecha señalada para la nueva vista, Caterina fue sacada de la mazmorra en la que se pudría desde hacía más de ocho meses. Vigilada por cuatro soldados fue llevada a una estancia de la planta de arriba. Era una pequeña habitación en la que destacaba una enorme chimenea donde crepitaba un fuego que caldeaba el ambiente. También había una humeante tina y dos mujeres con aspecto monjil.

—Estaremos al otro lado de la puerta —les indicó uno de los soldados—. Si nos necesitáis, llamadnos.

Las dos mujeres atrancaron la puerta para evitar visitas indiscretas y se mostraron obsequiosas con la condesa. La ayudaron a desvestirse de su saya y a lavarse. Al sentir las caricias del agua, experimentó un placer extraordinario. No recordaba cuánto tiempo llevaba sin lavarse adecuadamente. El agua estaba perfumada con cáscaras de naranjas y desprendía un aroma agradable; además rebajó el angustioso acaloramiento que la fiebre le producía. Se distrajo, jugueteando como una niña, con la espuma del jabón.

Las mujeres la dejaron hacer a su antojo.

En aquel momento su mayor deseo era prolongar todo lo posible los efectos de aquel inesperado regalo. Mientras se relajaba, no dejaba de preguntarse por la causa de todo ello.

Disfrutó la suavidad de los paños con que la secaron. Frotaron su cuerpo con aceites y le mostraron un arca llena de ropa, cuidadosamente doblada. Al verla no pudo evitar una exclamación de sorpresa:

—¡Son mis vestidos!

—Elegid uno, mi señora.

Después de algunas probanzas, escogió uno de seda negro, muy ligero. La palidez de su rostro, después de tanto tiempo encerrada, resaltaba de forma llamativa. Tenía los ojos hundidos y los pómulos pronunciados por causa de su extremada delgadez. Había perdido la lozanía, pero su imagen todavía se conservaba atractiva. Se ajustó un cinturón y cubrió su cabeza con un turbante a juego con el vestido, adornado con un delicado hilo de perlas.

Una vez vestida y acicalada, las mujeres llamaron al cabo.

—¡Acompañadnos!

—¿Adónde vamos?

—Ya lo veréis. —Sus palabras eran desconsideradas.

En el patio de Sant'Angelo aguardaba una negra carroza, cerrada. Parecía una celda ambulante.

52

—Tienes que mostrar cordura. Esa actitud no te conducirá a ninguna parte.

Su Eminencia sostenía su delicada mano con devoción, le parecía tan frágil que podía romperse con sólo apretarla ligeramente.

—No renunciaré, Raffaele. Sabes que no lo haré.

El cardenal de San Giorgio soltó la mano con suavidad y se levantó, abrió una arqueta pequeña y extrajo una oscura barra del grosor de un dedo pulgar y de una cuarta de longitud.

Caterina se sorprendió al ver que se lo llevaba a la boca, lo lamió por uno de los extremos y se acercó a un candelabro. Chupó varias veces hasta prenderlo por el otro extremo y luego lo apartó de su boca, por la que expulsó un humo azulado.

No daba crédito a lo que acababa de ver.

—¿Qué es eso?

—Tabaco.

—Ta… ¿qué?

—Tabaco. Los españoles lo han traído de las Indias. Es toda una novedad y la última moda en los salones de la aristocracia.

Miraba curiosa y sorprendida.

—¿Qué dice el Santo Oficio?

—Que yo sepa, no ha dicho nada, ¿por qué lo preguntas?

—Porque echar humo por la nariz y la boca tiene mucho de demoníaco. Es algo que se puede asociar con el diablo. Por bastante menos han quemado a la gente.

Raffaele Riario soltó una carcajada.

—Si así fuese, tendrían que procesar a media curia. Más de la mitad de los cardenales del Sacro Colegio se han aficionado a fumar. —El cardenal dio una larga chupada a su tabaco y después expulsó el humo.

Caterina miraba hipnotizada.

—¿Puedo?

—Claro que sí, pero te advierto que las primeras veces molesta en la garganta, pica y produce tos.

Le dio una calada, aspiró el humo y su rostro se contrajo. Lo expulsó como pudo en medio de una ruidosa tos. Se le llenaron los ojos de lágrimas y tuvo una arcada. Cuando pudo hablar, comentó:

—Fumar es una porquería.

Riario se encogió de hombros y se sentó.

—Todo es cuestión de costumbre. Puedo asegurarte que cuando lo has hecho varias veces resulta placentero. Algunos médicos dicen que tranquiliza el ánimo, relaja los nervios y ayuda a la digestión.

—¿Están ellos metidos en el negocio?

Su Eminencia rió otra vez de buena gana. La viuda de su tío no había perdido su sentido del humor.

—Hemos de poner fin a esta situación, Caterina. Tu resistencia es inútil, Ottavio así lo ha entendido. El Papa le ha otorgado el obispado de Viterbo, que puede ser el primer peldaño de una importante carrera.

La tristeza asomó al rostro de Caterina, que no respondió.

La actitud de su hijo representaba el episodio más doloroso de aquella batalla.

—Cada día que pasa, tu resistencia tiene menos sentido. ¿Por quién luchas? Mañana se reanudarán las sesiones del juicio y no tengo que decirte cuál va a ser el veredicto. No tienes posibilidad alguna. Tal y como están las cosas, podría pronunciarse una condena que puede llevarte a la hoguera.

—No se atreverán, tú sabes que no se atreverán.

El cardenal dio otra chupada al tabaco, como si el humo que aspiraba le ayudase a pensar.

—Sí se atreverán porque no tienes quien te defienda. Como tú misma dices, los Borgia son una raza del diablo. No se detienen ante nada ni ante nadie; cualquier obstáculo que encuentran en el camino de sus ambiciones, lo eliminan. Lo sorprendente de este asunto es que aún sigas con vida.

—Por eso, precisamente, sé que no se atreverán. Si no me han eliminado…

—No tientes a la suerte, Caterina.

—¿Cuál es la razón de este encuentro? —preguntó de repente.

Riario meditó la respuesta durante unos segundos.

—Darte una última oportunidad.

—¿Una última oportunidad? ¿Quieres explicarte?

—Si aceptas alguna de las propuestas que se te han hecho, el juicio será suspendido. El Papa te acogerá como una *dilecta in Christo filia* y tendrás una vida regalada.

—Regalada y con la conciencia recordándome que me he vendido por un puñado de monedas.

—Eso o la hoguera. —Riario, que no paraba de fumar hasta el punto de que las volutas de humo se extendían por el salón, había endurecido el semblante.

—¿De cuánto tiempo dispongo para tomar una decisión?

—El tiempo apremia. Como te he dicho, mañana se reanuda tu juicio. Pueden hacerlo de forma muy diferente, según sea tu decisión.

—Necesito cuarenta y ocho horas.

El cardenal se levantó airado, crujió la seda de sus vestiduras.

—¡Has tenido meses, Caterina!

—No, no he tenido meses porque un acuerdo con los Borgia no entraba en mis planes.

El cardenal dejó escapar un suspiro.

—Está bien, veré lo que puedo hacer.

—¿Tengo que regresar a los sótanos de Sant'Angelo?

Riario dudó un momento.

—¿Me prometes no moverte de aquí, mientras realizo unas gestiones?

—Tienes mi palabra.

—Muy bien —señaló una estantería llena de libros—, aprovecha para leer algo. Volveré lo antes posible.

Tres horas después Raffaele Riario regresó. Caterina había disfrutado de un tiempo placentero, a pesar de una lasitud próxima al agotamiento porque la fiebre, sin tratamiento, la estaba consumiendo. El tiempo se le hizo inusitadamente corto. Estaba sentada junto a una chimenea, con la mirada perdida en los caprichosos movimientos de las llamas.

Interrogó con la mirada al cardenal.

—Te permiten pasar la noche aquí, bajo mi custodia. Pero se niegan a posponer el juicio un solo minuto. Como has renunciado a la defensa, la vista final dará comienzo mañana a partir de las once. Eso significa que tienes hasta mañana para tomar una decisión.

Caterina apenas pudo conciliar el sueño. Las calenturas eran permanentes desde hacía varias semanas. Un colchón blando, después del mugriento catre que le había servido de lecho los últimos meses, era un cambio demasiado grande para no alterarse. Pero lo peor era que su cabeza naufragaba en un mar de dudas, temores y vacilaciones.

La claridad del amanecer penetró por la ventana de su alcoba, sin que hubiese tomado una decisión. Poco después, unos golpes en la puerta le anunciaron que debía levantarse. Tenía el cuerpo dolorido, como si le hubiesen propinado una paliza.

—¡Pasad!

Las dos doncellas, pulcramente vestidas, la ayudaron a acicalarse y vestirse. Cuando entró en el comedor, el cardenal la esperaba junto a una mesa llena de bandejas de dulces, confites, pastas y hojaldres. Había pan recién horneado, cuencos llenos de nata, de crema y de mantequilla, y dos grandes jarras de cristal, una con zumo de naranja y otra con leche.

—¿Has dormido bien? —le preguntó cortésmente.

—Apenas he descabezado un sueño. Tengo calentura desde hace tiempo, son tercianas. Aparecen y desaparecen, pero desde hace algunas semanas no me abandonan. Son demasiados meses tirada en un jergón, sucia y hambrienta.

—¿No te ha visto un médico?

Caterina esbozó una amarga sonrisa.

—¿Un médico, dices? Cuando apenas me han dado de comer...

Un sacerdote interrumpió la conversación.

—Disculpe vuestra eminencia, pero...

—¿Qué ocurre, Piero?

—Disculpadme —insistió el sacerdote—, pero acabamos de tener noticia de un asunto de extrema gravedad. Creo que vuestra eminencia debe conocerlo.

—¿De qué se trata?

Miró a la condesa y vaciló.

—Habla —le ordenó el cardenal.

—Eminencia, hay noticia de que los franceses han reemprendido su avance hacia el sur y que su ejército está a pocas jornadas de Roma.

—¿Te han dicho cuántas?

—Cinco, eminencia, quizá seis.

—¿Algo más?

—Nada más, eminencia.

—Está bien, puedes retirarte.

El sacerdote hizo una ligera inclinación de cabeza y abandonó el comedor.

—¿Qué reclaman ahora los franceses? —preguntó Caterina.

—Vuelven a plantear derechos sobre Nápoles. Vayamos a lo nuestro, no creo que esto afecte al asunto que hoy nos ocupa.

—Los franceses me defendieron frente a la iniquidad de César Borgia —le comentó después de probar el zumo de una copa que acababan de llenarle.

—Es cierto, pero no creo que ahora eso tenga importancia. Tú misma lo has escuchado, tardarán casi una semana en llegar. Para entonces habrán tenido tiempo de convertirte en cenizas. La sentencia se dictará hoy, ayer lo dejaron muy claro.

Lo peor de todo fue que no le permitieron sentarse, después de una noche de insomnio. Al cabo de dos horas, el dolor de las piernas le resultaba insoportable. Para resistir, alternaba el peso de su cuerpo sobre los pies, con movimientos casi imperceptibles. Los elegantes chapines que calzaba desde la víspera le habían levantado dolorosas ampollas.

En un momento determinado el fiscal se acercó a una mesa y tomó en sus manos un grueso volumen encuadernado en pergamino. Al verlo Caterina no pudo evitar un sobresalto. ¡Era su recetario!

El compendio de una vida de experimentos. Contenía las fórmulas de sus pócimas, sus elixires, sus ungüentos, sus cremas… Allí se detallaban las propiedades de numerosas plantas y de algunas piedras preciosas. Allí estaban anotados todos sus experimentos. Los que realizó para alcanzar el sueño que había perseguido durante un cuarto de siglo y que, en varias ocasiones, había sentido cómo lo tocaba con la punta de los dedos; entre sus páginas estaba el texto que contenía el regalo y el desafío que le hizo Leonardo da Vinci.

Mostrando el libro, que alzó sobre su cabeza, el fiscal, fray Lorenzo de Capua, lanzó el más duro de sus ataques.

—¡Aquí está la prueba palpable de vuestros tratos con el maligno! ¡Fórmulas para sortilegios! ¡Recetas para venenos! ¡Invocaciones satánicas! ¡Eres una envenenadora! ¡Una bruja!

Caterina se sintió angustiada. Notó cómo por su cuerpo subía un sofocante bochorno que la asfixiaba, rompió a sudar y poco después la vista se le nubló. Las palabras del dominico sonaban cada vez más lejanas en sus oídos. Luego la negrura se apoderó de su mente.

Abrió los ojos poco a poco, le pinchaban como si estuviesen llenos de arena. Se encontró en una blanda cama con las cortinillas del dosel echadas, lo que creaba un agradable espacio de intimidad. Las sábanas eran acogedoras y limpias, y tenía puesto un camisón de suave y blanco lino. Se palpó el pelo y se le humedeció la punta de los dedos: estaba apelmazado por el sudor. A través de las cortinas atisbó unas siluetas.

—¿Dónde estoy? ¿Qué ha ocurrido?

Una mano descorrió el dosel y apareció un rostro de mujer.

—¿Dónde estoy? ¿Qué ha ocurrido? —preguntó otra vez.

—Hace cinco días que os desmayasteis.

—¿Cinco días?

La mujer, una de las que había bañado y perfumado su cuerpo antes de ser trasladada al palacio de Riario, asintió:

—Cinco días y medio, mi señora. Perdisteis el conocimiento cuando estabais en el juicio. Las calenturas han sido muy altas, nunca he visto sudar así a nadie. Os hemos cambiado, varias veces, los camisones empapados.

Caterina rememoró vagamente el momento de su desmayo, aunque las brumas flotaban en su cabeza. Se desplomó mientras el fiscal detallaba las acusaciones; estaba agotada por la fiebre y el cansancio. Aunque los pensamientos eran borrosos, no recordaba haber escuchado una petición de condena.

—¿Dónde estoy?

—En el palacio de Su Eminencia el cardenal de San Giorgio, vuestro pariente.

—Éste... éste no es el dormitorio donde...

—¿Dónde dormisteis la víspera del juicio?

—Eso es.

—No, mi señora. Éste es un dormitorio de la planta alta.

—¿Quién estaba contigo?

—Claudia, mi compañera. Ha corrido para informar a Su Eminencia. Nos tenía ordenado que le avisásemos cuando...

El crujir de la seda anunció la llegada del purpurado. La doncella se hizo a un lado.

—¿Cómo te encuentras?

—Como si hubiese vuelto a la vida.

Riario tomó su mano y la acarició suavemente.

—¿Estoy ya condenada?

—El juicio quedó interrumpido porque se produjo un gran revuelo. El fiscal no pudo elevar su petición y, en esas condiciones, a los jueces no les ha sido posible dar una sentencia.

Riario no le comentó que habían sido los oficios del anciano cardenal Ascanio Sforza, su tío, nominado cardenal de San Sixto, quien logró paralizar el proceso. El viejo Sforza, hombre de gran influencia en la curia, pero apartado de su sobrina, le hizo prometer que no le diría nada.

—En ese caso, todavía queda un adarme de esperanza.

—Si dejaras a un lado tu terquedad… Aunque… aunque ahora tienes un importante aliado.

—¡Los franceses están en Roma!

—Esta mañana han llegado las primeras avanzadillas de su ejército.

53

Hasta veinticuatro horas después de recuperar la consciencia Caterina no se sintió con fuerzas para levantarse.

El médico le prescribió una dieta ligera: caldo de ave, pechuga de gallina hervida y un huevo pasado por agua; también recomendó mucho descanso y que nada perturbase su ánimo. El cardenal Riario tuvo que adoptar una actitud enérgica porque, cuando en Roma se tuvo conocimiento de sus penalidades y de los últimos acontecimientos, fueron numerosos los miembros de la curia y de la nobleza romana que quisieron hacerle una visita. Algunos eran viejos amigos que deseaban testimoniarle su afecto y muchos otros que, sin serlo, se sentían atraídos por la personalidad de una mujer que por todas partes era el centro de las conversaciones.

Los cuidados de Claudia y Julia, una dieta adecuada y un régimen de vida presidido por la tranquilidad obraron un efecto beneficioso en su salud. Al cabo de una semana podía dar paseos por el jardín. Dedicaba una parte del día a la lectura y echaba de menos su laboratorio y su preciado recetario. ¿Cómo habría llegado a manos del fiscal? ¿Qué habría sido de sus amados papeles?

Como algo excepcional recibió la visita de un viejo conocido. Yves d'Allègre, quien en breve partiría con sus tropas hacia el sur, fue recibido en audiencia privada por Alejandro VI, quien le encomendó que transmitiese un mensaje a Caterina. El comandante francés acudió acompañado por tres de sus oficiales.

—*Madame* Caterina —tomó la mano que ella le ofrecía y la rozó con la punta de los labios—, es un placer veros.

—El placer es compartido.

Señalando unos sillones, los invitó a tomar asiento.

—Todos hemos estado muy preocupados por vuestra salud, pero vuestro aspecto indica que lo peor ya ha quedado atrás.

—Estoy mucho mejor, aunque un pequeño esfuerzo me fatiga hasta el agotamiento.

El francés la recordó con gesto desafiante y revestida con su armadura sobre la muralla de Ravaldino.

—No hace año y medio luchabais como el mejor de los guerreros. Os recuperaréis, *madame*, la fortaleza está aquí —se llevó su dedo índice a la sien.

—El paso del tiempo, *monsieur*, tiene perniciosas influencias.

—Nadie lo diría en vuestro caso.

—No seáis hipócrita. Mi cabello ha encanecido, mi cuerpo se ha ajado y el vigor de otro tiempo ha desaparecido.

—Pero tengo entendido que, pese a todas las dificultades, *madame,* conserváis lo más importante, la voluntad. Sois una mujer admirada.

—Me halagáis.

—No, simplemente os hago justicia. Mi visita, además de presentaros mis respetos y los de nuestro soberano, tiene otro motivo.

Caterina miró al cardenal, que también estaba presente.

—Os escucho.

—Su Santidad desea encontrar una salida honorable para

el conflicto del dominio sobre Imola y Forlì. Me ha pedido que os haga llegar una propuesta para poner fin a una situación que le produce mucho desasosiego y mucha inquietud; creo que el Papa utilizó esas mismas palabras.

Caterina tuvo que morderse la lengua para no decir lo que pensaba. Se limitó a esbozar una sonrisa.

—En nombre de nuestro soberano le he hecho llegar una enérgica protesta por el trato que habéis recibido. También le hemos manifestado nuestro rechazo a un juicio falto de razones y de garantías. No volveréis, bajo ningún concepto, a pisar las mazmorras de Sant'Angelo; el Papa lo ha prometido.

No pudo contenerse.

—La palabra de un Borgia no tiene más valor que la de un buhonero, que pretende colocar su mercancía.

Ahora fue el francés quien miró al cardenal.

—Nosotros, *madame*, somos garantes de esa palabra porque el acuerdo cerrado en Forlì con el duque de Valentinois así lo señalaba.

—Ese acuerdo ha sido sistemáticamente violado por los Borgia.

—Por eso les hemos hecho llegar nuestra protesta. Pero ahora debéis comprender que comienza un nuevo tiempo. Las armas dictaron sentencia.

—La sentencia de las armas es la del más fuerte, no la de quien tiene el derecho de su parte.

—Es posible que no os falte razón, pero la realidad que se impone es bien diferente.

—¿Cuál es la propuesta? —cortó Caterina.

—Un señorío por determinar con carácter vitalicio que, a vuestra muerte, volverá a dominio pontificio, y una renta de diez mil ducados anuales para subvenir a las necesidades de una persona de vuestra calidad.

Caterina guardó un prolongado silencio. Era la misma propuesta de siempre. A la agudeza de Raffaele Riario no escapó que, por primera vez, Caterina no respondía con una vehemente negativa.

Su voz sonó serena cuando dio respuesta al comandante francés:

—Decidle a vuestro aliado que, una vez que mi hijo ha hecho dejación de su derecho, aceptando el beneficio eclesiástico del obispado de Viterbo, mi resistencia carece de sentido. Firmaré la renuncia de los derechos que se me piden que, sin ser míos, he ejercido como madre de su poseedor, pero decidle también al pontífice que no quiero su caridad. No aceptaré ni el señorío que se me ofrece ni la renta. Nada le debo a los Borgia y nada quiero de ellos.

Los presentes contenían la respiración. Dos de los oficiales que acompañaban a D'Allègre, jóvenes capitanes, la miraban sin pestañear. Caterina Sforza acababa de convertir el momento de su rendición en un nuevo desafío.

—*Madame*, reconsiderad vuestra decisión, ya que…

Ahora no lo dejó terminar.

—Alejandro Borgia ya tiene lo que él y su hijo desean con tanto anhelo y, por añadidura, lo obtienen gratis.

—Creo que deberías reconsiderar tu decisión. —Riario estaba tan impresionado como los franceses.

Todos se levantaron cuando ella hizo ademán de ponerse de pie, dando por concluida la visita.

—Ha sido un placer recibiros. Ahora disculpadme, me siento fatigada y necesito descansar.

Caterina le ofreció la mano. Abandonaban el salón cuando ella preguntó:

—*Monsieur* D'Allègre, supongo que, una vez firmada la renuncia, recobraré mi libertad para disponer de mi persona como considere adecuado.

—Contad con ello, *madame*. —El francés hizo una cortesana reverencia y la larga pluma de su sombrero se deslizó por el suelo.

Una vez solos, el cardenal se mostró irritado.

—¡No tienes arreglo!

—Raffaele, no tengo ganas de escuchar lamentos, estoy muy cansada. No quiero nada de los Borgia; si aceptase su caridad estaría reprochándomelo toda la vida. Sólo quiero una cosa de ellos y la quiero porque es mía.

—¿Una cosa? ¿Qué cosa?

—¿Sería posible que me devolviesen mi recetario y mis papeles?

—¿A qué te refieres exactamente?

—Al libro que el fiscal aportó como prueba de mis numerosas maldades en el juicio, instantes antes de que me desmayase.

El cardenal recordó el momento.

—Haré lo que esté en mi mano.

El malhumor del Papa fue proporcionado a las chanzas que corrían por las riberas del Tíber. Caterina Sforza era, una vez más, su bestia negra.

Una mañana aparecieron pasquines pegados en esquinas de las plazas y calles más concurridas de la ciudad. La osadía de quienes idearon aquella forma de zaherir al pontífice y a su familia llegó al extremo de colocar algunos incluso en la fachada de Santa María la Mayor; fueron unos embozados y dejaron malherido al sacristán mayor, quien, alertado por el ruido, acudió para ver lo que ocurría.

En los días que siguieron circularon por burdeles y tabernas coplillas obscenas, cuyas letras provocaban la hilaridad de quienes las escuchaban. Muchos de los que se divertían a costa de los Borgia fueron expuestos en los cepos públicos. Los sayones hubieron de emplearse a fondo porque también fueron numerosos los que sufrieron castigo de azotes.

En esas composiciones se arremetía contra los españoles, cuyo número en Roma era creciente. El asunto dio lugar a peleas y reyertas, y los cadáveres que aparecían flotando en las aguas del Tíber aumentaron considerablemente aquellos días. Los españoles no soportaban que se les tachase de ciertos vicios y tiraban con facilidad de los descomunales aceros que colgaban de sus cintos. A ello se sumaba que la presencia de los franceses en la ciudad había encrespado los ánimos, porque los hispanos sabían que las pretensiones de su rey sobre Nápoles los llevaría, más bien antes que después, a una guerra. Algunos decidieron empezarla por su cuenta en las calles de Roma.

Alejandro VI, atado por su compromiso con los franceses en el asunto de Caterina Sforza, tuvo que transigir, pero no permaneció de brazos cruzados. Le impuso una multa de dos mil ducados para autorizarla a abandonar la ciudad; los señaló como gastos de manutención durante los meses de su alojamiento en Sant'Angelo. Era una provocación con la que el viejo zorro ponía de manifiesto que todavía sabía cómo golpear.

Los dos hombres que acudieron a la Cámara Apostólica para efectuar el pago de la suma exigida regresaron cariacontecidos al palacio donde estaba la legación de Florencia en Roma. El tesorero pontificio exigía que la suma fuese en efectivo. No les admitían ni letras de cambio, ni pagarés, ni cartas de pago. Los dos mil ducados tenían que hacerse efectivos en moneda contante y sonante.

Caterina, que, recuperadas buena parte de sus energías, disponía todo lo necesario para el viaje, recibió la noticia del propio embajador florentino, en lugar del salvoconducto que le permitiría abandonar libremente la ciudad.

—Mi señora, quedad tranquila, mañana se hará efectiva la suma. Si es vuestro deseo, disponedlo todo para partir pasado mañana; Florencia no olvida a sus aliados.

Por la mente de Caterina revolotearon los recuerdos de los largos meses pasados en las mazmorras de Sant'Angelo. Pero no era momento de exigir cuentas y menos a quienes le prestaban ayuda en aquellos momentos. Por otro lado, acudir a las orillas del Arno significaba que podría abrazar a su pequeño Giovanni, el fruto de su tercer matrimonio, un *bambino* en que se habían mezclado la sangre de los Médicis y de los Sforza. Sus temores apuntaban en otra dirección.

El cardenal Riario le comunicó que la cólera del Papa había alcanzado niveles como no se recordaban, al haberse convertido en el hazmerreír de la chusma de Roma. Su Eminencia le había mostrado su preocupación porque los Borgia nunca dejaban de cobrar una deuda. «Mientras estés tras los muros de este palacio, puedes considerarte a salvo, aunque hemos de tener mucho cuidado con los alimentos. Son verdaderos expertos en materia de venenos. Otra cosa muy distinta será cuando te pongas en camino. Su larga mano puede alcanzarte en cualquier momento.»

—No me fío, temo que mi cuerpo sea uno de los que aparezcan flotando en las aguas del Tíber.

El embajador quedó unos instantes en suspenso, resopló y le hizo una propuesta:

—Dentro de tres días, al alba, sale del puerto de Ostia una galera con nuestro pabellón. Va a Livorno. Podríais tomarla, nadie tiene que saber que sois su pasajera. El camino a Ostia puede hacerse, desde Roma, en un par de horas. ¿Tenéis mucho equipaje?

—Todas mis pertenencias caben en un arca.

—Eso es una ventaja. Si os decidís ahora, puedo arreglar vuestro pasaje. Mañana os mandaría a una persona de toda confianza para enviar vuestro equipaje con antelación y que no entorpezca vuestro camino.

—¿Cuándo habéis dicho que sale esa galera?

—Dentro de tres días, pero sería conveniente estar a bordo la víspera. Si no surgen contratiempos, el sábado desembarcaríais en el puerto de Livorno. Cuando Alejandro VI quiera tener noticia de vuestra marcha, estaréis a salvo.

—¿No os compromete todo esto?

—En absoluto, mañana tendremos vuestro salvoconducto. Nada os obliga a permanecer en Roma; el modo en que viajéis es asunto vuestro.

—¿Podemos confiar en el capitán de esa galera?

—Sin la menor duda.

Caterina no vaciló. Su vida había estado jalonada de decisiones que, en algunas ocasiones, tomó casi a ciegas. La propuesta era razonable, sobre todo porque la amenaza de los Borgia representaba un grave peligro.

—En tal caso, dispuesto lo necesario para que pueda tomar esa embarcación. Por curiosidad, ¿qué transporta?

—Vino de Palermo y paños de Nápoles.

Caterina dedicó la jornada a planearlo todo, como si fuese una fuga.

54

Todo transcurría según el plan establecido. La víspera ultimó los detalles. ¡Cómo echaba de menos a Jacopo!

A la hora prevista salió del palacio Riario un carruaje con las cortinillas echadas. Dos de los agentes de los Borgia que vigilaban la zona sospecharon y lo siguieron. Un tercero quedó merodeando por los alrededores del palacio. Veinte minutos después salía otro carruaje, éste descubierto, donde iba *madonna* Caterina, acompañada de las dos doncellas que la atendían desde que abandonó la prisión. El sicario se dispuso a seguirlas, pero la llegada de un tropel de jinetes le cerró el paso durante unos minutos, los suficientes para que el carruaje se perdiese. Maldijo su suerte, mientras corría inútilmente el laberíntico dédalo de callejuelas que se abría a la espalda de la piazza Navona.

La carroza de Caterina bajó por la vía Degli Fossi, a cuya derecha se alzaban las antiguas ruinas imperiales que le daban nombre. Era el corazón de la Roma de los césares que llegaba hasta el Coliseo. Allí torció hacia la colina del Aventino, dejando a su izquierda las gigantescas ruinas de las termas de Caracalla, y llegó a la puerta de San Paolo. Los soldados no pusieron ningún impedimento a una dama, acompañada por sus doncellas, que salía por la tarde para disfrutar de una merienda en las riberas del río, como testimoniaba la cesta de sus viandas.

El carruaje tomó la vía Ostiense en lo que, hasta aquel momento, parecía un tranquilo paseo vespertino. Cuando llegaron a la basílica de San Pablo Extramuros, el cochero acercó la carroza a la entrada del claustro anexo al templo y Caterina bajó acompañada por sus doncellas. Una de ellas llevaba la cesta de las viandas.

En el pórtico las aguardaba un clérigo visiblemente nervioso. Con prisa, les indicó que lo acompañasen.

—¡Vamos, vamos! ¡No hay tiempo que perder!

Condujo a las tres mujeres hasta una oscura dependencia, mientras él aguardaba en la puerta.

Minutos después abandonaban el recinto sagrado, pero el aspecto de una de ellas era muy diferente. Se había transformado en una amazona. En una bolsa de cuero llevaba lo más imprescindible.

La despedida fue breve, las dos mujeres le desearon un feliz viaje, se montaron en la carroza y emprendieron el regreso a la ciudad. Indicaron al cochero que diese un rodeo; entrarían por la vía Apia.

Caterina ató con cuidado la bolsa al arzón de su montura, sujetándola para que no molestase, después acarició el cuello de la yegua blanca que iba a montar y, para ganarse la confianza del animal, le susurró en la oreja palabras suaves, como le enseñó su padre cuando era una niña que se iniciaba en el arte de la equitación. Montó con agilidad e inició su cabalgada hacia Ostia. La acompañaban el embajador de Florencia y otros tres jinetes. Cuando llegasen a la ciudad portuaria por donde el Tíber rendía tributo al Tirreno, sería de noche.

Se sintió extraña sobre una montura, pues llevaba más de año y medio sin cabalgar. Supo que cuando llegase a su destino tendría los huesos molidos, pero disfrutó el momento en que el aire golpeó su rostro y agitó su blanca cabellera. Muy pronto se acopló al movimiento del animal que, con docilidad, respondía a sus requerimientos.

Cabalgaron durante cerca de tres horas, siguiendo la vieja calzada que unía Roma con su puerto. Marchaban paralelos al río, a veces tan cerca de la ribera que el rumor de las aguas se mezclaba con el trotar de los caballos.

Se sentía feliz sobre su montura pensando en que volvería a ver al pequeño Giovanni. La separación de sus hijos había sido lo más doloroso desde que se atrincheró tras las murallas de Ravaldino, dispuesta a enfrentarse a sus enemigos. Pensaba en que había desafiado a uno de los grandes poderes terrenales y al mayor de los espirituales y que había perdido el envite, pero lo había hecho con dignidad. Se sabía admirada y envidiada, querida y odiada. En cualquier caso, era consciente de que sus enemigos fueron más constantes que sus amigos. También pensaba en la vida que le aguardaba. Ya nada volvería a ser igual, pero tenía conciencia de que le quedaban cosas por hacer. Ahora dispondría de mucho más tiempo para avanzar en la búsqueda de ese anhelo al que había dedicado una parte importante de su vida. ¿Perseguía una quimera inalcanzable? Había oído decir, en más de una ocasión, que Leonardo era un espíritu burlón. Pero podía asegurar que la propuesta de concentrarse en la misteriosa búsqueda no era una broma.

Les anocheció con el camino más que mediado, pero la noche era clara y, conforme se acercaban a la costa, la suave brisa que soplaba les traía aires marineros impregnados de sal.

Era el sabor de la libertad, tantas veces añorada durante los largos meses de cautiverio.

En el muelle había varias embarcaciones: algunos faluchos de pescadores, una nao y varias galeras. Uno de los hombres del embajador preguntó por la galera florentina a unos marineros, que bebían y discutían a la puerta de una casa.

—La más grande, la última de todas es *La Rosa de los Vientos*. Está preparada para zarpar al amanecer.

El diplomático lanzó una moneda y el marinero la cazó al vuelo. Suponía una nueva ronda.

Frente a la pasarela del barco el embajador, que ya había subido a bordo para comprobar que todo estaba en orden, se despidió de Caterina con formas cortesanas. Lo último que le dijo fue:

—No olvidéis que viajáis de incógnito. Ni siquiera el capitán conoce vuestra identidad. Se le ha dicho que sois una dama florentina que tiene necesidad de viajar hasta Livorno, donde la esperan unos familiares.

El capitán era un genovés corpulento, al servicio de Florencia. Aceptó a regañadientes llevar una mujer a bordo, alegando que eso siempre traía complicaciones. La verdadera razón se encontraba en que tendría que ceder su camarote a la dama, pero le pusieron en la palma de la mano un buen puñado de ducados, casi tantos como cobraría a los comerciantes por transportar el vino y los paños.

Caterina no pegó ojo en toda la noche. El intenso olor a brea, el crujir de las maderas y el ligero balanceo de la galera, aunque estaba anclada, se le hicieron insoportables. También la tensión provocada por la ansiedad.

El capitán era un tipo poco comunicativo y apenas le dirigió la palabra durante los dos largos días que duró la travesía, a lo que colaboró el hecho de que ella casi no salió de su camarote que, si bien era el mejor lugar de la embarcación, no pasaba de ser un cubículo pobremente equipado, situado debajo del puente de mando. Allí pasó horas de angustia provocadas por los mareos y los vómitos, aunque poco era lo que podía arrojar por su boca, ya que no probó bocado durante la travesía, que todos calificaban de excelente.

Con las brumas espesando su cabeza, apenas se percató de la maniobra de atraque. Hasta sus oídos sólo llegaban los gritos del cómitre ordenando la boga a los remeros, el chapoteo de los remos en el agua y el ruido de los marineros, que correteaban de un lado para otro, como posesos. Unos golpes en la puerta la sacaron del sopor.

—¡Señora, vienen a buscaros! —Era la voz del capitán.

Se levantó tambaleante, abrió la puerta y se encontró con su cuñado Lorenzo, a quien se le congeló la sonrisa en la boca, al ver el estado en que se encontraba.

—¿Te encuentras mal?

—¡Me siento morir! —exclamó, dejándose caer en sus brazos.

Ayudada por Lorenzo de Médicis y el capitán, bajó a tierra firme. La alegría se dibujó en su semblante al ver que la aguardaban Gian Galeazzo y Francesco, los dos hijos pequeños de su primer matrimonio, que ya eran unos apuestos jóvenes de quince y dieciséis años. Su madre se abrió de brazos y los acogió.

Aunque quedaban muchas horas de sol, que les habrían permitido hacer la mitad del camino hasta Florencia, Lorenzo, al ver el estado de su cuñada, decidió posponer el regreso para el día siguiente. Si no surgían dificultades, partirían al amanecer y llegarían a Florencia con la caída de la noche.

Dio instrucciones para buscar un alojamiento adecuado entre las casas más acomodadas del pueblo. Cualquier sitio que no se moviese bajo sus pies era para Caterina el mejor de los palacios.

Al día siguiente se sentía muy recuperada y la pequeña comitiva se puso en marcha. El almuerzo lo hicieron en una hospedería a las afueras de Empoli, donde aprovecharon las horas centrales del día para descansar. A eso de las cinco reemprendieron la marcha. Llegarían a Florencia a la hora del crepúsculo.

Faroles colgados de los balcones y ventanas, y antorchas en las anillas de la fachada iluminaban el palacio de los Médicis, que relucía como un ascua incandescente. Las luminarias eran en honor de Caterina. Mucha gente se agolpaba en la plazuela que se abría ante el edificio, hecho construir por Cosme el Viejo hacía cuatro décadas, para verla.

—¡Ya vienen! ¡Ya vienen! —gritó un mozalbete que corría un centenar de pasos por delante a la comitiva.

La gente miraba con curiosidad no exenta de respeto. Era la *madonna*, la que desafió el poder de los franceses plantándoles cara, algo que ningún hombre se atrevió a hacer. ¡Se decían tantas cosas acerca de ella! Cuando Caterina bajó del carruaje cesaron los cuchicheos. En medio del silencio se escuchaba el piafar de los caballos y el pateo de sus cascos. Hasta los criados, que descargaban el equipaje, hablaban en voz baja.

Llevaba la cabeza descubierta y el vestido de seda negra que escogió cuando la sacaron de la prisión de Sant'Angelo. Con paso mesurado entró en la casa de la familia de su último esposo, donde la fortuna de los Médicis se hacía presente hasta en el más pequeño de los detalles.

En el patio porticado, en torno al cual se organizaba el palacio, aguardaba una numerosa servidumbre, ordenada en filas, para darle la bienvenida. Eran más de un centenar de personas. Toda su compostura desapareció cuando vio a Giovanni, que en abril había cumplido tres años. Caterina no pudo contener las lágrimas que aparecieron en sus ojos y se agachó para tomarlo en sus brazos, aunque el pequeño se resistió, sorprendido.

La escena de la madre tratando de que su hijo la reconociera estuvo cargada de emoción. Nadie que la hubiese visto en lo alto de las murallas de Ravaldino, desafiando a sus enemigos, cuando la amenazaron con acabar con la vida de sus hijos si no rendía la fortaleza, podría imaginar la maternal ternura que la Dama del Dragón derramaba en aquel momento.

Mientras saludaba a sus parientes, el secretario de Lorenzo insistía en entregarle una carta. El Médicis se apartó contrariado, buscando algo de intimidad y la luz de un farol, sacó unas antiparras y leyó la carta; su contenido tuvo inmediato reflejo en su rostro. Con un gesto de cabeza asintió, indicándole a su secretario que no se había excedido con su insistencia.

Acompañada por la familia pasó a la capilla para dar gracias por el buen final de su viaje. Los frescos de Benozzo Gozzoli, que representaban el periplo hasta Belén de los Reyes Magos, decoraban el lugar. Era un brillante desfile lleno de colorido, en el que los personajes vestían atuendos propios de la Italia del siglo xv. La escena evangélica era un pretexto religioso para manifestar el poder de los famosos banqueros florentinos. Lorenzo, que estaba a su lado, al observar cómo contemplaba la pintura, le susurró al oído:

—Muchas de esas caras son retratos de miembros de la familia. El abuelo Cosme —señaló a un personaje con el perfil inconfundible de la familia— es aquél del bonete rojo.

Antes de abandonar la capilla, Lorenzo llamó la atención de los presentes.

—Escuchadme todos, he de daros una noticia. Esta misma tarde un correo procedente de Roma ha traído una carta de Su Santidad.

A la par que la capilla se llenaba de murmullos, Caterina notó cómo se le alteraba el pulso. Lorenzo esperó a que se hiciese el silencio y entonces, dando a sus palabras un tono de solemnidad, señaló:

—El Papa agradece a nuestra hermana Caterina su actitud conciliadora y la generosidad manifestada al renunciar, sin solicitar nada a cambio, al usufructo de los derechos vicariales sobre los señoríos de Imola y Forlì. La declara *dilecta in Christo filia*, por lo que ruega a los gobernantes de nuestra ciudad que la acojan como tal porque —sacó de su jubón la carta que el secretario le había entregado y colocándose en su prominente nariz las lentes, leyó—:

> … ése es nuestro más ferviente deseo y pues que es de justicia reconocer los méritos que concurren en Caterina Sforza, cuyas virtudes son de sobra conocidas y resulta innecesario hacer un detenido elogio de ellas. Y porque ésta y no otra es nuestra santa voluntad, firmamos el presente escrito en la basílica de San Juan de Letrán, de la ciudad de Roma, a veintiocho días del mes de junio del año del nacimiento de Nuestro Señor Jesucristo de mil y quinientos uno.

Caterina no daba crédito a lo que acababa de escuchar. ¡El papa Borgia cantando sus alabanzas y declarándola hija predilecta!

Tuvo que hacer un verdadero esfuerzo para contenerse y no clamar contra la hipocresía de que hacía gala el pontífice. La había acosado como a un animal, despojado de sus derechos, exhibido como un trofeo, sepultado en una inmunda mazmorra y sometido a un inicuo juicio donde la vilipendiaron, insultaron y calificaron con los apelativos más groseros, desde perra lujuriosa a herética bruja, que sostenía pactos satánicos. Pensó que lo que se escondía tras aquel escrito era tan abominable como la hipocresía. Los Borgia estaban tendiéndole una trampa.

Alejandro VI deseaba aparecer ante todos como un afectuoso padre, feliz porque una hija regresaba al redil, después de un tiempo de descarrío. Manifestar, públicamente, una actitud conciliadora para después golpear sin levantar sospechas. Decidió no confiarse y mantener la guardia levantada.

Lorenzo se acercó hasta ella y le preguntó:

—Supongo que estarás contenta. Esta carta indica que el tiempo de la lucha ha quedado atrás.

Caterina se encogió de hombros.

—¿De veras crees que hay algo de verdad en esas líneas? Si contase algunas de las cosas que he soportado a lo largo de este tiempo, te darías cuenta de que miente sin pudor. Por alguna oscura razón, interesa a sus propósitos ofrecer una imagen magnánima, pero tanto Alejandro como su hijo son seres malignos, de la estirpe del diablo.

—El tiempo que comienza ahora, querida cuñada, es tiempo de silencios porque hay cosas que resulta conveniente no remover.

Abandonó la capilla con la bolsa de cuero de la que no se había separado un solo instante desde que saliera de Roma.

Lorenzo de Médicis, intrigado, le preguntó por su contenido.

—Desde que desembarcaste en Livorno no te has separado de ella, ¿es indiscreción preguntar por su contenido?

Caterina tiró del cordoncillo que la cerraba y sacó un grueso libro encuadernado en piel de becerro. Estaba ajado y manoseado.

—Es un recetario.

—¿Tan importante como para que no te separes un instante de él?

Lo abrió y pasó algunas de sus páginas. Estaban escritas con una letra apretada y picuda, que evolucionaba con el paso de los años. También la tinta tenía intensidades y tonalidades diferentes.

—Aquí está una parte importante de mi vida. Horas de estudio, meditación y recogimiento. Horas de soledad en las que desahogué angustias y tensiones. Estas recetas son el resultado de una vida de experimentos, con sus éxitos y con sus fracasos. Algunas de las fórmulas que contienen estas páginas son el resultado de años de experimentación y probanzas. Hay mucho conocimiento encerrado en estos viejos papeles. Cremas para combatir los dolores en las articulaciones, ungüentos contra los picores de los sabañones, jarabes para aligerar el mal de pecho y la tos. También algunas recetas para mantener la tersura de la piel y evitar que aparezcan las manchas que la afean.

El Médicis frunció el ceño.

—¿Ésa es la razón por la que te acusaron de brujería?

Caterina guardó el libro en la bolsa.

—No hay razón, ésa fue la burda excusa de que se valieron para calumniarme.

55

Pasadas las primeras semanas, surgieron desavenencias entre Caterina y su cuñado. La causa estaba en que Lorenzo de Médicis, como cabeza visible de la familia, se consideraba el administrador de los bienes de la familia; concretamente se negaba a entregarle a su cuñada la herencia que le correspondía al pequeño Giovanni para que, como madre del *bambino*, dispusiese de ella.

—Mi querida cuñada, simplemente estoy cumpliendo la ley.

—¿La ley? ¿Qué ley es la que invocas?

—La que incapacita a administrar los bienes de un menor a las personas que han padecido prisión. Ésa es la ley y tú has estado encarcelada.

Caterina se inclinó sobre la mesa que los separaba y clavó sus ojos en él, sus pupilas echaban fuego.

—¡Lo que acabas de decir es una maldad! Sabes que mi encarcelamiento no está relacionado con delito alguno, yo he sido prisionera de guerra. La ley es clara al respecto, deniega la condición de administrador a quienes han cometido delitos. ¡No es mi caso!

Lorenzo de Médicis jugueteaba con una fina daga. Sin alterarse, al menos en apariencia, le respondió de forma glacial:

—Si crees que la ley está de tu parte, puedes acudir a los tribunales.

Sus relaciones con la familia de su marido eran cada vez más difíciles. Lorenzo sufrió un ataque de cólera, cuando supo que su cuñada había seguido su consejo y acudido a los tribunales en demanda de justicia.

Caterina buscaba el sosiego de su ánimo dedicando buena parte de su tiempo a contestar su numerosa correspondencia y realizando excursiones al campo para recolectar plantas, cuyas propiedades no tenían secretos para ella. Con muchas dificultades por carecer del instrumental adecuado, componía algunos ungüentos, pociones y cremas. No podía experimentar porque no tenía laboratorio, pero anotaba cuidadosamente todos los datos.

La mayor parte de su tiempo se la dedicaba al pequeño Giovanni. Era un niño despierto y soñador.

El enfrentamiento en los tribunales abrió un foso insalvable con su familia política. Hizo que su presencia en el palacio de los Médicis le resultase cada vez más insoportable; se sentía una extraña, casi una intrusa.

Los mejores meses eran los que transcurrían en una villa, conocida con el nombre del Castello, en plena campiña toscana, donde pasaba temporadas. Su cuñado, con el propósito de humillarla, enviaba a un individuo de su confianza llamado Alberto de Marzi, con funciones de administrador. En realidad, impedía que Caterina pudiese tomar decisiones relacionadas con la marcha cotidiana de la casa. Marzi se extralimitó en sus funciones, recortando el dinero hasta el punto de que escaseaban los alimentos y otras cosas imprescindibles para una vida decorosa.

Una mañana, en que faltaba lo necesario para preparar la comida de la veintena de personas que vivían en el Castello, Caterina se enfrentó a Marzi.

—¿Qué clase de administrador es el que no administra?

¿Qué clase de persona es quien deja que la miseria se adueñe de lo que tiene obligación de cuidar?

Marzi se acercó a Caterina y alzó la mano para abofetearla. La mirada de la antigua condesa de Imola detuvo su brazo en alto. Los sirvientes estaban paralizados.

—Ni se te ocurra.

El administrador soltó una maldición y se marchó de la enorme cocina, murmurando maldiciones.

Caterina ordenó a la servidumbre que dispusiese las cabalgaduras —varios caballos y mulas de carga— y recogiesen lo imprescindible. En menos de dos horas se puso en camino; la acompañaban sus hijos, dos doncellas, tres sirvientas y dos mozos. Llegó a Florencia a media tarde y se instaló en una casa propiedad de un clérigo, que llevaba su dirección espiritual. El aspecto del inmueble era costroso y su interior inadecuado para las necesidades de una dama como ella.

Lorenzo de Médicis, informado del suceso, quedó desconcertado. Por Florencia empezaron a circular toda clase de rumores. Se decía que Caterina Sforza había sido expulsada de su residencia, también que se había visto obligada a tomar aquella decisión, porque no podía soportar el maltrato y las vejaciones a que la sometía su cuñado. Nada de lo que se decía era bueno para los Médicis en un momento en que se sustanciaba el proceso por la administración del patrimonio del pequeño Giovanni. Su cuñado acudió a visitarla para poner fin a tan embarazosa situación.

El resultado del encuentro fue la expulsión de Marzi y el regreso de Caterina al palacio familiar, pero puso condiciones. Viviría con total independencia y se le facilitarían recursos suficientes para el mantenimiento de su casa, que quedó establecida en veinticuatro personas, formada por sus hijos y la servidumbre. Para evitar malos entendidos todo quedó consignado ante un escribano, recogiéndose en la escritura hasta los detalles más insignificantes.

Caterina pasaba los rigores del estío de 1503 en el Castello. Una tarde de agosto divisaron en lontananza una polvareda y la preocupación invadió la villa, porque los tiempos eran inseguros. Bandas de facinerosos recorrían los campos robando y saqueando, y las cuadrillas de malhechores proliferaban, después de la derrota sufrida por los franceses a manos de los españoles en el conflicto de Nápoles.

Numerosas partidas de soldados del ejército derrotado que se replegaban hacia Francia, desorganizadas y sin oficiales, campaban a sus anchas. Por la campiña de la Toscana circulaban toda clase de historias acerca de las violencias y atropellos que cometían los franceses.

Los criados avisaron a la señora, quien ordenó que todo el mundo se recogiese en el interior de la villa, se atrancasen puertas y ventanas, y se dispusiesen las armas que tenían para hacer frente a una emergencia: tres arcos, dos ballestas y un par de arcabuces. Lo mejor era que la casa respondía al nombre con que la bautizaron: el Castello tenía gruesos muros, estaba almenado y las puertas eran recias. Cerrada a cal y canto tenía aspecto de casa fuerte. Aunque la defensa sin soldados no era sencilla, tal vez los asaltantes buscasen un botín más fácil en alguna de las haciendas de los alrededores.

Desde la terraza Caterina observó cómo avanzaba la polvareda y su experiencia le indicó que no debían de ser muchos a tenor del polvo que levantaban. Tenía a su lado al pequeño Giovanni, que ya había cumplido los cinco años; sus grandes ojos negros escrutaban el horizonte. Cogió la mano de su madre y la apretó; en la otra tenía una espada de madera.

—¿Son bandidos? —preguntó.

—Es posible, pero no debes preocuparte, estamos bien defendidos.

—No me preocupo, tengo ganas de verlos más cerca.

—¿Por qué?

—Para enfrentarme a ellos. —Alzó el juguete, como si blandiese un acero.

La polvareda estaba a cuatrocientos, quizá trescientos pasos cuando se percató de que todo era obra de un solo hombre. La alarma era infundada, aunque no había estado de más tomar precauciones; los tiempos no estaban para confianzas.

Si se trataba de un solo jinete, lo más probable era que fuese un correo con noticias de Florencia. Caterina se agitó porque esperaba, de un momento a otro, la sentencia de su demanda que, si le era favorable, la liberaría de la humillación que suponía recibir cada mes, como si se tratase de una limosna, el dinero necesario para vivir. Se temió lo peor porque, si su cuñado enviaba recado, era porque había salido bien parado.

Oteó el horizonte para comprobar que no se trataba de una añagaza y comprobó que todo estaba en calma. Sin embargo, dio orden de que todo el mundo permaneciese en su puesto hasta que el jinete llegase. Mientras salvaba la distancia que lo separaba de la villa, pensó que había sido una incauta al presentar una demanda en un tribunal de Florencia contra la familia más poderosa de la ciudad.

No resultaba fácil enfrentarse a los Médicis.

Efectivamente era un correo.

—¿*Madonna* Caterina Sforza?

—¡Soy yo!

—¡Traigo un mensaje para vos!

—¡Aguarda un instante!

El jinete descabalgó en medio de una nubecilla de polvo,

apenas se distinguía el color de sus vestiduras ni el pelaje de su montura. Se sacudió con algunos manotazos que no mejoraron su aspecto.

Unos criados abrieron las pesadas puertas de madera y Caterina apareció en el umbral. A sus cuarenta años y pese a que sus cabellos estaban completamente blancos, su imagen había recuperado el atractivo. El correo se acercó, inclinó la cabeza y le entregó un pliego.

—*Madonna*.

Estaba lacrado con las armas de los Médicis.

—¡Atended a este hombre, dadle algo de comer y medios para que pueda asearse! Que alguien lleve su caballo a las cuadras.

Uno de los criados hizo un gesto al mensajero, mientras otro tomaba el caballo por las bridas. El hombre musitó unas palabras de agradecimiento.

Rompió el lacre que garantizaba la confidencialidad de la carta y comprobó que era la letra de su cuñado Lorenzo. Tras las primeras líneas que eran puro formalismo, donde le manifestaba sus mejores deseos, buscó con avidez lo esencial del escrito. Cuando lo leyó no pudo contener una exclamación. Se llevó la mano a la boca, en un gesto espontáneo.

—¡Santo cielo!

Una mezcla indescriptible de sensaciones se apoderó de ella. No podría expresar cuál era la emoción que dominaba su ánimo en aquel momento.

Alejandro Borgia había muerto.

El óbito del pontífice se produjo el 18 de agosto, desde entonces había transcurrido una semana. Las noticias eran muy parcas, su cuñado le daba cuenta del fallecimiento y poco más. Ella, sin embargo, podía imaginarse la situación en Roma porque había vivido la muerte de un pontífice cuando murió Sixto IV. La falta de autoridad habría convertido la ciudad en un caos, los miembros de la curia estarían más pendientes del cónclave que se avecinaba que de poner orden. Los partidarios de los Borgia estarían acorralados, encerrados en sus casas; y los que hubiesen tenido posibilidad de poner tierra de por medio, se habrían marchado de Roma. Abundarían los saqueos, los robos y los destrozos. La plebe romana, siempre amenazante, se convertía en un volcán desatado los días en que la sede apostólica estaba vacante.

Estaba en lo cierto.

En Roma los enfrentamientos callejeros eran continuos. Se daba la circunstancia añadida de que César Borgia estaba postrado en la cama, gravemente enfermo, por lo que las tropas pontificias de las que era capitán general estaban sin jefe. Por si ello no era suficiente, el Sacro Colegio, controlado ahora por los enemigos de los Borgia, lo privó de forma fulminante de sus funciones y dio la orden de que las tropas saliesen de la ciudad para evitar que alguien pudiese manejarlas de cara a la elección que se avecinaba.

Circulaba el rumor de que el padre y el hijo habían sido envenenados en una fiesta que ofreció el cardenal Corneto; otros señalaban que eran víctimas de la malaria. En cualquier caso, los esfuerzos del doctor Marruzza por salvar la vida del pontífice fueron inútiles.

La ira de los romanos se desató contra los españoles y muchos fueron acuchillados, aunque también ellos se cobraron sonadas venganzas.

Las luchas en torno a la sucesión se plantearon como un duelo personal entre los candidatos que contaban con mayores apoyos. Junto a Giuliano della Rovere, el gran enemigo de los Borgia, se alineaba la mayor parte de la facción opuesta a Alejandro VI. El otro candidato, el cardenal francés Georges d'Amboise, contaba con el apoyo del duque de Valentinois y algunas influyentes familias romanas, enemigas de Della Rovere. Las posiciones estaban muy definidas y los antagonismos muy perfilados.

Las *fumati neri* surgían una tras otra en el cielo romano porque, en aquellas condiciones, era casi imposible que uno de los dos alcanzase el *quorum* necesario.

La duración del cónclave unida a la falta de tropas estimulaba los desmanes de la plebe. Muchos malhechores sabían que sus latrocinios y crímenes quedarían impunes, mientras se prolongase aquella situación. Para salir del atolladero, como en otras ocasiones, se buscó una solución de compromiso y resultó elegido el cardenal Francesco Piccolomini, que tomó el nombre de Pío III.

Caterina decidió trasladarse a Florencia; la muerte de su mortal enemigo le devolvía la esperanza. Tuvo noticias de que algunos señores de la Romaña se agitaban y cuestionaban los derechos de César Borgia. Tal vez hubiese una posibilidad de recuperar el dominio de sus señoríos.

Una vez en Florencia los acontecimientos se precipitaron. Allí tuvo noticia de que los tribunales habían aceptado su demanda acerca del derecho que le asistía de administrar los bienes de la herencia del pequeño Giovanni. La sentencia era pública desde hacía algunas semanas, pero su astuto cuñado se la había ocultado y el abogado de Caterina había fallecido unos días antes de conocerse el veredicto de los jueces.

Su posición mejoraba de forma notoria. Dejaba de depender de la asignación que recibía y se convertía en administradora de una importante fortuna, y eso significaba que los controles, los agobios y las penurias quedaban atrás. Aunque encargó la administración de sus bienes a una persona honrada y solvente, Salviati, hacerse cargo de la herencia la obligó a posponer, por algunas semanas, la decisión de viajar a Roma para plantearle al nuevo Papa su reclamación sobre el señorío de los Riario.

En las vísperas de su partida, llegó hasta las riberas del Arno una noticia extraordinaria: Pío III había muerto. ¡Su pontificado concluía veintiséis días después de haberse iniciado!

También corrieron rumores de que el veneno había sido el causante de su muerte.

56

Ahora todo transcurrió mucho más deprisa. El nuevo cónclave eligió Papa con rapidez y la tiara pontificia recayó en manos del cardenal Della Rovere. Caterina recibió alborozada la noticia de la elección de Julio II, que fue el nombre elegido por el sucesor de Pío III.

Su gozo tenía un doble motivo: la posición de César Borgia sería insostenible porque, sin duda, el nuevo Papa lo privaría de todos sus nombramientos; incluso su propia vida estaría en peligro. A ello se añadía que Giuliano della Rovere era primo de Girolamo Riario y tío de sus hijos. Sus esperanzas de recuperar Imola y Forlì se acrecentaron.

El mismo día que llegó a Florencia la noticia de la elección de Julio II, Caterina escribió al nuevo vicario de Cristo en la tierra.

> Santidad:
> Mi corazón salta de gozo al recibir la nueva de que el cónclave ha elevado a Vuestra Santidad al solio pontificio. Mi más ferviente deseo es el de postrarme a vuestros pies como devota hija, por lo que solicito la gracia de ser recibida por vuestra santidad
> Mis hijos y yo elevamos nuestras plegarias a Dios Nues-

tro Señor y a su Santísima Madre para que vuestro pontificado sea duradero y esté lleno de glorias para nuestra Santa Madre Iglesia.

CATERINA, condesa de Imola, señora de Forlì

Una vez más, Caterina apostaba fuerte. El paso de los años no atenuaba su vitalidad. La firma de la carta desvelaba sus últimas intenciones.

Durante semanas aguardó una respuesta que no llegaba. Primero, lo achacó a las numerosas ocupaciones y compromisos de un pontífice en sus primeros tiempos; luego, conforme pasaban los meses, tuvo presentimientos cada vez más negros. Escribió sendas cartas a los dos cardenales de la familia. Una al anciano Ascanio Sforza y otra a Raffaele Riario, buscando su apoyo.

La respuesta del primero fue que tuviese paciencia; el segundo fue mucho más explícito. Le indicó las dificultades que encontraría su petición porque su hijo Ottavio cerró el acuerdo de mantenerse en la mitra de Viterbo. Le ofrecía su apoyo, pero ponderaba las dificultades.

Caterina estaba profundamente contrariada. Resultaba ridículo que el mayor obstáculo para su pretensión fuese el máximo beneficiario de ella. ¡Su primogénito prefería las sotanas a las armaduras! Decidió viajar a Roma.

Días después se puso en camino. Ya no era la joven amazona que, con un hijo en su vientre, galopaba horas sin descanso. Iba a cumplir cuarenta y cuatro años y su salud estaba quebrantada.

Inició el viaje al día siguiente de la Epifanía y entraba en Roma al atardecer del 13 de enero. Eran muchos los que le aconsejaron no realizarlo en medio de la crudeza del invierno, pero no hubo forma de hacerla cambiar de opinión.

Desde lejos, Roma le pareció una hermosa ciudad. Junto a las torres de las iglesias se alzaban algunas cúpulas que, según los cánones del arte, que ya se denominaba renacentista, imitaban la del Panteón de Agripa, aunque eran más pronunciadas.

Recorrió calles donde se levantaban nuevos palacios, se remozaban fachadas y se construían templos de nueva planta. Se renovaban los empedrados o se trazaban otros nuevos; se limpiaban basureros y muladares, donde se acumulaban desperdicios de siglos. También la mezcolanza de olores ofrecía intensos contrastes. Los pestilentes vahos de muchos lugares se contrarrestaban con el olor a la piedra nueva, a las arenas de río, a los aromas de las maderas y al de la cal utilizada para fraguar el mortero.

Era casi de noche cuando cruzó la piazza Navona que la conducía al palacio de Riario. La aguardaban, porque el mismo día que se puso en camino, un jinete partió de Florencia para anunciar su llegada. Su Eminencia estaba ausente, pero dejó instrucciones muy precisas para que se la atendiese como correspondía.

Claudia y Julia, las dos doncellas que la atendieron en su anterior estancia, la recibieron alborozadas.

El secretario la llamó por su nombre.

—*Madonna* Caterina Sforza.

Los cuchicheos cesaron y los presentes buscaron con la mirada. Un joven sacerdote abrió la puerta de una de las dependencias que daba a la antecámara.

—Os llaman, mi señora.

En medio del silencio apareció una atractiva mujer de cabellos blancos; la acompañaba el cardenal de San Giorgio. Vestía un elegante traje de tafetán morado, bordado en oro y plata; el cuello y los puños eran de rizados encajes. Se abrió un pasillo y tras su paso surgían los murmullos. Raffaele Riario la condujo hasta la misma puerta del despacho papal.

Caterina hincó las rodillas, se inclinó y besó los pies al Santo Padre, enfundados en zapatillas de terciopelo rojo.

—Álzate, hija, álzate. —Julio II la había tomado por los hombros y tiraba de ella hacia arriba, luego le ofreció su mano para que la besase.

—Agradezco a vuestra santidad que me conceda el honor de esta audiencia.

Tomándola del brazo, Julio II la llevó hasta uno de los sillones que flanqueaban una pequeña y delicada mesa, cuyo tablero era una composición marmórea de diversos colores. Allí tomaron asiento.

—¿Qué tal tu vida en Florencia?

—Tranquila, santidad, tranquila.

El pontífice asintió con un ligero movimiento de cabeza.

—Has tenido una existencia agitada, pero el Creador siempre dispone que haya un tiempo para el sosiego y el reposo. —El Papa entrecerró los ojos como si rememorase viejos pensamientos—. ¿Recuerdas cuando te llevé del brazo hasta San Pedro para que Sixto IV ratificase tu matrimonio con Girolamo?

—Fue un hermoso día, santidad.

Caterina pensó que el hecho de que Julio II recordase aquel momento era un buen síntoma.

—En la vida hay un tiempo para la lucha y otro para el reposo, como también hay momentos para la alegría y para la tristeza.

—No es reposo lo que he venido a solicitar a vuestra santidad.

—Lo sé, hija, lo sé. La rúbrica de tu carta no dejaba margen para la duda. Sin embargo, he de confesarte que la situación en la Romaña es muy complicada, la herencia de los Borgia es puro veneno. Son muchos los que desean ser reintegrados en sus dominios; así nos lo piden de Camerino, de Senigallia, de Urbino. Si accediésemos a todas esas pretensiones, el poder de los Estados Pontificios sufriría un duro quebranto y yo no cumpliría con mis obligaciones.

—Acudo a vuestra santidad para pediros, en nombre de mis hijos, que nos repongáis en el derecho que los Borgia nos arrebataron.

Julio II no se inmutó. Guardó un largo silencio, al cabo del cual comentó:

—Lo que me pides es problemático.

—No veo mayor problema en que vuestra santidad nos restituya lo que en justicia nos pertenece.

—No es tan fácil, Caterina. Sería como abrir una brecha en los muros de una fortaleza. Otros reclamarían derechos similares. Además, tu hijo Ottavio ha optado por la carrera eclesiástica; lo hemos confirmado como obispo de Viterbo; también tu hijo Cesare goza de una importante dignidad eclesiástica en su condición de arzobispo de Pisa.

El rostro de Caterina se ensombreció. Aquel argumento era el más doloroso de todos. Sus dos hijos mayores preferían beneficios eclesiásticos, en lugar de asumir sus responsabilidades como gobernantes.

—Santidad, tengo otros tres hijos varones de mi matrimonio con Girolamo.

Julio II se levantó y Caterina se puso de pie.

—He hablado con el cardenal de San Giorgio para que otro de tus hijos obtenga una mitra episcopal. En su opinión el más indicado es Francesco, creo que es el menor. ¿Cuántos años tiene?

—Va a cumplir diecisiete.

—Lo consagraremos como obispo de Lucca. Tiene valiosas rentas y en estos momentos es *sede episcopali vacante*.

El Papa se acercó al bufete y agitó una campanilla de plata, dejando a Caterina con la respuesta en la boca porque, al punto, apareció el secretario y la invitó a acompañarle. Apenas tuvo tiempo para besar la mano que el pontífice le ofrecía a modo de despedida.

Cuando salió de San Pedro del Vaticano, frustradas sus esperanzas, indicó al cochero que la llevase hasta un callejón perdido a la espalda del Coliseo. Allí vivía una vieja amiga, ya muy anciana, y por ello muy experimentada en saberes.

Caterina había trabado amistad con ella los años que vivieron en Roma; después mantuvieron una correspondencia con muchos altibajos.

Cuando le abrió la puerta, la reconoció de inmediato:

—¡Condesa! ¿Cómo vos por aquí?

—¿Puedo pasar?

—Mi humilde morada es vuestra casa. —Se hizo a un lado y le franqueó la entrada.

La habitación era de techo bajo, paredes irregulares y oscurecidas por el humo de las candelas; había un revoltijo de curiosos objetos. Una mesa tocinera estaba llena de papeles desordenados y de las vigas del techo colgaban manojos de hierbas, que esparcían intensos aromas por la habitación.

Después de muchas vueltas se decidió a confiarle su antiguo enigma a la anciana. Pensó que su tiempo se acababa y no lograba descifrar el desafío de Leonardo. Desde que decidió venir a Roma pensó en la posibilidad de confiar a la vieja astróloga y herbolaria el secreto guardado celosamente durantes tres décadas. Sería la primera persona con quien hablaría de ello, porque con Alberti y con Argila nunca se decidió.

Después de algunos comentarios, le planteó abiertamente la cuestión.

—La fórmula de un enigmático texto me ha acompañado durante treinta años —la voz de Caterina salía de su boca alterada por la emoción y la vieja judía supo que la conversación tomaba un derrotero inesperado— y hasta el momento he fracasado. Se trata de la fórmula de un elixir.

Ana entrecerró sus ojillos miopes para mejorar la visión.

—¿Un texto? ¿Qué clase de texto?

—Eso es algo que ignoro. Uno sobre cuya pista me puso el maestro Leonardo.

—¿Leonardo da Vinci?

—Sí.

—¿Cuándo lo conocisteis?

—Hace muchos años, en Milán. Yo era una adolescente y, por entonces, él trabajaba en diferentes encargos para mi familia.

Después de un largo silencio la anciana, con voz pastosa, murmuró:

—Se divierte colocando acertijos en sus pinturas, utilizando símbolos secretos que, en algún caso, están relacionados con herejías condenadas por la Iglesia.

—¿Símbolos heréticos?

—Eso se dice acerca de una gran pintura al fresco, en la que ha representado la última cena del Nazareno para un convento de Milán. No recuerdo su nombre, pero sé que los frailes que le hicieron el encargo estaban desesperados. Se llevaba a sus amigos para que le sirviesen de modelo, y pedía viandas y bebidas con las que abastecer la mesa. Causó estragos en la despensa y en la bodega conventual.

—Supongo que te refieres al convento de Santa Maria delle Grazie, el cenobio de los padres dominicos.

Ana asintió.

—Está lo suficientemente loco como para lanzarse al espacio a volar, agitando con sus brazos un armatoste con forma de alas de murciélago. Creo que se dio un trompazo del que salió mejor parado de lo que cabía esperar. —En la desdentada boca de la anciana se dibujó una sonrisa conejil.

—Desde hace unos meses está en Florencia, pero no nos hemos visto.

—¿Por alguna razón?

Una veladura de tristeza asomó a los ojos de Caterina.

—Para mí ha sido muy doloroso que se pusiese al servicio de César Borgia. Ha trabajado para él en la mejora de las fortificaciones de las ciudades y castillos de la Romaña.

—Ya os he dicho que ese toscano es un demonio. ¿Qué hace ahora en Florencia?

—Está muy atareado con varios encargos de la Señoría, que desea decorar el gran salón del Palazzo Vecchio con pinturas murales, alusivas a las glorias militares de la ciudad. Le han encargado que represente la batalla de Anghiari, una de las muchas victorias de los florentinos sobre sus vecinos de Pisa. También forma parte de una comisión creada para determinar el emplazamiento de una escultura que represente al rey David.

—¿Una comisión para buscar el sitio donde poner una escultura? —La herbolaria estaba extrañada.

—Te aseguro que se trata de una obra excepcional. Fui a verla y quedé impresionada por la fuerza que emana de la fría piedra. Mide siete codos y medio y su autor la ha labrado en un gigantesco bloque de mármol que lograron sacar entero de las canteras de Carrara. Llevaba muchos años aguardando a que un artista se atreviese a meterle el cincel.

—¿Quién es el artista?

—Un joven que no ha cumplido los treinta años, pero que esculpe la piedra con la misma facilidad con que un pastelero moldea la masa. Le he oído decir que las obras que salen de su cincel están en el interior de los bloques de mármol; él se limita a limpiar la piedra que sobra, y sacarlas. Creo que el Papa quiere traerlo a Roma; se llama Michelangelo Buonarroti.

—¿Qué os dijo Leonardo acerca de ese elixir?

—Nada.

—Entonces, ¿qué buscáis?

—Una tarde, mientras dibujaba unas plantas en el jardín del palacio de mi familia en Milán, me acerqué hasta él. Me regaló un dibujo, garrapateó un extraño texto en el reverso; antes de entregármelo, mirándome a los ojos, me dijo: «Busca hasta que lo encuentres». Yo le pregunté, mientras tomaba el papel en mis manos: «¿Qué he de buscar?». Se limitó a contestarme: «El elixir».

—¿Por qué decís, un extraño texto?

—Porque es ilegible.

La risilla de conejo apareció de nuevo en los labios de la anciana.

—¿Te hace gracia?

—Me hace gracia que no sepáis interpretar la extraña escritura que utiliza Leonardo cuando deja constancia de algo que su fértil imaginación elucubra, aunque a mí no me engaña.

—¿Qué quieres decir?

—¿No lo sabéis?

—No.

—Se dice que escribe al revés para ocultar a ojos indiscretos el contenido de sus escritos. Para leerlos hay que ponerlos frente a un espejo; entonces cobran sentido sus palabras.

Caterina contuvo la respiración.

—¿Qué estás diciendo?

—Que, como todos los genios, es mordaz e irónico y le gusta divertirse poniendo a los demás en apuros.

—¿Crees que esas líneas donde dejó la fórmula de ese elixir que busco desde entonces están escritas al revés?

—No lo sé, pero es posible que así sea y lo hayáis tenido delante de vuestras narices todo este tiempo. ¡Se ha burlado de vos!

Caterina lamentó no haber hablado con nadie de aquello en tantos años y no tener a mano el dibujo que guardaba entre las páginas de su recetario. Estaba en Florencia. Su curiosidad tendría que esperar a su regreso y comprobar si Ana tenía razón.

57

En el espejo se reflejaba el texto con limpieza. Al trazo oscuro del carboncillo apenas le había afectado el paso del tiempo, aunque algunas palabras estaban desvaídas por el manoseo sufrido por el papel.

Caterina leyó con facilidad y lo anotó cuidadosamente.

ELIXIR DE LA JUVENTUD

El dragón alado que escupe fuego
desciende desde las esferas celestes.
El volátil debe fijarse.
Agua y vapor devenir tierra,
el más elevado debe descender
y el de abajo subir.
El fijo debe hacerse alado.
Así se intercambian tierra y cielo.
El dragón volador mata al fijo,
y aquél sucumbe a su vez,
así llegan a un gran día,
la quintaesencia y sus poderes.

Era un texto complicado y desconocía el significado de algunas expresiones. Ignoraba por qué lo llamaba el elixir de la juventud.

En otro momento de su vida hubiese corrido al laboratorio para ponerse manos a la obra. No lo hizo, entre otras razones porque no sabía qué hacer, pero también porque, después de la caída de Ravaldino, su vida discurría por otros senderos y desde entonces era otra mujer. En sus labios se insinuó una sonrisa y en sus ojos brilló un destello de tristeza.

—¡La juventud! El tiempo se la lleva sin remedio.

Se levantó con dificultad porque los fríos y las humedades de la mazmorra de Sant'Angelo la habían dejado quebrantada. Se acercó lentamente al amplio ventanal que daba luz a la estancia y lo abrió de par en par. Percibió el suave aroma de la primavera y vio cómo, en el pequeño jardín de su nueva casa, despuntaban las rosas tempranas, que anunciaban la llegada de la nueva estación.

Los pensamientos pasaban fugaces por su cabeza, pero como si fuese un telón de fondo, permanecía la figura de Leonardo. ¿Qué querría señalar con los dragones? Para los Sforza era algo familiar, tanto como para que su escudo lo tuviese como el principal de sus emblemas: el dragón de los Sforza. ¡Por eso la habían llamado la Dama del Dragón! Sabía de la importancia de la simbología en la alquimia y que en muchos tratados aparecían dos de ellos, uno alado y otro áptero, y que de su unión se generaba un arcano que pocos habían logrado descifrar. Pensó que Leonardo sobrevaloró a aquella jovencita, que vivía intensamente su adolescencia en el castillo que simbolizaba el poder de los Sforza en su Milán natal y en cuya más alta torre ondeaba un estandarte presidido por un dragón negro.

Entre aquella lejana jornada y la apacible tarde florentina de que disfrutaba se alzaba todo un mundo, porque las tres décadas que las separaban eran una vida llena de sobresaltos y emociones, de tensiones y lucha, de victorias y derrotas.

—¡Mamá, mamá! —Una voz infantil la sacó de sus pensamientos.

Giovanni con el rostro enrojecido se acercaba a toda velocidad; una doncella corría tras el pequeño y su maestro iba unos pasos más atrás.

—¡Mira, mamá, mira!

Le mostraba cómo goteaba la sangre de su mano izquierda. No parecía alterado.

—¡Disculpad, *madonna*! —se excusó la doncella.

—¿Qué ha ocurrido?

—Lo lamento, *madonna* —el maestro también ofrecía sus excusas—, aprovechó un descuido para salir al jardín. ¡Sólo piensa en subir a los árboles para alcanzar los nidos! ¡Únicamente le gusta jugar a la guerra con otros niños! ¡No le interesan los estudios!

—¿Qué le interesa, entonces?

El maestro, con aire compungido, que no afectaba a la dignidad de su porte, hizo un gesto ambiguo con los hombros; como si hubiese pensado una respuesta que no se atrevía a pronunciar. Caterina repitió la pregunta, mientras Giovanni mostraba su dedo herido:

—Decidme, micer Paolo, ¿qué le interesa?

El maestro agachó la cabeza.

—Preguntádselo a él, mi señora.

—Giovanni, ¿qué deseas ser de mayor?

El pequeño alzó la cabeza y respondió muy serio:

—Seré *condottiero*.

Las palabras resultaban extrañas en la boca del pequeño, sobre todo porque su respuesta no planteaba una posibilidad, era un aserto.

Caterina miró a su hijo, que continuaba mostrando su mano, y sintió cómo la estremecía un ramalazo de orgullo. Los grandes ojos negros del niño estaban fijos en la sangre que goteaba de su dedo. Por las venas del pequeño Giovanni circulaba la sangre de los Sforza.

—Serás *condottiero*.

Los días transcurrían apacibles. Caterina afirmaba a sus íntimos que vivía un tiempo en que tocaba cerrar ventanas a la vida. Sus finanzas en manos de Salviati le permitían una vida regalada y sin sobresaltos. A la vorágine que presidió otros momentos, cargados de acontecimientos, le sucedía ahora la placidez de una época más templada. Las turbulentas aguas que configuraban el curso de su agitada existencia se remansaban y discurrían serenas y tranquilas.

Dedicaba parte de su jornada a contestar una numerosa correspondencia. Se escribía con Alberti, su fiel boticario, y mantenía una relación epistolar frecuente con Ana la judía, a la que la edad no mellaba el intelecto. La hechicera parecía desafiar a la vida. También se escribía con su hija Bianca, quien, casada con el conde de San Segundo, vivía feliz en Parma, y con Gian Galeazzo, el quinto de sus hijos, que había contraído matrimonio con Maria della Rovere, hija del duque de Urbino. En ocasiones decía a quienes la visitaban en su palacete, a orillas del Arno, que su descendencia no estaba mal situada.

Recibía cartas de toda Italia escritas por sus admiradores. Muchas de ellas se las enviaban viejos soldados que lucharon a su lado; otros le enviaban flores secas y ardientes composiciones amatorias. ¡Aún levantaba pasiones!

La llenó de orgullo saber que, en Forlì, un grupo de partidarios se reunían en casa de uno de ellos para recordarla y hablar de los hechos que llenaron su existencia. Recibía frecuentes visitas de Scipione, cuando su brillante carrera militar se lo permitía.

Se había construido un nuevo laboratorio, donde se encerraba largas horas y continuaba experimentando, descubriendo y anotando todo lo que el mágico mundo de la alquimia ponía delante de sus ojos, pero sus esfuerzos se estrellaban cuando se enfrentaba a su gran reto alquímico.

Pensaba en el enrevesado texto de los dragones. Había descubierto que el dragón alado simbolizaba el fuego astral superior, que era el mercurio, la fuerza vital que animaba el universo, aunque algunos señalaban que representaba al llamado espíritu del salitre. Podía utilizar tanto mercurio como salitre, pero no lograba pasar de ahí porque todos los alquimistas habían ocultado cuidadosamente, con el mayor velo de misterio, al dragón de abajo, el dragón áptero que simbolizaba el fuego astral inferior, conocido popularmente como la sal secreta de los filósofos. En cierta ocasión, le escuchó decir a Alberti que en los círculos alquimistas se afirmaba que caería una terrible maldición sobre aquel que osase desvelar alguno de los grandes misterios de la ciencia alquímica, y el dragón áptero era uno de ellos. ¿Qué había visto Leonardo en ella para ponerle una prueba tan difícil?

Sólo dos preocupaciones enturbiaban el horizonte de su apacible existencia en la Florencia que la había acogido como a una hija. La actitud de su primogénito Ottavio, quien, después de renunciar a la lucha de lo que eran sus derechos, la atosigaba continuamente pidiéndole dinero. Las rentas de la mitra de Viterbo no eran suficientes para el ritmo de vida que llevaba en Roma, donde pasaba la mayor parte del año. Las cartas que le escribía eran un rosario de peticiones, que rozaban la más desvergonzada exigencia. Las noticias de su vida disoluta le llegaban por varios conductos, pero todas apuntaban en la misma dirección: vivía en el desenfreno, el lujo y la molicie. Sus angustias de otro tiempo dieron paso a un distanciamiento, que sólo rompían las insistentes peticiones de Ottavio. En las últimas cartas casi le exigía que ejerciese sus influencias para que Julio II le concediese la púrpura cardenalicia. Convertirse en un príncipe de la Iglesia le reportaría las rentas que necesitaba para dar respuesta a las costosas necesidades de la vida que deseaba.

Mucho más desasosiego le producía la duda que flotaba en su ánimo acerca de su relación con Leonardo. Había algo que le impedía llamarlo y plantearle directamente que le descifrase la fórmula que se escondía bajo aquellos dragones.

Sabía que el maestro preguntaba por ella y que mostraba interés por saber cómo se encontraba, pero no se había producido el deseado encuentro. Transcurrían las semanas y los meses, y el artista no se dignaba hacerle la visita que Caterina esperaba y entendía que correspondía realizar al maestro. El que Leonardo hubiese trabajado para César Borgia dejó abierto un foso, que parecía insalvable. Su herida dignidad no le permitía dar el paso que anhelaba, pues ella ansiaba el encuentro por diversas razones, entre otras porque se le resistía el enigmático texto que improvisó en Milán. Los dragones guardaban, como celosos centinelas, las puertas del misterioso elixir.

Fue su amigo Fortunati quien le llevó la noticia.

—¿Estás seguro?

—Completamente, mi señora.

Caterina, que majaba en un dornillo flores de manzanilla, quedó en suspenso, con la mirada velada por un pensamiento.

—¿Cuándo se ha marchado?

—Hace dos días, aunque yo me enteré ayer. He oído que va camino de Milán para ponerse al servicio de Charles Chaumont, mariscal de Amboise. Se dice que se lleva consigo el retrato de la esposa de Francesco del Giocondo. El marido está muy enfadado, pero Leonardo afirma que el retrato no está concluido. Se dice también que lo ha tranquilizado, comprometiéndose a enviárselo cuando esté acabado.

Caterina tenía los labios fruncidos y parecía no haber escuchado la historia del retrato. Comentó con tristeza:

—Parece que el destino lo coloca al lado de quienes se enfrentan a los Sforza.

—¿Os habría gustado mantener una conversación con él?

Caterina miró el grueso volumen de sus recetas y se encogió de hombros.

—Tenía algunas preguntas que hacerle.

—¿Por qué no le escribisteis?

—Porque era él quien debía de haberse acercado.

—Pero erais vos quien deseaba el encuentro.

—Si no ha venido a verme —negó con un ligero movimiento de cabeza—, es porque en su corazón anida la duda. Leonardo ha estado en Florencia el tiempo suficiente como para haber buscado el encuentro.

Unos suaves golpes en la puerta dieron paso a una doncella que llevaba una carta en la mano.

—Acaba de traerla un correo, mi señora.

El lacre que la cerraba no estaba sellado. Lo rompió sin miramientos y leyó con avidez. El texto estaba fechado en Roma cuatro días atrás. Al leerlo contuvo la respiración.

El secretario del cardenal Riario le comunicaba, de forma escueta, que César Borgia había muerto en la localidad de Viana. Se limitaba a indicar que cayó en combate, mientras luchaba, junto a su cuñado el rey de Navarra, contra los castellanos.

El primero de los recuerdos que acudió a su mente era frío. Las manos de aquel hombre palpando su intimidad, cuando trató de mancillarla como mujer, aunque fue ella quien lo humilló como hombre. Luego su cabeza se llenó con los gritos de la gente, cuando la exhibía atada al carro triunfal en el desfile que organizó para hacer su entrada en Roma. El destino quiso que en aquellas circunstancias también resultase vencedora. El Duque Negro fue uno de sus peores enemigos, tal vez el peor de todos, a pesar de que fueron muchos y poderosos los que se cruzaron en el camino de su vida.

Soltó el papel sobre la mesa y murmuró en un tono apenas audible:

—El duque de Valentinois ha muerto. —Dejó escapar un suspiro—. Cuando muere uno de nuestros enemigos también muere algo de nuestra propia vida. Al fin y al cabo, ellos forman parte de nuestra existencia.

—César Borgia, como todos los suyos, era un malvado —señaló Fortunati.

—Espero que Dios Nuestro Señor le haya perdonado sus muchos y grandes pecados. —Caterina se santiguó en recuerdo de su viejo enemigo, aunque sólo tenía treinta y un años.

Fortunati captó un fondo de tristeza en sus palabras, pero no supo a qué atribuirlo.

—¿Necesitáis algo, mi señora?

Caterina no contestó, sumida en sus pensamientos; parecía ausente.

58

La víspera de la Candelaria, la llamada fiesta de las luces en que la Iglesia celebraba la purificación de la Virgen María, acudió a la celebración de los oficios religiosos a la catedral. Santa Maria del Fiore ejercía sobre ella una gran atracción. La impresionaba la airosa cúpula construida por Brunelleschi sobre el crucero del templo, rompiendo todas las normas de la arquitectura y desafiando las leyes del equilibrio. Los poderosos anillos que cinchaban la estructura y los grandes nervios de mármol que la recorrían en su interior permitían mantenerla en el aire. Caterina pasaba largas horas contemplando desde la terraza de su palacio sus anaranjados triángulos que sobresalían, junto al vecino campanario, por encima de todas las construcciones de la ciudad.

Acompañada por un pequeño séquito avanzaba lentamente por la nave central, como si fuese un ritual en el que se demoraba con cierta delectación morbosa. Hacía ligeras inclinaciones de cabeza, leves movimientos con sus enguantadas manos o insinuaba una sonrisa. Sabía que era el centro de atención, la comidilla de cuantos acudían a Santa Maria, como si la misa fuese una de las innumerables fiestas en que se daba cita la aristocracia florentina y a las que hacía tiempo dejaron de invitarla porque no asistía a ninguna. Satisfacía sus necesidades espirituales en la iglesia del convento Delle Murate, un lugar discreto y apartado; por eso, cuando hacía acto de presencia en la catedral se convertía en centro de atención. Despertaba la admiración de los caballeros y la curiosidad de las damas, y se recreaba con el soniquete de los murmullos que levantaba a su paso. Como integrante de la familia Médicis, aunque sus relaciones familiares estaban reducidas al mínimo, tenía el derecho de ocupar un lugar en la capilla familiar. Desde allí seguía los oficios religiosos y podía ver y ser vista, una práctica que siempre resultó atractiva a los florentinos.

A sus cuarenta y cinco años Caterina conservaba una figura envidiable. Mantenía la cintura estrecha, las curvas de sus caderas eran suavemente pronunciadas y el nacimiento de sus pechos anunciaba unos senos firmes, como si fuesen de una mujer con la mitad de su edad; su cutis había recuperado la luminosidad perdida durante los años de su prisión en Roma. Una mirada serena había sustituido a la pasión que brillaba en sus ojos años atrás, cuando algunos la bautizaron como la Dama del Dragón, y el blanco de sus cabellos, que no disimulaba con tintes ni pinturas, le daba tal aire de refinamiento que muchas damas florentinas se lo teñían de aquel color como signo de distinción.

Acompañándola, un paso detrás, caminaba su hijo Giovanni, un jovencito que estaba a punto de cumplir los once años. Era la primera vez que vestía calzas y jubón como los hombres, y de su cintura pendía un espadín, cuya funda de tafilete, adornada con pedrería, delataba la riqueza de su propietario. Dos doncellas y dos criados armados con dagas, que estaban en el límite de la longitud de las armas permitidas en lugar sagrado, daban escolta a la *madonna*.

Se sentía orgullosa. Avanzaba pausadamente, recreándose en cada momento. En la seda de su vestido se combinaban los tonos anaranjados y rojos de unas mangas abullonadas y acuchilladas con el blanco del cuerpo, recamado con cientos de delicadas y finas perlas, que formaban un dibujo reticular de rombos alargados. Tocaba su cabeza con un delicado sombrero, a juego con el vestido, volado sobre un lado de su cabeza y adornado con dos plumas de faisán, sujetas con un broche cuajado de perlas. Llevaba el pelo recogido con unas pequeñas trenzas que rodeaban su cabeza a modo de diadema.

¡Estaba espléndida!

La salida del celebrante fue precedida de un revuelo de acólitos y sacristanes, y varios clérigos revestidos con vistosos ropajes litúrgicos que formaban una pequeña procesión. El canónigo que presidía no pudo evitar una mirada de soslayo hacia el lugar donde Caterina y sus acompañantes aguardaban el comienzo de la liturgia.

Los murmullos solamente cesaron en el momento de la consagración. En medio de un silencio solemne, el celebrante alzó la hostia en sus manos, pronunciando las palabras de las transustanciación: *Hoc est corpus meum...* El tintineo de una campanilla acompañaba sus palabras.

El estrépito de la caída sonó más ruidoso en un momento como aquél. Se alzaron las cabezas humilladas y las miradas convergieron hacia el lugar del percance. El canónigo, tras un momento de vacilación, continuó con la celebración, pero la gente se había desentendido del ritual. La mayoría permanecía en su sitio y preguntaba, algunos se acercaron hasta donde el pequeño Giovanni y las dos doncellas atendían a su madre. Los dos criados trataban de mantener a raya a los que se acercaban.

—¡Agua! —solicitó una de las doncellas.

—¡Agua! ¡Agua! —repitieron varias voces.

Caterina tenía los ojos cerrados y su rostro mostraba una

palidez cadavérica. Alguien se acercó con una palanganilla en las manos.

—¡Es agua bendita!

Una de las damas mojó su mano y la sacudió sobre el rostro de su señora, que no se movió. Un individuo vestido con una negra hopalanda se abrió paso hasta el lugar, se agachó y cogió la muñeca de Caterina para tomarle el pulso, luego sacó de uno de los bolsillos un espejo pequeño y se lo colocó debajo de la nariz; instantes después estaba empañado. Indicó a la doncella que empapase su pañuelo en el agua y le aplicase una compresa en la frente.

Caterina abrió los ojos y vio una docena de rostros.

—¿Dónde estoy? ¿Qué ha ocurrido?

—Habéis sufrido un desvanecimiento.

Se llevó la mano al cuello de encajes de su vestido, buscando el aire que faltaba a sus pulmones. Le costaba trabajo respirar y sentía la falta de vida en su cuerpo desmayado.

—¡Atrás! ¡Atrás! ¡Haced sitio! —El médico se levantaba apartando con las manos a la gente.

Los criados ayudaron a despejar un círculo en torno a su señora.

La misa proseguía, pero la gente estaba muy lejos de atender a la celebración. Por una de las naves laterales la sacaron en unas improvisadas parihuelas porque le faltaban las fuerzas para abandonar el templo por su propio pie. En la puerta ya aguardaba una silla de manos.

Fueron unas largas semanas sin abandonar el lecho. Veía el mundo desde la ventana de su alcoba, algo insufrible para una mujer de su temperamento. Le practicaron sangrías y le aplicaron toda clase de cataplasmas, emplastos y ungüentos. Todo fue inútil, los médicos no encontraban remedio para su enfermedad. Era como si las fuerzas la hubiesen abandonado, como si a lo largo de su vida las hubiese gastado en exceso y ahora le faltasen.

Algunos días, con gran esfuerzo, lograba incorporarse y abandonar la cama. Se sentaba en un sillón junto al ventanal, pero al poco rato tenía que acostarse de nuevo. Las visitas la fatigaban en exceso y una conversación la agotaba más que, en otro tiempo, una larga cabalgada.

En mayo se inició una recuperación que le devolvió parte de su vigor. Todos alentaban esperanzas porque comía con cierto apetito y pensaron que quedaba atrás lo más grave de aquella extraña enfermedad que la tenía postrada desde el desmayo en Santa Maria del Fiore.

Aprovechó aquellos días para poner en orden algunas cosas. Otra vez dedicaba horas al laboratorio, obsesionada con la búsqueda de algo que no acababa de encontrar. Cuando subía del sótano, donde experimentaba con la pasión de siempre, estaba agotada.

Una mañana se produjo un gran revuelo. *Madonna* había ordenado avisar al notario, eso significaba que iba a hacer testamento. Todo un augurio de malos presagios; el testamento era la última voluntad y se dictaba cuando la parca merodeaba por los alrededores. Caterina quitó importancia al hecho y señaló que llamar al notario formaba parte del orden que deseaba imprimir a su vida.

Como buena cristiana —al margen de que el Papa la hubiese calificado, según sus conveniencias, como *iniquitas* o *dilecta filia*— invocó en el encabezamiento del documento a la Santísima Trinidad, encomendó su alma al amparo de Dios, de la *Santa Madonna* y de un numeroso coro de santos y santas de la corte celestial. Ordenaba que se rezasen misas por la salvación de su alma y señaló el lugar donde deseaba ser enterrada: una sepultura sencilla al pie del altar en la iglesia del monasterio Delle Murate. Dispuso las mandas que deseaba se efectuasen cuando falleciese. Una cantidad para la fábrica de Santa Maria del Fiore y otra para las obras de la muralla de Florencia. Dejó una suma para el convento donde descansarían sus restos mortales y otra más para dotar a jóvenes casaderas que no tuviesen posibles. Repartió sus bienes entre sus hijos, según lo que correspondía a cada cual por sus ascendientes, y no se olvidó de las doncellas y criados que la servían con fidelidad. También dejó una suma considerable para el más fiel de sus capitanes, Bernardino de Cremona, el último en rendir su espada en la defensa de Ravaldino. Nombró a Fortunati y a Salviati sus albaceas testamentarios y les encomendó la tutoría del pequeño Giovanni —la mayor de sus preocupaciones en aquel momento—, así como la administración de sus bienes.

El viernes 25 de mayo se levantó poco antes de mediodía y se arregló como si fuese a salir a la calle. Pero lo hacía para recibir a su hijo Scipione, quien le trajo noticias de la guerra que enfrentaba a los españoles contra una alianza de estados italianos capitaneados por Julio II y que contaba con el apoyo de los franceses.

También estaba presente Fortunati, que comentó:

—Ésa es una poderosa coalición, los españoles tendrán dificultades.

Caterina miró a su hijo adoptivo, esperando su opinión.

Scipione negó con ligeros movimientos de cabeza.

—No lo creáis, micer Francesco. La infantería española no tiene rival en el campo de batalla. Pelean como demonios y no hay manera de hacerles romper las formaciones en cuadro que utilizan para entrar en combate. Sus arcabuceros aguantan a pie firme los envites de la caballería. Son una creación de Gonzalo Fernández de Córdoba.

—Hubiese dado cualquier cosa por haberlo conocido —suspiró Caterina.

—Me temo que será cosa complicada. Hace dos años que su rey lo cesó del virreinado de Nápoles. Ha caído en desgracia y vive retirado en una ciudad del antiguo reino de Granada.

—¿Crees entonces que los españoles ganarán la guerra?

—Desde luego, no la perderán. Es posible que busquen un acuerdo que les permita quedarse definitivamente con Nápoles, aunque he oído decir que aspiran a algo más que al reino de las Dos Sicilias.

—¿Qué quieres decir con eso de algo más?

Scipione carraspeó.

—Los españoles apuntan hacia el Milanesado.

A Caterina se le iluminaron los ojos.

—¿Quieren ocupar el ducado de Milán?

—Es la forma de asentar su dominio en Italia. Si se apoderaran de Milán controlarían el sur y el norte, y tendrían a los Estados Pontificios en una tenaza. Por eso Julio II promueve una alianza contra ellos, al grito de *fuori barbari*. El Papa sabe que si alcanzan sus objetivos, los Estados Pontificios estarán a su merced y él será un títere manejado desde España.

Una doncella entró y susurró algo al oído de su señora, entregándole un billete.

Caterina pidió disculpas, desdobló el papel y su rostro se transfiguró.

—¡Por la Santísima Virgen!

Scipione y Fortunati intercambiaron una mirada.

—¿Os ocurre algo? —preguntó el segundo.

—¡Es Leonardo da Vinci! ¡Ha venido! ¡Quiere verme!

—¿Leonardo? ¿Aquí? ¿En Florencia?

—Sí, está al otro lado de la puerta. —Caterina, de repente, sentía cómo el cansancio invadía sus extremidades.

La barba de Leonardo había encanecido y se desparramaba por su pecho; parecía un anciano. Vestía una túnica amplia y larga y se tocaba con un gorro de terciopelo.

Sin dejar de mirarlo, le ofreció su mano y el artista se la llevó a los labios.

—He de presentaros mis disculpas por no haberos rendido visita, como correspondía.

Caterina estaba emocionada. Le indicó un asiento y le preguntó por la razón de la presencia en su casa.

Leonardo esbozó una sonrisa.

—Hace años que dejamos pendiente una conversación, ¿la recordáis?

—En realidad, me dejasteis un regalo envenenado.

—Creo recordar que era una hermosa flor, entre cuyas propiedades no se encuentra el veneno.

—No os burléis.

En los labios del toscano apuntó una sonrisa.

—¿Lo habéis leído?

—Sí.

—Ya es algo.

—No he logrado descifrarlo.

Leonardo se atusó la barba. Tenía unos dedos largos y finos, muy delicados. A Caterina le llamó la atención que la piel de sus manos era casi transparente, podían verse las venas y percibirse los huesos.

—Hay que perseverar. Os dije en cierta ocasión que la paciencia es la virtud de los cofrades de la hermandad del atanor.

—¿Paciencia decís?

—Sí, una virtud poco corriente. Yo soy un claro ejemplo de la falta de perseverancia.

Caterina fijó su mirada en las pupilas del maestro tratando de descubrir sus pensamientos. Temía que se tratase de una de sus finas ironías, aunque era cierto que la paciencia no había sido una de las virtudes del genial artista. Recordó que para acelerar el proceso de secado de la pintura del gran salón del palacio de la Señoría, el que debía dedicar a la batalla de Anghiari, inventó un procedimiento que terminó en un estrepitoso fracaso. Se desentendió del proyecto y la pintura nunca recubrió el muro que le estaba destinado.

—No podría precisar las horas que he dedicado a esas líneas durante más de tres décadas, pero puedo aseguraros que han sido muchas más que a cualquier otra cosa. He de confesaros, además, que sólo con la ayuda de otra persona logré conocer la argucia de que os servís para ocultar vuestra escritura a ojos indiscretos. He de reconocer que vuestra habilidad es más que notable.

—Una vez descifrado el texto, ¿no habéis encontrado la fórmula?

—Los dragones son celosos guardianes del secreto que ocultan.

—También es el emblema de vuestra familia. —Leonardo dejó escapar un suspiro—. El alado representa al fuego astral superior y el áptero el fuego astral inferior.

—¿Cuál es la concreción material de tales fuegos?

Se dio cuenta demasiado tarde de lo inadecuado de su pregunta. Un iniciado nunca respondería a una cuestión como aquélla en presencia de extraños, pues eso y no otra cosa eran Scipione y Fortunati. A la perspicacia de este último no escapó que la situación se volvía más embarazosa cada segundo que pasaba.

—Disculpadnos, mi señora, pero será mejor que os dejemos a solas con el maestro. Hay asuntos que requieren intimidad.

Scipione se levantó, siguiendo el ejemplo de Fortunati, y con una breve despedida abandonaron el salón.

—Disculpad mi indiscreción.

—No tiene importancia, mi señora.

—¿Deseáis un poco de limonada?

Leonardo asintió y Caterina agitó una campanilla. Poco después acudía una doncella.

—Trae una copa para micer Leonardo.

El maestro paladeó el refresco.

—¿Por qué la fórmula aparece bajo la denominación de elixir de la juventud?

—Porque permite a quien lo ingiere mantenerse joven.

Leonardo lo dijo muy serio, como si fuese una declaración de fe, pero en la mirada de ella brillaba la incredulidad.

—¿Estáis hablando de la fuente de la eterna juventud?

—La palabra eterna la habéis puesto vos, yo sólo he hablado de juventud.

—No os entiendo, si uno se mantiene joven, la muerte... la muerte.

—La muerte llegará en su momento porque es consustancial a nuestra propia naturaleza.

—En ese caso, ¿cuál es el poder de vuestro elixir?

—Exageráis al adjudicármelo. Se trata de una antigua fórmula, aunque muy pocos a lo largo del tiempo han tenido acceso a ella.

—¿Podríais explicármela?

—Como os decía, el dragón alado representa el fuego astral superior y el áptero el fuego astral inferior. El primero, como posiblemente sepáis, es el símbolo del espíritu del salitre, el segundo, no puedo revelároslo; sería mi perdición. Sólo quienes reciben la iluminación acceden al secreto.

—¿Vos habéis sido iluminado?

Leonardo se atusó la barba y después, con mucha parsimonia, sacó de su bolsillo un pequeño frasco de cristal, tomó la mano de Caterina y depositó en su palma unos granos de sal cristalina que resplandecían sin que les diese el sol.

—¿Qué es esto?

—El elixir que habéis buscado durante más de treinta años; ha de tomarse disuelto en agua u otro líquido.

—¿Qué queréis decir cuando afirmáis que permite mantenerse joven?

—Que por muchos años que se viva, la decrepitud no se apodera de nuestro organismo. La juventud es un estado permanente, que se mantiene hasta que llega la hora de la muerte.

—¿Se muere joven?

—Se muere cuando llega el momento, pero el elixir previene contra el desgaste del organismo.

Caterina miró fijamente al hombre que estaba sentado delante de ella, tenía el aspecto de un anciano.

—Sin embargo, vos…

La sonrisa apuntó otra vez en los labios de Leonardo.

—Yo no tengo la fórmula. Solamente conozco su enunciado, igual que vos.

—Entonces esta sal…

—La conseguí en Milán hace pocas semanas, por eso he venido.

—Significa eso que… que vos ignorabais la fórmula con la que me retasteis en Milán.

—Efectivamente.

—Por eso… por eso… —Caterina no se atrevía a terminar la frase.

—Por eso no os visité hace algunos años cuando los dos

estábamos en esta ciudad. Me sentía avergonzado porque no tenía respuesta para la cuestión que os había lanzado. Ésa es la causa de mi grosero comportamiento.

—¿Cómo habéis conseguido esta sal?

—Me la ha proporcionado un jovencísimo alquimista suizo. Tiene dieciocho años, pero es un elegido. Se llama Teofrastus Bombastus von Hohemhein, algunos lo conocen con el nombre de Paracelso. No es una respuesta a las inquietudes que sembré en vuestro ánimo, pero para mí supone una salida a un impulso propio de la inconsciencia de la juventud. Aquella tarde en Milán cuando os lancé un reto para el que no tenía respuesta, yo era un joven de veintitrés años; desde entonces me he sentido en deuda con vos.

—¿Por qué lo hicisteis?

—Porque en vuestros ojos brillaba entonces la misma luz que veo en estos momentos.

Caterina notó cómo un arrebol cubría su rostro y tenía dificultades para respirar.

—¿Os ocurre algo, mi señora?

—Un sofoco, se me pasará. —Se abanicaba con su propia mano.

Leonardo estaba desconcertado, no sabía qué hacer. Reparó en la campanilla y la agitó. Aguardó de pie, sin saber qué hacer, hasta que una doncella entró en el salón.

—¡Atiende a tu señora! —le ordenó con voz descompuesta.

La joven le desabrochó el cuello del vestido y gritó pidiendo ayuda. Entraron Scipione y Fortuṇati. En pocos minutos un revuelo general agitaba la casa.

Al salir de la alcoba, donde dos de sus doncellas atendían a la señora, la docena de personas que hacían antesala se abalanzaron sobre el médico. Su semblante no auguraba buenas noticias. Sus palabras fueron escuetas:

—Creo que lo más adecuado es avisar a su confesor.

—¿Tan mal está? —preguntó Scipione.

—Ahora está tranquila, pero no creo que llegue al amanecer.

Una de las doncellas salió de la alcoba y se acercó a Leonardo.

—Mi señora desea veros.

El encuentro tuvo lugar a solas y se prolongó por espacio de una hora. Nunca se supo qué confidencias se hicieron. El maestro respondió a la curiosidad de quienes aguardaban fuera con una frase enigmática:

—Hemos charlado de nuestras cosas.

El médico no acertó en su pronóstico porque Caterina superó el amanecer del sábado. A lo largo de la jornada las horas transcurrieron lentas y pesadas porque todos eran conscientes de que el final se acercaba, aunque ella recibía visitas, charlaba animadamente y rechazó la confesión. Durmió plácidamente y el domingo experimentó una mejoría notable que hizo albergar esperanzas. Sin embargo, a la caída de la tarde el cansancio hacía mella en sus facciones y la noche fue mucho más agitada que la de la víspera.

El lunes solicitó la presencia de su confesor, quien la atendió durante más de dos horas. Luego pidió ver a su hijo Giovanni y tuvo que hacer un verdadero esfuerzo para que el pequeño no la viese llorar. Cuando el niño salió de la alcoba estaba agotada. Preguntó si micer Leonardo permanecía en Florencia y le sorprendió que le dijesen que apenas abandonaba la antecámara. Pidió verlo de nuevo.

Ahora el encuentro fue breve y nadie supo de qué hablaron.

A las cinco de la tarde las campanas de Florencia tocaban a difunto. Su lúgubre tañido señalaba que *madonna* Caterina había muerto.

Dos días después, mientras se celebraban las exequias en Santa Maria del Fiore, donde se daban cita un legado pontificio que representaba a Julio II, la mayor parte de los obispos de la Toscana, la familia Médicis en pleno, los hijos de Caterina, deudos y muchos florentinos, Leonardo da Vinci paseaba su vista por el paisaje primaveral de la hermosa campiña toscana. En su cabeza resonaban las últimas palabras que escuchó pronunciar a la condesa:

—Sabed que a lo largo de mi existencia me enfrenté a dragones fieros y poderosos y he terminado mis días venciéndolos a todos.

JOSÉ CALVO POYATO
Cabra, mayo de 2007

Nota del autor

Caterina Sforza nació en Milán, en 1463, y murió en Florencia, en 1509. Fue hija del duque de Milán Galeazzo Maria Sforza, y de una joven milanesa llamada Lucrecia Landriani. Reconocida por su padre, algo corriente en la Italia de la época, se educó en el palacio paterno.

Contrajo matrimonio con Girolamo Riario, sobrino del papa Sixto IV, convirtiéndose en la condesa de Imola y señora de Forlì y en una de las damas que marcaron la vida romana en los años finales de la década de los setenta del siglo XV. A la muerte de Sixto IV se apoderó del castillo de Sant'Angelo y se enfrentó al Colegio Cardenalicio.

Retirada a sus posesiones señoriales, hizo frente a numerosas dificultades. En una ocasión se encaramó a los muros de la fortaleza de Ravaldino y desafió a sus enemigos, palpándose sus genitales, cuando la amenazaron con matar a sus hijos. Se cobró una terrible venganza por el asesinato de su marido, situación que se repitió al ser también asesinado el segundo de sus esposos.

Mujer de su tiempo, ansiosa por saber, estudió las plantas y sus propiedades, y realizó en su laboratorio numerosos experimentos, de los que quedó un amplio recetario que ha llegado hasta nuestros días bajo el título de *Experimenti de la*

Ecc.ma Signora Caterina de Furlii. Tuvo fama de alquimista y sus enemigos la tacharon de bruja y hechicera; mostró especial interés por la alquimia, la astrología y las ciencias ocultas.

Mantuvo contactos con Leonardo da Vinci y con Maquiavelo; con este último negoció un acuerdo militar. Se enfrentó al poder de los Borgia, que fueron sus más encarnizados enemigos, y, durante semanas, resistió en la fortaleza de Ravaldino el ataque de un ejército muy superior, causando la admiración de sus contemporáneos. Apresada por el hijo de Alejandro VI, fue humillada y sometida a numerosas vejaciones el tiempo que permaneció presa en las mazmorras de Sant'Angelo. Liberada a instancias del rey de Francia, pasó los últimos años de su vida en Florencia, la patria del tercero de sus esposos, Giovanni de Médicis, del que enviudó poco después de casarse y del que tuvo un hijo que, con el paso del tiempo, se convertirá en Giovanni de las Bandas Negras, el último de los *condottieri.*

Fue enterrada en el convento de Santa Maria delle Murate, delante del altar mayor en una tumba anónima, sin ningún signo exterior. Su nieto Cosme I, gran duque de la Toscana, para honrar su memoria, ordenó colocar una lápida de mármol blanco —fue destruida en 1835, cuando se renovó el pavimento de la iglesia al transformarse el convento en cárcel pública— en la que se labró un escudo partido con el emblema de los Médicis y de los Sforza, y una leyenda en la que podía leerse: D.O.M. – CATHARINA SFORTIA – MEDICES – COMITESSA ET DOMINA – IMOLAE ET FORLIVII – OBIIT KAL. JUNII – MDVIIII.

Impreso en Litografía Rosés, S.A.
Energía, 11-27 (Polígono La Post)
08850 Gavà (Barcelona)